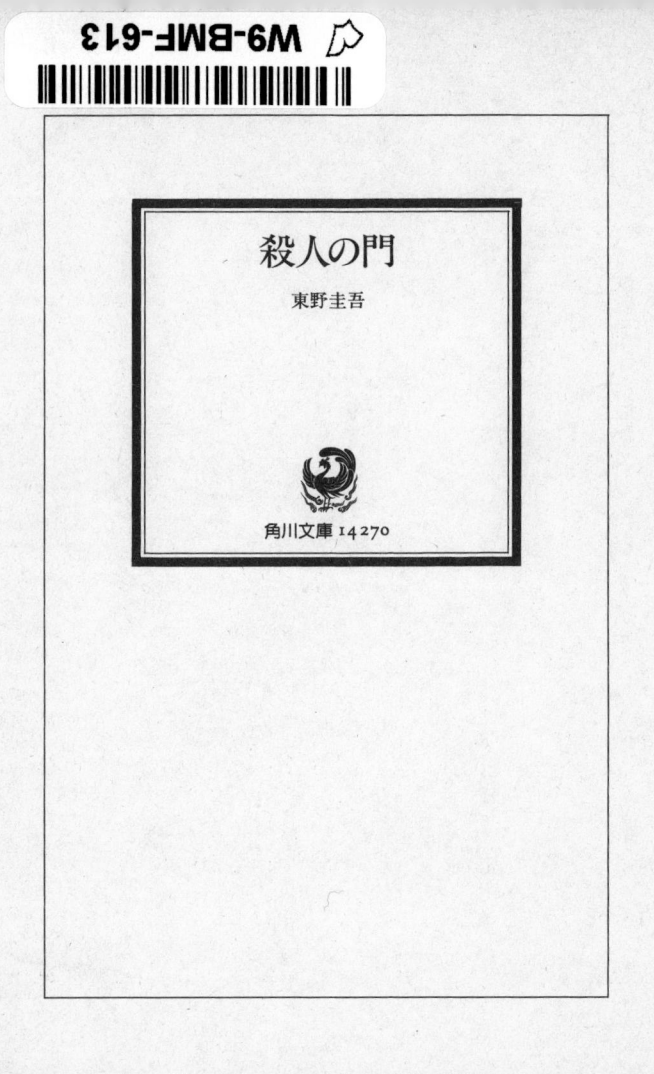

殺人の門

東野圭吾

角川文庫 14270

1

人の死を初めて意識したのは小学校五年の時だ。正月が終わり、三学期が始まって間もなくの頃だったと思う。私にその体験を与えてくれたのは祖母だ。その時は彼女の正確な年齢を把握していなかったが、後に両親らから聞いたところでは、七十歳になったばかりだったらしい。

私が生まれ育った家は、当時としても古い日本家屋だった。玄関を入ると正面に長い廊下があり、その廊下を挟むように和室が並んでいた。一番奥は台所だった。当時はまだ土間であったから、食事の支度をするのにも履き物が必要だった。流し台の脇に勝手口があり、近所の酒屋や米屋が、よく御用聞きに来たものだ。

台所の手前を右に曲がると、庭に建てられた離れへ続く廊下になっていた。その離れが祖母の部屋だった。わりと広かったように記憶しているが、それは私が子供だったからだろう。小さな箪笥が置いてあるだけで、あとは布団を敷けばさほど余裕がなかったから、せいぜい四畳半程度だったと思われる。元はもっと小さい茶室だったところを改築して、祖母の介護用の部屋にしたらしい。

私の記憶の中では、祖母はいつも寝ていた。目を覚ましていることもあったが、布団から出ているのを見た覚えがない。食事の時、上半身を辛そうに起こしているのを何度か見ただけだ。お婆足が悪かった、という意味のことを父が話していたような気もするが、さだかではない。

さんがいつも寝ているという事実を、特別なことだと意識したことがなかったから、詳しい話を訊こうとも思わなかった。私の物心がついた頃には、すでに彼女はそういう状態だった。もっと後になって友達の家に遊びに行った時、そこのお婆さんが元気で動き回っているのを目にして、そちらのほうを奇異に感じた覚えがある。

食事をはじめ祖母の身の回りについては、トミさんが世話をしていた。トミさんというのは近所に住んでいた女性だ。彼女がいつから私の家に出入りしていたのかも、私は全く覚えていない。祖母が寝たきりになるのとほぼ同時に、両親が彼女の介護を主目的にトミさんを家政婦として雇ったのだろう。

父の健介は歯医者で、家の隣に小さな診療所を開いていた。二代目ではなく、父自身が開業したのだ。元々うちの家は材木問屋を営んでいたのだが、一人息子の父が家業を継ぐことを頑なに拒んだという話だった。

「ものを売る商売は景気に左右されるからな」

祖母が死ぬ前の夏だったと思うが、父がなぜ歯医者の道を選んだかについて話してくれた。夕食を終え、父は新香をつまみにビールを飲んでいた。どういう話の流れで、そういう話題になったのかは覚えていないが、たぶん私の将来の夢について話し合っていたのだろう。

「その点、医者には不景気がない。どんなに景気が悪くても、病気にはかかるからな。いや、不景気のほうが人間は無理をするから、病気にかかりやすい。金がなくても病気じゃ働けんから、ほかを切り詰めても、仕方なく医者のところへ行くだろ」

どうして歯医者なのかと私は訊いた。父は、よく訊いた、とでもいうように自分の太股（ふともも）をぴ

しゃりと叩いた。父はすててこ姿で胡座をかいていた。

「じゃあ、どういう医者がいいと思うんだ」父は逆に問いかけてきた。

「内科とか外科とか、いろいろあるじゃないか」

私がいうと、父はにやりと笑った。釣りを趣味にしていた父はいつも日焼けしていて、真っ黒だった。そのせいか、年のわりに深い皺が多かった。笑うと目がその皺に埋もれた。

「どうして、そういう医者のほうがいいんだ？」

「だって、風邪とかが流行したら、患者がいっぱい来て儲かる」

私の言葉に、父は今度は口を開けて笑った。芝居じみた笑い方で、ははは、と声を出した。

ビールを飲み、団扇で顔を扇いだ。

「風邪が流行ったら、たしかに患者は増える。だけどな、こっちだって、その風邪を伝染されるかもしれないんだぞ」

あっ、と私は声を漏らしていた。

父は続けていった。

「ただの風邪ならまだいい。だが風邪の中には、たちの悪い病気がいっぱいあるんだ。そんなものを伝染されでもしてみろ、診療所を休まなきゃならなくなる。そういうことになったら大損だろうが。医者だからといって、病気にかからないわけじゃないからな。その点、歯の病気なんてものは、まず人には伝染らない。虫歯が伝染ったなんて話、聞いたことがないだろう？　そういう意味でいうと、眼科や皮膚科はあまりよくない。目や皮膚の病気は伝染ることがあるからな」

8

「でも、風邪をひいてる人間が歯医者に来るかもしれない」

「風邪をひいてるような人間は、少々歯が痛くても我慢して家で寝てるんだよ。歯医者に来るのは風邪が治ってからだ。ついでにいうと、風邪だとか腹痛だとかいうのは、いろいろと薬があって、医者に行かなくても治ることがあるだろう？　ところが歯だけは、自然に治るってことが絶対にない。治したいと思ったら、いつかは歯医者に行かなきゃいけないんだ」

「だけど、病気とか怪我で手術をすると、すごくお金がかかるっていうじゃないか。それは、医者がたくさんお金を貰えるっていうことじゃないのかな」

「手術をするのは外科だ」父はコップを食卓に置き、私のほうを向いて座り直した。「いいか、父さんが歯医者を選んだ理由はいくつかあって、それは今いったようなことだ。だけどな、一番大きな理由は別にあるんだ」

いつになく真剣な顔つきをしていたので、私も少し姿勢を正して聞いた。

「それはな、人の死に関わらなくていい、ということだ。虫歯で死ぬなんてことは、まず考えなくていいからな。重病人の腹を切って内臓の悪いところを取るなんていう大変なことをやって、患者が助かればいいが、もし死んでみろ、どれだけ嫌な思いをしなきゃならないか。下手をすれば、患者の家族から恨まれたりもするんだぞ」

「でも一所懸命にやって助からないのは仕方ないじゃないか」

だが父はゆっくりと首を振った。

「人が死ぬっていうのは、そんなふうに理屈じゃ割り切れないものなんだ。とにかく、人の死には関わらないほうがいいんだ。そんなふうに理屈じゃ割り切れないものなんだ。自分のせいじゃないとわかっていても、ずっと嫌な思いをし

てなきゃならない」

だから歯医者がいいんだ、と父は締めくくった。私は頷きながらも、今一つ感覚的には納得していなかった。人が死ぬということがどういうことか、わかっていなかったからだろう。

母の峰子は、活動的で勝ち気な女性だった。少なくとも私の目にはそう見えた。たぶん診療所の支出だとか収入を計算していたのだろう。時折横から父が口を出していたが、経理のことは母に任されているようだった。月に一度、どこからか税理士がやってきて、母といろいろ相談をしていた。いつも灰色の背広を着ている、痩せた顔の税理士だった。

母も診療所を手伝っていたから、私が学校から帰っても、家にいるのはトミさんと祖母だけだった。学校給食はまずくて殆ど食べなかったので、帰宅した時にはお腹がぺこぺこだった。そんな私のために、食卓の上には握り飯が用意されていた。母が作ってくれたものではなくトミさんの手によるものだということは、祖母が死んでから知った。トミさんが来なくなって以来、握り飯が食卓に載っていることがなくなったからだ。

それにもかかわらず、後年の私にとって母親の味とは、あの握り飯だった。あの味を思い出すと、懐かしくも切ない気分になった。

親子揃ってどこかへ旅行したことは殆どなかった。日曜日になると父は釣りに出かけるし、母も友人と遊びに行くことが多かった。トミさんの作ってくれた昼食を、白黒テレビを見ながら食べるというのが、私の日曜日の過ごし方だった。

トミさんはおばさんに見えたが、こちらが幼すぎたからそう感じたと思われる。実際には三

十前だったのではないか。母が誰かに対して彼女のことを「出戻り」と陰口を叩いていたのを覚えている。せっかくいい家に嫁に行ったのにたったの二年で戻ってきた、それで家でぶらぶらしていても仕方ないのでうちで働いている——そういう内容だった。

私が一人でいると、「カズ君、寂しそうだね」と、よく話しかけてきた。それから私が持っているゲームの相手をしたり、綾取りの変わったやり方を教えてくれたりもした。「お母さんやお母さんには内緒よ」といって、ホットケーキを焼いてくれたこともある。ただ小麦粉を水で溶いたものを焼いていただけのものだったが、私にとっては御馳走だった。溶けたマーガリンの香りさえ、いつもとは違った。

当時のトミさんがどういう顔をしていたのか、正確に思い出すことができない。長い髪を無造作に後ろで縛っていたということと、顔の輪郭が丸かったことだけを、おぼろげに思い浮かべられるだけだ。

ただ、肌の色が白かったことだけは鮮明に覚えている。いや、肌の色というのは厳密ではない。正確にいうならば尻の色だ。

土曜日だったと思う。その日私は珍しく、勝手口から家に入ろうとした。台所で昼食の支度をしているに違いないトミさんを驚かしてやろうと思ったのだ。

裏木戸には鍵がかかっていた。だが塀の一部が壊れていることを知っていた私は、たやすくそこから中に侵入した。そして家の勝手口の戸を、そっと開けた。

流し台のところにトミさんの姿はなかった。ガスコンロの前にも彼女はいなかった。私は戸をさらに開けて台所の中を見渡した。一見したところでは、彼女はいないように思われた。

だがトミさんは、土間を上がってすぐの和室に
いるように見えた。私はこっそり近づこうとした。
下半身が丸だしになっているのを目にして、金縛りにあったように身体を硬直させた。

彼女の下には誰かいた。紺色の靴下を履いたままの足の裏が二つ、こっちを向いていた。足
首までズボンが下げられていた。そのズボンの色は灰色だった。

私の目は和室の隅に置かれた鞄をとらえていた。それは税理士のものに違いなかった。
仰向けになった税理士に跨り、トミさんの尻が上下していた。その時になって初めて気づい
たのだが、二人は激しく喘いでいた。税理士は呻き声のようなものを漏らしていた。

見てはいけないものだという思いが私を襲った。身体を硬直させたまま、外に出て静かに戸
を閉めた。さらに、入った時と同じようにして塀の外に出た。

私は走りだしていた。たった今見た光景を頭から振り払うためだった。しかしトミさんの尻
の白さは、それから何十年も経った今でさえ、はっきりと思い起こすことができる。

近頃では小学生でも男女の性行為についてはそこそこの知識を持っているだろうが、当時の
私にそんなものはまるでなかった。それでも自分の目にしたものが大人たちの秘め事であるこ
とは、直感的に理解していた。私はその出来事を両親に話さなかった。両親だけでなく、誰に
も話さなかった。

それ以後私のトミさんに対する態度は、明らかに変わったと思う。自分からは決して口をき
かなくなったし、極力近づかないようにした。しかし彼女を嫌っていたのかといわれると、そ
れとも少し違うような気がする。おそらく私は幼いながらも、彼女に大人の女を感じていたの

12

だ。だから彼女の本性が自分とは遠いところにあることを知り、気後れしていたのだと思う。

トミさんと税理士の関係がどの程度のものか、いつまで続いていたのか、私は全く知らない。あの日以後、二人のそうした関係を暗示させる出来事に遭遇したことがなかったからだ。その

かわりに、私は彼女と別の男との関係を知ってしまうこととなった。別の男とは、いうまでもなく私の父である。

その日は祝日で診療所は休みだった。父は例によって釣りに出かけていった。だが私は浮き浮きしていた。映画に連れていってもらう約束を母としていたからだ。

ところが家を出る直前に母に電話がかかってきた。母の友人からだった。電話を終えた母は、申し訳なさそうに私にいった。

「ごめんなさい。お母さん、大事な用ができちゃった。映画はまた今度連れていってあげるから、今日は我慢してちょうだい」

当然のことだが、私は半泣きになって抗議した。ずるい、いや、約束したじゃないか、お母さんの嘘つき――。

母はこういう場合、しばらくは困惑した顔で謝っていても、ある一線を過ぎると逆に怒りだすというタイプの人間だった。その時も文句をいい続ける息子に、最後には怖い顔をしていった。

「うるさいわね、映画、映画って。大事な用なんだから仕方がないでしょ。今度連れてってやるっていってるじゃない。それより学校の宿題はどうなの。あるんでしょ。遊ぶことばっかり考えてないで、ちょっとは勉強しなさい」

私はべそをかきながら階段を上がった。といっても二階に自分の部屋があったわけではない。その頃の私には個室など与えられていなかった。二階にあったのは、客用の布団や和箪笥（わだんす）などを置いておく私だけの部屋だった。嫌なことがあった時、私はよくその部屋で泣いたのだ。母は泣き虫の息子などほうっておけばいいと思ったのだろう、様子を見に来ることもなく出かけていった。

この時トミさんは家にいたはずだが、後から考えると、どうやら母と私のやりとりを聞いてはいなかったようだ。母が私を残して出ていったことも知らなかったと思われる。

母が外出してから少しして、階下で声がした。父の声だったので、びっくりした。釣りに行った日は、夜まで帰ってこないからだ。

トミさんの声もした。二人で何か話しているようだが、内容まではわからなかった。

やがて階段を上がってくる気配がした。私は慌てた。前に布団部屋で泣いているところを父に見つかり、ひどく叱られたことがあったからだ。

私は咄嗟（とっさ）に押入に隠れ、息をひそめた。

襖（ふすま）が開き、誰かが入ってきた。二人だということが気配でわかった。

「婆さんは？」父の声が聞こえた。いつもよりも低い声だった。

「さっき御飯を。今は寝てらっしゃると思います」相手はやはりトミさんだった。甘えたような響きがあった。

服を脱ぐ気配がした。トミさんが何か声を漏らした。聞こえてくる物音や二人の声を、必死で拒絶していた。それからのことはよく覚えていない。押入の襖の向こうで何が行われているか、私は察知していた。前に目撃したせいかもしれない。

たトミさんと税理士の姿が頭に浮かんでいた。トミさんの白い尻も鮮明に思い出していた。

どれぐらいそうしていただろう。たぶん三十分程度だったのではないか。事を終えた二人は部屋を出ていった。それでもしばらく私は押入の中で膝を抱え続けていた。動けないでいた。

隙を見て一階に下り、こっそりと外に出た。その時父の姿はなかった。私は改めて、玄関から家に入った。その際、わざと大きな音をたてた。奥から出てきたトミさんは意外そうな顔をした。「あら、もうお帰り？　お母さんは？」

映画には行かなかったのだと私はいった。トミさんは驚いた。

「じゃあ今までどこにいたの？」

「公園」

「公園？　一人で？」

「うん」

私はトミさんの脇を抜け、テレビのある居間へ行った。彼女の顔をまともに見られなかった。

夜になって父と母が相次いで帰宅した。父は魚を見せて、今日の収穫だといった。どこかの魚屋で買ってきたのだろう。その魚をトミさんが料理した。

魚好きの私が、その夜は刺身に箸を伸ばさなかった。どうしたのかと皆が訊いたが、私は答えなかった。母は、映画に連れていってもらえなかったので拗ねているのだろうと父に話していた。

あの広い家で、私は徐々に居場所を失っていった。

倉持修と親しくなり始めたのは、ちょうどその頃だった。彼とは五年生になってから、同じクラスになった。席が隣同士だったのだが、その時には、まさかこの男が自分の人生を変える存在になるとは想像もしなかった。

倉持は特に目立つ存在ではなかった。どちらかというと、クラスの中では孤立していたほうだろう。皆が集まってドッジボールなどをしていても、白けた顔で遠くから眺めているだけで、仲間に加わろうとはしなかった。

私も友達を作るのが苦手なほうだったから、いつも群から少し離れていた。それで孤立している者同士、親しくなったということだろう。もっとも彼にしてみれば、私と同類と思われるのは心外だったかもしれない。彼はいつもこういっていた。

「俺はみんなで楽しくチイチイパッパってのが大嫌いなんだ。どうせいざとなったら自分が一番かわいいはずなんだから、仲のいいふりだけするなんてくだらない。それがあいつらにはわからないんだからな、ガキだよ」

五年生の子供が同級生のことをガキ呼ばわりするというのも滑稽だが、実際倉持にはかなり大人びたところがあった。あまり皆から注目されることはなかったが、成績もなかなか優秀だった。私は彼からいろいろなことを教わった。学校では教えてもらえないことばかりだった。たとえばうちの学校の近くには頻繁にテキ屋が出没したが、彼等の手口を解説してくれたのも倉持だった。

一回十円でくじ引きをさせるテキ屋がいた。子供たちの気をひくのに景品を見せ、子供たちの気をひくのだ。ところが大勢の子供たちが引けども引けども、誰一

人景品は当たらない。すると頃合を見計らって、テキ屋は自分で箱に手を突っ込み、くじを引いてくる。開いてみると当たりくじだ。このようにちゃんと当たりは入っている、インチキじゃない、というわけだ。

「インチキだよ」倉持はこっそりと私の耳元でいった。

「おやじは箱に手を突っ込む前に、当たりくじを指の間に隠してるんだ。箱の中に当たりなんか入ってるものか」

「だったら、みんなに教えてやらないと」

私がいうと、いいんだよ、と彼は顔をしかめた。

「馬鹿はほっとけ。余ってる金があるんだから、勝手に使わせときゃいいんだ」

たぶん倉持は、テキ屋そのものは嫌いではなかったのだと思う。彼自身は決して金を出したりしない。今から思うと、あれは彼にとっての授業だったのかもしれない。人を騙して金をとるテクニックの授業だ。

倉持の家は豆腐屋を営んでいた。彼は長男だったから、順当にいけば店を継ぐことになるはずだった。しかし絶対に自分はやらないと彼はいった。

「夏はいいんだよ。水を触ってりゃ気持ちいいからな。問題は冬だ。何もしなくても霜焼けになりそうな時に、水に手を突っ込むなんてことやりたくないよ」

それに、と彼は付け加えた。

「一丁何十円なんて商売、まどろっこしくてやってられねえよ。商売するなら、一発でどかん

と儲かるのがいい」

「でかいものを売るのかい？　家とか飛行機とか」

「それでもいいけど、一つ一つは小さくても、一気にたくさん売るって方法もあるよな。それから、形のないものを売るって手もある」

「形のないもの？　何だよ、それ。そんなもの売れるわけないじゃないか」

私が笑うと、倉持は馬鹿にしたような顔をした。

「おまえは何も知らないんだな。この世の中には、形のないもので商売してる人間なんていっぱいいるんだぜ」

彼がこういった考え方をどこから仕入れてきたのかを私が知るのは、もう少し後のことだ。

この時には、変なことをいう奴だなと思っただけだった。

私を初めてゲーム場に連れていってくれたのも倉持だった。その頃はゲームセンターというものは少なく、デパートの屋上にある遊技場の一部にゲーム機が置かれていた。もちろん今のテレビゲームのようなものはなかった。その頃よく置いてあったのはピンボールマシンと射撃ゲームだ。

倉持が自分の金を使うことは殆どなかった。まず彼はゲーム機のところへ私を連れていき、それがどれだけ面白いかを説明するのだ。その時の彼の舌は、じつに滑らかに動いた。また彼の話には、こちらの心を引きつける力があった。

私がその気になった頃を見計らって彼はいう。「どうだ、一回やってみないか」

うん、と私は即答する。そして財布を取り出す。

ところが金を機械に入れる時になって彼はいうのだ。「まず最初に俺が見本を見せてやろう

か」

こちらとしても手本は欲しかった。それで、いいよ、と答えてしまう。こうして一回目のプレイは彼がすることになるのだった。

高得点を出せばもう一回遊べるという機械の場合には、必ずといっていいほど彼が最初にやった。その時でも硬貨を機械に入れるのは私だった。だが、仮にしくじって高得点を出せなくても、追加の金を投入することなく私も遊べるのだ。実際彼は高得点を出すことが多いから、彼はその時の分を払うとはいわなかった。ただ不機嫌になり、機械に当たり散らすだけだ。私も金を返せとはいえなくなってしまう。

金魚すくいやスマートボールの店にも、倉持はよく私を連れていった。縁日以外でそういう店を見たことがなかったから、初めて行った時には少し驚いた。

そこでも倉持は一切自分の金を使わなかった。ただし、さすがに私の金で遊ぼうともしなかった。私がしているのを横で見て、時折あれこれと指示してくるだけだ。倉持はしないのかい、と訊いたことが何度かある。彼の答えはいつも決まっていた。

「俺はいいんだ。さんざんやったから、もう飽きてる。それに、こうして人がやってるのを見るのが好きなんだ」

倉持と遊んでいると、小遣いがどんどん減っていった。しかし彼との付き合いをやめようとは思わなかった。彼と一緒にいれば、次々に新鮮な出会いがあるからだ。その新鮮さは、家での居場所を失いかけていた私にとって慰めになった。

倉持と遊ぶ予定がない時などは、私はよく離れへ行った。祖母は私の手を握ったり、頭を撫でたりしながら、私の学校での話を楽しそうに聞いていた。

だがじつは私は、祖母のことが嫌いだった。

まず嫌だったのは、祖母が身体から発する臭いだ。饐えた臭いに、埃や黴の臭い、さらに膏薬やナフタリンの臭いが混ざっていた。祖母は長い間風呂に入っていなかった。拭くのもトミさんの仕事だったが、トミさんがそれをしているのを私は殆ど見たことがない。

祖母の皮膚の感触も、私には憂鬱なものだった。皺だらけのかさついた手で触られると、背筋がぞくぞくとした。彼女の顔を見るのも、正直なところ、あまり楽しいことではなかった。目も頬も窪み、髪はすっかり抜け落ち、広い額がむき出しになっていた。骸骨が薄く張りのない皮膚で覆われているだけのように見えた。

それほど嫌っていたのに、なぜ祖母の部屋に行ったかというと、下心があったからだ。ひとしきり学校での話などをしてやると、祖母は決まってこういうのだ。

「ああ、そうだ。お小遣いをやらなきゃねえ」

布団の中でごそごそした後、祖母は布製の財布を出してきた。そこから小銭を取り出すと、「お父さんたちには内緒だよ」といって私にくれるのだった。

私は素直に受け取り、礼をいった。寝たきりなのに金だけは持っているというのが、子供心にも不思議だった。だがもちろん、このことを両親に話したことはない。我が家は他の家に比べて裕福だったはずだが、どういうわけか父も母も金には細かく、私にも使い道がはっきりしていないかぎりは、一銭たりとも小遣いらしいものをくれなかった。祖母からお金を貰ったな

どといったら、たちまち取り上げられるに決まっていた。
母が祖母を嫌っていることは確実だった。彼女がよく電話で、祖母の悪口をいっているのを
聞いたことがある。

「まさか、あの歳で寝込まれるとは思ってなかったわよ。鬱陶しいわよ、そりゃあ。でもねえ、
おかげで顔を合わせる必要もなくなったし、世話はお手伝いさんにやらせりゃいいし、こっち
のほうがよかったかなって気にもなってるの。動けてごらんなさいよ、前みたいにあの調子で、
うるさいことをいわれたらたまんないわ。えっ？　ああ、そりゃあね、早いところそうなって
くれるともっといいんだけど。ふふ」

ところどころで声を極端に殺したり、時折漏らす含み笑いに、私は彼女の底知れぬ憎悪を感
じ取っていた。「早いところそうなってくれると」の意味は、私にもわかった。ずいぶん後に
なってから、母は嫁いできて以来、姑の嫌がらせにひどく苦しめられ続けたのだという話を、
親戚の人間から聞かされた。

父が自分の母親のことをどう思っていたのか、私にはよくわからなかった。父が祖母につい
て何か話すのを聞いた覚えが殆どないからだ。しかし、老いた母親と勝ち気な妻の板挟みにな
って、父なりに苦しんでいるのだろうということは察せられた。父が母の目を盗むようにして
離れに足を運んでいたことを私は知っている。そんな時の父の背中は、やけに小さくて、丸ま
って見えた。

ただ、あの押入の中で聞いたトミさんの喘ぎ声を思い出すと、私は少々混乱する。その心境がど
中に愛人を囲い、その愛人に老いた母親の面倒を見させていたことになるのだ。その心境がど

ういうものなのか、今となっては全く謎だ。

とにかく我が家にいる人間の心は、離れで寝ている老婆を軸に、歪みきっていたように思わ

れる。その歪みは限界に達していたかもしれない。

その老婆が死んだのは冬の早朝だ。見つけたのは、ほかならぬ私だった。

2

その頃私は金に困っていた。

そんなふうにいうとまるで小学生らしくないのだが、冗談や誇張でなく、本当にそうだった。

じつはあることに熱中し、それになけなしの小遣いを殆どつぎ込んでしまったのだ。おかげで、

駄菓子屋を覗くことさえできなくなっていた。

熱中したことというのは五目並べだった。それもまた倉持修に誘われて覚えた遊びだった。

もちろん五目並べのやり方は知っていた。彼が私に教えたのは、それによって小遣いを増やす

道があるということだった。

彼に連れられて行ったところは、川のそばにある住宅地だった。トタン屋根を載せた小さな

家がひしめき合っていた。目的地はその中の一軒だった。玄関と呼ぶにはあまりにもお粗末な

入り口には、蝶番の壊れた扉がついていた。中に入るのに小学生である我々でさえ頭上を少し

気にする必要があった。

入ったところは三和土になっていて、小さな机が一つと、それに向き合うように椅子が置か

れていた。机の上には碁盤が載っていた。そして壁には五目並べのルールを書いた紙が貼ってあった。

倉持が声をかけると、すぐそばの障子が開いて男が現れた。作業ズボンを穿き、シャツの上から薄汚れた半纏を羽織っていた。私の目にはずいぶんと老けた男に見えたが、今から思うと三十代半ばだったかもしれない。本来は五分刈りだったはずの髪がずいぶんと伸びていた。

倉持が百円玉二つを差し出すと、男はそれを机の上に置き、向こう側の椅子に腰を下ろした。そして机の下から碁石を出してきた。

特に言葉を交わされることもなく、五目並べの試合が始まった。倉持が先手だった。私は彼の斜め後ろに立ち、戦況を見つめた。

一戦目は男が簡単に勝った。倉持が途中で重大なミスを犯したからだ。私はそのミスに気づいたが、教えるわけにはいかなかった。『口出し　罰金百円』と書かれた紙が貼ってあったからだ。

二戦目は好勝負になった。倉持も男も、全くミスをしなかった。そして最後には倉持が妙手を打って勝ちを奪った。「やられたな」と男は呟いた。途中で声を出したのは、この時だけだった。

続いて三戦目が始まった。これまたもつれた試合になった。だが結局勝ったのは男のほうだった。倉持は舌打ちをした。

「田島もやってみろよ。おまえなら勝てるぞ」倉持がいった。

彼によれば、二百円を出して男と三本勝負をし、二勝すれば五百円が貰えるということだっ

た。しかも、いきなり二連勝すれば、千円を受け取れるらしい。当時の小学生にとって千円は大金だった。

少し迷ったが、私は挑戦することにした。二百円を男に払い、倉持にかわって椅子に座った。倉持が指しているところを見て、この男は大して強くないと踏んでいた。

五目並べには自信があった。

一戦目は私が取った。意外なほどあっけなく勝てたので、拍子抜けした。隣で倉持が手を叩いた。「やった、千円取れるぞ」

私もその気になっていた。これならちょろい。すでに千円の使い道を考えたりした。

しかし二戦目には男は戦法を少し変えてきた。戸惑った私はうっかりミスをし、二連勝はならなかった。倉持が足を踏みならして悔しがった。「もったいない。慎重にやれ」

無論私は慎重に三戦目に挑んだ。ここで負けたら千円を得るどころか、二百円も戻ってこないのだ。

だがちょっとした読み違いが響き、二勝目をあげることはできなかった。男がさほど強いとは思わなかったから、余計に悔しかった。

その日私は合計六百円使った。つまり、あと二回勝負をしたのだ。しかし結果は同じだった。最後には形勢を逆転されてしまう。なぜ勝てないのか、自分でもわからなかった。

それ以来二、三日おきに、賭け五目並べをしに行った。全く歯が立たないならともかく、勝てそうな局面が何度かあるし、事実、ストレートで負けてしまうことは殆どなかったから、い

ずれは勝てるのではと思った。二連勝した時には千円を得られるというのも魅力だった。ゲームセンターや金魚すくいも面白かったが、そんなものはいくら上手くなっても儲からない。熱中の度合いは比較にならなかった。

そんなわけで私は小遣いが欲しかった。とはいえ、使い道を話せるはずがないから、親にねだるわけにもいかなかった。そうなると当てにできるところは一つしかない。私はまだ誰も起きてこないうちに、祖母の眠る離れへ行った。

何かの染みがついたままになっている襖を開け、「おばーちゃん」と歌うように声をかけた。祖母は目を閉じていた。口は半開きだった。室内は相変わらず少し黴臭く、いつも以上にひんやりとしていた。私が襖を開けるまでは、空気が完全に静止していたように感じられた。

「おばあちゃん」もう一度呼んでみた。大きな声は出せなかった。誰かに聞かれるとまずい。とりわけ母には気づかれたくなかった。

祖母は無反応だった。瞼が動く気配すらない。私は襖を閉じ、四つん這いのまま布団に近づいた。いつもの老臭がした。布団の上から祖母の身体を揺すってみた。祖母の身体は人形のように少し揺れただけだった。石のように冷たく、硬かった。

祖母はいつも大きな鼾をかいていた。だが彼女の半開きになった口からは、鼾どころか寝息さえ漏れてこなかった。

死んだのかもしれない——そう思った。

それまで人間の死体を見たことがなかったから、果たしてこれがその状態なのかどうかかわか

は、正月に親戚からお年玉を貰った時以来だった。
目的が達せられれば、もう祖母の部屋に用はない。布団を元通りにし、立ち上がった。祖母
の顔を見ないようにと思ったが、一瞬だけ視界の端に入った。そしてぎくりとした。祖母
の目が開いていたような気がしたからだ。それだけでなく、まるで財布を奪う悪い孫を
睨んでいたように思えた。

私にそれを確かめる勇気はなかった。突然、恐怖が襲ってきた。歯車の壊れた機械人形のよ
うなぎこちなさで布団から離れた。今にも祖母から声をかけられそうな気がした。物音をたて
ぬよう気をつけて部屋を出ると、逃げるようにその場を離れた。

祖母の死に誰かが気づいて大騒ぎになったのは、それから小一時間後だった。

父の麻雀仲間でもある近所の西山という医師がやってきて、祖母の身体を診た。私は様子を
見に行きたかったが、トミさんに止められたので、部屋に入ることはできなかった。
祖母が死んでいることは明らかだったにもかかわらず、西山医師はなかなか部屋から出てこ
なかった。父と母も一緒に部屋にいて、西山医師と何やら話し合っていたようだ。

通夜はその夜に行われた。やけに慌ただしい一日だった。午後からは親戚だけでなく近所の
人間も押し掛けてきて、うちの家を即席の通夜会場にする段取りを始めた。仏間に祭壇が作ら
れ、棺桶が置かれていた。

祖母の死因が何だったのか、私には最後まで知らされることはできなかった。しかし親戚の人間などの会
話から、ロウスイという言葉を拾うことはできた。

母の実弟にあたる叔父に、ロウスイとは何かと訊いてみた。叔父は嚙んで含むような口調で

教えてくれた。

「和幸ちゃんも、モーターで動くプラモデルを持っているだろ。サンダーバードとかの模型だよ。あれには電池が入ってて、それでモーターが動くんだ。でも、ずっと動かしてたらどうなる？　しまいには止まっちまうだろ。どうしてだかわかるかい」

「電池がなくなるからじゃないの」

「そうだ。結局のところ、人間もあれと一緒なんだ。故障しなくても、いつかは電池が切れて、止まってしまう。それがロウスイだ。人間がプラモと違うのは、電池の交換ができないっていうことだ」

すると人間も結局のところ機械なんだな、と私は思った。医者の治療は、機械の修理と同じことなのだ。そう考えると、死など大したことではないという気になった。壊れて、そのまま元に戻らないだけのことだ。

通夜は、故人の死を悼む儀式というより、宴会に近いものになった。どこから運び込んだのか、細長い座卓がいくつも置かれ、そこに近所の仕出し屋から届いた料理が並べられた。大勢の人間が入れ替わり立ち替わりやってきては、それらの料理に箸をつけていった。酒やビールもたくさん用意されていたようだ。弔問客の中には、居間にどっかりと居座り、呂律が回らなくなるほど酔っ払っている者もいた。あの人はいつもああだ、と何人かが陰口を叩いていた。客たちは気の毒そうに悔やみの言葉を述べ、それに対して両親は心底悲しそうな顔で礼をいっていた。そのくせ母は自分

喪主である父は無論のこと、母も弔問客の応対に追われていた。

のほうの身内に対し、「これでやっと一安心よ」といって片目をつぶって見せたりしていた。相手も母の心中を察している顔で頷いていた。

次の日、葬儀が行われた。通夜の時よりもさらに多くの人間がやってきた。

私にとっては退屈な儀式だった。学校を休めたのが、唯一楽しいことだった。お経を欠伸をこらえながら聞いている時は、これなら授業のほうがましだと思った。

出棺の前に、最後のお別れをしてくださいと黒い服を着た男がいった。知らない男だった。だが坊さんのお経を欠伸をこらえながら聞いている時は、これなら授業のほうがましだと思った。

葬儀会社の人間だったのだろう。

棺（ひつぎ）の中に、皆が花を入れていった。泣いている者も何人かいた。

「和幸、おまえもお婆ちゃんにお別れの挨拶（あいさつ）をしなさい」父が私にいった。

私は一歩二歩と棺桶に近づいた。祖母の鼻先がちらりと見えた。

その途端、いいようのない恐怖と嫌悪感が私を襲った。私は立ち止まり、さらに後ずさった。

そんな私の背中を誰かが押した。

「いやだ」私は叫んでいた。「いやだ、いやだ、いやだ」

予想外の反応に、周りの人間はあわてた。特にうろたえたのは両親だった。二人は挟むようにして私の両腕を摑むと、棺の前に立たせた。

「いやだ、気持ち悪いよ」

私は父母の手を振り払おうとした。しかし次には父親の平手打ちが頬に飛んでいた。

「馬鹿なことをいうな。早く、花を添えるんだ」

父は私に無理矢理花を持たせ、それを棺の中に入れさせた。その時、祖母の顔が見えた。骸

骨のような祖母は、少し微笑むような顔をしていた。その笑みが私をさらに震えあがらせた。

祖母の周りには、あの私が嫌いだった臭いではなく、花の香りがたちこめていた。ところがその匂いを嗅いだ瞬間、私は猛烈な吐き気に襲われていた。

飛び退くようにして棺桶から離れた。父が何か叫んだが耳に入らなかった。私はその場で激しく嘔吐していた。それまでにオレンジジュースを飲んでいたので、足元はたちまちその色に染まった。

気持ちが落ち着いたのは、火葬場で待っている時だった。年齢の近いところがいない私は、することもなく大人たちの様子をぼんやりと眺めていた。父が母に、家に帰るまで和幸には飲み食いさせるなと命じていたので、用意された菓子に手を出すこともできなかった。もっとも、食欲などまるでなかった。

なぜあれほどのパニックに陥ったのか、自分でもわからなかった。前日、叔父の話を聞き、人間も所詮は機械なのだと認識したばかりだった。死とは壊れた機械を意味する。つまり死体は単なる物質にすぎないのだ。それなのになぜ──。

大人たちは酒や茶を飲みながら話をしていた。奇妙だと思ったのは、笑っている者が少なくないことだった。母も笑ってこそいなかったが、いつもよりも表情が生き生きとして見えた。父でさえ、どこか安堵したようなところがあった。そんな様子を見ながら、やっぱり大人たちは死体が単なる壊れた機械にすぎないことを知っているのだなと思った。

火葬には一時間あまりを要しただろうか。骨を拾う席に私も連れて行かれた。両親はまた私が騒ぎだすのではないかと心配したようだが、その心配は無用だった。ゴミ屑のような骨の破

片を見て私が思ったことは、「なんだ、これだけのことか」ということだった。醜く恐ろしい死体も、焼いてしまえば殆ど何も残らない。自分が婆さんの財布を盗んだことも、誰も知らない。

人が死ぬって簡単なことだな——それが私の感想だった。

トミさんは葬儀の翌日から来なくなった。祖母の介護係として雇われていたのだから、当然の成りゆきといえた。

トミさんは、自分の使いやすいように台所の調味料だとか調理器具の置き場所を決めていたが、母としてはその配置は気に入らなかったようだ。ある時、一人でそれらの整理を行っていた。余程、何もかもを一新したかったらしく、まだ少し中身が残っているにもかかわらず、砂糖や塩の容器などはそのままゴミ箱に放り込んでいた。

初七日には再び親戚一同が詰めかけた。この日は本当に宴会になった。気心の知れた者ばかりという油断が手伝ってか、羽目を外す者も少なくなかった。

父の親戚と母の筋とは、表面上は親しげにしていたが、じつはあまり仲が良くないということに子供の私も気づいていた。特に父の叔母たちは、この家の財産が結果的に母の自由になるということを、面白くないと感じているようだった。

「峰子さんも、これで好きなように建て替えができるわねえ。こんな古い家は嫌だって、前からいってったけど、とうとう願いが叶う時が来たということよ」大叔母が口を歪めていった。話し相手は父の従姉妹たちだ。どういうわけか田島家は女系で、親戚も圧倒的に女が多い。

「今までは我慢してたの？」

「そうよ。だって、姉さんが許さなかったもの。何しろこの家の名義は、まだ姉さんのままだったんだから」

へえ、そうだったのか、と他の女たちはこっそり頷く。

私が彼女たちの会話を盗み聞きできたのは、障子を隔てた縁側の廊下で、漫画雑誌を読んでいたからだった。彼女たちから私の姿は見えなかったのだ。

「でも、家のことだけでなく、峰子さんはせいせいしてるんじゃないかしら。ほら、伯母さんとはかなりいろいろとあったみたいだから」父の従妹の一人がいった。

「ああ、そりゃあね」別の一人が意味深長な相槌の打ち方をする。

「伯母さんが元気だった頃には、峰子さんに対して相当厳しくやったって話じゃない」

「厳しくなんかないわよ。私たちにとってはふつうのことよ。姉さんの話を聞いてたら、やっぱり嫁を貰う時には、充分に調べないとだめだと思ったわ。姉さんだって、もう少し出来のいいお嫁さんに来てもらってたら、きっと長生きできたと思うもの。よくいってたわ。峰子さんのせいで、ずいぶん寿命が縮んだって」

「そうかもしれないわね。だって伯母さん、あの茶室だった部屋に押し込められてたんでしょう？　あんな日の当たらないところに一日中いたんじゃ、病気だってちっともよくならないわよ」

「それに伯母さんの世話だって、最近は全然してなかったんでしょ。お手伝いさんを雇って、その人に任せっきりだったそうじゃない」

「そのお手伝いさんにしてもね」大叔母がいう。「気のきかない、ずぼらな人だったそうよ。料理もまずくて、食べるのが一苦労だったって」

女たちは一斉に嘆息した。

「じゃあまるで、伯母さんは峰子さんに殺されたようなものね」

中の一人がいったこの台詞は、さすがに全員を一瞬黙らせた。

「ちょっと、いくら何でもそれはいいすぎよ」たしなめる言葉が発せられた。もっとも、その口調には楽しんでいる響きがあった。

「いいえ、私はそう思ってますよ」大叔母がいった。これは冗談めかした言い方ではなかった。

「姉さんはあの人に殺されたんだと思っています。わざとかどうかは知りませんけどね」

さすがに軽々しく相槌を打てなかったのだろう。誰も何ともいわなかった。

殺された、などという物騒な言葉が出てきたので、その時の会話はよく覚えている。テレビドラマなどで殺人という事柄には馴染みがあったが、現実の生活の中で耳にしたことはなかった。

母が祖母の死を待ち望んでいたことは、子供心にも察していた。しかし、だからこそあのような部屋に閉じこめておいたとか、意識的に出来の悪いお手伝いさんを世話係に雇っていたという発想は、それまでの私にはなかった。

母を見る私の目は、その時以来少し変わった。

祖母の死後は何かと忙しかったせいもあり、家族揃ってゆっくりと食事をすることは殆どな

かった。両親が交わす会話にしても、どこそこの誰は香典をいくら包んできたとか、香典返しはどうするかといったものばかりだった。二人の口から祖母の死に対する感想めいたものは何ひとつ語られなかった。

法事が一通り終わった後も、その状況にさほど変化はなかった。しばらく休業していた診療所は再開され、前と同じように父も母も仕事に追われるようになった。いわゆる手抜き料理だった。父食事は母が作ったが、トミさんほど料理は上手くなかった。私も文句をいえなかった。あの時代、どこの家でもそうだったのではないだろうか。母の手料理を食べるたびに不思議に思ったことがある。食べ物のことで不平を漏らすのは贅沢だというのが、父の教えだった。あの時代、どこの家でもそうだったのではないだろうか。母の手料理を食べるたびに不思議に思ったことがある。大叔母によれば祖母は、トミさんの料理はまずくて食べるのも一苦労だったとこぼしていたらしい。しかし私は一度もそんなふうに思ったことがないのだ。父などとも、いつも旨い旨いと褒めていた。婆さんこそ贅沢だったんじゃないかと思った。

食事中も、両親はあまり話をしなくなった。診療所の経理に関する短いやりとりが交わされる程度だ。祖母の死後、特に父のほうはめったに笑わなくなった。私の相手もしてくれなくなった。いつも何かを考え込んでいるように見えた。

奇妙な噂が流れたのは、まさにそんな頃だった。

小学校からの帰り道でのことだ。私が一人で歩いていると、後ろから呼び止められた。振り返ると三人の六年生が近づいてきた。そのうちの一人は、近所の鉄工所の息子だった。身体が大きく、顔も大人びている。学校のボス的な存在だった。

ボスはにやにやしていた。私の前に立つと、舐めるように見下ろしてきた。

「おまえのところの婆さん、殺されたんだってな」彼はいった。ほかの二人は興味深そうな顔で私を見ていた。どちらも笑っていた。

「違うよ」私は答えた。その六年生は、腹が立つとすぐに下級生を殴るという話だったから、無様なことに声が少し震えた。

「嘘つけ。聞いたぞ。歯医者のとこの婆さんは、毎日少しずつ毒を飲まされて死んだってな」

「そんなことないよっ」

むきになっていうと、三人は心底おかしそうに声をたてて笑った。

「こわいぞ、あんまりいうと、給食に毒を入れられるぞ」子分の一方がいった。

「おう、そうだったな。やばいやばい」

鉄工所の息子と子分の二人は歩きだした。何度も私のほうを振り返っては、こそこそと耳打ちし合っていた。

翌日にはクラスの仲間たちも噂を聞いているようだった。ほかの者は何もいってこなかったが、倉持修が教えてくれたのだ。

「嘘だよ、嘘なんだろ?」彼は声をひそめてたしかめた。

「嘘だよ。嘘に決まってるじゃないか。婆さんは老衰で死んだんだ」

「ふうん。老衰ってのは、これといった原因がないってことじゃないのか」

「寿命ってことだよ。電池が切れたのと同じだ」

「でもさ」彼は私の耳元に口を近づけた。「年寄りが死んで、病名とかがよくわかんない時には、医者は面倒臭いから老衰にしちまうって話だぜ」

「毒で死んだら、医者にわかんないわけないじゃないか」

「それがさ、案外医者にはわかんないものらしいんだ。だって、毒で死ぬ患者なんてそんなにいないから、きちんと診たことがない医者が多いそうだ」

「違うよ。そんなんじゃない」

私が本気で怒りだしたからか、倉持はそれ以上このことを訊いてこなかった。

この時点では、まだ子供の間だけの噂だと思っていた。ところがそれは予想以上に広がっていた。

近くのパン屋のおばさんは愛想がいいことで有名だったが、私がショーケースの前に立つと、途端に戸惑ったような顔つきに変わった。そしてぎこちない笑みを浮かべて、「今日は和幸ちゃんの好きなパンはないみたいよ」などといった。明らかに早く立ち去ってもらいたい様子だった。

パン屋のおばさんだけでなく、顔を合わせる人々は一様に気まずそうな表情を見せた。最初は気のせいかと思ったが、そうでないことを教えてくれたのはやはり倉持だった。

「うちのおふくろも、あの噂のこと知ってたぜ」学校にいる時、そっと囁いてきた。

なぜそんな噂が広まるのか、さっぱりわけがわからなかった。皆は一体誰から聞いたのだろう。

そのことをいうと、倉持も首を傾げた。

「俺は、よそのクラスの奴から聞いたんだ。おふくろは客の一人から教わったらしいぜ」

彼の話は一層私を陰鬱な気分にさせた。おふくろは客の一人から教わったらしいぜ、あちらこちらの店で目を輝かせながら吹聴して回っている姿が目に浮かんだ。

当然、両親も噂のことは知っていたと思う。しかし二人がそのことを話すことはなかった。私の前では避けていたのかもしれない。診療所に来る客は、めっきり減ったようだ。その理由は噂と無関係ではなかっただろう。

父も母も苛立って見えた。

家に警察の人間が来たのは、それから間もなくのことだった。学校から帰ると玄関に見たことのない靴が二足置いてあった。居間で二人の男が両親と話しているのが廊下から見えた。一方の男は制服を着ており、もう一方の男は私服だった。制服警官のほうは見覚えがあった。駅前の交番によく立っている。

「いや、決してお宅を疑ってるわけではないんです。ただ、こういう噂が流されることについて、何か心当たりはありませんかとお伺いしているわけです」しゃべっているのは制服警官だった。「ふつうだったら噂程度で警察が動くことはないんですが、何しろ内容が穏やかじゃないですから、こうして刑事さんにも来ていただいたわけなんです」

「心当たりなんかあるわけないじゃないですか。根も葉もない噂なんですから。一体どこの誰がそんなことをいいだしたのか、こっちが知りたいぐらいです」父の声だ。珍しく声を荒らげていた。

本当に迷惑しています、と母も横からいい添えた。

「ですから、単なる嫌がらせの可能性もあるわけでして——」

「嫌がらせですよ」警官の言葉を父は途中から奪った。「しかも悪質な」

「じゃあ、そういう嫌がらせをしそうな人間に心当たりはありませんか」

「どうですかね。人間というやつは、思いもかけないことで人のことを妬んだり恨んだりする動物ですから、あそこの歯医者をちょっといたぶってやれと思ってる人間はいるかもしれませんな」

「これはどこにも漏らしませんから、そういった人の名前をちょっと挙げていただけませんか」

「いやあ、それはどうかなあ」父は唸った。「漏らさないといっても、どこから漏れるかわからんし」

「いえ、それは絶対に大丈夫ですから」

「それより、噂を聞いたって人間一人一人に当たってみたらどうなんです。そうしたら張本人に行き着くはずでしょうが」

「それが、情報がいろいろと錯綜しておりまして、出所がどうも限定できないんです。中には誰から聞いたかを教えてくださらない人もいますし」

「全く、えらい災難だ。一体どこのどいつなんだ、くだらないことをいってるのは」父は大きくため息をついた。「おたくらが帰るところを人に見られたら、とうとう警察が調べに来たとか、またいわれるでしょうな」

「いえ、あの、家を出る時には充分に注意します」制服警官があわてていっていった。

それまで黙っていた刑事が、ここで口を開いた。

「砒素にお心当たりは?」

「砒素?」

「ええ。こちらでは……診療所のほうでもいいんですが、砒素を扱うことはありますか」

「ありませんな」父は言下に答えた。「あれは劇薬でしょう」

「砒素そのものでなくても、それを含んだ薬品とかはありませんか」

「ないです。どうしてそんなことをお訊きになるんですか。うちの母親が、砒素を飲まされて死んだとかいう噂でもあるんですか」

「じつはそうなんです。毎日少しずつ食事に砒素を混ぜられていた、それで田島さんのところのお婆さんは死んだ——これが現在最も知れ渡っている噂です」

「くだらんっ。全くのでたらめです。噂の主が見つかったら、訴えてやる」父は大声で吐き捨てた。

3

その日以後、刑事は来なかった。元々はっきりとした疑惑を抱いていたわけではなく、噂が気になったというだけのことだったのだろう。

その噂のほうは、次第に私たちの耳には入らなくなっていった。誰でも、自分とは無関係なことには興味を示さなくなるものだ。他人の家でどんな不幸があったかよりも、自分たちの明

日のことのほうが気になる。

だが噂が下火になったからといって、その内容までが忘れ去られたわけではなく、口に出す者が少なくなったというだけのことだ。むしろ話題にならなくなったことで、その忌まわしい物語は、単なる想像ではなく事実として人々の記憶にしっかりと焼き付けられたように感じられた。父の診療所から遠のいた足は、そのまま戻ってはこなかった。人の噂は七十五日といわれるが、友人の少なかった私は、学校でますます孤立することになった。何しろそれから何年か経ち、私の家がなくなった後も、その町では、「ああ、あの婆さん殺しの家があったところか」と語り継けられたぐらいなのだ。

その状況を父母は、毅然とした態度をとり続けることで乗り切ろうと思ったようだ。父はどんなに患者が少なくても、それまでと変わらぬ様子で歯医者の仕事を続け、休みの日には知り合いを誘って釣りに出かけた。そして近所付き合いのいいほうではなかった母に、町内会やPTAの集まりには積極的に参加するよう命じたりしていた。母は気乗りせぬ様子だったが、元来負けず嫌いの性格だったから、「家に籠っていると余計に変な目で見られるぞ」という父の言葉を聞き、いつも以上に入念に化粧をし、一番お気に入りの服を着て出かけていった。そんな母を見て、「ずぶとい」と陰口を叩いていた者も、後から聞いた話では少なくなかったらしい。

世間に対しては、それまでと全く変わっていないことを両親たちはアピールしたかったようだが、ひとたび家の中に入ると事情は違った。私の目には、父も母も別人のように変わっていった。

特に様子がおかしかったのは父だった。ある日私が学校から帰ると、台所から物音が聞こえてきた。変だな、と私は思った。その日、母は親戚の家に行っているはずだった。

私がおそるおそる廊下を進んでいくと、咳が二つ聞こえた。それを聞いてほっとした。父に違いなかった。この時父は軽い風邪をひいていた。

台所に行くと、父は流し台の前でしゃがみこんでいた。台の下にある戸を開け、奥を覗き込んでいる。父の傍らには、そこに入っていたと思われる醤油や日本酒の瓶が並んでいた。

あたりを見回すと、食器棚や収納棚の引き出しや戸がいくつも開けっぱなしになっていた。調味料や食材の買い置きなどを引っ張り出した形跡がある。

余程没頭していたらしく、父は私に気づかない様子で、流し台の下を探り続けていた。酢の入った瓶を出してきた時、父はようやく人の気配を感じたようだ。ぎくりとした顔でこちらを振り返った。

「なんだ、おまえか」

父の声はうわずっていた。顔が異常に紅潮していたのは、うつむいていたせいだけではなかっただろう。

「ただいま」ほかにいうべきことがないので、私はそういった。

「いつからそこにいるんだ」

「今、帰ってきたところだけど」

「そうか」

父はこの場を取り繕う言葉を探していたのかもしれない。しかしその前に、自分が味醂（みりん）の瓶

を持っている不自然さに気づいたようだ。あわててそれを床に置き、わざとらしく苦笑した。

「男子厨房に入らずといってな、男は台所には入っちゃいかんといわれたものだ。死んだ爺さんの教えだよ。それを実践してきたものだから、いざ何か探そうと思っても、どこに何があるのかさっぱりわからん」

「何を探してるの」

「いや、大したものじゃない。これだよ」父はグラスを傾けるしぐさをした。「ウイスキーだ。貰い物があったはずなんだが、どうしても見つからん」

「ウイスキーを今から飲むの?」

まだ四時になるかならぬかといったところだ。

「飲むんじゃない、人にやろうと思ってな」父は引っ張り出した醤油や酒の瓶を元に戻し始めた。「おかしいな。かあさん、どこへしまっちゃったのかなあ」

「おかあさんに訊けば?」

「うん、ああ、そうだな……」生返事をしながら、父は片づけを続けた。

自分がこの場にいてはいけないような気がして、私は踵を返した。その時父が、「和幸」と私の名を呼んだ。

「このことは、かあさんにはいうな」

「え……」

「かあさんはあれだろ。一度自分が貰ったものは、どんなことがあっても人にやろうとはしないだろう。いわゆるケチってやつだ。あのウイスキーにしても、自分は飲まないくせに、人に

42

回そうとすると反対するに決まっている。だから……な」

おうと思っている。文句をいわれたら面倒だから、こっそりやっちま

いつもの父らしくない、言い訳めいた口調だった。ふだんならば、「かあさんにはいうな」

と命じるだけで、その理由をくどくどと説明したりはしないはずだった。

「うん、わかった」私は答えた。

父は満足そうに頷くと、後片づけを再開した。といっても、何がどこにしまってあったのか

を正確には覚えていない様子だった。そんなのでは自分がしゃべらなくても母が感づくのでは

ないかと思ったが黙っていた。

夕方になると母が帰ってきた。その頃には父はもう診療所に戻っていた。私は居間でテレビ

を見ながら、母が台所の異変に気づいたかどうかを気にしていた。

その答えは夕食時に出た。

「台所で何かしたの?」食事をしながら、母が何気なさそうに父に訊いた。

「台所? 何かって?」父はとぼけた。ビールをコップに注ぐ手つきにも変化はなかった。

「台所に入ったでしょ」

「俺がか? いいや」

「そう。変ね」

母の視線が私に向けられた。私はうつむき、黙々と箸と口だけを動かした。何か訊かれるの

がこわかった。

「台所の様子が変わってるんだけど」母は再び父にいった。「調味料とかの位置が、いつもと

「少し違うのよ」

「単なる勘違いだろ。今まであまり台所に立ってなかっただろうからな」ビールを飲みながら父はいった。トミさんがいる間、母が殆ど家事をしなかったことについての皮肉でもあったようだ。

「絶対にこんな場所には置かないというところに、塩だとか胡椒が移動してるのよ。そんなことってあると思う？」

「さあな。わからん」

「本当のことをいってよ」母は父を見据えていた。父は母と目を合わさないようにしているようだった。

「何だ、本当のことって」

「調べたんじゃないの？　あれがないかどうかってことを」

「あれって？」

「この間、刑事がいってたものよ」

「何をいってたかな。わけのわからん話だったから、身を入れて聞いてなかった」

「よくそんなこと……」

のらりくらりとした父の態度に、母は苛立ちを覚えたようだ。目が少し吊り上がった。今にも何か喚きだしそうだったが、母はこらえていた。それが息子がそばにいるせいだと気づき、私は一層落ち着かなくなった。早くこの場を去ろうと、夕飯をかきこんだ。

食べ終えると私は席を立ち、部屋を出ていった。隣の居間へ行き、テレビをつけた。しかし

画面には目を向けず、壁に耳をつけた。そうすれば隣の部屋の会話が聞こえるということを知っていたからだ。以前、税務署の人間が来た時、トミさんがそんなふうにしていたのだ。

「はっきりいえばいいじゃないの。疑ってるなら、疑ってると」母の声がした。

父が何か答えた。こちらはくぐもって、よく聞き取れなかった。

「砒素とかの毒を探してたんでしょ。あの刑事の話を聞いて、あたしが本当にそんなことをしたんじゃないかと思ったんでしょ」

くだらん、と父がいうのが聞こえた。その後はまた聞き取りにくくなったが、母の言葉を否定したのはたしかなようだ。

「ごまかさなくてもいいわよ。あなたの顔を見てればわかるんだから。はっきりいってくれたほうが、よっぽどすっきりする。あなた、親戚の人にいってるそうじゃない。急にお袋が死んだのはおかしいって。それ、あたしを疑ってるってことじゃないの?」母の声は、壁に耳を当てなくても聞こえそうだった。

「俺はそんなことといってない」父が少し大きな声を出した。

「嘘ばっかり」

「本当だ」

「じゃあどうして台所を調べたのよ。おかしいじゃない」

「調べてないといってるだろう。しつこいぞ」

「あなたじゃなきゃ、誰がやったっていうのよ。隅から隅まで漁った形跡があるのよ」

「俺は知らん。和幸がおやつでも探したんだろう」

急に自分の名前が出てきたので、私はびっくりした。

「じゃあ和幸に訊いてみましょうか。私はびっくりした。おやつを探すために、流し台の下を開けるわけにはいかない」

「とにかく俺は知らん。おかしなことをいうな」

「ちょっと、逃げないでよ」母がいった。父は立ち去ろうとしているようだ。

「くだらん話には付き合えん。時間の無駄だ」

「あたし、やってないわよ。大体、お母さんの食べ物に毒を入れるなんてこと、あたしにはできないんだから。さっきあなたもいったわよね。あたしはここしばらく、台所には立ってないの。そんなことができるのは、お母さんの食事の世話をしていた人間だけよ」

興奮しているせいか、母の話が妙な方向にそれた。父の反応も少し遅れた。

「馬鹿馬鹿しい。彼女がそんなことをするわけないじゃないか」

「彼女ですって。ずいぶんと意味深な呼び方ね」

「トミさんのことを彼女といっちゃ悪いのか」

「無理に、さん付けする必要ないわよ。陰じゃ、トミエって呼んでたんでしょ」

「どういう意味だ」

「意味もくそもあるもんですか。あたしが何も知らないとでも思ってるの」

父の声が聞こえなくなった。聞こえないのではなく、黙り込んでいたのだろう。

母が父とトミさんの関係に気づいていたとは意外だった。気づいていて、そのことをおくびにも出さなかったことに驚いたのだ。

ぼそぼそと父が何かいった。トミさんとのことを認めたわけではないらしい。

「とぼけないでよ。別にあたしは構わないと思ってるんだから。そのかわり、お金だけはきちんと入れてくださいね。それさえ守ってくれれば、うるさいことはいわないわ」

「金、金と意地汚い女だな、おまえは。恥ずかしくないのか」

「あなたこそ恥ずかしくないの？　あんな女にたぶらかされて」

がたん、と何かがひっくり返る音がした。食器のぶつかる音も重なった。父が食卓を蹴った姿が目に浮かんだ。

「おまえがお袋のことを嫌っていたから、トミさんに来てもらわなきゃならなかったんだろう。あれだけ世話になっておきながら、よくそんなことがいえるな」

「お金を払ってたじゃない」

「俺が払ってたんだ。おまえは何もしてない。ただお袋が早く死ぬのを念じてただけだろうが。おまえが自分の身内にお袋のことを何といってたか、知ってるんだぞ」

「だからあたしが殺したっていうの？　だったら証拠を見せなさいよ。そうして警察に連れていけばいいでしょ」

うるさい、と父は怒鳴った。襖を乱暴に開け閉めする音がした後、荒々しい足音が廊下を通過していった。

その直後、壁に密着させていた私の耳に、ごんっという衝撃が伝わった。何かがぶつけられたらしい。それは下のほうで、がちゃんと割れる音を発した。

客観的に考えて、父が母のことを疑っているのはたしかなようだった。あの台所での父の様子はただ事ではなかった。また私は、父が書斎で毒物に関する書物を読んでいたことを知っているのだ。

百科事典を借りようと思って書斎に入った時、その本が書棚の隅に差し込まれているのを偶然見つけてしまったのだ。毒という文字に引かれた私はその本を抜き取ってみた。その本には栞が挟まれていた。砒素中毒に関して記述してある頁だった。

亜砒酸は無味無臭の白色粉末で冷水には溶けにくいが温水にはよく溶ける——。中毒症状としては急性に現れてくるものと慢性にじりじり現れてくるものがある——。大量の毒を飲んだ場合は急に中毒症状が現れ、少量の場合は亜急性の中毒になる——。

亜急性中毒の主な症状は、胃腸障害、腎臓炎、蛋白尿、血尿、肝肥大、知覚障害、運動障害、筋肉萎縮、神経炎、不眠、全身衰弱——。

以上のようなことが書いてあった。症状の最後は、死に至る、と締めくくられていた。

そう考えると、砒素を飲まされたという推論は、ますます現実味を帯びてくるようだった。またその書物には、医師が誤って他の病気と診断するケースも少なくないとあった。父もその頁を読んでいるわけだから、当然祖母の死に疑問を持っているということになる。

祖母の死体を見つけた時のことを私は思い出した。鶏ガラのように痩せ衰えた身体や、もはや生命を感じることのできない肌の色が瞼に蘇った。死ぬ前、祖母は殆ど全身の不調を訴えていた。胃腸障害はあっただろうし、肝機能も腎機能も狂っていたに違いなかった。知覚や運動神経がいかれていたことも明らかだった。また、全身衰弱などはいうまでもないことだっただろう。

私もまた、あの噂は単なるデマではないのではないかという気になっていた。母が祖母の死を願っていたことは事実なのだ。

しかしなぜか私は、母が実行したかもしれないことを、さほど恐ろしいことだとは思わなかった。殺人が犯罪であることは理解していたが、実際の罪深さを実感することはできなかった。たぶんそれは、私自身が祖母に対して愛情を抱いておらず、いつもあの部屋で寝ている老婆のことを、汚らしく醜いものだと認識していたからだろう。さらに付け加えれば、死を特別なことだとは思っていなかった。生きていたものが単なる物質に変わるだけのことだととらえていた。玩具が壊れて動かなくなるように、という叔父の比喩を私は気に入っていた。そして、火葬場で屑のような骨を拾い集めたことを思い出した。

死んだ本人は、何もわからないわけだもの――。

仮に母が犯人だった場合、祖母は悔しかっただろうかと考えた。否、というのが私の答えだった。祖母は自分が毒を飲まされていることを知らず、身体の異変がそのせいであることもわからなかった。そのまま死んだのだから、最後の最後まで、自分がなぜ死んでいくのかを知らなかったということになる。いや、死んでいくかどうかさえも不明だったはずだ。それを確認するのは、生きている人間である。

今もそうだが私はその頃から、死後の世界や霊魂の存在など、全く信じていなかった。だから、殺されたものの恨みという概念が理解できなかった。もちろん、死者を愛していた者たちの憎しみや悲しみが存在するのはわかっていた。だがそれにしても、葬儀での皆のさほど暗くない表情を思い起こすと、大したものではないと思えてくるのだった。

むしろこの時の私の心をとらえていたのは、人を殺すというのはどういうものだろうという興味のほうだった。母はどんな思いで祖母に毒を飲ませていたのだろう。そして企みがうまく達成できた時の歓びはどんなものなのだろう――。

私は時折父の書斎に忍び込んでは、例の毒物に関する書物の頁をぱらぱらとめくってみた。そこには驚くほど多くの毒のことが紹介されていた。また、古今東西、いかに毒によって人が殺され続けてきたかが述べられていた。タリウムを使ったマーサ・マレクの犯罪、阿片による毒殺として有名なヴァニンカの犯罪、青酸カリを飲まされながら死ななかった怪僧ラスプーチンの話、そして国内の事件で比較的新しいものとして帝銀事件のことが記されていた。

中でも私の印象に残ったのは、ブランヴィリエ公爵夫人の犯罪だった。彼女は夫のある身だったが、その友人サント・クロアと恋に落ち、今でいう不倫の関係となった。そのことに激昂した彼女の父ドゥブレーは、サント・クロアを牢獄に入れてしまう。すると夫人は、彼が牢獄から出てくるのを待ち、協力して実の父を毒殺するのである。ドゥブレーが田舎で静養している間のことで、夫人は彼を油断させるため、毒入りスープを飲ませるまで、精一杯孝行に励んだという。

さらに二人の兄が父の死に関して彼女に疑念を抱いていることを察知すると、手下を彼等のもとに送り込み、次々に毒殺することに成功した。記録によれば、上の兄は約七十日で、下の兄は約九十日で死亡したらしい。徐に毒性を発揮させるため、彼女は犯行前に知り合いの病院で貧乏な患者を使い、実験までしていたという。

私が驚嘆したのは、その殺意の持続力であり、それを実行する冷静さについてだった。それ

まで私は漠然と、人を殺したいという欲求は爆発的で、比較的短期間にわき上がるものだとイメージしていた。たぶんテレビドラマなどでは、殺人が動機発生からさほど時間を置かずに行われるように描かれていたからだろう。また、いわゆる「かっとなって思わず殺す」というケースが、現実でも圧倒的に多いと子供心に感じていたからだろう。復讐の炎を何年にもわたって燃やし続け、なおかつ相手を殺すために数十日をかけるという執念には、畏怖の念を抱いた。

人を殺すというのは、一体どういうものなのだろう。どんな気持ちがするものなのだろう——。

殺人への関心が具体的になったのはこの頃だと思う。私は毒薬のことを調べるたびに、それを使う情景を夢想した。自分ならこうする。いや、こんな手もあるぞ、という具合に。ただその時の私には、毒薬を飲ませたい相手は存在しなかった。だからこそ、実際に手を下した人間の気持ちが知りたかった。私の頭の中ではその顔は母のものと重なっていた。

その本にブランヴィリエ公爵夫人の肖像は描かれていなかった。

父と母が私の目の前でいい争うことは、その後はなかった。だからとりあえず何らかの形で折り合いがついたのだろうと私は解釈した。それよりも私は、自分の学校での立場について悩んでいた。例の噂が原因だと思われるが、誰も私に寄りついてこず、話しかけてもくれなかった。教師でさえも、私に関わることを避けているように感じられた。

ただ一人、それまでと変わらず接してくれたのは倉持修だったが、その彼にしても、私と付

き合っていることを人には知られたくないようだった。人目がある時には近づいてこなかった
し、声をかけても無視されることが時々あった。

「上村のお袋さんが校長室に行ったらしいぜ」ある時、倉持が教えてくれた。学校の帰りに、
近くの堤防に来ていた。

何のために、と私は訊いた。

「田島君とは違うクラスにしてくれってことらしい。あの噂が本当かどうかは知らないが、同
じクラスにそういう家の子がいると思うと気味悪いってさ」

鼻がきくというのか、どういうわけか倉持はこういう情報の収集に長じていた。裏話という
ものに、やたらと詳しいのだ。

「校長は何ていったんだろう」

「そういうことはできないと答えたそうだ。そりゃそうだよな。そんな希望を一々きいてたら
きりがない」

つまりはクラスの全員が移りたがるということかと私は陰鬱な気分になった。

「ところで、医者のところに警察が来たそうだぜ」倉持がさらに別の情報を出してきた。

「医者って？」

「西山医院とかいったかな」

ああ、と頷いた。西山医師は祖母の遺体を確認している。

「どうして警察が西山医院に行ったんだろう？」

「さあな。田島の婆さんが死んだ時のことを訊くためじゃないか。ほら、毒を飲まされて死ん

だ死体ってのは、何か変わったところがあるっていうだろ」

そのことについては倉持よりも私のほうが詳しいはずだった。何しろそれに関する本をしょっちゅう読んでいるのだから。

「医者はどういうふうに答えたのかな」

「それは知らないな。だけど、毒殺の疑いがある、なんていうふうにはいってないはずだぜ。そんなふうにいってたら、今頃おまえんちの前にパトカーが並んでるはずだ」

デリカシーのない言い方だったが、倉持の言葉は的を射ていた。西山医師が犯罪を隠匿するはずがなかったから、典型的な中毒症状は見られなかったのだろう。

母が祖母に毒を飲ませたのかどうか、私には判断がつかなかった。砒素などというものを、一体どこから入手したのかという問題がある。だが一方で、鮮明に記憶に残っている一場面があった。祖母の死後、母が塩や砂糖といった調味料を処分していたことだ。あれはどういうことだったのだろう。あれは本当に塩や砂糖だったのか。何か別の「白い粉」ではなかったのか。

他人からすれば奇妙かもしれないが、理屈抜きに母親を信じる、という気持ちは全くなかった。正直なところ、私は母がどういう人間だったのか、最後までわからなかったのだ。人を殺す心理がどういうものかも知らなかった。母の内側に殺意と呼ばれるものが芽生えるかどうかなど、想像することもできなかったのだ。殺したと聞かされれば、そうなのかと思うだけだったろうし、殺してないといわれれば、それもまた受け入れられるという状態だった。その「最後」は唐突にやってきた。六年生になって間もなくの頃だった。

母のことが最後までわからなかったと述べたが、

学校から帰ると父と母が家で待っていた。本来ならば診療所が休みの日ではなかったので、やけに非日常的な感じがした。父の横には見知らぬ男が座っていた。弁護士だということは、後から聞かされた。

父母は私に一つの選択を迫ろうとしていたのだった。

父と母のどちらを選ぶか、という選択である。二人は離婚することで話がついていたのだ。

4

夫婦が別れることもあるということは知っていた。周りにも何人かそういう人間がいた。トミさんにしても離婚経験者だ。しかし自分の親が離婚するということは想像していなかった。

だからその話を聞いた時も、ぴんとこなかった。

だがそれは冗談でも仮定の話でもなかった。父と母が決して目を合わせようとしないことが、それを物語っていた。

どちらを選んでもいい、と父はいった。

「選ばなかったほうと、このままずっと会えなくなるわけじゃない。会いたい時には、いつでも会っていい。ふだんはどっちと一緒に生活したいかというだけのことだ」

母は養育費のことをいった。

「和幸が大人になるまでは、お金のことは全然心配しなくていいから。それは、そういうことで話がついているから」

学校も転校しなくていいようにすると付け加えた。

私が決めかねていると、急いで答えを出させる必要はないのではないかと弁護士が助け船を出してきた。それで私には、二、三日考える猶予が与えられた。もっとも、両親が別れることには一日の延期もなかった。その日のうちに、母は最低限の荷物だけを持って家を出た。すでに部屋を借りてあるということを、私はその時初めて知った。

今思えば、母は自分がいなくなることで、息子が寂しがることを予想したのかもしれない。もしそうだとしたら、あまりにも私のことを知らなさすぎたということだろう。私は家を出ていく彼女の背中に、氷のような冷淡さを感じていた。彼女のことを母としてよりも「姑を殺したかもしれない女性」として見ていたから尚更だった。

また私は頭の中で計算もしていた。父は養育費を払ってくれるかもしれない。だがそれはさほど大きな額ではないだろう。しかも母がその金を、私の養育目的以外に使わないという保証もなかった。贅沢に慣れた母が、果たして堅実な生き方をしてくれるかどうかも不安だった。

母が出ていった夜、父は異様に優しかった。寿司の特上を出前で取り、好きなだけ食べればいいといった。家に残れとはっきりとはいわなかったが、口数は多かった。私の学校でのことなどをしきりに尋ねてきた。

「来年は中学生なんだから、そろそろ勉強部屋も作らないとな」ビールを飲みながら、上機嫌ともいえる口調でいった。私がふさぎこんでしまうのを恐れているようにも見えた。

私はそんな父が鬱陶しかった。父の顔を見ていると、トミさんの白い尻が重なった。あの尻が、この父の上にも乗ったのだと思った。あの時の税理士のように喘いでいたのだ。

だがこの鬱陶しさは我慢できると思った。昼間、父は家にはいない。その間、一人でいられる。そうだ、自分の勉強部屋など作ってもらう必要はない。明日からは、好きなようにこの家を使えるのだ。もう、居場所がないということはない。

その夜は何度も目が覚めた。眠るたびに母の夢を見た。夢の中で彼女は私を叱り続けていた。あまりに叱られ通しなので、私はうんざりしてしまった。

この家に残るという答えを出した時、母は落胆よりも怒りの色を顔に浮かべた。裏切られたと感じたらしい。

「まあ、会いたい時にはいつでも会えるわけだしな」父がとりなすようにいった。余裕がいわせた台詞（せりふ）なのだろう。母は黙っていた。泣き言めいたことを口にするのは惨めだとでも思っていたのかもしれない。

梅雨入りする少し前、母はすべての荷物を家から運び出した。父は診療所に行ったままで、一度も顔を見せなかった。私だけが庭の隅で、見慣れた家具が次々とトラックに積まれていくのを眺めていた。

その中に母の鏡台があった。大きな鏡が一枚ついていて、布のカバーを上から垂らすようになっていた。その鏡台が私は好きではなかった。そこに映っている母の顔はいつも、母親のものではなく、よその女だった。母がその前に座っているということは、私を置いての外出を意味していた。もちろん、私を連れて出かける時にも化粧はしていたのだろう。だがその記憶は、そうでない時のものよりもずっと希薄だった。

その鏡台には左右に引き出しがついていた。右側の上から三番目の引き出しに、白粉（おしろい）の箱が

入っていることを私は知っていた。ずいぶん前に母が親戚の女性とその白粉のことを話していた。

「古い白粉を使ってるのねえ」

「ああ、それ。大昔に買ったものなの。今は使ってないんだけど、捨てるのももったいない気がして入れてあるだけ。もう捨てようかしら」

小学校に入って間もなくの頃だったと思うが、その白粉を自分の顔につけてみたことがある。大抵の子供がしてみる化粧の真似事だ。もっとも興味があったのは色鮮やかな口紅のほうだった。母が口紅をつける前に顔を白くしていたことを知っていたので、まずは白粉をつけなければと思ったのだ。

ところが白粉をつけたところで母に見つかった。母は私を見てげらげら笑い、次に口紅を出してきて私の唇を赤く塗った。

「女の子みたいになったわよ」そういってまた笑った。

夜、母がそのことを父に話すと、父は苦い顔をした。

「男の子がそんなことをするな」怖い声で私にいった。父も笑ってくれると思っていただけに、ひどくしょげてしまったものだ。

荷物をすべてトラックに積み終えた後、母は私のところへ近づいてきた。

「これ、持っときなさい」

彼女がくれたのは成田山のお守りだった。私がそれを握ったままでいると、彼女は私の手を掴み、ズボンのポケットに入れさせた。

「いつも持っとくのよ。でもお父さんには見つからないようにね。見つかっても、お母さんから貰ったといっちゃだめよ」

わかったわね、と念を押した。私は黙って頷いた。

次の瞬間だった。母の目から涙がぼろぼろとこぼれ始めた。表情はいつもと同じように半分怒ったような感じだったので、何が起きたのか咄嗟にわからなかった。

「身体に気をつけるのよ。寝る時には、きちんと布団をかぶってね」

そこまでいったところで声が詰まったのか、母は私の肩を摑んだままうつむいた。しばらくそうした後、再び顔を上げた。

「お母さんに会いたくなったら、さっきのお守り袋を開けなさい。いいわね」

「うん」

「じゃあ、お母さん、もうそろそろ行かなきゃいけないから」

トラックの助手席に乗って去っていく母を、私は門の前で見送った。フェンダーミラーの中に母の顔が映っていた。

その夜の父の機嫌は、うって変わって悪かった。下着の替えが見つからないとか、便所の手ぬぐいが汚れたままであることなどが気に入らない様子だった。無論、父が当たる相手は家にいなかった。食事は店屋物で済まされた。何を食べたのか、よく覚えていない。特上寿司のような印象的なものでなかったことはたしかだ。

一人になってから、母がくれたお守り袋を開けてみた。中には白い紙が一枚入っていて、住

所と電話番号が書かれていた。

夏休みに入る少し前のことだ。私宛に一通の手紙が届いた。それはじつに不気味で悪意に満ちた手紙だった。

まず便箋の最初に、『呪』という文字が書かれていた。そして文章が次のように続いていた。

『これは呪いの手紙です。

私の呪いの手助けをしてください。

この手紙の一番最後に記されている人物に、赤い字で『殺』と書いた葉書を無記名で送ってください。その時、必ずあなたの念を込めてください。

次に、これと全く同じ文章を書いた手紙を、一週間以内にやはり無記名で三人に出してください。その時、後ろに並んでいる名前のうち、先程の一番最後の名前を消し、先頭に、あなたが呪いをかけたい相手の名前と住所を記してください。五週間後、その人物のもとへは、二百四十三人分の呪念が届けられるはずです。

この呪いの輪を切ってはいけません。切れば、あなた自身に呪いがかかることになります。

大阪市生野区緑が丘町の奥林千代子さんは、輪を切ったがために五十三日間も熱病で苦しみ、結局死にました。

呪いをかけたい相手がいない人などいないはずです。どうかあなたの心に正直になってください。

最後に、この手紙が来たことは決して人にいってはいけません。』

文章の最後には、知らない人物の名前と住所が五人分並んでいた。私のところへ来た手紙で は、最後に書かれていたのは鈴木という名字の女性だった。住所は北海道の札幌になっていた。 この手紙の存在については、同級生たちが話しているのを聞いて知っていた。だがその現物 を見たことはなかったし、中身についても詳しいことは知らなかった。

邪悪な手紙であり、それだけには無視しがたい黒い力を持っていた。私は二つのこと を迷わねばならなかった。まず一つは「鈴木」という顔も知らぬ女性に『殺』と書いた葉書を 送るかどうかということであり、もう一つは、この手紙を誰かに送るべきかどうかということ だった。どちらも面倒臭く、後味が悪そうな作業だ。しかし後半の文面が私の脳裏から離れな かった。呪いの輪を切れば自分に呪いがかかる――。

前にも述べたが、私は霊的なものを信じない子供のはずだった。手紙を読んだ時も、そんな ことが起こるわけがないとまず思った。だが一週間という期限が残り少なくなると、次第に落 ち着かなくなってきた。私を迷わせたのは、呪いの犠牲者のことがやけに具体的に書かれてい ることだった。

死因もそうだが、住所や氏名が明記してあるのは、何とも気味悪かった。 少し調べさえすれば、大阪市生野区に緑が丘町という地名が存在しないことはわかるはずだ った。また、奥林千代子という名前が当時人気のあった女性歌手の芸名を変形したものだと思 い当たってもよかった。ところがその時の私に、そこまで考える余裕はなかった。ここまでは っきりと書いてある以上、まるっきりのでたらめでもないのかもしれないと思ってしまった。 呪いという非科学的な言葉を使っているわりに、その実践方法が数学的である点も気にかか った。二百四十三というのは一見半端な数字だが、手紙に基づいていろいろと考えているうち

に、その数字の意味を理解した。手紙の末尾には五人の名前が並んでいる。すると受取人が指示通りに手紙を出し続けるならば、先頭に書かれた名前が最後尾に書かれる手紙の総数は、

3×3×3×3×3＝243通ということになるのだ。

それだけの数の、ただ『殺』とのみ書いてある葉書を受け取ったらどうだろう。単なる悪戯と笑いとばすことはできないような気がした。

ほかの者がどうしているのかを訊きたいところだったが、手紙の末尾には「決して人にいってはいけません」と釘を刺してある。その文章にこだわっていること自体、すでに手紙の呪縛に捕らえられていたということだろう。

もう一つ気になっていることがあった。私に手紙を送ったのは誰かということだ。文面にある通り、封筒には送り主の名は記されていなかったのだ。すべてを無記名で行うという点も、この手紙の陰険なところだった。

私は自分にこういう手紙を送りそうな者を何人か思い浮かべた。その中には倉持修も入っていた。

差出人を推定するヒントとなるのが、文章の後に並んでいる名前だ。手紙の指示を守っているなら、その先頭に書かれているのは、差出人が呪いをかけたい相手のはずである。その手紙では先頭は佐藤という人物で、住所は広島県になっていた。無論、私の知らない人物だった。その手紙倉持をはじめ私が思い浮かべた数人の中に、広島県と関わりのありそうな者はいなかった。もっとも、たとえば広島に親戚がいるというような繋がりならば、私が知っているはずもないのだが。

気味悪いのは、こちらは差出人を知らないが、差出人は当然私を知っているということだ。

私が呪いの輪を切ったかどうか、その謎の人物にわかるはずがないとは思ったが、何らかのからくりでばれるのではと心配でもあった。差出人たちは、いわば呪いの共同体ということになる。輪を切ることで、その共同体から何か仕返しをされるのではないかと思った。

だが最終的に私は、鈴木という女性に『殺』と書いた葉書も出さなかったし、呪いの手紙を誰かに送ることもしなかった。確固たる信念があったわけではない。あれこれと迷っているうちに期日が来てしまい、この長い文面を三枚も書き写している余裕がなくなったのだ。そちらの指示を守らないのならば、もう一方を守っても意味がないと思い、『殺』の葉書も出さなかったというわけだ。

しかしまるっきり忘れてしまったわけではない。何か取り返しのつかないことをしたような気分で、その手紙を机の引き出しにしまっておいた。

呪いの手紙について倉持から話しかけられたのは、それから間もなくのことだった。彼はまずそういう手紙の存在を知っているかと尋ねてきた。知っている、と私は答えた。

「見たことあるかい？」彼はさらに訊いた。

「いや、それはないけど」

うちに届いたとはいえなかった。依然として、「人にしゃべってはならない」という指示にしたがっていたのだ。

「ふうん、俺もないけどさ」倉持はいった。

この時私は、もしかしたら彼も受け取ったのではないかと思った。私と彼とは知り合いが共

通している。同じ相手から受け取っている可能性は高かった。

「もし手紙が来たらどうする？　書いてあるとおりにするかい」

「どうかな」私は慎重に答えることにした。「その時になってみないとわからないな」

「だけど、輪を途切れさせたら、自分に呪いがかかるんだぜ」

「そんなことあるわけないじゃないか」

「そうかな。本当に死んだ人がいるって話だけどな」

「偶然だよ。そうに決まってる」

「もし呪いを受けても、呪いの数を神社の鳥居に刻んだら、助かるそうだぜ」

「ふうん」私は興味のないふりをしていた。

一方この当時、家の中でもちょっとした変化があった。毎日の家事労働から逃れるため、父が新しい家政婦を雇ったのだ。さすがにトミさんをもう一度雇うようなことはしなかった。新しく来たのは、どう見ても五十歳は過ぎていると思える痩せた女性だった。フルネームは今もわからない。ハルさんと呼ぼう、父からはいわれた。

ハルさんは何事もきちんとこなす人だった。掃除の手際がいいので、私が学校から帰る頃には、いつも家の中は奇麗になっていた。こまめに洗濯もしてくれるので、風呂上がりに下着を探さなくてもよくなった。それまで少し痩せ気味だった私も、たちまち元の体重に戻った。

ただしハルさんは、給料分以外の仕事は一切しないという人だった。私と父の夕飯を作ると、さっさと帰宅してしまう。父の帰りが遅く、私が一人で夕食をとらねばならないような時でも、

一緒にいてくれたことは一度もなかった。そもそも、用がないかぎり私と話さなかった。子供の相手は給料の範囲外だと思っているらしかった。黙々と、という言葉がぴったりの仕事ぶりだった。

子供の目から見てもハルさんは美人とはいえなかったし、何しろ父より年上だったから、父もトミさんの時のようなことは全く考えなかったようだ。土曜日の昼食時が、唯一三人が顔を揃える時だったが、その時も父はハルさんにはまるで無関心だった。

父の帰りの遅いことがあったと前述したが、それは仕事のせいではなかった。例の噂以来、診療所を訪れる患者は減ったきりだった。間の悪いことに、駅前に新しく開業した歯医者の評判が良く、患者がそちらに流れているらしかった。

たぶんそんなことも原因だったと思うが、父は仕事の後、飲みに出かけていくことが増えた。最初のうちは家に寄り、「ちょっと出かけるから」と声をかけてくれたが、そのうちに何もいわずに出かけるようになった。だから待ちくたびれた挙げ句に冷えた夕飯を食べることが何度か続いた。私としては、父親よりも先に箸をつけてはいけないという教えを守ろうとしていたのだが、そのうちに父を待たずに食べ始めるようになった。

父は銀座に出かけていたらしい。帰ってくると、いつも赤い顔をし、酒臭い息を吐いていた。しゃべっていることの意味が不明で、おまけに足元がふらついている日も何度かあった。酒好きではあったが、それまではみっともないところを見せたことがなかったので、少しショックだった。急に酒に弱くなったということはないはずだから、酒量が増えたのだろう。いつだったかは覚えていないが、ある日父がこういった。

「今夜は大事な用事があるから、少し遅くなる。もしかすると泊まってくるかもしれない。も

う来年は中学なんだから、一人で大丈夫だな」

寝耳に水の話だったが、私は黙って頷いた。

「戸締まりをきちんとして寝るように。一応、ハルさんには、できるだけ遅くまでいてくれる

よう頼んでおいたから」

その時の父の身なりは、いつもと少し違っていた。外国映画に出てくる紳士のようだと思っ

た。ただし銀幕のスターのようにはスーツを着こなせてはいなかった。「もしかすると泊まっ

てくるかも」といっていたが、予定の行動だったのだろう。

この夜、父は帰ってこなかった。

それ以来、父はしばしば外泊するようになった。どこで泊まっているのかは話してくれなか

った。

そしてある夜のことだ。

その日も父は出かけていた。翌日が休みではなかったから、泊まってくることはないはずだ

った。私は布団の中で本を読みながら、父の帰りを待っていた。一人で夜を過ごすことには慣

れつつあった。この頃私が夢中になっていたのはアガサ・クリスティだ。クリスティの作品は

毒殺を扱ったものが多く、祖母の事件で毒薬に興味を持った私にとっては、格好のテキストだ

った。ただし、不満がなかったわけではない。小説中に描かれる犯人の動機や心理が、頭では

納得できても、感覚的にはどうも受け入れにくかったのだ。犯人が毒薬を仕掛ける直前、心の

壁を破る瞬間とはどういうものか、今ひとつわからなかった。

父が帰ってきたのは午前一時頃だったと思う。その時読んでいた小説があまりに面白く、私は眠るのを忘れて頁を繰っていた。いつもならば寝ている時間だった。

物音に気づき、私はパジャマのまま起きていった。父が時折、折詰の寿司を土産に買ってきてくれるのが楽しみだった。今夜もひょっとすると、と思ったのだ。

ところがその夜の父の土産は食べものではなかった。

廊下に出た途端、玄関から忍び足で歩いてきた父と鉢合わせした。父はひどく狼狽した。息子は眠っているものと決めつけていたせいかと思ったが、どうやらそれだけではないようだった。父の後ろに知らない人物が立っていた。女性だった。

「ああ、なんだ。まだ起きてたのか」父は強張った顔に半笑いを浮かべた。

「本を読んでた、と私は答えた。しかし父は私の言葉など聞いてはいない様子で後ろを振り返った。「お父さんの知り合いの人だ」

「今晩は」その女性は頭を下げた。和服を着ており、髪をアップにしていた。顔が小さく、色が白い。目は細いが、睫は長かった。たぶん付け睫だろう。その女性からは、今まで嗅いだことのない香りが漂っていた。

今晩は、と私も会釈した。その女性は頭を下げた。

父さんはこの匂いのする場所に行ってるんだ、と思った。お

「お父さんたちは、ちょっと話があるから、おまえはもう寝なさい」

父の言葉に、私は素直に頷いた。和服の女性が下を向いて笑うのが見えた。父が私のことをどの程度に子供だと思っていたのかは不明だが、少なくとも私には二人の関係がわかったし、これから何をするつもりなのかということも察知していた。いつか布団部屋

でトミさんにしていたことを、父はこの人にするのだろうと思った。

翌朝、私が起きた時には和服の女性は消えていた。父は寝室で鼾をかいていた。

間もなくやってきたハルさんは、台所の隣にある和室に入るなり、鼻をひくひくと動かした。それから流し台に行って何かを調べ、また和室に戻ってきた。

「昨日、お客さんだったのかしらね」私に訊いた。

嘘をついたほうがいいのかどうかわからぬまま、私は小さく頷いた。

するとハルさんは四つん這いになり、畳の上を凝視し始めた。やがて何かを見つけたらしく、指先で摘んだ。

「髪の毛」

ハルさんは片方の頬と口元を妙な具合に歪めた。それが彼女の笑い顔だということを私は初めて知った。不吉な予感を抱かせる笑いだった。

私が呪いの手紙を受け取ったのは、そういうことのあった時期だ。家のことで頭がいっぱいで、他人の呪い話に付き合っている余裕はないというのが正直なところだった。

ところが夏休みが終わろうとするある日、私を震撼させるものが届いた。

それは二通の葉書だった。どちらも官製葉書で、一通には荻窪の、もう一通には品川の消印が押されていた。宛名については、一方は黒のボールペンで、もう一方は青の万年筆で書かれていたと記憶している。

問題は裏だ。二通の葉書の裏には全く同じことが書いてあった。

赤鉛筆で『殺』だ。

これを見た時、恐怖のあまり頭が一瞬混乱した。こんなものが送られてきたのは、自分が呪いの輪を切ってしまったせいだろうかと思った。しかし冷静に考えるうち、事情が呑み込めてきた。

あの手紙の最後に列挙されていた五人の名前。誰かがあの中に、『田島和幸』を書き加えたのだ。手紙を受け取った者が指示に従えば、その名は順々に多くの人間の手を渡ることになる。

三の五乗、二百四十三人。

誰かが俺に呪いをかけようとしている——この事実は私の心を暗くした。ちょっとしたことで人と争いになることはあったが、呪われる覚えはまるでなかった。葉書の差出人はどうでもよかった。彼等は指示にしたがっただけだ。

気にしないでおこうと思った。誰かが面白半分にやっただけのことだ。それに『殺』の葉書は二枚しかこなかった。

だが次の日に三通、また次の日に二通という具合に呪いの葉書が届けられると、次第に気持ちが塞いでいった。それらの葉書の中には、『殺』以外にいくつかの文字が書かれているものも少なくなかった。『死』という字でぐるりと取り巻いたものもあった。また手紙には「赤い字で」と指示してあっただけだが、どう見ても血液で書いたと思われる葉書もあった。

見ず知らずの人間に、これほど不快なものを送りつけられる神経というのが、私には理解できなかった。一枚一枚の不快さはさほどでもないが、それがまとまると邪悪な負の力となるようだった。

『殺』の葉書は約一週間届けられ続けた。総枚数は二十三枚だ。二百四十三分の二十三、呪い
が達成される確率だ。

無視したかった。しかし無視できない何かが私の心に生じていた。もしかしたら、自分を取
り巻く世界が大きく揺らごうとしているのを感じ取っていたのかもしれない。

もし呪いを受けても、呪いの数を神社の鳥居に刻んだら、助かるそうだぜ——倉持の言葉を
思い出した。

ある夜、私は夜中に家を抜け出した。行き先は近所の神社だ。小学校の隣にある。私の手に
は彫刻刀が握られていた。

神社の一番大きな鳥居はコンクリート製だった。神殿の横に木製の鳥居があることを知って
いた私は、ためらいなくそこまで行った。朱色の小さな鳥居だ。

こんなことをしたらそれこそ罰が当たるのではという考えが頭をかすめたが、迷っている場
合ではなかった。私はなるべく目立たぬよう、鳥居の下のほうに、『二十三』と彫った。最後
の『三』を彫る時、彫刻刀の刃が滑り、左手の親指を切った。傷口から流れる血を舐めながら、
私は帰路についた。

5

父が例の和服の女性を家に連れてくることは、その後一度もなかった。だが関係が断ち切れ
たわけではない。むしろ父が夜に出かけていく頻度は増えた。泊まってくることも多く、私は

　診療所は、私の目から見ても暇そうだった。たまに用があって行ってみても、待合室に患者のいたためしがなかった。受付の若い女性も退屈そうにしていた。身なりが派手になり、床屋に行く回数も増えた。

　それでもこの時期、父は妙に浮き浮きとした表情をしていた。

　たった一人で夜を過ごすことにも慣れていった。夜を過ごすことにも慣れていった。

　ある夜私は、父が電話で話しているのを聞いた。相手はあの女性のようだった。

「だから早く店を辞めればいいんだ。一体、いつ辞める気なんだ」低い声でぼそぼそと話していたが、その内容は聞き取れた。

「そりゃあ、今すぐに結婚というわけにはいかないが、いずれはと思ってるよ。嘘じゃない。俺は本気なんだ。だからシマコ、できるだけ早く辞めてくれ。なあ、頼むよ」

　父の言葉を聞き、私は仰天した。母が出ていってから、まだそれほど時間が経っていないのだ。だが父は真剣なようだった。

　今の私ならば、あの時の父に対していろいろとアドバイスできることもある。しかし子供の私に男女のことなど何もわからなかった。父が相手を思っているのと同様に、女性のほうも父を心から愛しているのだろうと想像していた。

　父の思いは日に日に深まっていくようだった。それを実感したのは、ある日曜日のことだった。

「おい、今日はいいところに連れていってやろうか」遅めの朝食をとっている時、父が切り出した。

どこ、と私は訊いた。

「銀座だ。買い物に行くんだ。何か買ってやろう。その後は、うまいものでも食おう」

私は有頂天になった。父にどこかに連れていってもらうことなど、しばらくなかった。

銀座に行ったのは、たぶんその時が初めてだと思う。高級そうな店がずらりと並び、洒落た格好をした大人たちが闊歩していた。街全体が活気に溢れ、何もかもが輝いて見えた。いつも自分がいる世界と、同じ空間で繋がっているとはとても思えなかった。

「どうだ、大きな街だろう」歩きながら父がいった。「和幸も、大人になったらこの街で買い物できるようになるといいとな」

私は頷きながら周囲を見回した。ここへ来ることが成功の証なのかと思った。

買い物をするといったが、父はまず喫茶店に入った。革張りの椅子が並び、裕福そうな客たちが談笑していた。ウェイトレスはひらひらのついたエプロンをつけていた。私はかつて母がいっていた言葉を思い出した。コーヒー一杯に何百円も払う人間の気がしれない、というものだった。私が喫茶店に足を踏み入れたのも、この時が最初だった。

父はコーヒーを注文した。私が何を頼んでいいかわからずどぎまぎしていると、父はオレンジジュースがいいんじゃないかといった。

運ばれてきたジュースは、それまで私が飲んだことのあるどのジュースよりも美味だった。ジュースという同じ名称を使っていることが不思議なくらい、かけ離れた飲み物だった。私はストローを使い、少しずつ飲んだ。

間もなくそこへ一人の女性が現れた。いつかの和服の女性だった。もっともその時は着物で

はなく、薄い生地のワンピースを着ていた。髪も下ろしていた。そのせいか、前に会った時よりもずっと若々しく見えた。

「ごめんなさいね、お待たせしちゃって」彼女は微笑みながらいい、私たちの向かい側に座った。

「いや、俺たちもついさっき来たところだから」父が答えた。その口調は、いつもよりもずいぶんと軽やかだった。

彼女はレモンティーを注文した。それが運ばれてくるまでの間に、父が私のことを改めて紹介した。また私には彼女のことを教えてくれた。といっても、志摩子という名前だけだ。だから今も彼女の名字を私は知らない。

父はしきりに私のことを話した。どんな科目が得意で、どういう遊びが好きで、どのような個性を持っているか、などだ。それらの話を聞きながら、私は奇妙な感覚を味わっていた。というのは、父の話す内容が、私のことだとはとても思えないほど的はずれだったからである。たとえば得意科目についていえば、私が小学校低学年だった頃のままだと思っているようだった。さらには私のことを、十二歳にもなって怪獣ごっこをする幼稚な子供と思い込んでいるらしかった。

たぶん父は私のことを、「無邪気で扱いやすい子供」として志摩子に紹介したかったのだろう。私は大抵うつむいていたが、時折ジュースを飲むついでに、志摩子の顔をちらりと見上げた。何度目かの時、彼女は目を合わせてきて、にっこりと微笑んだ。私は赤くなり、あわてて下を向いた。

喫茶店を出た後、父は私にいった。「何でも好きなものを買ってやるぞ」

ステレオが欲しい、と私はいった。音楽に興味を持ち始めた頃だった。

「よし、買ってやろう」父は力強くいって歩きだした。志摩子が父の右腕につかまり、耳元で何か囁きかけた。

だが父の足は、まず高級宝飾店の前で止まった。

「じゃあ、ちょっと見てみよう」父は鷹揚な態度で頷くと、志摩子に腕を取られたまま、店内へと入っていった。

その中は目が眩むような世界だった。陳列ケースに飾られた品物のすべてが、神々しい光を放っていた。店員たちも、それまで私が接したことのない洗練された雰囲気を纏っていた。選ばれた者だけがこの場にいられるという優越感が、店内には満ち溢れていた。

店の一画に応接用のソファなどが置かれた場所があり、私はそこで待っているように父からいわれた。女性店員が飲み物とチョコレートを持ってきてくれた。店員たちの様子から、父たちがここへ来るのは初めてではないらしいとわかった。

黒っぽい上着の男性店員が父たちの応対をしていた。主に話をしているのは、その店員と志摩子だった。父は時々頷いたりしながら、彼等のやりとりを聞いているだけだ。

志摩子は次から次と指輪やらネックレスやらを陳列ケースの上に並べさせ、一つ一つ手に取ったり、実際に身に着けてみたりした。そして、どうかしら、というように父に見せる。いいんじゃないか──父の答えはいつも同じだった。

ずいぶんと時間をかけ、志摩子は指輪やネックレス、イヤリングといったものを一通り手に

入れたようだった。彼女はもちろんそうだが、父も恋人にいいところを見せられて満足そうだった。

それでも店を出るなり志摩子は父にいった。

「ねえ、やっぱり今度は誕生石が欲しいわ。一つぐらい持ってないと寂しいもの」

「いいよ、じゃあこの次来た時に買ってやろう」

「本当？　うれしい」彼女は父の腕を強く抱えた。

何かの時に、志摩子の誕生日を耳にしたことがある。五月だった。父が約束通りにエメラルドを買ったのかどうか、私は知らない。

宝飾店を出た後、今度は呉服屋に寄った。いつになったらステレオを買ってもらえるのだろうと苛々したが、父は私のことなど眼中にないようだった。恋人と息子を正式に引き合わせることに成功し、舞い上がっていたのかもしれない。

呉服屋でも志摩子はあれこれと注文をつけ、結局最も高価そうな着物や帯を手に入れた。呉服屋の主人は満面に笑みを浮かべ、父にぺこぺこしていた。

その後、ようやく父の足が電器店に向いた。ところが驚いたことに、私がステレオを選んでいる最中に、志摩子が父にこう囁いた。

「ねえ、新しい冷蔵庫が欲しいんだけど」

「えっ、冷蔵庫ならあるじゃないか」

「もう少し大きいのが欲しいのよ。だってあたし、ふだんは買い物に行けないでしょう？　あなたが急にいらっしゃった時でも困らないように、買いだめしておきたいのよ」

「なるほどな」

私のステレオを買った後、父が冷蔵庫売場に向かったのはいうまでもない。

父がどれほどの金をあの女に貢いでいたのか、正確に把握する術はない。毎日のように銀座の高級クラブに通っていたし、贅沢品を含めて彼女の身の回り品一切を負担していたわけだから、一月にかかる費用は今の金額にして二百万円は下らなかったのではないか。母への仕送りもあったことだし、父の負担はかなりのものだったと想像できる。しかも肝心の診療所の経営は、依然として思わしくなかった。

だがそのような実情について父が誰かに話すはずはなく、したがって父に何らかの忠告をする人間もいなかった。唯一、田島家の危機に気づいていたのは家政婦のハルさんだった。

「旦那さん、よく続くもんだねえ。診療所にいる時間よりも、夜遊びしてる時間のほうが長いんじゃないの」夕食の支度をしている時などに、皮肉まじりによくいっていた。「まあ、私はお給料さえきちんと貰えれば文句はないんだけれども」

当時のことを思い出すと、私は恨めしい気分になる。誰でもいいから、一言、父に注意してくれていたらと思うのだ。若い恋人にのめりこんでいた父の目を覚まさせるのは難しかったかもしれないが、歯止めとなるものが一つでもあったなら、あれほどひどい結果は招かなかったのではないだろうか。

銀座へ買い物に行ってから一か月あまりが経った頃だ。その夜も父は出かけていた。私は新しいステレオでビートルズを聴きながら、いつものように推理小説を読んでいた。深夜の一時

近くになっていた。

そこへ電話が鳴りだした。そんな時間にかかってくることなどなかったので、びっくりした。

廊下に出て、電話台に乗っている黒電話におそるおそる手を伸ばした。

「もしもし」

「あ、えーと……」相手の男が戸惑ったように言葉を途切れさせた。子供が出るとは予想していなかったのだろう。「田島さん？」

「そうですけど」

「あ、そう。おかあさんはいるかな」

「母はいません」

「じゃあ、誰か大人の人はいないのかな。おじいさんでも、おばあさんでも」

「ほかには誰もいません。僕だけです」

「君だけか」

相手の男は困惑している様子だった。そばにいる誰かと何やら話をした後、再び電話口に出た。

「じつは警察の者なんだけどね、お父さんが怪我をして病院に運ばれたんだよ」

「えっ」血の気が全身から引いた。

「それで、これからおまわりさんがそっちに行くから、それまでに親戚か知り合いの人の連絡先を調べておいてもらえないかね」

「あ、はい」頭の中が空白のまま、私は答えた。

相手は私の名前を尋ねてきた。和幸という漢字を伝えるのにやけに手間取った。それからの数時間はただひたすら慌ただしく過ぎていった。警官が来て、親戚の人間が駆けつけ、私を質問責めにしたり、いろいろなことを私に命じたりした。

父が運び込まれた病院に行ったのは、夜が明けてからである。だが結局父の顔を見ることはできなかった。面会謝絶というやつだ。

後になって人から説明されたり、自分で知り得たことなどを総合すると、その夜に起きたことの概要は以下のようになる。

父はいつものように志摩子がいる店に行き、午前零時過ぎまで飲んでいた。その後、いったん一人で店を出て、別のバーに向かった。その店で志摩子と落ち合う約束をしていたからだ。

ところが二軒目の店に向かう途中で、父は何者かに後ろから殴られた。父はその場に昏倒したが、人気の少ない通りだったこともあり、目撃者はいなかった。また父が倒れた後で通りかかった人々も、酔っ払いが寝ているものと思い込み、なかなか誰も警察に通報しようとはしなかった。父が頭から血を流していることに気づいたのは、屋台を引っ張っていたラーメン屋の親父だった。

財布など父の所持品は無事で、免許証と名刺から身元が判明した。それであの夜、家に電話がかかってきたのだ。

現場からは血の付いたモンキースパナが見つかっており、その血は父のものと一致した。物取りの犯行でないことは明らかだったから、父に何らかの恨みを持つ者の仕業として捜査が行われた。その結果浮上してきたのは、新橋で働いているバーテンだった。そのバーテンは志摩

子と付き合っていた。一週間のうちの半分は、彼女はその男の部屋で過ごしていた。

志摩子は純粋に金だけが目的で、父と交際を続けていたのだ。彼女の最終的な目的は、バーテンの恋人と二人で店を出すことだった。その夢のためには、好きでもない男に一時身を任すことも我慢できたということらしい。

しかし若い恋人のほうは我慢ができなかった。彼は志摩子と父の待ち合わせ場所を嗅ぎつけると、あの夜、父がやってくるのを待ち伏せ、背後から襲ったのだ。

ただ彼は逮捕され、自供した後も、「殺す気はなかった」と主張した。「痛い目に遭わせてやれば、警戒して志摩子には近づかなくなるだろう」という単純な計算が犯行の動機だった。

父は病院に運ばれてから間もなく意識を取り戻した。頭部に二か所、大きな傷を負っていた。私が父と会えたのは、事件から四日目のことだ。意識ははっきりしているようだったし、事件のこともよく覚えていた。殴られる直前、父はビルの陰で待ち伏せしている男の顔を見ていた。そのことが事件の解決を早める一因だった。

父の入院中は、親戚の人間が交代でうちに泊まりに来た。彼等はハルさんから、志摩子といういホステスのことをあれこれ尋ねていた。彼等の関心は、一体どれほどの無駄金が使われたかという点に集約されていた。

まだ父が入院している間に、ハルさんから話を聞いた者は、一様に顔をしかめた。密かに我が家で親族会議が開かれた。そこには診療所の経理全般を担当していた税理士も呼ばれた。彼は皆の前に、まるで被告人のように座らされ、我が家の財政状態について詰問された。

そこで初めて、歯科診療所の経営が極めて悪化していたことと、田島家の預金残高が激減し

ていることを皆は知った。税理士は、なぜこのようなことになるまでほうっておいたのかと攻撃された。自分は税務を任されているだけで、経営に口出しできる立場にはないと税理士は細い声で反論した。また、顧客がプライベートなことにどう金を使っているかなど、把握できるわけがないともいった。

親戚たちは、このままでは田島家は滅びる、早く何とかせねばと騒いだが、即効性の解決策などあるわけがなく、とりあえず父の退院まで待とうということになった。

だが事態は、彼等が考えていた以上に深刻だった。

父が退院したのは、それから三日後だった。父の従姉妹が迎えに行くといっていたのだが、父は一人で家に帰ってきた。えらく不機嫌で、親戚の者が出迎えても、ろくに挨拶もしなかった。

「照れ隠しだよ。女に騙されて、金をとられた上にあんな目に遭ったものだから、バツが悪いんだ。皆に合わせる顔がないんだよ」そんなことをいいながら親戚の人間は帰っていった。

その夜は、久しぶりに二人で食事をした。ハルさんが御馳走を作ってくれたのだ。

ところが食事の最中、父が突然箸を止め、自分の右手を睨みつけた。父の指先が細かく痙攣しているのが私にもわかった。

「お父さん……右手、どうかしたの?」私が訊いても、父はすぐには答えなかった。しばらく自分の右手を見つめた後、はっと気づいたようにこちらを見た。

「えっ? あ、いや、どうもしない」父は箸を置き、そのまま部屋を出ていった。

歯医者は職人だ、というのが父の口癖だった。

「考えてもみろ。削ったり、継ぎ足ししたり、穴に金属を埋めたりするんだぞ。入れ歯にしたって、歯科技工士が作ってくるものを、そのままあてがっときゃいいってもんじゃない。その人に合うように最終的に仕上げるのはこっちの仕事だ。これのどこが職人じゃないんだ。彫金師や細工師と同じ職人だよ。その証拠に、出来の良さだけでなく、どれだけ安く仕上げられるかってところにも腕前がきいてくる。同じ金歯を作るにも、なるだけ金を少なく使ったほうが安上がりだからな」

父は腕の良さを自慢にしていた。ほかの歯医者で作った入れ歯の調子がどうにも悪くて、父のところへ泣きついてくる患者がいたりすると、一日中機嫌がよかった。

「口の中ってのは、別の生き物みたいなものなんだ。最近の若い歯医者みたいに、型どおりの仕事しかできないようじゃ、いろいろな患者を相手にはできない。口の中がどう動くかってことをしっかり見極めなきゃ、完全な治療ってものはできないんだ」

腕の良さを示す例として父がいつも挙げるのは、麻酔注射だった。

「時々、こういう話を聞くだろう。麻酔が全然きかなくて、何本も注射したって話を。あれはな、腕が悪いんだ。歯茎への注射ってのは、集中力と勘だよ。ここっていうポイントがあって、そこへいかに真っ直ぐ差し込むかだ。ためらってたり、手が震えたりしてちゃあ、だめだな」

父はよくそんな話をしてくれた。そしてこれらの話の最後に、必ずといっていいほどこう付け加えた。

箸を注射器に見立て、よくそんな話をしてくれた。そしてこれらの話の最後に、必ずといっていいほどこう付け加えた。

「なんだかんだいっても、腕に技術のある人間が勝つんだよ。父さんは、この右手があるかぎり食っていける」

そんな父の右手を見上げ、私も頼もしく思ったものだ。

ところがその右手に異変が起きていた。父は連日、様々な病院や民間療法の治療院などに出かけていった。時には、特殊なマッサージ師を家に呼ぶこともあった。

どういう症状が出ているのかを、父は決して私には話さなかった。息子を不安がらせたくはなかったろうし、それ以上に、自分が唯一誇りを持っているものを失ったとはいいにくかったのではないだろうか。私もしつこくは尋ねなかった。

しかし私は父の症状については薄々察しがついていた。時折、痺れや痙攣が右手首から指先にかけて走るようだった。その間は感覚がなく、力も入らないらしい。しかもその症状は予期なく訪れる。だから父が箸やスプーン、鉛筆といったものをぼろぼろと落とすのを、私は何度も目撃した。明らかに頭部の怪我の後遺症だった。

父が焦るのも無理はなかった。いつ右手の感覚が麻痺するかわからない状態では、歯科医など続けられないからだ。実際、診療所はずっと閉められたままだった。

ありとあらゆる治療を試みているにもかかわらず、事態は一向に好転しなかった。しばらくすると父の右手がきかなくなったことは近所の人間にも知られるようになった。そのせいだろう、田島歯科は閉めるらしいという噂まで流れた。

ある時期からばったりと、父は右手の治療をしなくなった。何をやっても無駄と諦めたらしい。昼間から酒を飲むことが多くなり、私やハルさんにまで八つ当たりするようになった。

さらに父は、夜になるとふらふらと出かけていくようになった。行き先はいわなかったが、どうやら銀座や新橋を徘徊しているようだった。一度、次のような電話をかけているのを耳にしたからである。

「あんたが知らないってことはないだろう。店じゃあ、あんなに親しくしてたじゃないか。ホステス仲間では、一番の仲良しだといってたじゃないのか。……そんなことをいって、志摩子を庇ってるだけだろう。どこかにかくまってるんじゃないのか。とにかく何でもいいから、あんたの知ってることを教えてくれ。実家の住所でも電話番号でも何でもいい。あいつが立ち寄りそうなところを教えてくれ」

事件後、父が志摩子の名前を口にしたことはなかった。さすがに忘れたい名前なのだろうと私は考えていた。だが怪我の後遺症が出てきたとなると、そのままにはしておけない。父も一度はあの女に会い、罵倒したいはずだった。

また父は弁護士を呼び、例のバーテンに対して損害賠償請求をする手続きを行った。後遺症によって歯科医師を続けられなくなったとあれば、当然のことだった。もっとも結論をいえば、この訴訟によって父が何らかのものを得たという記憶が私にはない。バーテンは傷害罪で刑務所に入っていたし、出所してきたところで、払える金など持っているはずがなかった。

小学校六年の時の正月は、こういう最悪の事態の中で迎えることになった。正月料理もなければ、お年玉もない。ただ寒いだけの新年だった。父は酒を飲んでは酔っ払って眠り込んでいた。厳しい現実から少しでも逃げたかったのだろう。

それから三か月後、私は小学校を卒業した。中学は地元の公立に入ることが決まっていた。

元々父は私を私立に入れるつもりだったが、とてもそんな金銭的余裕はなかった。また父は私の進学について考えられる精神状態になかった。歯科診療所は、いよいよ閉めなければならなくなっていた。

何もかもが父の受けた傷から狂い始めた。一体、なぜこんなことになってしまったのだろうと私は布団の中で泣いた。

呪いの手紙のことを思い出したのは、そんな時だった。私のところには、二十三通の葉書が届けられた。『殺』とだけ書かれた、二十三人分の呪念が込められた葉書──。

俺は呪われたのだ、と私は思った。

6

あの呪いの葉書は一度見ただけで、新聞紙に包んだまま引き出しの一番奥にしまいこんであった。捨てなかったのは、粗雑に扱うのが何となく不安だったからだ。鳥居に数字を彫り込んだのと同じ理由だ。呪いなど信用していないつもりだったが、私はすっかり呪縛にかかっていた。

ある日私は久しぶりにその葉書を出してみた。捨てるためだった。あんなものを持っていたから、不幸に見舞われたのだと思った。

葉書は二十三枚あったが、じつははっきりと見たのは数枚だけだ。書いてあることは同じだとわかっていたし、見れば見るほど自分が傷つくことも知っていた。それでも捨てる前に、私

は一枚一枚を眺めていった。不思議なことに、初めてそれらの葉書を見た時よりも冷静でいられた。たぶん、もうすでによくないことが起こった後だったからだろう。

改めて葉書を見ているうちに奇妙なことに気づいた。表書きが間違っているのだ。私の名前は田島和幸だが、すべての葉書が田島和辛となっていた。少し考えて、その理由が判明した。

それらの葉書を出してきた人間は、私のことを知っているわけではない。例の呪いの手紙に書かれた住所と氏名を書き写しただけなのだ。だから最初にあの手紙に私の名前を書き込んだ張本人が間違えたということになる。

犯人は私のことをよく知らない人間なのだ、と思った。どこかで私の住所と氏名を見つけ、遊び半分であの呪いの手紙に登録しただけなのだ。それにしても何という皮肉な間違いだろうと思う。『幸』を『辛』に間違えられたことで、私の人生そのものがそうなってしまったのだから。

その犯人はたぶん同じ学校にいるのだろう、と私は想像した。そうなると余計に私立中学に進みたくなった。小学校の知り合いは、大半が地元の公立へ行く。私立に行けば彼等とは顔を合わせずに済むのだ。

ところが我が家の事情が変わり、私立に進む夢は断たれた。最低でも三年間は、また孤独な学校生活を送らねばならない。そのことは、校則により強制的に頭を丸刈りにさせられること以上に憂鬱だった。

だが実際に中学生になってみると、嫌なことばかりではなかった。その中学には、ほかの小学校から来ている子供も少なくなかった。だから全く何も知らずに接してくるクラスメートた

ちは、私を仲間はずれになどしなかったのだ。

もちろん私と同じ人間もいるから、彼等が陰口を叩くことは大いに考えられた。もちろん私と同じ小学校を出た人間もいるから、彼等が陰口を叩くことは大いに考えられた。実際、そうであったと思う。しかし私は、ある偶然から、その苦境を乗り切る方法を見つけだした。

休憩時間に皆で話をしていた時のことだ。

「田島の家は歯医者なんだろ。すごいな。金持ちの坊っちゃんなわけだ」あるクラスメートがいった。彼は別の小学校から来ていたから、悪意はなかったはずだ。いうまでもなく同じ小学校の出身者たちだった。

周りで聞いていた何人かが気まずそうに顔を伏せた。いうまでもなく同じ小学校の出身者たちだった。

「歯医者は休業中なんだ」私は答えた。近所の者もいたから、いい加減なことはいえなかった。

「へえ、どうして」

「親父の腕が信用できないからって、客が来なくなったんだ」私は半ばやけくそでいった。ところがそれを聞いて、事情を知らない者たちは笑いだした。私が冗談をいったと思ったらしい。

「なんで信用できないんだ。おまえんちで治してもらったら、口が腫れたりするのか」

「さあ。殺されると思ってるんじゃないか」

これもまた冗談のつもりはなかった。だがよその小学校から来てる連中は腹を抱えた。

「なんだよ、人殺しの歯医者か」

「そういわれてるみたいだ」

爆笑。私は戸惑っていた。皆の笑いに悪意が含まれていないことが不思議だった。

「じゃあ、今はもう金持ちじゃないのか」

「違うよ。だから私立に行きたかったけど、ここしか入れなかったんだ。元、金持ちだ」

この元金持ちという言葉は、一時我がクラスの流行語になった。彼等に笑われるうちに、私は気づいていた。自分の境遇を隠す必要はない。すべて笑いの種にしてしまえばいいのだ。そうすれば陰口を叩かれることもない。自分と話すことを鬱陶しいと思う人間も減っていくかもしれない。

それ以来、私はわざと家の恥を面白おかしく話すようにした。クラスの道化に徹することにしたのだ。元金持ち、元坊っちゃんという言葉は皆から歓迎された。二、三か月が経つ頃には、田島は面白い奴だというイメージが定着していた。

「婆さんが死んだ時には参ったよ。毒を飲まされたっていう噂が流れたんだぜ。刑事は来るしさ。でも一番辛かったのは食事の時だよ。飯を食いながら、本当にこれには毒が入ってないだろうな、なんて考えちゃうもんな」

自虐的な冗談はよくうけた。飽きられてはいけないと、暴露はエスカレートしていった。私はついには、父親がホステスの愛人に殴られたことまでを学校で披露するようになっていた。作り話だと思っている者も少なくないようだった。

そんな話を人前でして、楽しいはずがなかった。ただ、みんなが笑っているうちは、のけ者にされることはないと思い、必死で笑われ役を買って出た。笑い声を聞くたびに私の心は痛んでいった。自分自身が卑屈になっていくのがわかった。それでもやめなかった。

木原雅輝という同級生は、中学に入って最初に出来た友達だった。彼は隣町の住人であり、我が家の忌まわしい噂については何も知らなかった。私の話の大半は誇張だと信じているふしがあった。小柄で線が細く、色白で、もし髪を伸ばして制服を脱いだなら、女子と間違われそうな容姿をしていた。彼のことをオカマと呼ぶ者も少なからずいた。

だが実際の彼は典型的な十代の少年だった。女性歌手に熱中し、クラスのどの子が一番かわいいか、というようなことばかりしゃべっていた。直輸入の外国雑誌を私が初めて見たのも、彼の部屋でだった。当時は乳房が露出しているグラビアでさえ珍しかったが、その雑誌には下半身も隠していない写真が掲載されていた。ただし、その部分はマジックで黒く塗りつぶしてあった。私と木原は彼の部屋で、何とかしてそのマジックを消し取ろうと様々なことを試みた。シンナー、ベンジン、マーガリン、特殊な消しゴム、いろいろと試したが、殆どうまくいかなかった。それでも、たまにうっすらと目的のものが見えたりすると、我々ははしゃぎまわった。

写真とかじゃなくて実物を見たことがあるか、と彼が訊いてきたことがある。

「お袋とか姉さんのってのはなしだぜ」木原はにやにやして続けた。いつものように彼の部屋で話している時のことだ。

はっきりと見たことはない、と私は正直に答えた。

「でも、ちらっとなら、やってるところを見たことがある」

私の言葉に彼は目を丸くした。次には興味津々の表情で身を乗り出してきた。

いつか見た、トミさんと税理士の姿態を話してやった。木原は口を半開きにしたまま聞き入っていた。

「そんなところは見たことがないなあ」頬を少し紅潮させて彼はいった。「でも女のあそこなら、何度か見たことがある。子供のだけど」

「そんなのなら俺だってあるよ。親戚の赤ん坊がおむつを替えられる時とか」

「そこまで子供じゃないよ。俺たちと同い年ぐらいの奴のだ」

木原によれば、お金を出せば見せてくれる女の子がいたのだという。同い年ぐらいではあるが、学校は違っていたようだと彼はいった。

円出せば少し触ってもいいのだそうだ。五十円で見るだけ、百

「顔はブスだったけどな」そう付け足して笑った。

その女の子が住んでいる場所は、木原の家からは離れているらしかった。その位置を聞いているうちに、私は別のことを思い出した。かつてのめり込んだ、あの五目並べをやらせる家の近くだった。

そのことをいうと木原は大して意外そうでない顔をして頷いた。

「賭け五目なら知ってるよ。三本勝負とか五本勝負とかあるんだろ」

「俺がやったのは三本勝負だ。先に二回勝ったほうが金を貰えるんだ」

「そう」木原は少し考えてからいった。「でもあれ、インチキなんだろ」

「インチキ？」

「そう聞いたけどな」

「どうインチキなんだよ」

「詳しいことは知らないけど、絶対に勝てないようになってるらしいぜ」

「だけど、五目並べの名人なら勝てるはずじゃないか」

すると木原は首を振った。

「そういう相手とは勝負しないんだ。絶対に勝てる相手しか選ばないんだよ」

「どうやって選ぶんだ。相手が強いか弱いかなんて、やってみないとわからないじゃないか」

「一人でふらっとやってきた客とは勝負しないのさ。必ず、実力のわかってる人間とだけやる

んだ。だから、絶対に負けっこない」

「でも、客のほうが勝つのを見たことあるぜ」私は反論した。

「三本勝負で、二回勝ったのか」

「ああ」

「それ、田島をそこへ連れていった奴じゃないか」

私は黙り込んだ。そのとおりだった。

「サクラだと思うぜ」木原は申し訳なさそうにいった。

「あんまり勝てないと、諦めてもう行かなくなるだろ。それじゃだめなんだよ。もうちょっと

で勝てるって気にしておかなきゃ。そのために、目の前でほかの客が勝つところを見せるんだ。

それだけじゃなくて、たまにはその客にも勝たせる。ただし、三本勝負の一つだけな」

木原の話を聞いているうちに、私は鳥肌が立つのを覚えていた。それはまさに私が初めて賭

け五目並べに連れて行かれた時の状況だった。

実力のわかっている者だけを相手にするという話にも合点がいった。つまり仲間が連れてき

た相手、という意味だ。私は、「絶対に勝てるカモ」ということで、あそこへ連れていかれた

のだ。

「それ、友達だったのか」木原はためらいがちに訊いてきた。

「いや」私はかぶりを振っていた。「あまりよく知らない奴だった」

木原は安堵した顔を見せ、だろうな、といった。

倉持修は同じ中学に入っていた。しかしクラスが離れたせいもあり、その当時は殆ど交流がなかった。

私はあの賭け五目並べに費やした金のことを考えた。小学生の小遣いという観点から見れば、馬鹿にならない額だった。その金のために、私は祖母の死体から財布を盗んだのだ。倉持に事の真偽を確かめたかった。私を騙したのかどうか。だがそれどころでない状況が私を取り囲みつつあった。下手をすれば住むところがなくなる、という事態が迫っていた。

田島歯科医院が事実上存続不能であることは、誰の目にも明らかだった。父の右腕は回復の兆しを見せず、診療所の戸は閉じられたままだった。

父はほかの仕事を始めようともしなかった。相変わらず昼間から酒を飲み、酔いつぶれて眠るという毎日だった。志摩子を探す気力も、次第に薄れていったようだ。

働かなければ食べていくこともできなくなるわけで、我が家の経済状態は悪化の一途をたどった。父が志摩子に投じた金を惜しんでも遅かった。彼女は給料をろくに貰っていないはずだった。もっとも、単なる親切心からではなかったことを、後になって知ることになる。

助かったのは、依然としてハルさんが来てくれたことだ。

建て直しのために父が選んだ道は、すべてを手放すというものだった。最初は診療所を人に貸そうとしたらしいが、借り手はつかなかった。田島歯科医院のイメージがあまりに悪いため、新しく開業しようとする医師たちも二の足を踏んだのだ。そこで診療所全体を売りに出したが、芳しい結果は得られなかった。

毎日のように業者の人間がやってきては、父と何やら話し合っていた。彼等が出した結論は、屋敷も含めて売りに出すというものだった。

土地家屋を手放し、どこかに小さなアパートを建てる、その家賃収入で食べていく——それが父の思い描いたプランだった。唯一の技能を奪われた彼は、じっとしていてもお金が入ってくる事業にしか興味がなかったのだろう。

何をするにも口出ししないと気の済まない親戚たちが、父の行動を黙って見ているはずがなく、例によって我が家で親族会議が開催された。その場で父のアイデアは、全員から却下された。由緒ある田島家を他人に売り渡すことなど断じて許せない、というのが一致した意見だった。

それでも屋敷の所有権は父にあった。父は皆の意見を押し切って、というより無視して、屋敷と診療所を売ってしまった。買ったのは、どこかの不動産業者だった。中学に入って初めての正月を終えた直後のことだった。

私は大きな家が気に入っていたし、ようやく好きなように部屋を使える立場になれたところだったので、引っ越さねばならないというのはショックだった。また、それ以上に先のことがよくわからず不安だった。私は父のことが嫌いではなかったが、志摩子という女に騙されて以

来、全面的に信頼できなくなっていた。あれほど大きく見えた父の背中が、ずいぶんと貧弱に映った。

　引っ越した先では御飯はどうなるのだろう、という素朴な疑問もあった。掃除は誰がするのだろう、汚れた服は誰が洗ってくれるのだろう。ボタンが外れた時には、どうすればいいのだろう。

　両親が離婚した時、あまり迷わずに父の元に残った。そのことを初めて後悔した。

　ある寒い夕方、私は近所の本屋に出かけた。本屋に用があったのではなく、その前にある電話ボックスが目当てだった。ポケットは十円玉で膨らんでいた。

　電話ボックスに入ると、お守りを取り出した。母から貰ったものだ。その中に彼女の住所と電話番号が記してあった。

　この時まで、私から電話しようと思ったことはなかった。いずれ向こうから電話がかかってくるか、あるいは会いに来てくれるだろうと何の根拠もなく信じていた。しかし母からの連絡はなかった。

　十円玉を投入口に入れ、ダイヤルを回した。呼び出し音が鳴っているのを、どきどきしながら聞いた。

　そして電話が繋がった。

「はい、もしもし。ヤマモトですけど」

　聞こえてきたのは男の声だった。無愛想で、面倒臭そうな口調だった。私がすぐに答えないので、「もしもし、もしもし」と相手は苛立った声で尋ねてきた。あと

数秒沈黙を続けたなら、確実に切られていただろう。

「あの、もしもし」ようやく声を出した。

「はぁ……」子供の声だからか、相手は戸惑っていた。

「母はいますか」

「お母さん？」

「はい。あの、峰子というんですけど」今度は相手が黙り込んだ。こちらが何者かを悟ったようだ。

「もしもし、ともう一度いってみた。

「今はいないですけど」男はいった。感情の籠らない冷淡な口調だ。

「何時頃、帰りますか」

「さぁ、それはわからないな。帰ってきたら伝えておくよ」

「あ、お願いします――」私がいい終える前に電話は切れていた。

それから毎日母からの電話を待ったが、かかってくることはなかった。もう一度かけようかとも思ったが、あの男がまた出そうな気がしてかけられなかった。

日曜日に、思い切って母の家を訪ねてみることにした。予め地図を買い、大体の位置を確認してから家を出た。電車に乗って一人で知らない土地に行くのは、たぶんあれが初めてだったと思う。

母の住んでいる場所は、思ったよりも簡単に見つかった。二階建てのアパートだった。いつか母が出てくるすぐに訪ねていくことができず、私は道端でずっとドアを見上げていた。だが

のではないかと期待した。

やがてドアが開いたが、そこから出てきたのは知らない男と三つぐらいの女の子だった。男は分厚いジャンパーを着て、マフラーを巻いていた。手に洗面器を持っていた。彼と女の子が歩きだした後、部屋の中から腕が出て、開けっ放しだったドアをぴしゃりと閉めた。ピンクのセーターを着た腕だった。

それが母の手であることを私は確信した。同時にあきらめの気持ちが胸に広がるのを感じた。今更、母のところへは行けない。自分のための椅子は母のそばには存在しないと思い知った。

父はそれまでの家からずいぶんと離れた場所に土地を買い、そこにアパートを建てることにした。結果的に見れば中間業者に騙されたとしか思えない計画だったが、冷静な判断力をなくしている父に忠告する者はいなかった。親戚連中は完全に父を見限っていた。

アパートが出来たら、その中の一室に入ることになっていた。何もかもが急な話だった。

私と父は近くの賃貸住宅に住むことになった。アパートが完成するまでの間、引っ越しが近づいたある日、父は久しぶりに隣の診療所へ行った。荷物を整理するためだった。夜になってから私も行ってみると、父は診察台に座り、ぼんやりしていた。荷物はあまり片づいておらず、開けっぱなしになった段ボールがいくつも並んでいた。

「ああ、和幸か」私を見て、父は重そうに口を開いた。

何をしているのかと私は訊いてみた。

「いや、何でもない」父は診察台から降り、ため息をついた。「ここで何人ぐらいの患者を診たかなあ」

「歯の数にすると、もっとすごいね。一人につき一本とはかぎらないから」

私の言葉に父は寂しそうに笑った。「そうだな」

父は室内をぐるりと見回した後、「続きは明日だ。電気を消してきてくれ。そのへんのものに触るなよ」といってドアに向かった。

私は父に続こうとして足を止めた。そばにあった段ボール箱に目がいったからだ。その中には薬品瓶がいくつか入っていた。『昇汞』と書かれたものもあった。

その小さな瓶を、こっそりとジャンパーのポケットに入れた。

賃貸住宅に移ってからも、しばらくは元の中学に通っていた。

中学から駅に向かう途中、私は少し遠回りをして前の家を見に行った。古くて立派な日本家屋は、主を失い、巨大な墓のように家並みから沈み込んで見えた。

間もなく転校が正式に決定した。その噂を聞いた何人かの友達は、私との別れを惜しんでくれた。無理をして道化を演じただけのことはあるわけだ。

一番残念がってくれたのは木原雅輝だった。

「せっかく友達になれたのに残念だなあ」と彼はいった。

「俺もだ」

私は彼に、ビートルズのレコードをあげた。東京公演をした時の海賊盤で、ろくに音を聞き取れないような代物だったが、私にとっては宝物だった。受け取った彼は感激し、最後の日ま

でに自分も何か用意しておく、といった。

ある日、いつものように前の家のそばまで行ってみると、大勢の男たちによって取り壊しが始まっていた。ブルドーザーが塀を壊し、庭の植え込みをなぎ倒していた。柱は簡単に折れ曲がり、土の壁は紙のようにぺしゃんこになった。

時間はそれほどかからなかったと思う。私の見ている前で、あのいかにも歴史がありそうな屋敷は、ただの瓦礫の山に変わっていった。男たちは一仕事終えたという顔つきで、トラックに乗って去っていった。

人気がなくなってから、家の残骸に近づいていった。家は見事に粉々になっていた。瓦礫をちょっと見ただけでは、家のどこの部分だったのかもわからなかった。振り子のついたものだと思う。それが二階の布団部屋にかけてあったものだということを私は覚えていた。辛いことがあった時には、あの部屋でよく泣いたものだ。その時計を見ているうちに目の奥が熱くなった。私はその場にしゃがみこみ、声を出さぬよう気をつけながら、少し泣いた。

しばらくして視線を感じ、顔を上げた。道路の脇でハルさんが、じっとこちらを見ていた。彼女は私と目が合うと、何か見てはいけないものを見たような顔をして、そそくさと去ってしまった。買い物の帰りだったのだろう、エプロンをつけ、籠を提げていた。新しい雇い主が見つかったのかもしれなかった。

父から解雇をいわれた時、ハルさんはそれまで滞っていた給料の全額支払いを要求した。しかも彼女は利息まで計算していた。

「あの女、俺が不動産屋と会ってたことを知ってたんだな。だからいずれは利子をつけて払ってもらおうって魂胆で、給料なしでも文句をいわなかったんだ」彼女が帰った後、父はいましましそうに呟いていた。

三月の終業式の日が、私が皆と別れる日でもあった。明日からは春休みということで、同級生たちは浮き浮きした顔をしていたが、私だけは陰鬱な気持ちを抱えていた。皆と別れるのが辛かったわけではない。この先どうなっていくのだろうという不安に押し潰されそうだったのだ。

私にとっては何の役にも立たなかった担任の女性教師が、生徒たちに私の転校を発表した。感動を誘いそうな言葉を選んでいるのが見え見えで、横で聞いているだけで気恥ずかしくなった。さすがにそれに乗せられて涙を流すような馬鹿は一人もいなかった。

最後に担任教師は、私に挨拶するよういった。私は前に出て、自分でも素っ気ないと思える挨拶を述べた。教師は不満そうだったし、それまで私のピエロぶりを面白がっていた連中は、あてが外れたという表情だった。

木原が駅まで見送ってくれた。彼のほかにも何人かいたような気がするが、ほかの者のことは全然記憶にない。木原はこの時期の私にとって、唯一の友達だった。小学生の時に出会っていたらと、今になっても思う。

「これ、持って行けよ」そういって彼が差し出したのは一本の万年筆だった。彼がそれを英語の授業の時に使っていたことを私は知っていた。

「いいのかい」

「いいんだよ。それから、これ」彼はさらにあるものを鞄から取り出した。

それはサイン帳だった。開いてみると、クラスではずっと道化の仮面をかぶり続けてきた私だったが、それを見た時にはさすがに胸がいっぱいになった。クラスメートのサインや言葉、イラストなどが書き込まれていた。

ありがとう、と小声で礼をいった。

電車がホームに入ってきて、私はそれに乗った。他県に行くわけではないし、これからも会おうと思えば簡単に会えるはずだったが、電車の中から手を振りながら、永久の別れのような気がしていた。

事実、木原と会うのはそれが最後になった。成績優秀だった彼は、私などには到底入れない高校に進み、国立大学の文学部に入った後、東京に本社がある新聞社に就職することになるのだが、そのこと自体は私の運命に何ら関係ない。

木原との別れを終えた後、私は電車の中で改めてサイン帳を開いた。一頁に一人のサインが書かれていた。さほど親しくなかった者までもが書いているのを見て、少し妙な気分になった。頁を繰るうちに、そこに書いているのがクラスメートだけでないことに気がついた。ほかのクラスでも、体育や技術の授業を通じて親しくなった者が何らかのメッセージを書き込んでくれていた。私は木原に感謝した。彼はこのサイン帳を持って、他のクラスにも回ってくれたのだ。

だがそんな幸福な気分も、ある頁に書かれたものを見て吹き飛んだ。それは倉持修によって書かれた頁だった。木原は誰かから、小学校時代に私と倉持が親しか

ったことを聞いたのだろう。

『新しい学校でもがんばってくれ！　負けるな！』

カラーサインペンを使い、そんなふうに書いてあった。文字の横には『巨人の星』の主人公

の顔が奇麗に描かれていた。

それだけならば何ということはない。問題は、右上に書かれた文字だった。

田島和幸くんへ――こう書かれていたのだ。

7

　新しく通うことになった学校は、どす黒い運河のそばに立っていた。涼しい季節はまだまし

だが、暑くなってくると窓を開けざるをえない。そんな時には油臭さと腐臭が混ざったような

生暖かい空気が教室中に充満し、とても授業どころではなかった。もっともそういう悪環境が

なくても、私が快適に中学生活を送ることは不可能だったと知るのに、さほど時間は要しなか

った。

　担任は山羊のような顔をした老人だった。実際にはさほどの年齢でもなかったのだろうが、

すべてを諦めたような態度からは精気のかけらも感じられなかった。彼は、扱いにくい中学生

の集団に、さらに異分子が加わることを鬱陶しく感じているようだった。またその担当に自分

が選ばれたことを、いわれのない不幸と受け取っている気配があった。不安で萎縮しているに

違いない転校生の気持ちをほぐそうという思いやりは、彼の頭からは欠落していた。

「新しい仲間を紹介します」

　担任教師が初めて私を自分のクラスに連れていった時に発した言葉は、端的にいえばこれだけだ。あとはごく事務的に、私に皆への挨拶を命じただけだ。

　四十人あまりの新しいクラスメートたちに、突然やってきた転校生に、あらゆる種類の悪意が混ざった視線を投げてきた。珍しい生き物を見る目、迷惑そうな目、品定めする目、敵意の籠った目、さまざまだ。そして全く無関心という者も少なからずいた。私は形式的な挨拶を述べながら、これは蛇の目だ、と思った。自分は今、蛇に囲まれている。

　そのクラスには、極端なワルはいなかったように記憶している。一言でいってしまえば、ふつうの生徒たち、ごく平均的な中学生たちによって構成されていた。眉を剃っている者も、授業中に教師を無視して花札をするような連中もいなかった。クラスの誰かが補導されたという話も聞かなかった。

　だが「ふつう」ということは、悪くもない代わりに、さほど良くもないということを意味する。そういう人間は、自分から行動を起こさない代わりに、誰かが発揮した悪意の尻馬には簡単に乗るという傾向を持っている。

　直接的な「いやがらせ」は、最初はなかった。誰もが遠巻きに私を観察しているふしがあった。もしもこの時誰かが話しかけてきて、それに対して私がそつなくレシーブを返していたなら、次々にうち解けていけたかもしれない。しかし不運なことに、私に対して行われた最初の行動は、「何もしない」ということだった。つまり無視だ。

　まず、ある一人が無視という行動をとる。それを見ていた二人目は、転校生への接し方につ

いて選択を迫られる。一人目に倣うか、自分なりの道をとるか、だ。後者を選ぶにはある程度の勇気が要求される。一人目と対立することを覚悟せねばならないからだ。かくして二人目も、さわらぬ神にたたりなしとばかりに無視のほうを選ぶ。こうなれば、後がどうなるかは決まったも同然だった。三人目以降は、自分だけが皆と違う態度をとるわけにはいかないという理由から、先人たちの後をなぞるのである。

転校して一か月近くが経った後も、私はそのクラスにはいないも同然の生徒だった。皆は私と目を合わせないようにし、何をする時にも、田島和幸という生徒のことは念頭に置かないようにしていた。

たとえば何かをグループで行うという授業があった場合でも、私だけはいつも余っていた。そこで教師がどこかのグループに入れるわけだが、その中でも話しかけてくる者はおらず、グループで力を合わせてという趣旨にもかかわらず、私に与えられる仕事は何もなかった。授業の間中、私はただ皆のすることを見ているだけだ。

また体育の授業でソフトボールをした時には、私の守るべきポジションはなく、打席に立たせられることもなかった。それでも一度だけバッターボックスに立ったのは、バットの届かないようなボールばかりだった。ところが審判役の同級生は、それらをことごとくストライクと判定するのである。結局私は一度もバットを振ることなく三振に倒れたが、そのことに文句をいう者は一人もいなかった。ただ、誰かがどこかでくすくす笑っていただけだ。

当時のことを時々振り返ってみるが、いくら考えても、自分があのような仕打ちを受けた理由

由というものがわからない。私には何とか溶け込もうと、できるかぎり積極的に話しかけたりもしたのだ。しかし気がついた時には彼等との間に分厚い壁が出来ていた。

ものの本によると、「いじめ」がクローズアップされ始めたのは一九八〇年代に入ってからだそうだ。しかしそれ以前からいじめが存在していたことは、大人ならば誰でも知っている。

ただ、特に取り上げようとする者がいなかっただけのことだ。

いじめについて教育者や学者は、どうしてそれが起きるのかということを考える。経験者の立場からいえば、いじめは元来起きるものなのだ。自分が馴染めないものを排斥しようとするのは当然の本能である。また、他人の不幸が快感であるのと同様に、誰かが苦しむのを見るのは楽しいものだ。誰か一人犠牲者を決め、皆でその者を攻撃することにより、連帯感のようなものが生まれるのも事実だ。集団があればいじめも存在する。これは避けがたいことといっていい。

転校生というのは、特にその対象にされやすい。それまでに顔見知りになった者を誰も傷つけず、「いじめ」という魅力的な祭りを繰り広げられる。転校生がいじめられなかったとしたら、それなりの条件を満たしていなかったとしか考えられない。たとえば見るからに喧嘩が強そうであるとか、とてつもない金持ちの子供であるとか、成績が抜群にいいとかだ。クラスの中にとびきり気のいい人間がいて、その者が転校生を皆の中に溶け込ませようとした場合には、災いを逃れられることもあるが、それはやはり幸運というべきだろう。

私は喧嘩が強そうには見えなかっただろうし、家も裕福ではなかった。おまけに元来口下手

で、知らない人間と話をするとぎくしゃくしてしまう。いじめに飢えた連中の目に格好の餌食（えじき）と映ったとしても不思議ではない。

無視といういじめは、身体に痛みを感じるものではなかったが、私の精神には着実にダメージを与えていった。しかし相談できる相手など一人もいなかった。父はアパート経営をいかにうまくやるかということで頭がいっぱいだったし、山羊のような顔をした担任教師は、明らかに私と関わり合いになるのを避けていた。

いじめが暴力的なものに変わったきっかけは、クラスで貸し切りバスに乗った時に生じた。いわゆる社会見学という催しで、我々はある新聞社を見に行くことになった。

バスには二人ずつシートに腰掛けていく。問題は、誰が田島和幸の隣に座るかということだった。席数に余裕がなかったから、私を一人で座らせておけなかったのだ。

座席はくじ引きによって決められた。その結果、加藤という男が私の隣にくることとなった。ほかの者は自分が当たらなくてほっとしたようだが、加藤は激怒した。

「どうして俺があいつの隣なんだっ。最悪じゃねえかよ」

私がそばで聞いていることなどお構いなしである。皆は彼に同情しつつも笑っていた。バスでは私が窓側に座った。加藤は通路に片足を出すような格好で座り、ほかの席の者と話をしていた。話の大半は、今日はついてない、という内容だった。

しばらくして加藤が妙な動きをし始めた。鼻をひくつかせ、変な臭いがする、といいだしたのだ。やがて私のほうを向いた彼は、露骨に顔をしかめ、鼻をつまんだ。

「なんだ、臭いの元はすぐ横かよ」

すぐに何人かが笑った。彼と同じように臭いを嗅ぐしぐさをし、「ほんとだ、臭えや」といった者もいた。

たしかにこの時期、私はろくに洗濯をしていない制服を着続けていた。頭に来た私は加藤を睨みつけた。無視されても耐え続けてきたが、この時だけは許せなかった。

加藤は逆に睨み返してきた。

「なんだよ、文句あるのか」

私は目をそらした。喧嘩をする気はなかった。加藤も、それ以上は何もいってこなかった。

バスの中に気まずい空気が漂っていた。

この社会見学の間は何事もなかった。彼等は私を体育倉庫に連れ込んだ。しかしその翌日の放課後、家に帰ろうとした私を加藤ら四人の男子が取り囲んだ。彼等は私を体育倉庫に連れ込んだ。

「おまえ昨日、なめたまねしてくれたよな」加藤がいった。

何かいい返そうとした時、誰かが私を羽交い締めにした。抵抗する間もなく、加藤の尖った靴の先が私の胃袋にめり込んでいた。声も出せず、私は前のめりになった。さらにもう二、三発、腹を蹴られた。

羽交い締めは外されたが、私は立っていられず、腹を押さえてしゃがみこんだ。そこに無数の蹴りが浴びせられた。彼等は私の腹、腰、尻と、とにかく顔以外のすべての部分を蹴り続けた。顔に怪我をさせると、いろいろと面倒なことになると思ったからだろう。誰かが何かをいい、気が済んだのか、それとも蹴り疲れたのか、執拗な攻撃もやがてやんだ。

それに対して誰かが答えた。詳しいやりとりは覚えていない。というより、その時の私は意識が朦朧としていて、話を聞き取る余裕などなかった。下ろされたのは、四角い箱のような中だった。何が行われるのかわからず呆然としていると、その箱に蓋がかぶせられた。狭い闇の中に私は閉じこめられた。

話をうまく聞き取れなかったと述べたが、一言だけ加藤が最後に発した言葉だけは覚えている。

彼はこういった。

「親や先公にいいやがったら、ぶっ殺すからな」

その後、彼等の声は遠ざかった。

全身の痛みに耐えながら、私は自分がどこに入れられたのかをたしかめた。体育倉庫に置いてある跳び箱の中だということはすぐにわかった。ならば、一番上の段を押し上げれば出られるはずである。ところが蓋は異様に重く、簡単には持ち上がらなかった。どれほどの時間、悪戦苦闘していたのかはわからない。ようやく出られた時には精根尽き果て、床に倒れたまましばらく起き上がれなかった。じつは跳び箱の上に体操用のマットをかぶせてあったのだ。全身の痛む身体をひきずるようにして私は帰路についた。全身が倉庫の埃で真っ白になった私を、すれ違う人々が気味悪そうに見ていた。

この頃私と父は、まだ賃貸住宅に住んでいた。一戸建てとは名ばかりで、狭い台所のほかには汚い和室が二間あるだけだった。

家に帰ると父はテレビをつけっぱなしにして胡（いびき）をかいていた。食卓の上には日本酒をしこた

ま飲んだ形跡が残っていた。傍らにノートが一冊載っている。アパート経営に関する細々とし

たことを父がそこに時々書きこんでいるのを、私は何度か見ていた。

土地を確保したというのに、肝心のアパートを着工する目処は立っていなかった。細かいこ

とはわからなかったが、今になって想像してみると、結局資金が足りなかったのだろう。土地

を担保に銀行から借りる手はあっただろうし、父もそのつもりだったと思うのだが、そうする

と返済分を見込んだだけの家賃収入が必要ということになる。すべての部屋に借り手がついた

として、家賃の下限はいくらか。そういうことを計算した場合、立地条件等から考えて、おそ

らくかなり上質な建物にしなければならなかったのだろう。するとその分、資金が余分に必要

で、またしても借入金を増やすことになり、返済額も上がる。出口のない迷路で、父は毎晩

堂々巡りをしているのだった。酒を飲んで寝込んでしまうのは、明らかに現実逃避だった。

食卓の上には、近所の惣菜屋で買ってきたと思えるおかずが、乾いた状態で並んでいた。い

つもならばそれを夕食にするのだが、その日の私はさすがに食欲がなく、隣の部屋へ行って着

替えを始めた。服を脱ぐと、全身のいたるところに痣が出来、腫れて熱をもっていた。出血し

ているところはなかった。

今夜は銭湯には行けないな、と思った。

いじめはその後も続いた。クラス全員から無視されるのはもちろんのこと、突然わけもなく

暴力をふるわれることも珍しくなかった。中心になっているいじめグループは加藤たち数人だ

が、時には別の者も加わったし、私がいじめられる様子を喜んで見ている観客たちもこちらか

らすれば加害者だった。見て見ぬふりをする傍観者たちも同様だ。

なぜいじめられることを承知で律儀に毎日学校へ行ったのか、そこに明確な理由はない。いじめる側にそれがなかったのと同じだ。学校には病気でないかぎり行くものだという思い込みが、私の足を向けさせていたとしかいいようがない。もし登校拒否という言葉がもっと早くに流布していたなら、私もそういう方法を選んでいたかもしれない。

ただ私には一つだけ、苦痛に耐えるための支えがあった。いじめられながら、私はこんなふうに考えていたのだ。

好きにすればいいさ。いざとなれば、俺はおまえたちを殺せるんだからな――。

たぶん私が具体的に殺人を考え始めたのはこの頃ではないかと思う。毎日のようにそのことを想像していた。

単なる夢想ではなかった。私はその手段を持っていた。自宅の机の引き出しに、それは隠してあった。

昇汞の瓶だ。

正式な化学名は塩化第二水銀という。無色の結晶で、医薬品として消毒薬、防腐薬に用いられる。猛毒で、致死量は0・2から0・4グラム、と本には書かれていた。具体的な使い道は決めていなかった。

父の診療所から盗みだした時には、毒物に興味を持っていた私は、瓶のラベルを見るなり、それが宝物であることを知り、こっそりポケットに入れたのだ。

以前からこの劇薬を使用する誘惑にかられていた。いつか誰かに飲ませてみたい、殺したい

相手がいたら絶対にこれを使ってやろう、という具合にだ。

この昇汞をクラスの連中に飲ませれば──そういう想像を、私は毎晩頭の中で展開するようになった。ただ、すぐに加藤たちいじめグループを狙おうとは思わなかった。彼等が死んだら警察が動くだろう。解剖などで、昇汞を使われたこともわかるかもしれない。そうなれば私が疑われるのは確実だった。私に動機があることは皆が知っている。昇汞を入手できる立場にあったことも、調べればわかってしまう。

加藤たちを殺すことについて、良心の痛みなどは感じなかった。だがそれを実行するのは、自分自身が滅びてもいいから復讐したいというレベルにまで気持ちが追い込まれた時だと思った。私はまだそこまで絶望してはいなかった。

とはいえ、殺人への思いが鎮まったわけではない。むしろ、本当に自分には人を殺せるのだという確証が欲しかった。昇汞の効き目を確かめてもみたかった。

そこで脳裏に浮かんだのが倉持修のことだった。

倉持のことは恨んでもいいはずだと思った。

彼は私を騙し、あのインチキ五目並べをする男のところへ連れていった。彼のせいで私は小遣いをなくし、祖母の死体から財布を盗む羽目になったのだ。

例の呪いの手紙のこともある。

呪いを与える相手のリストに私の名前を書き加えたのが倉持であることは、まず間違いなかった。田島和幸と田島和幸。ほかに誰がそんな間違いを犯すだろう。そのせいで私は二十三人

108

　から『殺』の葉書を受け取ることになった。
　私は本気で、あの呪いが現実化したのではないかと考えていた。『殺』の葉書を受け取って
以来、不幸ばかりが襲ってくるようになった。
　しかし倉持修が私の不幸を望んだのは事実だ。そう思うと、憎悪がわき上がってきた。彼は数
少ない友人の一人だと信じていたから尚更悔しかった。
　これは殺人の動機としては弱いだろうか——そんなふうに考えた。
　世の中には様々な殺人者がいる。たった数千円のことで衝動的に人を殺したという話も珍し
くない。しかし私はそういう殺人者には関心がなかった。私が憧れたのは、きっぱりとした動機
を持ち、殺人の意思を持続させ、冷静に実行に移すという殺人者像だった。以前読んだブラン
ヴィリエ公爵夫人の犯罪だ。
　殺人への誘惑は強かったが、動機は不可欠だった。それがなくては本当の殺人ではないとい
うのが私の考えだった。
　呪いをかけられたとか、不幸になることを期待されたというのは、動機としてどうだろう。
　憎しみを抱く根拠にはなっているが、殺すほどではないという気もした。私は自分の憎悪がさ
ほど増大しないことに苛立った。自分がひどく弱い人間のような気がした。
　そんな私の心のたがを外してくれたのは、皮肉にも加藤たちだった。雨降りで、体育の授業
が自習になった時のことだ。自分の席で推理小説を読んでいた私のところへ、彼等が近寄って
きた。
「おっ、こいつ、こんなもの読んでやがる」一人が私の本を取り上げた。

「いいのかよお、自習中に小説なんか読んでよお」加藤がすかさず後を引き継いだ。自分たちだって歩き回っているくせに、という台詞は当然吐けなかった。私は机の上に両手を載せたまま、斜め下を見ていた。

「これ何だ？　外国の小説かよ。生意気だな」

「おい、ちょっと貸せよ」加藤が仲間から本を受け取り、声を出して読み始めた。二、三行読んだ後に彼はいった。「へっ、何だこれ。わけのわかんないこと書いてあるぜ」

「探偵小説ってやつだろ。ルパンとかホームズが出てくるんじゃねえのか」

「そんなもの出てこないぜ。だけど犯人がどうとかって書いてあるな。犯人を当てる本なのか」

「たぶんそうだ。最後になって探偵が犯人を当てるんだ」

ほーお、と加藤はいやな相槌を打った。彼は本の最後のほうを開いた。

「おい田島、犯人を当ててみろよ。当たったら返してやるぜ」

私は黙っていた。当てるも何も、その本はまだ読み始めたばかりだった。どういう登場人物が出てくるのかも知らなかった。

「なんだ、答えられないのかよ。じゃあ、宿題だな」そういうと加藤は私の胸ポケットに差してあった万年筆を抜き取った。木原雅輝から貰ったものだったので、私は狼狽した。

「たぶんそうだ。最後になって探偵が犯人を当てるんだ」の直後、加藤は文庫本の最後の頁を、万年筆で塗りつぶし始めた。扱いが乱暴で、ペン先が壊れそうだった。

「返せよ」私は怒鳴っていた。

いつもは黙ったままのいじめられっ子が抗議してきたので、加藤はプライドを傷つけられたような顔をした。

「なんだよ、おまえ。文句あるのかよ」彼は文庫本を床に投げ捨てた。私としては本のことはもうどうでもよかった。大事なのは万年筆だ。

「返せ」彼の手から万年筆を奪い返そうとした。

しかし加藤は簡単にそれを手放さなかった。取り合ううちに万年筆からインクが吹き出た。それは加藤の制服の袖を汚した。

「あっ、こいつ」彼の顔が醜く歪んだ。

彼は私の制服の襟元を掴んできた。「何しやがるんだ、馬鹿野郎」

反論しようと思った時には私は床に倒されていた。起き上がろうとしても身体を動かせなかった。加藤の仲間たちが押さえているからだ。

「ズボンを脱がせろ。パンツもだ」

加藤の指示にしたがい、二、三人の手が私の下半身に伸びた。私は両足をばたばたさせて抵抗したが、無駄だった。ベルトを外され、ズボンと下着が下ろされた。貧弱に縮み上がったペニスが露わになった。女子生徒は目をそむけ、男子生徒の大半は笑っていた。

加藤は私の足元で腰を下ろすと、木原の万年筆の分解を始めた。インク入れの部分を露出させ、両手で持って位置を定めた。何をするつもりなのか、私にもわかった。

彼は両手でインク入れの部分を折り曲げた。鈍い音がして万年筆は折れ、黒いインクがぼた

ぽたと落ちた。それは私の下腹部にこぼれた。縮んだペニスが真っ黒になった。それを見てま
た観客たちは大笑いした。

「黒板消しを持ってこい」加藤が命じた。誰かが素早く行動し、それを彼に手渡した。

加藤は黒板消しで私の下腹部を何度か叩いた。黒かったペニスは、今度は白くなった。見て
いる者たちは腹を抱えた。涙を流している者もいた。

その時だった。「先公が来るぞっ」と誰かが叫んだ。

加藤たちの動きは迅速だった。私の下着とズボンを上げると、素早くベルトを締めた。後は
私を床に放置して、それぞれの席についた。

禿頭の体育教師が入ってきた時、私はまだ立ち上がれないでいた。床に尻餅をついたような
格好で座っていた。

「何やってるんだ、おまえ」体育教師は私を見ていった。その教師にしても、体育の授業中の
様子などから、私がいじめに遭っていることは感づいているはずだった。しかし多くの教師と
同様に彼もまた何もしてくれなかった。

私は黙って首を振り、のろのろと席についた。皆が周りでにやにや笑っている気配があった。

加藤たちは、私が一言でも何かを教師に訴えたら後で袋叩きにしようと身構えていたに違いな
かった。

殺してやる、こいつら全員をいつか殺してやる——私はそう心に決めた。

純粋に力が欲しかった。本気になれば自分は人を殺せる人間なのだという確信が必要だった。

私はブランヴィリエ公爵夫人のエピソードを再読し、一つのヒントを得た。彼女は父殺しを感づかれたということで兄弟さえも殺してしまうのだが、その際人体実験を行っているのである。

つまり殺しのリハーサルだ。

そこで私はまたしても倉持修のことを考えてしまう。

倉持修だけをわざわざ殺すほどの動機は持ち合わせていない。しかしさらに大きな野望を実現する準備として、リハーサルをしておきたかった。さらに大きな野望とは、いうまでもなくクラスメートを皆殺しにすることだ。殺人のリハーサルをして自分の力に自信を持てれば、いじめによって失ったものを取り戻せると思った。

その日から私は倉持修を殺す方法について考え始めた。生まれて初めての殺人計画立案だった。

しかも単なる空想ではない。

使用する凶器は昇汞と決めていた。それをいかにして倉持に飲ませるか。まず最初に考えたのは、食べ物に混ぜて送りつけるということだった。しかし少し検討してみると、無理が多いと気づいた。差出人が不明では、受け取った側が警戒するだろう。倉持のよく知っている名前を使うという手もあるが、身に覚えのない贈り物をされたら、食べる前に電話で確認するのがふつうかもしれない。もちろん、私の名前で送ることは論外だ。

それに仮に怪しまれなかったとしても、倉持だけを殺せるかどうかが不確かだった。下手をすれば倉持以外の誰かを殺すことになる。それは私の本意ではなかった。あくまでも、狙ったターゲットだけを仕留めたいのだ。

いろいろと考えた末、やはり毒物の入った食品を私が直接手渡すしかないという結論に達し

た。それを何とか倉持が一人でいる時に食べるよう仕向けるのだ。

肝心なことは、私と倉持が会っていたことは誰にも知られてはならないという点だった。そさえクリアすれば、警察が私を疑う可能性は低いように思われた。小学校卒業以来、私は倉持とはさほど親しくしていないし、転校後にいたっては、一度も連絡を取り合っていない。まさかその中学に転校した同級生が、わざわざ復讐を企てに戻ってくるとは警察も考えないはずだった。

私は昇汞を仕込むのに適した食品は何だろうと考えた。本によれば水にはわずかしか溶けず、エタノール、アセトンなどには溶けるとある。つまりジュースなどではだめだということだ。

私は倉持と過ごした小学生時代に思いを馳せた。よく二人でゲームセンターに行き、ピンボールに興じたものだった。

彼が時々鯛焼きをかじりながらプレイしていたことを私は思い出した。

8

倉持修を毒殺するには、次の条件が必要だった。

まず二人きりにならなければならない。二人でいるところを第三者に見られてはならないし、彼が私と会っていたということさえ誰にも知られてはならない。

次に、倉持に怪しまれてはならない。私が出した鯛焼きを何の疑いもなく食べるようでなければ成功しない。

食べた後はどうか。首尾良く倉持が死んだとして、死体をそのままにしておいてよいか。と

はいえ、死体を運ぶことなど不可能だ。となれば、犯行後は誰にも見つからないよう速やかに

逃走する必要があった。もちろん、手がかりになるようなものは残しておけない。鯛焼きも、

どこで買うかは慎重に考えねばならなかった。万一店の者に顔を覚えられでもしたら、すべて

の計画がぶちこわしになる。

以上の条件を眺めると、ため息をつかざるをえなかった。どう考えても、こんなに都合よく

条件が揃うとは思えなかった。それでも犯行を断念する気にはなれなかった。毒殺を実行する

という決意だけが、その時の私を支えていたともいえる。

思案の末、とりあえず倉持の日常生活を調べてみようと思った。毎日の生活パターンがわか

れば、チャンスを見つけられるかもしれないからだ。

翌日の放課後、私は急いで駅に行き、電車に乗った。向かうところは無論、前に住んでいた

町だ。

倉持の家は商店街で豆腐屋を営んでいた。その向かいの並びに書店があった。豆腐屋からは

二十メートルほど離れていた。私はその書店で立ち読みをするふりをしながら、倉持の家を観

察することにした。

夕食前ということもあり、商店街の人通りは多く、書店の店先で粘っていても不審がられる

ことはなかった。私だけでなく、多くの小学生や中学生がマンガ雑誌の立ち読みをしていた。

倉持の家では両親が客の応対をしていた。五時を過ぎると買い物籠を提げた主婦が並んだ。

以前倉持が、一丁何十円なんて商売はまどろっこしくてやってられない、といっていたのを思

い出した。

六時を過ぎた頃、倉持が中から出てきた。彼は店の前に置いてある古い自転車に跨り、どこかへ出かけていった。私のいる書店の前を通り過ぎたが、彼は気づかなかったようだ。どこに行くのか、私はひどく気になった。尾行したかったが、向こうは自転車だから追いかけることは不可能だった。

次の日も私は見張りに出かけた。雨が降っていた。傘をさして例の書店の前まで行くと、店先の本はすべて中に移されていた。本が雨に濡れるのを防ぐためらしい。しかし店の中に入ってしまっては、倉持の家を見張ることはできない。仕方なく、少し離れたところにある模型屋に移動することにした。その模型屋では、小学生の頃、サンダーバードのプラモデルを買ったことがあった。

雨のせいか、その日は人通りが少なかった。豆腐の売れ行きも芳しくないようだった。そんな中、またしても倉持が出てきた。前日よりは少し早かった。さすがに自転車には乗らず、傘をさして歩き始めた。そのチャンスを逃す手はなく、私は模型屋を離れて尾行を始めた。

刑事か探偵にでもなった気分だった。倉持は後ろを気にする様子もなく、雨の中を歩いていく。やや早足なのは、急いでいるせいと思われた。

やがて川のそばの住宅地に辿り着いた。見覚えのある場所だった。かつて倉持に連れられ、インチキな賭け五目並べをしにきたところだった。

そして彼は、まさにあの小屋としか表現しようのない家の前で足を止めた。傘をさしたまま、

周囲の様子を窺うようにきょろきょろした。私は咄嗟に傘で顔を隠し、そばの角に隠れた。

私は傘を閉じ、顔だけを建物の陰から出した。倉持は例の家の前でしゃがみこんでいた。そこには植木鉢がいくつか並んでおり、そのうちの一つを動かしているようだった。

立ち上がった彼は、古い扉の取っ手のあたりを触っていた。鍵を外しているのだと私は見抜いた。扉を開けた彼は素早く中に入った。

私はそこで十分以上待っていたが、倉持が出てくる気配はなかった。中で何をしているのか、見当もつかなかった。

これは大きな収穫だった。昨日もここへ来たに違いないと確信した。しかも彼が自分で鍵をあけたということは、中にはほかに誰もいないということになる。

翌日は晴れだった。私は一旦家に帰り、着替えてから出かけた。電車に乗ると、いつもの駅で降りたが、商店街には向かわず、すぐに例の川縁の家を目指した。到着したのは六時ちょうど頃だった。

駐車している軽トラックの陰に身を潜めて待っていると、倉持が自転車に乗って現れた。彼は前日と同じように周囲に目を配ってから、植木鉢の下の鍵を取った。それで鍵をあけ、家の中に入った。そこまで確認し、私はその場を離れた。その時にはもう私の頭の中で、殺人計画は構築されつつあった。

どこで鯛焼きを買うかは大きな問題だった。私は何軒か見て回り、一番客の多い店を選んだ。そこで鯛焼きを二つ買い、近くの公園に入った。ベンチに腰掛け、人目がないことをたしかめ

てから鯛焼きを一つ取り出した。

まず、指の跡がつかないよう気をつけながら、中の館が露出する程度に頭の部分の皮を少し破った。それからポケットに手を入れ、小さな紙包みを出した。中には昇汞が入っている。紙を広げ、こぼさないよう慎重に館の上にふりかけた。私の知る限りでは、倉持は鯛焼きを食べる時、頭からかぶりつく。そのとおりの行動をすれば、最初の一口で仕込んだ昇汞をすべて腹に入れてしまうはずだった。

この後、ポケットからもう一つの秘密兵器を取り出した。前夜のうちに片栗粉を使って作っておいた澱粉糊だ。いったん破った鯛焼きの皮を修復するにはどうすればいいかと考え、それを使うことを思いついたのだ。小学校で経験した実験が、思いがけないところで役に立った。

空気に触れさせないようビニール袋に入れてきた澱粉糊を指先に付け、私は鯛焼きの皮をもう一度くっつけた。出来映えは思ったよりもよかった。余程気をつけて見なければ、何かの細工をしたとはばれないはずだった。

最後にもう一つの鯛焼きの尻尾の部分を指先でちぎり、どちらも袋に戻した。尻尾をちぎったのは、いうまでもなく目印のためだ。それだけのことをしてから立ち上がり、私は駅に向かった。

今から思うと、その時の私は倉持を殺したいのではなく、本気で誰かを毒殺するという計画に酔っていたのだと思う。自分の中に楽しんでいる部分があったからこそ、周到に準備をしたり、執念深く見張り続けたりできたのだ。

例の家には六時前に着いた。倉持がどちらの方角から現れるかはわかっていたので、少し離

れたところで待ち伏せることにした。

十分ほどして倉持がやってきた。家の前に自転車を置き、植木鉢の下から鍵を出す。いつもの手順だ。彼が家の中に消えてから、私は行動を開始した。

周囲に人気はなかった。これは大事なことだ。家の中に入るところを誰かに見られたら計画を中止しなければならない。

扉の前に立ち、深呼吸を二回してからノックした。インターホンや呼び出しブザーといった気の利いたものはついてなかった。このノックの音には神経を遣った。小さくては中にいる倉持に聞こえないだろうし、大きすぎては近所の者に聞かれてしまう。応答があるまで気ではなかった。

しばらくして中で人の動く気配があった。はい、と倉持の声がして、扉がゆっくりと開いた。彼は私の顔を見た後も、すぐには反応しなかった。瞬きを何回かしてから口を開いた。

「あれ、どうしたんだ？」

「やあ」私は努めて明るい声を出した。「久しぶり」

「なんで田島がここへ来るんだ」彼はまだわけがわからないという顔をしていた。

「そこを歩いてたら、倉持が見えたんだ。それで声をかけようと思ったら、この家に入っていくからさ」

「へええ」そういうこともあるのかと彼なりに納得したようだ。「どうしてこんなところを歩いてたんだ」

「友達の家に行ってたんだ。その帰りに何となくぶらぶらしてた」

「ふうん」

「倉持こそ、こんなところで何をしてるんだ？」

「俺かい？　俺はバイトだ」彼はにやりとした。ようやく彼らしい表情に戻った。

「バイト？」

「まあ入れよ」

家の中は前に来た時とあまり変わっていなかった。違うのは、例の五目並べ用の台と椅子が消えていることだ。壁に貼られたルールを書いた紙は、まだ残っていた。

奥には狭い和室と台所があるだけだった。畳は焦げ茶色に変色し、ところどころ毟ったようになっていた。台所は暗く、汚い。

和室には小さな卓袱台が置かれ、その上にボール紙を細かく切ったようなものが広げられていた。卓袱台の横には段ボール箱があり、中にはボール紙で作ったキャップのようなものが入っている。大きさは指先ほどだ。

「何してるんだ」

「だからバイトだよ」彼は卓袱台の前で胡座をかいた。

「いいものを見せてやろうか」

「うん」

倉持はポケットから紫色をした薄い布きれを出してきた。それを両手で持ち、手品師がやるように私に裏と表を交互に見せた。

「はい、種も仕掛けもありません」そういってから彼は左手を握りしめ、その中に布きれをぐ

いぐいと押し込んでいった。すべてを押し込んだところで彼は左手を広げてみせた。布きれは消えていた。

「あれっ」

不思議に思ったが、すぐに倉持の左手に気づいた。親指に肌色のキャップがかぶせられていた。

「なんだ、それ。子供騙しだな」

「そうはいっても、一瞬騙されただろ」

倉持は親指からキャップを外し、卓袱台の上に置いた。中にさっきの布が入っている。私はそれを手にとってみた。ちゃちな代物だった。

「こんなものを作ってるのか」

「ボール紙を型どおりに切って、糊付けして、乾かして、箱に入れる。そこまでやって、一つにつき五円だぜ。やってられねえよ」

肩をすくめつつも、彼は鋏を手にし、ボール紙を切り始めた。時間が惜しいらしい。

「毎日やってるのか」

「まあな。今日はあと百個は作るつもりだ。それでも五百円ぽっちだ」

「どうして倉持がこんなことをしてるんだ。しかもこんなところで」

「ここの隣の婆さんが死んじまったんだ。この仕事は、その婆さんがやってた内職さ。それをガンさんが引き継いだんだけど、ガンさんはちっともしないからさ、俺が代わりに引き受けたってこと」

「ガンさん？」

「知ってるだろ。五目並べをしたじゃないか」

「ああ、あの人か……」

薄汚れた半纏と作業ズボンが目に蘇った。この家の主のことらしい。

「品物がないと困るってテキヤが喚くから、ガンさんが隣の誼でやることにしたらしいけど、元々あの人は細かい仕事は好きじゃない。それで俺がバイト代わりにやってるんだ。田島も時間があるならやってかないか。品数に見合っただけの分け前は渡すぜ」

「いや、俺はいいよ」

「そうか」

話しながらも倉持の手は止まらない。みるみるうちにボール紙のキャップを作っていく。なかなか見事な手つきだった。相当な数をこなしてきたのだろう。

「ガンさんって人と親しいんだな」私はいってみた。

「まあそうかな。いろんなことを教えてくれるし、面白いからな。学校の先生なんかより、ずっとためになる話を聞けるぜ」顔を上げ、にやりと笑った。

「あの人、五目並べが強かったよな」

「そうだな。だけどもうだめだ。手の内がばれちまったからな。一度学生風の客が来て、三連勝されちまったんだ。見たことのない客だったらしい。で、次の日、また別の客が来て三連勝して帰った。それでガンさんはやばいと気づいた。どっかの賭けゲーム屋に目をつけられたってね。連中はガンさんの打つ手を徹底的に分析してるから、何遍やってもガンさんが勝てる見

込みはない。そのうちにでかい勝負を仕掛けてくるおそれもある。だからやめちまったんだ」

「そんな連中がいるのか」

「いるらしいぜ。賭け将棋、賭け玉突き、賭け麻雀。何でもござれなんだってよ」

私にとっては未知の世界の話だった。頷くしかなかった。

「あの五目並べだけどさ」私はいった。「俺じゃ勝てるわけないと思って、ここへ連れてきたんだろう?」

少しは動揺するかと思ったが、ボール紙を切る倉持の手つきは些かも揺るがなかった。器用に糊付けを終えた後、「まあね」と平然といった。

「あの頃、客がいなくてガンさんは困ってた。それで何人か連れてきたんだ」

「つまり倉持とガンさんはぐるだったってことか。わざと勝ったり負けたりして、客に期待を与えるわけだ」

「そのこと、恨んでるのかい」倉持が手を止めて私を上目遣いで見た。

「正直なところ、少し腹は立ってる」

「でも八百長じゃないぜ。おまえに本当に実力があれば、三連勝して賞金を持って帰ることもできた。だからといって納得したわけでもなかった。

そういわれれば返す言葉はなかった。だからといって納得したわけでもなかった。

「俺、あの五目並べにずいぶんと金を使ったんだぜ」

「そうらしいな。正直なところ、田島があんなに熱中するとは思わなかった。だからちょっと心配だった。これ、嘘じゃないぜ」

はい一丁上がりといって、彼はさらにキャップをもう一つ作り終えた。

「ガンさんは、どこに行ってるんだ？」

「どっかで道路工事でもしてるんだろ。その後は屋台で飲んでくるから、夜は大抵いないんだ」

「倉持はここに来てること、親に話してるのか」

「話さねえよ。友達の家で遊んでるってことにしてある。うちは子供のことなんかほったらかしだからな」

するとここで彼が死体になったとしても、ガンさんが戻ってくるまでは誰にも見つからないわけだった。私は迂闊にそのへんのものに触らないよう気をつけた。指紋が残ってしまうからだ。

私は紙袋を卓袱台の上に置いた。「これ、食べないか」

「何だい？」

「鯛焼き」

倉持の手が止まった。小学生の時と同じように目を輝かせた。

「いいのかい？」

「二つ買ったから、一つずつ食べよう」

「サンキュー。ちょうど腹が減ってたんだ」倉持は笑顔になった。

私は袋の中から尻尾の欠けてないほうの鯛焼きを取り出し、彼のほうに差し出した。心臓の鼓動が速くなっていた。指先が震えるのを自覚した。

「そこに置いといてくれ。これ、仕上げちゃうから」倉持はいった。

私は紙袋の端を少し破り、それを卓袱台に置いてから、その上に鯛焼きを載せた。澱粉糊で補修した跡は、すっかりわからなくなっていた。

「鯛焼きを貰ったからいうわけじゃないんだけどさ、俺、田島には別のことで謝らなきゃいけないかもな」

「別のこと？」

「あれだよ。呪いの手紙。覚えてるだろ」

あっ、と私は声を漏らしていた。

倉持はばつの悪そうな顔をし、ハンカチで手を拭いた。

「おまえのところに届いただろ、『殺』の葉書」

私は頷いた。先程までとは別の理由で心臓がどきどきし始めていた。

「あれさ、俺がおまえの名前を呪いの手紙に書いたんだ」

私は目を見開いた。彼はあわてた様子でいった。

「田島に恨みがあったわけじゃないぜ。あんなものは子供の遊びだと思ったから、面白半分にやったわけだ」

「面白半分でも」唾を飲み込んでから続けた。「やられたほうは嫌だぞ」

「かもしれないな。だから謝ってるじゃないか」

「あれのせいで、どれだけ嫌な気持ちになったと思ってるんだ」声が尖った。

「まあそう怒るなよ。面白半分だけど、残りの半分は実験でもあったんだ」

「実験？」

「ああいう手紙を貰ったら、大体何人ぐらいが乗ってくるのかをたしかめたかったんだ。結果は二百四十三人、だったよな。全員が乗ったら二百四十三人だから、ほぼ十人に一人の割合ってことだ」

二百四十三という数字を彼が知っていたことに私は驚いた。だがその直後、からくりを理解した。

「その結果を知りたいから、俺にあんなことをいったのか。鳥居に数字を彫れって……」

「まあな。二百四十三って、奇麗に彫ってあったよな」屈託のない顔に、憎悪を覚えた。

私は悲惨な気持ちであれを彫ったのだ。おまけに彫刻刀で指を怪我した。

「どうしてそんな数を知りたかったんだ」

「そうそう、それだよ。なあ、おまえのところには二十三枚の葉書が届いたわけだろ。じゃあそれが全部千円札だったらどうだ。二万三千円の儲けだぜ」

「葉書は千円に化けないよ」

「俺がいってるのはそういうことじゃねえよ。あの手紙は呪いってことだから、あんな縁起の悪い話になっちゃってるけどさ、もっと景気のいい話にして、リストの一番最後の人のところへ千円札を送ってくださいっていうふうにするんだよ」

「馬鹿馬鹿しい。知らない人間のところへ金を送る人間なんかいるもんか」

「それはわからないぜ。というのは、手紙にはこういうふうに書いておくからなんだ。金を送った後は、リストの一番最後にあなたの住所氏名を書いておいてください、そうすれば何日か後に、あなたのところに二百四十三人から千円札が送られてきます——」

「えっ……」私は倉持の顔を見た。彼はにやにやしていた。

「なっ、面白いだろ」

私は黙って顎を引いた。たしかに興味深い話だった。呪いの手紙を見て、そんなことまでは思いつかなかった。

「だけど、金を送らずにリストに自分の名前だけ書く奴が出るんじゃないかな」

「問題はそこなんだ。そういうネコババみたいなことを防ぐ方法ってのを、今考えてるところなんだけどさ」

「考えてるって……本気でやるつもりなのか」

「いつかな」倉持は口元を歪めて笑った。「なあ、見てみろよ。こんなにがんばって作っても、一個が五円だぜ。これからは手足を使う時代じゃない。ここだよ」自分の頭を指差した。

というわけで、と彼は続けた。

「ああいう実験をしたんだけど、田島を利用したのは本当に悪かった。でもわかってくれよ。俺は俺なりに気を遣ったんだぜ。気がついたかどうか知らないけど、名前、間違ってただろ。田島和幸の幸の字が、辛いって字になってたはずなんだ。正確な名前を書くのは、俺も気が引けたんだ」

「そうだったのか」

「だから謝るよ。ごめん」彼は頭を下げた。

「まあいいよ」私はそういっていた。

「そうか。じゃあ、これを貰っていいか」倉持が鯛焼きに手を伸ばした。

「あっ、ちょっと待て」私は彼よりも先に鯛焼きを取った。「これ、髪の毛がついてる。こっちをやるよ」そういって袋の中の鯛焼きを渡した。尻尾が欠けているほうだ。

「別に俺は構わないぜ」

「いや、俺がこっちを食べるから」毒入り鯛焼きを袋に入れた。

「田島は食べないのか」

「うん。今はあまり食べたくないんだ」

「ふうん。じゃあ、遠慮なく」倉持は以前と同じように鯛焼きを頭からかじった。飲み込んでから破顔した。「冷めてるけどうまいや」

そうか、と私は頷いた。

「なあ田島、新しい中学はどうだ。面白いかい」

「どうかな」顔が強張るのがわかった。

すると倉持はまるでこちらの心境を見抜いたかのようにこんなことをいった。

「どこに行ったって嫌な奴はいるよ。大事なことは、どれだけ相手を怖がらせられるかってことだな。どんな手を使ってもいいから、怖がらせりゃいいんだ。ガンさんがいってたよ。人間ってのは結局、怖いものから逃げる方向に行動するんだってさ」

ふうん、と私は曖昧に相槌をうった。

倉持はおいしそうに鯛焼きを食べていた。

倉持に毒入り鯛焼きを食べさせなかったのは、彼が呪いの手紙の件で謝ってくれたからではない。彼独特の話術に惑わされ、殺意を消失させられてしまったせいといったほうが正しい。

よくよく考えてみると、彼の詫びにはおかしな点があった。田島和幸を田島和辛と間違えたのはわざとだと彼はいったが、では転校前に書いてくれたサイン帳のほうはどうなのだといいたくなる。彼はあっちにも間違って書いていたのだ。

もしかすると彼は、呪いの手紙に名前を書き込んだのは誰か、私が気づいたと直感的に察知したのかもしれない。そのきっかけになったのはインチキ五目並べの話だろう。私が、彼とガンさんという男がぐるだと見抜いているのを知り、この機会にほかのことも告白しておいたほうが得策だと考えたのかもしれない。

倉持と別れて間もなく、私の考えはそういうところにまで及んだが、改めて彼を殺そうという気にはならなかった。どちらかというと白けた気分になっていた。

駅を出て家に帰る途中、反対側から数人の若者が歩いてきた。最初は暗くて顔がよくわからなかったが、近づいてから、現在私が最も会いたくない人物であることに気づいた。

「おっ、黒ちんぽが歩いてるぞ」加藤が底意地の悪い笑みを浮かべていった。

私は無視してすれ違おうとした。しかしそれを黙って見逃すほど彼等は忙しくなかった。

「待てよ、と腕を摑まれた。

「俺らが通るときには脇で待ってろ」加藤がいった。

土下座してだ、と別の誰かがいった。

私は加藤の顔を睨みつけた。それで彼はプライドを傷つけられたように顔面を歪めた。私の襟首を両手で摑み、「なんだその顔は」といって持ち上げてきた。それでも私は睨むのをやめなかった。

「何持ってるんだよ」一人が私の手から紙袋をひったくった。中を見て笑った。「なんだよ、鯛焼きじゃねえか」

「かせ」加藤がその鯛焼きを手にし、馬鹿にした笑いを作った。「しけたもん食いやがって」そしてかぶりつこうとした。

「毒が入ってるぞ」私はいった。

加藤は大口を開けたまま停止した。それから再び私の服の襟に手を伸ばした。

「つまんねえ嘘つくなよ」

「嘘だと思うなら食ってみろ。死ぬからな」

加藤は憎悪の籠った目を向けてきた。ほかの者はへらへら笑っている。

「昇汞だ」

「ショウコウ?」

「塩化第二水銀。致死量は0・2から0・4グラム。頭の部分にたっぷり入ってる」

「いい加減なことというな。なんでおまえがそんなものを持ってるんだよ」

「おまえたちを」加藤とほかの者の顔を見回した。なぜか腹が据わり、余裕が生じてくるのを自覚していた。「おまえたちを殺すためだ」

なにい、と加藤は腕に力を込めてきた。私は壁に身体を押しつけられた。

「嘘だよ、加藤」誰かがいった。

「わかってるよ。嘘に決まってる。てめえ、そんなことで俺たちがびびるとでも思ってやがるのか」目を剥いてきた。

「だから食べればいいっていってるだろ。嘘かどうか、食べればわかる。死ぬからな」

加藤は鯛焼きと私の顔を交互に見た。迷いの色が浮かんでいた。

「なんで毒の入った鯛焼きなんかを」

「しつこいな」私は首を振った。「おまえたちに食べさせるためだといってるだろ」

「いい加減なことをいいやがって」

「いいじゃないか加藤。だったら、そのへんの野良犬とか野良猫に食わせてみようぜ。何とも

なかったら、こいつが嘘をついてるってことだ」

仲間の提案に、加藤はそれもそうだという顔になった。私の襟首から手を離した。

「よし、じゃあこれから動物実験だ。どうせ何ともないに決まってる。おい田島、明日は覚悟

してろよ。逃げるなよ」

「おまえたちこそ逃げるな」

私がいうと、加藤の顔がさらに歪んだ。次の瞬間、衝撃と共に目の前で何かが光った。気づ

いた時には道路で尻餅をついていた。頬に拳の感覚が残っている。口をぬぐうと手の甲に血が

ついた。

「その毒はまだある。おまえの弁当に仕込むこともできるんだからな」

加藤は舌打ちをし、唾を飛ばしてきた。それは私の運動靴に命中した。

「犬か猫を探そうぜ」彼等は歩きだした。明日はぶっ殺してやる、という声も聞こえた。

翌日、私は昇汞をいくつかの紙片で包み、学生服のポケットに入れて登校した。万一彼等の

動物実験が失敗していた時には、それを見せてやるつもりだった。

だがその必要はなかった。

私が教室に現れても、加藤たちは寄ってこなかった。ただ恨めしそうな目でこちらを見てくるだけだ。それどころか私が睨み返すと、向こうが目をそらせるのだった。

どんな手を使ってもいいから、怖がらせりゃいいんだ――倉持の言葉を私は思い出していた。

そして、実験に使われたのは犬だろうか、それとも猫だろうかと考えていた。

9

ひどい中学生活だったが、三年生の一年間はあっという間に過ぎた。夏休みが過ぎると、進路を考えねばならなくなったからだ。私は自分の将来について何の夢も方針も持ち合わせていなかった。昔は漠然と、父の後を継いで歯医者になるのだろうかと考えたこともあったが、その診療所もなくなっていた。また、歯医者になるには授業料の高い医大に進まねばならなかったが、そんな金銭的余裕が我が家にあるはずもなかった。国立の医大に入ればいいのだろうが、自分の学力を知っている私としては、それはばかげた夢としか思えなかった。

さほど迷うこともなく、私は公立の工業高校に進むことを決めた。特に理科や数学が好きだったわけではない。大学にはどうせ行けないと思っていたから、それならば卒業後に就職しやすい工業科のほうがいいだろうと判断しただけだ。

私の高校では、入学して早々に、専門分野を決めさせられる。私はこれまた深く考えずに電気科を選んだ。コンピュータやエレクトロニクスという言葉が流行り始めた時期だったから、

これからの時代に合っているだろうと期待したにすぎない。こうした選択に大した意味はなかったと気づかされるのは、もう少し後だ。

教室の窓から建設中の高速道路が見えるその高校は、私が久々に得た安息の場所だった。私と同じ中学から入ってきた者はほかにいなかったので、誰も私の過去を知らず、境遇も知らなかった。興味を持たれることもなかった。相変わらず友達を作るのが苦手だったが、休憩時間に話をする程度の仲間はできた。

一年生の夏、生まれて初めてアルバイトをすることになった。公営プールの中にある売店で、ジュースやアイスクリームを売る仕事だ。学校ではバイトは禁じられていたが、その校則を重視している生徒は殆どいなかった。

客は多いし、一人でいくつも仕事をこなさなければならないので、時給のわりにはきつかった。しかし私はその職場に行くのが楽しみだった。その理由はほかでもない。江尻陽子に会えるからだ。

その店には中年女性の店長と私のほかに、もう一人アルバイトがいた。それが陽子だ。彼女は地元の商業高校に通っていた。

小柄で丸顔の彼女は、中学生でも十分に通りそうなほど、あどけなさを表情に残していた。その顔で笑いかけられると、怒りや悩みといった負の感情が、嘘のように消失した。彼女に笑ってほしくて、口下手な私があれこれと話しかけた。それがどんなにつまらない話であっても、彼女は真っ直ぐ私の目を見て聞き、最後には必ず微笑んでくれるのだ。

「田島君って面白いね。面白いことばっかり考えてるんだね」

こんなことをいってくれたのは、陽子が最初で最後だった。いやもしかしたら、あの時期た
しかに私は彼女のいうとおりの若者だったのかもしれない。彼女の力によって変貌できていた
のだ。

店長は金の管理には厳しかったが、客がいない時に私たちがしゃべっていても文句をいうこ
とはなかった。それどころか少しでも暇になると涼しい場所へさぼりに行くので、私と陽子は
しばしば二人きりになった。

陽子の家は母子家庭だった。彼女が小学生の時、父親は胃癌で亡くなったのだという。それ
以来母親が和裁をして生活を支えてきたらしい。私が、自分のところは父子家庭だというと、

「へえ、偶然だねえ」と、まるで楽しいことに出会ったように目をぱちぱちとさせた。

「でも陽子ちゃんには暗さってものがないよな。いつもにこにこ笑っててさ。えらいと思うよ。
俺なんか、暗いっていわれるもんな」

「おかあさんにいわれてるの。あんたには何も取り柄がないんだから、せめて笑ってなさいっ
て。それに明るいのは生まれつき。だって太陽の陽だから」そういってから彼女はまたにっこ
りして付け加えた。「田島君だって暗くないよ。一緒にいて楽しいよ」

あの時の彼女の声、彼女の笑顔を、何度頭の中で蘇らせたか知れない。たぶん死ぬまで忘れ
ることはないだろう。私が出会った素晴らしいものの一つだ。

そのバイトにはいくつか特典があった。昼食に店の商品を食べていいことやソフトクリーム
が食べ放題だったことも嬉しかったが、何より楽しみなのはプールに入れることだった。店は
午後五時に閉めるのだが、その後プール閉館の六時までは、存分に泳いでいいのだ。

私と陽子はほぼ毎日、仕事が終わると二人でプールに入った。泳ぎの競争をし、追いかけっこをし、水遊びをした。まるで小学生のようにはしゃいだ。彼女は学校指定の白と紺のストライプのワンピースを着ていた。彼女の小麦色の肌は私の目に眩しかった。

たぶんあれが私の本格的な恋だったのだろうと思う。永遠にこの幸せが続けばいいと願った。

不吉な風は八月に入ってから訪れた。

その日は曇り空のせいか、いつもより客が少なかった。それで私は陽子と話せる時間が多くてうれしかった。

仕事が一段落して、また彼女とおしゃべりができると胸を躍らせた直後だった。

「ソフトクリームひとつ」

ちょうど後ろを向いていたところだったので、その声を私は背中で聞いた。その瞬間、全身に鳥肌が立った。じっとしていても汗がしたたり落ちる暑さだったにもかかわらず、だ。

振り向くと、倉持修がにやにや笑っていた。彼のほうは、売店の店員が私だと気づいていたようだ。

「倉持……」

「よう、元気そうだな」

倉持は中学時代よりも、ずっと大人びて見えた。背も伸びていた。水泳パンツ姿だったが、細身の身体に筋肉がほどよくついていた。

「どうしてこんなところに？」

私が訊くと彼はおかしそうに大きく口を開いた。

「それはこっちが訊きたいぜ。なんでおまえがこんなところでアイスクリームを売ってるんだ」

「バイトだよ」

「そんなことはわかってる。なんでこんな率の悪そうな仕事をしてるんだって訊いてるんだ」

「それほど悪くはないぜ」

「そうかい。そうは見えないけどな」店をさっと見回した。「ところで、ソフトクリームを待ってるんだけどな」

「あ、ごめん」

彼女がしばらく戻ってこなければいいのにと思った。

この時陽子はいなかった。トイレに行っていたのだ。コーンにクリームを盛りつけながら、彼女を倉持に会わせたくなかった。

だがソフトクリームを受け取り、代金を支払った後も、倉持はすぐには立ち去ろうとしなかった。ソフトクリームを食べながら、あれこれと話しかけてくるのだ。私は適当に返事しながら、早く次の客が来ないかと思った。ところがそういう時にかぎって誰も来ない。店長は相変わらず、どこかへさぼりに行っていた。

あの鯛焼き事件以来、倉持とは会っていなかった。だから彼がどこへ進学したのかも知らなかった。彼はソフトクリーム片手に、普通科の高校に進んだこと、学校では英会話クラブとテニス部に所属していることなどを自慢げに語った。

「英会話はともかく、テニスなんて金がかかるんじゃないのか」

後から思えばこれは、恐るべき直感といえるものだった。

「そうでもねえよ。先輩のお古のラケットを譲ってもらっただけだ。コート使用料なんていらないし、ただでコーチしてもらえるから、お得だよ。しごかれるのが玉に瑕だけど、まあ一年間辛抱すりゃいいだけだ。先輩の見てないとこじゃ、手を抜けばいいだけのことだしさ。別にレギュラーになりたいわけでもないし」

そういう考え方もあるのか、と教えられた気分ではあった。しごきと金のかかるのが嫌で、私はクラブには入らなかった。

そこへ陽子が戻ってきた。彼女は我々の様子を見て察したらしく、「お友達？」と訊いてきた。

「小学校の同級生なんだ」と私はいった。

「へえ」陽子は倉持に笑いかけた。「こんにちは」

「こんにちは」倉持も笑顔で応じた。「君も高校生？」

そう、と彼女は頷いた。

「俺、オサム。倉持修。君は？」

「江尻です」

「江尻さん。下の名前は？　ミョコって感じがするけど」

彼の冗談に陽子は一段と明るく笑った。その表情が私を焦らせた。

彼女が陽子ですと答えると、今度は倉持はどういう字を書くのかと質問を続けた。相手に対して、とりあえず会話を途切れさせない社交性と臨機応変さは、その頃すでに彼が発揮していたものだった。見知らぬ

「ここの仕事、何時まで？」倉持が私に訊いてきた。

答えたくなかった。次に彼が何をいいだすか予想がついたからだ。それでためらっていると

陽子が横から、「五時までです」と答えてしまった。

「じゃあ、あと三十分じゃないか。そうしたらさ、俺、これから着替えてくるよ。で、五時頃

にもう一度ここへ来るから、帰りに三人で喫茶店でも行かないか」

「ええと、でも……」私は陽子を見た。彼女が断ってくれることを内心祈っていた。

しかしここでも私の祈りは通じなかった。

「あたしはいいけど」彼女はいった。となると、私も行かないわけにはいかない。

「俺も構わないよ。でも倉持、おまえ、誰か連れがいるんじゃないのか」

「いないよ。一人だ。じゃ、五時に」倉持は片手を上げて、ようやく立ち去った。

「面白い人ね」彼を見送った後で陽子がいった。親近感を覚えている様子が気になった。

「調子いいんだ、あいつ。昔から」

「一人で来てるっていってたね。泳ぎが好きなんだね、きっと」

「そうだったかな」私は首を傾げた。小学生時代の記憶を辿ってみたが、特にプール好きだっ

たという印象はなかった。

今日は泳げないよね、と私はいってみた。楽しい時間が邪魔されたという気持ちをアピールし

たつもりだった。

「だったら着替えるのを待ってもらって、六時まで三人で遊ぶことにしてもいいよ。喫茶店は

その後でもいいし」

「いや、いいよ。あいつもう更衣室に行ってるだろうから」私はいった。倉持に陽子の水着姿を見せたくなかった。

五時ちょうどに倉持はやってきた。チェック柄のシャツを着て、白いズボンを穿いていた。どちらも安物ではなさそうだった。

倉持に導かれ、最寄りの繁華街に出た。彼は特に迷うこともなく、一軒の喫茶店に入っていった。慣れている感じがした。

倉持がアメリカンコーヒーを注文したので、私も同じものでいいといった。アメリカンコーヒーがどういうものなのか全くわからなかった。ふつうのコーヒーとどう違うのか知らなかったし、そもそも本格的なコーヒーというものを飲んだことがなかった。陽子はクリームソーダを注文した。

喫茶店では倉持が会話をリードした。彼は中学時代以上に口がうまくなっていた。最近見た映画の話、芸能人のゴシップ、ファッション、音楽という具合に、話題には事欠かない様子だった。私はただ相槌を打ったり、感心したり驚いたりした。その合間に、どこがおいしいのかわからない薄いコーヒーを飲んだ。

陽子もいつになく口数が多かった。彼女がローリングストーンズのファンだなんてことは初耳だったし、ふつうの少女と同じようにファッションを気にしていることもそれまでは知らなかった。将来の進路に話が及んだ時には、ふだん見せたことのない深刻そうな表情を浮かべたりもした。

倉持という男は、ただ口がうまいだけでなく、相手に本音を語らせる技にも長けていたよう

だ。さりげなく餌を蒔き、相手がどの部分に食いついてくるかを即座に見破るのだ。その見極めができれば、おだてたり、話に関心があるふりをしたり、時にはわざと反論したりして、さらに相手が話しやすい雰囲気を作りだす。彼の前では、誰もが話上手になってしまうのだ。すべては彼の掌で、彼の計算通りに進んでいることだとは、話している本人たちは気づかない。

その喫茶店では二時間を潰した。殆ど倉持と陽子がしゃべっていた。私は彼等の話を横で聞いていただけだ。

店を出た後、彼は陽子を送っていくといいだした。

「俺、これから行かなきゃいけないところがあるんだよ。でも、ちょうど方向が一緒だからさ」腕時計を見ながら彼はいった。

私は彼が話の途中で、巧妙に陽子の自宅の位置を聞き出していたことを思い出した。あまりにそれなら自分も、といえばよかったのかもしれない。しかしそれをいいだすには、あまりにも私の家とは方向が違いすぎた。何とか陽子が断ってくれればと期待したが、彼女は倉持の申し出を歓迎している気配さえあった。駅まで一緒に行き、そこで私は二人と別れた。二人が電車に乗るのを反対側のホームから見たが、彼等は私のことなどとうに忘れたかのように、楽しそうに話していた。

白鷺荘に帰ると、管理人室の明かりは消えたままだった。私は自分の鍵を使ってドアを開け、管理人室に入った。明かりをつけず、そのまま奥に進む。襖の向こうに二つの洋室と台所が並んでいる。そこが我々親子の居住空間だった。

父の悲願だったアパートが完成したのは約一年前だ。採算がとれるかどうかは不透明なままの船出だった。銀行から金を借りたが、それだけでは足りず、結局父は絶縁状態だった親戚に頭を下げた。金を出してくれたのは、一番親しかった父の従兄だった。その従兄にしても、自分の妻や他の親戚には内緒にしておいてくれといった。もちろん、金を貸すのはこれが最後だと釘を刺されてもいた。

父は高級感のあるアパートを建てたかったようだが、予算的に不可能だった。さほど交通の便がいいわけでもないので、高い家賃は取れない。最終的に、独身者や学生を対象にしたアパートということで落ち着いた。一階と二階を合わせて十六部屋ある。入り口に作られた管理人室が私たちの新居だった。

危惧したとおり、アパート経営は簡単ではなかった。思った以上に経費がかさむので、毎月の利益はなかなか上がらなかった。何しろ、まだ入居者の決まらない部屋が三つもあった。月々の借金を返してしまえば、あとは食べていくのがやっととという状況だ。私がバイトをするのは、陽子に会いたいからだけではなかった。

父は夜遅くに帰ってきた。案の定、酔っ払っていた。その頃親しく付き合っていた、前田という男が引きずるようにして連れ帰ってきたのだ。前田は近所のパチンコ屋で働いている。父はよくそのパチンコ屋に行ったが、今日はどの台が狙い目かこっそり教えてもらっている様子だった。一見愛想が良さそうだが、胸の底に狡猾さを潜めていそうなこの中年男を、私は好きではなかった。

父は部屋に入ってくるなり、管理人室の床に倒れ込み、何やらわけのわからないことを喚き

始めた。口からは涎が出ていた。

「なんでこんなに酔っ払ってるんだよ」私は父に向かっていったが、前田への抗議を込めたつもりだった。どうせ父の財布をあてにした前田が、もう一軒もう一軒と引っ張り回したに違いなかった。

「いやあ、俺はもう帰ろうっていったんだけどさ、田島さんがもう少し付き合えっていうもんだから」

どうせ嘘に決まってると思ったが、「いつもすみません」と私は謝った。

「俺はいいんだよ。朝が早いわけでもないからさ。だけど田島さん、どうしちまったのかなあ。急におかしくなっちゃってよう」

「おかしくなった？」

「うん。おでん屋で飲んでる時は、いつもと同じだったんだ。ところが次の店に行く途中、急に道端で立ち止まってさ、全然関係のない方向をじっと見てるんだよ。どうしたんだいって訊いても、別に何もないっていうしさ。でもそれからだよ、様子がおかしくなったのは。大して酒が強いわけでもないのに、がぶがぶと飲み始めちゃってよ、帰る時にはこうだよ」

父は何かを見たのだろうか。それほど父を取り乱させるようなものは何か。

私は何かを見たのだろうか。それほど父を取り乱させるようなものは何か。

介抱を手伝わされたら面倒と思ったか、前田は逃げるように帰っていった。私は押入からタオルケットを一枚出すと、床に寝転がったままの父の身体にかけた。夏だから風邪をひくこともないだろうと思った。

翌朝私が目を覚ます時には、父はもう起きていて、テレビの前に座って新聞を読んでいた。

眉間に皺を寄せ、不機嫌な顔を作っているのは、明らかに昨夜のことについて何か訊かれたくないからだった。私は何もいわず、トーストを焼き、目玉焼きを作って、朝食を済ませた。いつの間にか我が家では、自分の食べる分は自分で何とかするというルールが出来上がっていた。父はほぼ毎日外食で、私はインスタント食品を食べることが多かった。スーパーの惣菜を買ってくることもある。

食事を終えると私は早々に家を出た。酔っ払い親父のことなどどうでもよかった。そんなことよりも陽子のことが気になっていた。

彼女は私より先に出勤していて、すでにエプロンをつけ終えていた。私を見てにっこり笑う表情は、昨日までと変わりがなかった。

「あの後、どうしたの?」おそるおそる訊いてみた。

「昨日のこと?」

「うん」

「どうもしないよ。真っ直ぐ帰っただけ。どうかした?」

「いや、別に……」

「倉持君って、楽しいね。すごくいろんなことを知ってるし」

「そうかな」

「あんなふうだったら、小学生の頃から人気者だったんじゃない? クラスのリーダーって感じで」

「あいつが? いやあ、そんなことないよ。わりと目立たなかった」

「へえ、そんなふうに思えないけどな」陽子は小首を傾げた後、何かを思い出したようにくすっと笑った。

「田島君こそ、すっごくおとなしかったんでしょ。国語の本を朗読する時も、声が小さすぎていつも叱られてたそうじゃない」

「あいつ、そんなことまでしゃべったのか」

「別にいいじゃない。子供の頃のことなんだから」

彼女は軽くいったが、私としては深刻な問題だった。自分の少年時代について、コンプレックスを持っていた。できれば、あの頃の姿を彼女には知らせたくなかった。祖母が殺されたという噂が流れたことも隠しておきたかった。田島家の凋落と共に私の学校での立場が惨めなものになっていったことも、彼女の耳には入れたくなかった。

私はいつものようにアイスクリームやジュースを売りながら、倉持が永遠にここへは来ないことを念じた。

その願いが通じたか、彼の顔を見ることなく五時を迎えられた。私は晴れ晴れとした気分になって陽子にいった。

「じゃあ、またあのプールサイドで待ってるから」

そこは泳ぐ前に待ち合わせる場所だった。ところが彼女は申し訳なさそうに両手を合わせた。

「ごめんなさい。今日はちょっと早く帰らなきゃいけないの」

「あっ、そうなんだ」

「ごめんね、また今度」

「じゃあ明日だね。あ、明日は休みだから明後日か……」

「そうだね。じゃあね」彼女は小さく手を振って店を出ていった。

私は胸騒ぎと寂しさを覚えながらその後ろ姿を見送った。なぜか彼女の存在が昨日までよりも遠くなったような気がしていた。

その日、父は管理人室にいた。私の顔を見ると、夕飯には店屋物を取ろうといいだした。父にしては珍しいことだった。どうせ金を払うなら店に出向いたほうが面倒がなくていい、といつもいっていたのだ。

食事中も、父はいつもとどこか様子が違った。ふだんは尋ねたこともない、私の高校での暮らしぶりなどを訊いてくるのだ。そのくせ私の話を真剣に聞いているようには見えなかった。息子と会話するポーズをとりながら、心はどこか遠くにあるようだった。テレビでは巨人戦を中継していたが、父が応援している選手が三振しても、いつものようにテーブルを叩いたりしなかった。

父は明らかに時刻を気にしていた。食事の後、何度も時計を見ていたのだ。時計の針が十時を過ぎた頃、父は立ち上がった。

「ちょっと出かけてくる。遅くなると思うから、戸締まりをして、先に寝てなさい」

私は黙って頷いたが、父の目は息子の顔を見ていなかった。

父は夏だというのに上着を着て、出かけていった。財布の中身を確認していたことや、家を出る前に髪型を整えていたことを私は知っていた。

いつかこれと似た場面があった。中学に上がる前の年だ。父は志摩子というホステスに夢中になり、毎晩のように出かけていった。あの時と同じ雰囲気が父からは感じられた。

またどこかの女に入れあげているのだろうかと不安になった。だとしたら、今度はどこの女なのだろう。父が女性と関係を持つ時、必ず不幸が訪れた。トミさんと浮気をした後は離婚が、志摩子に熱中した後には失職が待っていた。これ以上、災いが訪れるのは御免だった。

だが一方で、どこかに自分たちを救ってくれるような女性がいないものかと夢見てもいた。暖かい手料理が食べたかった。精神的には安らぎを求めていた。あんな父も、素敵な女性と再婚すれば、昔のような頼りがいのある男に戻るのではとも思った。

父が帰ってきたのは午前二時近くだった。私は眠ったふりをして、父の様子を耳で探った。

予想に反して酔っている様子はなかった。酔って居眠りをするとものすごい鼾（いびき）をかくのだが、それも聞こえなかった。

父は新聞を広げることも、ラジオをつけることもなかった。食卓の前に座る気配がした。

私は静かに身体を起こし、襖（ふすま）の隙間に顔を近づけた。父の丸い背中が見えた。ワイシャツは汗で濡れ、ランニングシャツの形が浮かび上がっていた。

食卓の上にカップ酒が載っていた。帰る途中で買ってきたらしい。父はカップ酒を飲むと、小さく吐息をついた。顔は見えないが、どこか一点を見つめているように思えた。

翌日はプールが休みだったので、私は一日中家にいて、高校野球を見たり漫画を読んだりして過ごした。父は管理人室で、ぼんやりと座っていた。

夜になると、父はまた出かける支度を始めた。

「また出かけるの?」私から訊いてみた。

うん、と父は頷いただけだった。

「どこへ?」

「ちょっと……用がある」

例によって父は最後まで私の顔を見なかった。

女に違いない、と私は確信した。

10

ナイター中継を見ている間も、私は落ち着かなかった。何度も時計に目をやってしまう。巨人が勝とうが負けようが、どうでもよかった。行き先は近所のパチンコ屋だった。

十時になると家を出た。ガラス越しに店内が見える。前田が団扇で顔を扇ぎながすでにパチンコ屋は閉まっていた。ガラス扉を叩くと彼は気づいてこちらを見た。意外そうな顔をし、ガラら歩いていた。私がガラス扉を叩くと彼は気づいてこちらを見た。意外そうな顔をし、ガラス扉の錠を開けてくれた。

「何だい、こんな時間に。親父さんなら、今日は来てないぜ」

「それはわかってる。前田さんに教えてもらいたいことがあるんだ」

「珍しいな。何だ」

「この前、親父が酔っ払って帰ってきた時、前田さんも一緒だったでしょ。あの時、おでん屋の後に行ったところを教えてほしいんだ」

「おでん屋の後？」前田は眉間に皺を寄せた。「ああ、あの時のこととか。おでん屋の次は、『ルル』っていうスナックだ。といっても、あんたにはわかんねえだろうなあ」

「おでん屋と、その店は近いの？」

「近いといえば近いなあ。歩いて……十二、三分ってところかな」

「そのおでん屋と『ルル』っていう店の場所を教えてもらえないかな。ここに大体の地図を描いてくれるといいんだけど」私は家から用意してきたメモ帳とボールペンを差し出した。

「はあ？　何だ、親父さんを探しに行くのか。それならわざわざ行かなくても、電話をかけりゃ済むだろう。『ルル』の番号を教えてやるよ」

「いや、あの、電話はかけたくないんだ」

「じゃあ、俺がかけてやるよ。親父さんに急用があるんだろ」

「急用ってわけじゃないよ。だから、その、場所さえ教えてくれれば自分で何とかする」

「ふうん、まあいいけどさ。俺、地図を描くのは苦手なんだよな」

ようやく前田は私の渡したメモ帳に線や四角や丸を描き始めた。たしかに上手な地図とはいえなかった。それでも何とか大体の場所はわかった。

「ありがとう」地図を受け取り、礼をいった。

「親父さんにいっといてくれ。あんまり息子に心配かけちゃだめだって俺がいってたってな」

私はにっこり笑って頷いた。心の中では、そういうあんたが飲みに誘うんじゃないかとい

返していた。

地図に示された場所は近くにある繁華街だ。少し前に倉持や陽子と入った喫茶店も、その街にある。

電車に乗って、その駅に着くと、賑やかな通りとは反対の方向に歩きだした。線路沿いの薄暗い歩道に、屋台がぽつんと出ていた。前田の地図によれば、それがおでん屋らしい。近くに寄ると、なるほどいい匂いが漂ってくる。

五人ほどがかけられる長椅子に、三人の客が座っていた。暖簾のせいで顔は見えないが、いずれの後ろ姿も父のものではなかった。

私は地図を見て、再び歩きだした。『ルル』に向かう道だが、目的地はそこではない。

父がひどく酔って帰ってきた日、前田はこういっていた。

「おでん屋で飲んでる時は、いつもと同じだったんだ。ところが次の店に行く途中、急に道端で立ち止まってさ、全然関係のない方向をじっと見てるんだよ」

前田によると、その後から父の様子がおかしくなったということだった。私は父の出かけていく先は、『ルル』ではなく、その途中にあると睨んでいた。

おでん屋から『ルル』に至る道はいくつかあった。私はそれらの道を一通り歩き回ってみた。その道程にはスナックや小さなバーがいくつも並んでいた。これでは、その中のどこかに父が入ったのだとしたら、見つけることなど到底不可能だ。

何気なく道路の反対側に目をやった私は、自動販売機で煙草を買っている人物の背中を見て、思わず立ちすくんだ。父の後ろ姿に相違なかった。

諦めて駅に戻りかけた時だった。

私は咄嗟に、そばの軽トラックの陰に隠れた。父がこちらに気づいている気配はなかった。父は煙草の箱を手にすると、すぐ横の建物に入っていった。

どうするべきか迷いながら喫茶店を見上げていると、二階は喫茶店になっていた。一階は花屋だが、すでに閉まっている。父は階段を上がっていったようだ。

しかし父は私のほうなど見ていなかった。その視線は、私のいる場所から二十メートルほど先、喫茶店のちょうど向かい側にあるビルに向けられているようだった。そこには何軒かの飲み屋の看板が揚がっていた。

父はどうやら誰かを待っているらしいと私は察した。目当ての誰かは、並んだ看板の店の、どれかにいるに違いない。

やがて問題のビルから人が出てきた。父が身を乗り出すのが見えた。目当ての相手ではなかったようだ。ビルから出てきたのは、派手な洋服を着た三人の女性たちと、サラリーマンらしき二人の男性だった。女たちは無論、ホステスだろう。

喫茶店にいる父は、彼等を見て、また元の姿勢に戻った。目当ての客はビルの前から遠のいていった。父の顔が一瞬白くなった。煙草を吸っているらしい。

三人のホステスと客は少しばかりふざけていたが、やがて二人の客はビルの前から遠のいていった。それから間もなくのことだ。再び、ビルから出てくる人影があった。今度は客が一人に女性が二人だった。女たちは先程とは顔ぶれが違っていた。

父はさっきと同様に、ガラス窓に顔をくっつけるようにして、彼等を見下ろしていた。だが今度は、その姿勢を崩さない。顔つきが変わっているのが、遠目にもわかった。

私は改めて二人のホステスを見た。そして息を呑んだ。

薄いブルーのドレスを着た女は、あの志摩子にほかならなかった。前に会った時よりは、幾分痩せているようだ。元々顔が小さかったが、顎がさらに細く尖って見えた。

こんなところで働いていたとは——。

前田と飲みに行った夜、父は偶然志摩子を見つけたのだ。嫌なことを思い出し、それで、あんなに酔っ払うほど酒を飲んだのだ。

私は、もしかすると父が喫茶店から飛び出してくるのではないかと思った。しかし父はガラス越しに彼女を見下ろしているだけだった。志摩子のほうは、まさかすぐそばに自分が不幸にした父子がいるとは夢にも思っていない様子で、客を送り出した後は、もう一人のホステスと何やら談笑しながら建物に入っていった。

父が座り直すのが見えた。席を立つ気配はない。

私は二十分ほどその場にいたが、志摩子は出てこなかった。そろそろ終電が気になる時刻だったし、通りかかる人に不審がられそうだったので、諦めてその場を離れた。

家で待っていると、午前一時を少し過ぎた頃に父が帰ってきた。どことなく憔悴しているようだった。もしもあのまま喫茶店で待ち続けていたのなら疲れるのも当然だと私は思った。

「まだ起きてたのか。明日はバイトがあるんだろ。寝なくていいのか」私の顔を見て父はいっ

た。不機嫌そうな口調は、自分に後ろめたさがあるせいだろう。

「この頃、遅いんだね」

「ああ……組合の関係で、いろいろと付き合いがある」父は卓袱台の前に座り、持っていたスポーツ新聞を広げた。喫茶店で待つ間の時間潰しのために買ったものだろう。

先に布団に入って目を閉じたが、いろいろなことが気になってとても眠れそうになかった。寝返りを何度かうつうた時、襖が開いた。私は目を開いた。

「やっぱり起きてたのか」父が立ったままでいった。

「うん。何か用?」

「ああ……おまえ、彫刻刀を持ってたな」

「彫刻刀?　小学校の時のならあるけど」

「それでいい。ちょっと貸してくれないか」

「いいけど……今かい?」

ああ、と父は頷いた。思い詰めた表情に見えた。

私は布団から這い出て、机の一番下の引き出しを開けた。五本の彫刻刀と砥石がセットになった箱は、そこに入っていた。最後に使ったのは、例の呪いの手紙によって二十三通の『殺』の葉書を受け取った時だ。近所の境内にある鳥居に二十三という文字を彫りに行った。

「彫刻刀なんかで、何をするんだい」

「いや、別に大したことじゃない。わざわざ済まなかったな」父はそういうと、彫刻刀セットの箱を持って、部屋を出ていった。

私は改めて布団に入り、目を閉じた。しかしなかなか熟睡できず、時折目が覚めた。そのた

びに奇妙な物音を聞いた。しゅっしゅっと、何かを擦るような音だった。親父は何をしている

んだろう——そう思いながら再び眠りについた。

翌朝、私が朝食を食べる頃になっても、父は起きてこなかった。余程、夜更かしをしたらし

かった。室内を見回したかぎりでは、彫刻刀を使った形跡はなかった。

彫刻刀セットは、テレビの横に置いてあった。私はそれを手に取り、蓋を開けた。五本の彫

刻刀の刃先は、どれも錆びたままだった。これでは使い物にならないだろうと思い、砥石を見

た。明らかに使われた形跡があった。私には過去に砥石で刃を磨いた記憶がないから、昨夜、

父が使ったことになる。だが彫刻刀の刃を磨いたのではない。

夜中に聞いた、しゅっしゅっという音を思い出した。あれはまさに何かの刃を研ぐ音だった

のだ。父が欲しかったのは彫刻刀の刃ではなく砥石だった。

私は台所に行き、流し台の下の戸を開けた。戸の内側が、包丁入れになっている。といって

も、自炊を殆どしない我が家には、果物ナイフと文化包丁しかない。

包丁の柄が濡れていることに気づき、私は取り出してみた。手入れらしいことを全くしてい

ないので錆びに包まれていて当然だったが、刃先は銀色に光っているし、錆びている部分も格

段に少なくなっていた。明らかに父が研いだのだ。

料理には縁のない父に、息子の彫刻刀用の砥石を使ってまで包丁を研ぐ必要などあるはずが

なかった。もしその必要があるとしても、目的は料理以外のことに違いなかった。

その日も朝から暑かったが、鳥肌が立つのを私は覚えた。

父は志摩子を殺す気なのだ、と確信した。

そんなことをさせてはならない、とは少しも考えなかった。志摩子によって転落した私たちの過去を思えば、あの女を殺したいと思うのは当然のような気がした。

むしろ私は別の方向に興味を働かせた。父はどんな方法で殺すつもりなのだろう、いつ殺すつもりなのだろう、殺した後はどうするのだろう、そして殺そうとする決意はどれほど強いものだろう——

喫茶店で志摩子を見つめていた父と、いつか倉持修の家のそばで彼を待ち構えていた自分の姿とが重なった。あの時、私は倉持に毒を飲ませることに失敗した。実際には、自らそれを回避したのだが、後から考えてみるとやはり失敗といわざるをえなかった。あれほど決心していたつもりなのに、彼の嘘か本当かわからない言葉に惑わされ、気持ちを緩めてしまった。私の殺意とは、所詮その程度のものだったのだ。

妙な言い方になるが、父に手本を示してほしかった。祖母が死んだ時、母が毒を盛ったのだと噂が流れたが、あの時も、もしそれが本当ならばどんな思いで『そのこと』に臨んだのかを彼女から聞きたいと思ったものだ。

包丁を研いでいたからには、それを凶器に使うつもりなのか。だとしたら、やや物足りないと思った。包丁で刺すという行為には、どこか衝動的で、行き当たりばったりの色がある。私は父には是非、冷徹な実行者であってほしかった。殺意を自己の中で温めつつ、緻密に計画を立て、大胆に決行してもらいたかった。それには何よりも毒殺が相応しい。私はまだ昇汞の瓶を引き出しに隠し持っていた。それを父に教えてやろうかとさえ思った。

あの夜以来、父は夜に出かけていくことがなくなった。そのかわりに、いつも何事か考え込んでいる様子だった。殺人計画を練っているのだろうと私は解釈した。

プールの売店で働いている時も、私は気でなかった。こうしている間にも父が志摩子を殺しに出かけてしまうのではないかと思えてくるのだ。正直なところ、私は父が彼女を殺す場に立ち会いたいとさえ願っていた。

もちろん、四六時中そういうことだけを考えていたわけではない。私にはもう一つ、深刻な悩みがあった。

江尻陽子に何かがあったことは確実だった。良いことなのか、悪いことなのかはわからない。とにかく、彼女の気持ちに変化を与えるような事件が起きたらしい。内面の変化は外にも現れる。彼女は日を経るたびに変わっていった。私が好きだった少女のようなあどけなさはいつの間にか見られなくなっていた。天真爛漫（てんしんらんまん）ともいえる笑顔がチャームポイントだったはずなのに、物思いに沈んだような表情を見せることが多くなった。たちの悪いことに、今まで見せることのなかったそうした表情が、彼女に大人っぽい魅力を与える効果も生んでいた。

「陽子ちゃん、この頃ちょっと変だけど、どうかしたのかな」頃合いを見計らい、思い切って尋ねてみた。ちょうど客足が途絶えた時だった。だがその顔も、少し前のものとはどこか違っていた。

「別にどうもしないけど」笑顔で彼女は答えた。

「それならいいけどさ、何か悩みでもあるのかなと思って。時々、ぼんやりと考え込んでる時があるだろ」

「ああ……大丈夫、そんなんじゃないから」彼女は手を振った。「心配してくれてありがとう」

「何でもないならいいんだけどさ。ええと、それで、今日もやっぱりだめなの」

「今日？」

「プールだよ。仕事が終わった、もし時間があるなら一緒に泳がない？　前みたいにさ」

「ああ」彼女の笑顔がぎこちないものに変わった。「ごめんなさい。用があるの」

「そうか。それならいいんだ」私も笑ったつもりだったが、さぞかし情けない顔に見えたことだろう。

バイトが終わった後で一緒にプールに入るという楽しみは、完全に奪われていた。陽子は仕事が終わると、何かに追われるようにそそくさと帰ってしまうのだ。いつからそうなったのかは、はっきりしている。倉持と会った日からだ。あれ以来、彼女は変わった。

だが二人の間に何かがあったとは思いたくなかった。好きな女性を奪われたくないという気持ちのほかに、純なものが汚されたくないという思いがあった。

「だったら、今度の水曜日はどう？」私は訊いた。

「水曜日？」

「うん。バイトもそろそろ終わりだし、最後の休みだろ。よかったら、映画でも見に行かない？」

陽子をデートに誘ったのは、それが最初で最後だった。もっと早くに誘っていれば、と後で何度悔いたことか。

彼女は申し訳なさそうに両手を合わせた。

「ごめんなさい。水曜日は予定が入ってるの。あたしも田島君と一回ぐらいはデートしたかったんだけど……」

「ああ、そうなんだ。それなら……うん、いいよ。じゃあ、陽子ちゃんと会えるのも、あと五日だね」

「あ、そうだね。あっという間だったね」彼女は指で日数を数えてからいった。

バイトは世間のお盆休みが終わるまで、ということになっていた。

次の水曜日、私は一番近くにあるデパートに出かけた。デートがだめなら、何か彼女にプレゼントしたいと思ったのだ。

とはいえ、女の子と交際したことのない私には、何を贈ればいいのかまるでわからなかった。アクセサリーコーナーや女性用の小物が置いてあるフロアを何度も歩き回った挙げ句、大して印象的でもないハンカチを一枚買った。もっと洒落たものにしたかったが、どれもこれも高すぎて、選ぶ余地がなかったのだ。

翌日はいよいよアルバイトの最終日だった。私は朝から、いつプレゼントを渡そうかと、そればかり考えていた。

「今日もやっぱり用があるの?」仕事の合間に訊いてみた。

「うん。なんだか忙しくなっちゃって」

「大変なんだね」

「そうでもないんだけど」

彼女の口調は歯切れが悪かった。隠し事をしているようだった。

午後五時になり、夏のアルバイトは終了した。バイト代を受け取った後、私は陽子と一緒にプールを出て、駅に向かった。

「あのさ、十分でいいから、ちょっと付き合ってくれないかな」

意外そうな顔で彼女は私を見返した。戸惑っているようだった。

「渡したいものがあるんだ。だから……」

陽子は目を伏せ、髪に手をやった。

「ごめんなさい。あまり時間がないの」

「そうか……」

歩きながら私はポケットに手を入れた。小さな紙袋を取り出し、「じゃあ……これ」といって陽子に見せた。それで彼女はようやく足を止めた。

「何これ」

「ささやかなプレゼントだよ。もうちょっと気の利いたものにしたかったんだけど、思いつかなくてさ」

彼女は袋からハンカチを出し、笑顔を作った。

「わあ、きれい。本当にもらっていいの」

「もちろんだよ。そのために買ってきたんだ」

「でもあたし、何も用意してないし……」

「そんなのはいいんだ。俺が勝手にしたことだから。そのかわりさ、家の電話番号を教えてく

158

れないか。また会いたいから」

陽子はハンカチを持ったままうつむき、黙り込んだ。何かを迷っているようだ。

「どうかした?」

「うん、あの、電話番号を教えるのはかまわないんだけど」彼女は顔を少し上げ、上目遣いにこちらを見た。「あのね、あたし、付き合ってる人がいるの。だから、その、電話してくれても、たぶん会えないと思う」

「あ……」

私は立ち尽くしていた。予想していなかったわけではないが、このようにはっきり宣言されるとは思わなかった。

「俺はその、別に、ただの友達として会ってくれればいいんだけど」

「ごめんね。あたし、そういう器用なことって苦手だから」彼女はハンカチを袋に戻し、こちらに差し出した。「これ、受け取れないよ。気持ちだけ貰っとく」

「いや、それはいいよ。受け取ってくれ」

「でも」

「本当にいいんだ。それに、そんな花柄のハンカチなんて、俺、使えないし」

「そう……じゃあ、記念に貰っとく」彼女は自分のポシェットに袋をしまった。

再び歩きだしたが、私の心は沈んでいた。じつにあっけない、初恋の終幕だった。

「ひとつだけ、訊いてもいいかな」駅の改札口を通ってから私はいった。「その、君が付き合ってる相手というのは、もしかしたら俺が知ってる奴かい」

は、彼女も予想していたのだろう。　驚いているふうではなかった。　私が察しをつけているであろうこと

陽子は狼狽を見せたが、

「そうか」

「うん。彼もアルバイトをしてるから」

「そうか、やっぱり」私は吐息をついた。「今日もこれから？」

彼女は無言で頷いた。　唇を固く結んでいた。

「じゃ、元気で」私はいった。

うん、と一つ頷いてから彼女は階段を上がっていった。どうやらタイミングよく電車が入っ

てきたようだ。　私がホームに上がった時には、彼女の姿は消えていた。

これ以上問うべきことなど何もなかった。　彼女を苦しめるつもりもなかった。

ホームに上がる階段の下で、我々は立ち止まった。　私と彼女とは乗る電車が違う。

定食屋に寄って夕食を済ませ、家に帰った。　父がスーパーで買ってきたらしい焼き鳥を肴に

ビールを飲んでいた。すでに大瓶が三本空になっていた。

私はそれを見て台所に行き、ガラスコップを取って戻った。　父の前に座り、「一杯貰ってい

いかな」と訊いた。

父はぎょろりと目を剝いた。

「何だ、高校生のくせに。ふざけたことをいうな」

ろくに働きもしない人間にそんなことはいわれたくなかったが、私は黙っていた。テレビに

はナイター中継が映っていたので、そちらに顔を向けた。

すると少しして父がビールを注ぐ気配がした。見ると、私のコップに注いでくれたのだった。

ありがとう、といって私はビールを飲んだ。冷たさと程良い苦みが口中に広がった。ビールを飲むのは初めてではなかった。

「何か面白くないことでもあったのか」父が尋ねてきた。

「いいや、別に。お父さんこそ、何かあったのかい」

「何もない。ただ飲みたいから飲んでるだけだ」

「俺もそうだよ」

今から考えると、じつに滑稽な光景だった。この父子はどちらも、自分の元を離れていった女のことが忘れられずに酒を飲んでいたのだ。

ビールが回ったらしく、その後私は眠ってしまった。目を覚ましてしばらくしてから、それが玄関のドアの音だったことに思い至った。

時刻は午前零時を過ぎていた。父の姿はどこにもない。気づいたのは、何かの物音を聞いたからだった。

はっとして台所に行った。流し台の戸を開けると、例の文化包丁がなくなっていた。

心臓の鼓動が速くなり、全身が熱くなった。そのくせ冷や汗が脇を流れ、一瞬身体が震えた。私は通

急いで着替え、家を出た。ポケットには今日貰ったばかりのバイト代が入っている。

りに出ると、即座にタクシーを拾った。一人でタクシーに乗ったのは、この時が初めてだ。

行き先をいうとタクシーの運転手は怪訝そうな表情を見せた。夜中に高校生が向かう場所で

はなかったからだろう。しかし乗車拒否はされなかった。

駅前でタクシーを降り、そこからはあの夜と同じように歩いた。おでん屋の屋台も出ていた。前と同じ場所まで行き、例の深夜営業の喫茶店を見上げた。窓の向こうには、やはり父の姿があった。向かい側のビルの入り口を、じっと睨み続けている。その姿勢は石のように動かなかった。

生憎、駐車している車が近くになかったので、私は道路の反対側に渡り、細い路地に身を潜めた。小便と吐物の跡があって異臭を放っていた。

例のビルからは時々数名の人間がひとかたまりになって出てきたが、志摩子の姿はなかった。そんなふうにして三十分以上が過ぎた頃、ついに志摩子が出てきた。しかも彼女は一人で、地味なワンピース姿だった。どうやら帰宅するらしい。

彼女は反対側の歩道を通りすぎていく。さて、どうしようかと思った時、不意に彼女が路地の前を誰かが横切った。

私はおそるおそる顔を出した。父が志摩子の後を追っていくところだった。

11

少し丸めた父の背中からは、何ともいえぬ必死の気配が放出されていた。私は父の覚悟と決断を確信した。跡をつけ、あの女を殺す気なのだ。

唾を飲み込もうとしたが、口の中はからからだった。舌の粘つく感触を味わいながらそっと路地を出て、父の後を追った。

志摩子は我々につけられていることなど全く気づいていない様子で、駅に向かう道を歩いていた。すでに電車は終わっているから、タクシーを拾うつもりなのだろう。そして父は、彼女がいつもどのあたりで拾うのかも熟知しているはずだった。

父の歩みが速くなった。追いつく前に彼女に車に乗られたらおしまいだからだろう。私も二人に気づかれぬよう用心しながら足の運びを速めた。

私は父がどのようにして犯行に及ぶつもりなのかを考えた。突然包丁を振りかざして襲ったりしたら、たちまち大騒ぎになるだろう。彼女を刺し殺した後は走って逃げるしかはいえ人目がある。目撃されることを覚悟の上で実行するつもりなのか。彼女を刺し殺した後は走って逃げるしかないわけだが、逃走用の車もない状況で、逃げ延びられると思っているのだろうか。それとも、彼女を殺したならばもう思い残すことはなく、そのまま捕まってもいいと腹を決めているのか。

歩きながら私は、自分が殺人犯の息子となることを想像した。震えが起きるほどの恐ろしい想像ではあったが、心のどこかにそれを期待している部分があるのも事実だった。殺人犯の息子——その言葉に見えない力が宿っているような気がしていた。その力を自分が得られるかもしれないと期待していた。

人殺しの息子だとわかったら——。

誰も俺を馬鹿にはしないだろう。それどころか、誰もが畏怖するに違いない。あいつを怒らせるな、あいつは怖い、何をするかわからない。何しろあの人殺しの血が混じっているのだから。そんなふうに皆が自分に対して怯えの目を向ける様を空想するのは、悪い気のすることではなかった。

志摩子が足を止めたのは、駅から数十メートル手前にあるビルの前だった。道路の先を見ているのはタクシーを待っているからだろう。

父は建物の壁に沿って歩いていった。志摩子は道路のほうを向いているので、父には気づかない。私は心臓の鼓動が激しくなるのを感じた。志摩子は掌に汗が滲みだした。それから周囲の様子を窺うように左右を見た。その直前に私は、近くにあったコカ・コーラの自販機に身を隠していた。私から父まで父は彼女の背後に到達すると、そこで一旦足を止めた。私から父まで

での距離は二十メートルほどあった。

父は上着の内ポケットに手を入れながら、ゆっくりと志摩子に近づいていった。私の脳裏に、そのまま彼女の背中を勢いよく突き刺す父の姿が浮かんだ。

しかし父の行動は、その想像とは違ったものだった。彼はまるで寄り添うように志摩子の背後に立ったのだ。

そこに白いタクシーが近づいてきていた。

上がりかけた彼女の手が途中で停止した。彼女は明らかに背後に危険が迫っていることに気づいていた。どうやら父が彼女の耳元で何事か囁いたらしい。

白いタクシーは通り過ぎていった。その後もしばらく二人は動かなかった。傍目には、客がホステスに何やら話しかけているようにしか見えない。何とかくどき落とそうと粘っている客、ホステスに、そんなところだ。

やがて二人が動きだした。どう見ても不自然な動き方だった。父は志摩子の斜め後ろにつき、肘鉄を食わせたいが得意客なので邪険にできず困っているホステス、そんなところだ。その手に例右手で志摩子の肩を抱いている。もう一方の手は彼女の背中に回しているようだ。その手に例

の包丁が握られていることは確実だった。

志摩子が全身を硬直させているのが、私の目にもはっきりとわかった。後ろからなので見えないが、表情も強張っていることだろう。顔も青ざめていたに違いない。父の表情も彼女以上に尋常ではないはずだった。志摩子は真正面を向いたままで、父も周囲に気を配りつつも、後ろを振り返るだけの余裕はないようだった。

最初の角を二人は曲がった。細く暗い道だった。街灯がなく、ネオンの光も届かない。私は立ち止まり、角から顔だけ出して二人の行動を見守った。二人が路地のようなところに入っていくのを見届けて、足早に進んだ。

路地に近づいた時、女の小さな悲鳴が聞こえた。私はあわてて駆け寄り、そっと様子を見た。父がこちらに背中を向けて立っていた。その向こうに志摩子がいた。彼女は地べたに座り込んでいた。ワンピースの裾が乱れている。父に突き飛ばされたらしい。

「おまえのせいで、俺がどんな目に遭ったと思ってるんだ」

父の声が路地の壁に反響して聞こえた。背中が大きく上下しているのも見えた。

「知らなかったのよ。あいつが勝手にやったんだから。あたしは何も知らなかったのよ」

あいつとは父を殴った男のことだろう。志摩子の愛人だった男だ。

「おまえ、あいつのことなんか何もいわなかったじゃないか。あんな男がいるなんてこと、俺は、ちっともいわなかったぞ」父は吃どもっていた。息も荒い。

「いえるわけないじゃない。あたし、ホステスなのよ。男がいるなんてこと、客にいえるわけないじゃない」

「最初から俺を騙す気だったんだな」

志摩子が憎しみの籠った目で父を見上げた。ホステスが客を騙して何が悪いのよ——そんな台詞を吐きたかったのかもしれない。ところが彼女の目が突然気弱なものに変わった。父が持っている包丁のことを思い出したようだ。

「悪いとは思ってたわよ。騙したくないと思ってた」

「嘘をつけ」

「本当よ。だから、あいつとは早く別れなきゃと焦ってたの。あなたを騙し続けたくなかったし、あいつがあなたのことを知ったら何をするかわからないと思ったから。だけど……ちょっと遅かった。あなたには本当に悪いことをしたと思ってる。嘘じゃない。お願い、信じてちょうだい」女の言葉は懇願調になっていた。

そんなやつに騙されちゃだめだ、と私は心で叫んでいた。殺してしまえばいいんだ、そいつのせいで俺たちはどん底まで落とされたじゃないか、恨みを忘れちゃだめだ。父の背中に自分の言葉が届くことを念じた。

「じゃあ、なぜ逃げた」父が訊いた。

「怖かったからよ。あなたがきっと怒ってると思った。どんなに説明しても、わかってもらえないと思ったの。それにあなたに合わせる顔がなかった。申し訳なくて、申し訳なくて……。本当は会ってきちんと話がしたかった。あなたを裏切るつもりなんか全然なかったってこと、わかってほしかった。本当よ」

志摩子の言葉からは真実味のかけらも感じられなかった。しかし問題は、父の耳にはどう聞

こえているかということだった。父の顔が見えないので私は不安になった。

「俺は……俺はな……後遺症のせいで歯医者ができなくなったんだぞ。家だって手放さなきゃならなくなったんだ。親戚からも縁を切られた。もう何も残ってないんだ」

「だから悪かったと思ってる。あいつのことを恨んでる。あなたをそんな目に遭わせたあいつを心の底から憎いと思ってる。謝っても仕方がないと思うけど、謝ることしかできない。だけど、わかって。あたしだって、あいつのことを恨んでる。復讐してやろうと何度考えたかわからない。だけど、女の力じゃ何もできないでしょ。悔しくて悔しくて、眠れないほどだった」

志摩子は巧妙にすべての責任を愛人に押しつけようとしていた。さらに、自分も被害者なのだと訴えていた。

「あいつとはまだ関わりがあるのか」

父の声に微妙な変化が生じたのを感じ取り、私は焦った。父の怒りの炎が鎮まりつつあった。

「あるわけないじゃない。あいつが刑務所から出てきたのかどうかも知らない。あいつのことは恨んでるけど、本音をいうともう二度とつきまとわれたくない。さっきあたしはあなたが怖くて逃げたといったけど、今はあいつに見つかりたくないという気持ちのほうがずっと強いの」

調子のいいことをいいやがって、と私は思った。苦し紛れに言い訳を並べているうちに、何もかも愛人のせいにしてしまうのが得策だと思いついたらしい。

父は黙り込んでいた。その表情はわからないが、つい先程までに比べて背中が小さくなったように見えた。

そんな父を見上げていた志摩子の顔にも変化の兆しがあった。怯えが消え、余裕ともいえる表情が戻りつつあった。彼女はワンピースの裾を整え、その場で正座をした。

「でもこんなことをいくらいっても無駄ね、きっと。あなたがあたしを許してくれるはずない。あなたはあたしを殺すつもりなんでしょ。そのつもりで、そんな包丁まで持ってきたんでしょ。あなた、あたしをそれで刺せば気が済むの？」

父は自分の手元を見た。包丁に目を落としているのだろう。夜中に息子の彫刻刀用砥石で研いだ包丁だ。

「もしそれで気が済むなら」志摩子は胸を反らせ、深呼吸をした。「どうぞ刺してください。あたしはあなたに何の償いもできないから、せめてあなたの怒りを受け止めます」

彼女は両手を胸の前で合わせ、目を閉じた。

父は立ち尽くしていた。明らかに動揺していた。彼が頭に抱いていたシナリオと展開がまるで違ったのだろう。志摩子が自分を罵倒すれば、それによって怒りを増幅させられると思っていたのかもしれない。

父の左手がだらりと下がった。握られていた包丁がぼとりと落ちた。

「おまえを刺したいわけじゃない……」父が低くいった。

「刺してくれていいのよ」

父はかぶりを振った。「そんなこと、できるわけない」

志摩子がもう一度深呼吸した。今度のは、一世一代の大芝居がうまくいったことに対する安堵の吐息だったろう。父はそれに気づかないのだ。

彼女はゆっくりと立ち上がった。ワンピースについた泥を手で払う。

「今度こそ、どこか遠くに行かなきゃ」

父が顔を上げた。「遠くへ？　どうして？」

「だって」彼女はハンドバッグを握りしめた。「あなたに合わせる顔がないもの。あたしがここにいると思うと不愉快でしょ。明日にでも消えるわ」そういうと父の脇を抜け、こちらに向かって歩きだした。私はあわてて顔を引っ込めた。

「待ってくれ」父の止める声がした。「おまえのことをずっと探してたんだ。おまえの話を聞きたかったからだ。本当の気持ちを知りたかったからだ」

「だったら、これでもうわかってもらえたんじゃないかしら。まだ何か知りたいことがある？」

二人の立場が完全に逆転していることは明白だった。志摩子の勝ち誇った顔が目に浮かんだ。

次の瞬間、信じられない声が耳に届いた。

「志摩子、もう一度やり直そう。やり直してくれ、頼む」

私は慎重に覗（のぞ）いてみた。今度は志摩子の背中が見えた。その向こうで父が両膝を地面（ひざ）についていた。

「何をやり直すの？　そんなこと、無理に決まってるじゃない。あたしはあなたをひどい目に遭わせた女なんでしょ」

「いや、考えてみれば、おまえを恨むのは筋違いだった。俺はとにかく、おまえと一緒にいたいだけなんだ。なあ、志摩子、頼むよ」

「でも」

「このとおりだ」

父が両手をついて頭を下げるのを見て、私は頭が混乱した。女を殺そうとしていた父が、その女に向かって土下座をしている。

私はその場を離れた。父に幻滅していた。というより、父の殺意の弱さに失望していた。やはり父にも人殺しはできなかった。

タクシーに乗って帰宅した。父が帰ってきたのは、それからさらに二時間後だった。その時帰ってきた父はビールを飲み、時々鼻歌を歌っていた。

私は布団の中にいたが、眠ってはいなかった。

馬鹿馬鹿しいというしかない結末を迎えてから十日あまりが経ち、夏休みは終わった。何ひとついいことのない夏だった。江尻陽子には失恋したし、父の愚かさを見せつけられた。久しぶりに会うクラスメートたちは、私が誰よりも日焼けしているのを見て驚いたが、その日焼けにしても苦い思い出の証でしかなかった。

父はあの後もよく出かけるようになった。ただし目的がまるっきり違っていることは、表情を見れば明らかだった。父はいつも浮き浮きしていたし、身だしなみにも気を遣っていた。あの文化包丁を持ち出すこともなかった。

まんまと志摩子に丸め込まれた父は、彼女が勤める店の常連客に変貌したようだった。父が持ち帰ったマッチから、そのことを知った。腹が立つというよりも情けなかった。

志摩子とよりを戻せたと思い込んでいる父は、すっかり有頂天になっていた。休日も彼女と会っているようだった。私は数年前に彼等と銀座に行った時のことを思い出した。あれほどの目に遭っておきながら、父は何ひとつ教訓にしてはいなかったのだ。

そんな状況の中で二か月ほどが過ぎた、ある土曜日のことだ。私はインスタントラーメンを作り、一人で昼食をとろうとしていた。傍らには朝刊がある。その社会面を開き、横目で見ながらラーメンを口に運んだ。私は三面記事が好きだった。特に殺人事件が起きたりすると、どんなに小さな記事でも念入りに読んだ。

その日の記事には殺人事件はなかった。そのかわりに学校で飛び降り自殺があったという記事が載っていた。私はそれを横目で読み始めたが、すぐにラーメンを食べるのをやめて新聞を手に取っていた。食欲は瞬時にして消えていた。

学校は江尻陽子が通っている高校だった。そして飛び降り自殺を図ったのは、まさにその江尻陽子だった。

事件は放課後に起こったらしい。クラブ活動が行われていた午後六時半までは何事もなかった。午後七時前になると、殆どの生徒が帰宅していく。残っている生徒はわずかだ。そのわずかな生徒たちが、たまたま目撃した。向かい側の校舎の窓から、誰かが飛び降りたのだ。

校舎は四階建てで、飛び降りた窓は四階にあった。しかも落ちたところはコンクリートで固められていた。

死体は頭蓋骨（ずがいこつ）が割れていたし、顔面もかなり強く打ったようなので、見ただけではどこの誰

だかは判別できなかったもようだ。だが所持していた生徒手帳から、一年生の江尻陽子らしいとわかった。

教室が調べられたが、遺書らしきものは見つからなかった。

私は記事を何度も読み返した。到底信じられなかった。明るさが最大の魅力だった陽子が、死にたくなるほどの悩みを抱えていたとは思えなかった。

私の心は悲しみに沈んだ。失恋は辛い思い出だったが、江尻陽子と過ごした時間が大切な宝物であることに変わりはなかった。授業中や一人になった時など、私は何度も彼女に関する記憶を引っ張り出してきては、飽きることなく頭の中で再生した。彼女の笑顔はいつも私の胸を詰まらせた。

倉持のことも気になっていた。しかし敢えてそのことは考えないようにした。楽しい思い出の中の唯一の傷が彼の登場だったからだ。

彼女の死から二週間ほどが過ぎた頃、私の家に一本の電話がかかってきた。父は留守だったので、私がその電話に出た。

「もしもし、田島さんのお宅でしょうか」年輩と思える女性の声がした。

「そうですけど、父は今出かけています」

「いえ、お父さんではなくて、そちらに田島和幸さんという方はいらっしゃいますか」

「僕ですけど」

そういうと相手の女性は、ああ、と漏らした。

「私、江尻といいます。江尻陽子の母です」

「あ……」言葉をなくした。あまりにも唐突だった。

172

「あの、陽子のことは知ってますか」

「ええ、知ってます」

「いえ、そうじゃなくて……」彼女は口籠った。表現に困っていたのだろう。私は彼女のいわんとすることを察した。

「自殺したってことなら知ってます。新聞で見ました」

「ああ、やっぱり」そういったきり、彼女はまた黙った。何かを逡巡している気配があった。

「あの、陽子のことでちょっと話をしたいんですけど、いいかしら」口調がぎこちなくなっていた。思い詰めた末に電話をかけてきたのだということは私にもわかった。

「いいですけど、何ですか」

「それが……会って直接話したいの。いろいろと訊きたいこともあるし」

「はあ……」

こんな言い方をされて気にならない人間はいないだろう。私は、会うのは構わないと答えた。彼女はうちの住所を聞き、これからすぐに行ってもいいかと尋ねてきた。うちなら構わないと私は答えた。

電話を切ってから約四十分後に彼女は現れた。丸い顔と大きな目が陽子と似ていた。ただし彼女が何をいいだすのかわからず、私は不安になった。

母親の目尻は少しだけ下がっていた。この時間に家にいないということは、外で食事をしてくるに違いなかった。相手はいうまでもなく志摩子だろう。

父はまだ帰っていなかった。

管理人室には粗末なソファが置かれている。　陽子の母にはそこに座ってもらい、私は管理人用の椅子に腰掛けた。

「田島君のことは陽子から聞いています。　バイト先ではお世話になったそうね」

「いえ、こちらこそ……」

「じつはね、これは正直に答えてほしいんだけど」陽子の母はうつむき加減の姿勢のままでいった。「田島君は陽子と付き合っていたのかしら？」

「それは……恋人として、という意味ですか」

「まあそうだけど」彼女は上目遣いにこちらを見た。

私は即座に首を振った。

「そんなことは全然ないです。　親しくしてましたけど、それだけです」

「本当？」

「本当です」私は断言した。

江尻陽子の母は、目の前にいる若者の言葉が嘘かどうかを見破ろうとしていた。　真っ直ぐに閉じられた唇と鋭い目が、それを物語っていた。

「この夏、あの子が誰かと付き合ってたのは確実なの。　あの子の学校には女子しかいないし、そういう相手が出来るとしたら、バイト先ぐらいしか思いつかないんだけど」

「俺じゃないです」

「そう？」

「はい」

「恋人という意識はなくても、何というか、その、ちょっと羽目を外しすぎたということはない？　夏というのはほら、いろいろな意味で開放的になるでしょ。だから……」そこまでしゃべったところで、なぜか彼女は口をつぐんだ。しゃべりすぎたことを悔いているような感じだった。

その直前まで、じつは私は倉持の名前を出すつもりでいた。だが彼女の言葉を聞き、思い留まった。

江尻陽子の自殺の原因を察したからである。この母親は、その原因に関する詳しいことを調べようとしているのだ。

「俺、何も知りません。江尻さんと話をするのも店にいる時だけでした。二人でお茶を飲みに行ったこともありません」

陽子の母は私の顔をじっと見つめた後、「信用していいのね」と訊いた。私は黙って頷いた。

私が倉持修に会いに行ったのは、その翌日だった。夕方に電話をかけ、近くの公園に呼び出した。私はベンチに座って彼を待った。

「夏以来だな、元気だったか」しばらくして現れた彼は、さわやかとでも表現できそうな笑顔を見せ、私の横に腰を下ろした。「なんだい、急用って」

「陽子ちゃんが自殺したこと、知ってるだろ」単刀直入に切り出した。

彼は怪訝そうに眉を寄せた。「ヨウコちゃん？　誰だい、それ」

私は思わず目を剝いていた。

「江尻陽子ちゃんだよ。俺と一緒にプールでバイトしてた」

「ああ」倉持は大口を開けて頷いた。「そういえばそんな子がいたな。えっ、あの子、自殺したのかい。いつだ？」

「二週間ぐらい前だけど」

「へえ、全然知らなかったな。俺、あんまり新聞を読まないからな」とぼけていることを私は確信した。もし本当にたった今知ったのなら、もっと驚くはずだった。なぜなら彼等は恋人だったからだ。

「陽子ちゃんとは、あの日以来会ってないのかい」

「あの日って？」

「ほら、三人で喫茶店に入ったじゃないか。あの日のことだよ」

「ああ、あの時な。うん、俺はあの時以来、あの子には会ってない」白々しく答える倉持の顔を、私はぶん殴ってやりたかった。それをしなかったのは、もっとほかにしたいことがあるからだった。

「陽子ちゃん、妊娠してたみたいなんだ」思い切っていってみた。いいながら、倉持の顔を凝視した。どんな些細な変化も見逃さないつもりだった。

倉持が一瞬顔に狼狽を走らせるのを私は見た。

「ふうん、そうなのか。それで？」

「詳しい事情はわからないけど、そのことを苦にして自殺したのかもしれないらしいんだ。でも父親が誰かはわからないということだった」

「それは大変だな」そういってから彼はこちらを見た。「田島、おまえ、そのことを誰から聞

「陽子ちゃんが通ってた高校にいる知り合いだ。学校内じゃ、ずいぶんと噂になっているらしい」

「へえ、噂にね……」倉持は虚空を睨んでいる。明らかに動揺していた。

陽子が妊娠していたというのは、彼女の母親の言葉から推理したことにすぎない。しかし倉持の様子を見て、それが的中していることを私は知った。同時に、彼が赤ん坊の父親だと確信した。

「田島、悪いけど、俺ちょっと用があるんだ。ほかに用がないなら、帰っていいか」彼はベンチから腰を上げた。

私は少し考えてから、「ああいいよ」と答えた。

倉持は足早に公園を出ていった。彼は、私がすべてを知っていることに気づいていたのだ。だから逃げ出したのだ。

彼の後ろ姿を見ながら、私はさっき殴らなくてよかったと思った。彼にはもっと大きな罰を与えねばならない。

自分はあの父のように情けなくはない。怒りの炎を自分で消したりしない。必ずいつかやり遂げてみせると心に誓った。

いたんだ」

12

父は志摩子にのめり込み続けていた。夜は殆ど毎日出かけていく。帰ってくるのは深夜だったり、翌朝だったりした。翌日が休みだと、昼頃まで帰らないこともあった。

管理人の仕事はまるでやらなくなった。仕方なく私は高校から帰るとそこに座ることにしたが、それを待っていたかのように店子たちが苦情をいいにきた。

「廊下の電気、いつ取り替えてくれるのよ。暗くて危ないじゃない」

「上のベランダから雨漏りがしてるっていったただろ。もう二週間も前だぜ。何をぼやぼやしてやがるんだ」

「うちの窓の下に猫の死骸があるっていったでしょ。早く始末してくれなきゃ困るじゃないの。腐って臭ってきたらどうするのよ」

それらの用件を父に伝えていないわけではない。管理日誌につけておいたし、形ばかりの黒板にも書いておいたし、何より父に直接話してあった。だが父は大抵酔っ払っており、日誌や黒板を見ている様子もなかった。

それでも店子から直接文句をいわれたこともあるらしく、ある晩二人で夕食を食べていると、父がぽつりと呟いた。

「アパートの管理人ってのはあれだな。意外とやることがたくさんあって大変だな」

「そりゃそうだろ。いろいろな人が気持ちよく住めるようにしなきゃならないんだから」

今頃何をいってるんだと思った。

父はうーんと唸り、こんなことをいった。

「管理人を自分たちでやるってのは失敗だったかもしれないな。やっぱり、人を雇うべきだったかな」

私はびっくりした。人を雇う余裕がないから自分たちがすることになったのではないか。それに管理人をしなければ、人を雇う余裕がないから自分たちがすることになったのではないか。そ

父には全く労働意欲が残っていなかった。頭の中は女と遊ぶことで占められているのだ。昔はこんな腑抜けではなかった。かつては尊敬したこともある父をここまで堕落させた志摩子という女を、心の底から憎んだ。

「あのさあ、ほどほどにしておいたほうがいいと思うんだけどな」私は思いきっていってみた。

父は茶碗から顔を上げ、何をだ、という目で私を見た。

「好きな女の人がいるってのは悪いことじゃないと思うよ。でもさ、毎日出ていかなくてもいいじゃないか」

息子から女のことを指摘され、さすがに父もきまりが悪かったようだ。それをごまかすように怒りの表情を作った。

「何を馬鹿なことをいってるんだ。そんなもの、いるわけないじゃないか。子供のくせに生意気なことをいうな。出かけるのは仕事の付き合いだ。大人のことに口出しするな」

「じゃあ、どういう人と会ってるんだよ。どんな仕事の付き合いなんだよお」

「そんなこと、おまえに話しても仕方ない」

「父さんが管理人の仕事をさぼって、迷惑してるのは俺なんだ。頼むから、きちんとやってくれよ」

「うるさいっ」父はテーブルをばんと叩いた。「食わせてもらってるくせに文句をいうな。夏休みにちょっとバイトをしたぐらいでいい気になってるのか。働くってのは、そんなに甘いものじゃないんだぞ」

この台詞を聞き、私は思わず正面から父の顔を凝視した。すっかり労働意欲をなくしている人間の口から、こんな言葉が出てくるとは思わなかった。腹が立つというより、おかしかった。冗談なら少しは気がきいている。しかし父にそのつもりはないようだった。

「あの人だろ、昔一緒に銀座に行った人」

父は大きく目を見開いた。志摩子との仲が復活していることは息子に気づかれていないと思っていたのだろう。

その目を見返して私は続けた。「あの人のせいで、ひどい目に遭ったんじゃないか」

「彼女に責任はない」父は目をそらした。

「だから許してやるのかい」

「そういう問題じゃない」

「あの人に会いたいというなら仕方ないよ。でも、毎日飲みに行くことはないじゃないか。ふつうのアベックみたいにさ、日曜日にデートすりゃいいじゃないか」

「だからそんなんじゃないといってるだろう。大人には大人の社会ってものがあるんだ」

父は新聞を手にし、管理人室に入ってしまった。

私の指摘は正当なもののはずだった。好き合っているのなら、わざわざ店まで行く必要はない。休日にゆっくり会えばいいのだ。そのほうが安くつくし、何より二人きりになれる。父に

しても、本当はそうしたいと思っていたに違いない。

父はたぶん志摩子に軽蔑されるのを恐れていたのだろう。　落ちぶれたところをあからさまにしたくなかったのだ。

その後も父は志摩子のいる店に通い続けた。その店から来た請求書を見たことがある。そこには私の金銭感覚ではついていけない数字が並んでいた。そんなものを父は払い続けていたのだ。

今にして思えば、父はまるで地獄の谷の上を綱渡りしている思いだっただろう。いうまでもないことだが、我が家の家計は逼迫していた。預金残高などたかが知れている。その数字がごっそりと減っていくのを父はどんな気分で見ていたのか。それとも見えないふりをすることに決めていたのか。

だがどんなに目をそむけようと現実からは逃げられない。手持ちの金はやがて底をついた。

私がそのことを知ったのは、ある夕方のことだった。

その日、父は珍しく管理人室にいた。私はテレビを見ながらインスタントラーメンを食べていた。

管理人室から声が聞こえてきた。父が誰かと話している。あまりにも稀なことなので耳をすました。話の相手は店子の一人だ。子供が二人いる主婦で、亭主は私鉄に勤務しているということだった。

私は戸をかすかに開いて様子を窺った。管理人用の椅子に座っている父の背中が見えた。相手の主婦の顔は見えない。

「はい、たしかに。ではこれが領収書です」父がいっている。

「じゃあ管理人さん、あそこのガラス、早く修繕しておいてくださいね」

「はいはい。来週にもやりますんで」口先だけで愛想良く父はいった。そういう薄っぺらい口調は、父が上達した唯一のものだ。

その後、私は信じられない光景を目撃した。主婦から受け取った家賃を、父は自分の財布に入れてしまったのだ。本来ならば奥にある金庫にしまっておくべき金だ。すべての店子から家賃を受け取った後、まとめて銀行に持っていくというのが、これまでのやり方だった。

私はそっと戸を閉めた。それ以上見ていたら、どれほど醜悪な姿を目にしなければならないかわからなかったからだ。だが私の思いを無視するように、今度は電話のダイヤルを回す音が聞こえてきた。

「もしもし、俺だよ。何をしてた？……ああ、そうか。……いや、大したことじゃないんだがね、店に行く前に久しぶりに旨いものでも食いに行かないか。……そうだな、蟹なんかどうだ。そろそろ旨い季節だろう」

父の声を聞きながら、自分の身体が暗い闇に落ちていくような感覚になっていた。父が正真正銘の馬鹿でないことを祈った。

だがその祈りは通じなかった。父が出ていった後、私は管理人室に入り、まず家賃簿を見た。それによれば半数以上の店子がすでに払い終わっている。次に金庫を開けてみた。そこに入っていたのは、わずかばかりの小銭だけだった。聖徳太子など一枚もなかった。

開いた金庫の前で私は大の字になった。起き上がる気力などとてもなく、しばらくそうして

いた。

ろくな蓄えもないのに、入ったばかりの家賃を早々に使いきっていては、生活が成り立つはずがなかった。このアパートを建てる時の借金だって残っている。

そんな状態だったにもかかわらず、父は正気を取り戻してくれなかった。相変わらず志摩子のいる店に通い詰めていた。それだけでなく、高価な洋服やアクセサリーなどを贈ったりもしていたようだ。

もしかすると父は捨て鉢になっていたのかもしれない。経済的に破綻することは覚悟の上で、ようやく取り戻した女に貢いでいたと考えたほうが納得できる。右手が不自由になり、社会的な地位も財産も親戚さえも失ってしまった父にとっては、志摩子という若い肉体に執着するしかなかったのだ。

しかし金がないという状況は否応なしにやってくる。家賃を着服するというのは父としても最後の手段だったはずだ。

ある時期から父が夜に出かけていくことがめっきりと少なくなった。志摩子のことを諦めてくれたのならいうことなしだが、残念ながらそうではなかった。単に金が底をついただけのことだ。その証拠に父は、深夜になると電話をかけるようになった。

「もしもし、俺だ。今頃帰ってきたのか。……そんなはずはないだろう。三十分前にも電話をかけたんだぞ。……どうしてそんなに遅くなるんだ。店はとっくに終わってるはずじゃないか。……それなら仕方ないが、あんまり遅くなるなよ」

ぼそぼそと話す父の声を、その時期私は何度も盗み聞きした。父は自分が店に行けない分、志摩子がどういう行動をとっているのか気になって仕方がない様子だった。彼女が帰宅しそうな時刻になると、毎晩のように電話のダイヤルを回した。闇の中から聞こえてくる父の低い声は、部屋の空気を不気味に震わせた。

ある日のことだった。その日は高校の創立記念日で、私は朝から家にいた。昼過ぎに文房具を買うために家を出た私は、家に帰る途中で父の姿を見た。父の歩く方向から、駅に行くつもりだということを悟った。

私は何となく嫌な予感がした。濃い色のサングラスや、丸めた背中などから、人目を避けたがっているように感じ取られたからだ。私は咄嗟に跡をつけていた。父のことを尾行するのはこれで何度目だろうと考えた。

父が電車の切符を買っていることで、疑惑は確信に変わった。父が電車に乗って出かけていくことなど、その頃では殆どなくなっていた。

私は定期券を持っていたので、それを見せて改札をくぐった。ホームでは、少し離れたところから父を監視した。父はこちらには全く気づいていない様子だった。一方の手に、有名なケーキ屋の箱を提げていた。

やがて電車が入ってきた。父が乗り込むのを見届けてから私も乗った。

父が降りたのは三つ目の駅だった。あまりに近くなので意外だった。ここなら自転車でも来れたなと思った。

商店の少ない住宅地だったので尾行を続けるのは難しかった。もし父が一度でも振り向いた

なら見つかっていたかもしれない。しかし父の心は、これから会う相手のことで占められていたらしい。

行き着いた先は、白く真新しいマンションの前だった。父は慣れた様子で入っていった。私はマンションの外廊下が見通せる場所を探し、そこに父が現れるのを待った。

父は二階の廊下に現れた。二つ目のドアの前で立ち止まり、ポケットから鍵を取り出して錠を外した。その様子から、そこが父のもう一つの住まいであることを知った。

三十分ほど待っていたが、父の出てくる様子はなかった。私は思い切って、マンションの中に入ってみた。

父が入っていった部屋の前に立ち、中の物音が聞こえてこないかと耳をすました。だがうちのアパートのような安普請でないせいか、何も聞こえなかった。私はどうすることもできずドアを見つめた。表札は出ていなかった。

そのうちに物音が聞こえた。ドアのすぐ向こう側で人の気配がする。私はあわてて、来た方向とは逆に走った。

廊下の曲がり角に身を隠し、様子を窺った。ドアが開き、父が出てきた。その後から志摩子も出てきた。彼女はセーターにフレアスカートという出で立ちで、髪も無造作に後ろで束ねているだけだった。

「じゃあ、また明日来るから」父がいっている。

「お待ちしています」と志摩子。

父が階段に向かうのを彼女は見送っていた。

志摩子が部屋に入るのを見届けてから私は歩きだした。ところが彼女の部屋の前にさしかかったちょうどその時、何の前触れもなくドアが開いた。出てきた彼女とぶつかりそうになり、私は立ち止まった。驚いた表情の彼女と目が合った。

私が彼女と最後に会ったのは数年前だ。覚えているわけがないと思い、私は素知らぬ顔で通り過ぎた。ところが数メートル行ったところで、「ちょっと」と声をかけられた。

仕方なく首を少し後ろに回した。志摩子が近づいてきた。

「あなた、田島さんの……」

覚えていたとは意外だった。となれば、とぼけるわけにもいかない。小さく頷いた。

「やっぱり。しばらく見ないうちに大きくなったわねえ。で、どうしてここに？」

答えられるはずがない。黙っていた。

「お父さんの跡をつけてきたの？」

やはり黙っているしかなかったが、これでは肯定したも同然だった。そう、と合点したよう

に志摩子はいった。腕組みして、じろじろ見ている。

「あたしに何か用があるの？」

いえ別に、と答えようとして、不意に新たな考えが浮かんだ。

「お願いがあるんです」

「お願い？　ふうん」彼女は頷き、少し考えてからいった。「じゃあ、入って」

いいんですかと答える間もなく、彼女はドアを開けていた。

入ってすぐ廊下があり、その奥にダイニングキッチンがあった。隣は和室で、小さなテーブ

186

ル、テレビ、箪笥などが見える。それらはどれも新品に見えたのが、隅に積み上げられた段ボール箱だった。しかしそれ以上に目を引いくつか積まれていた。段ボール箱はダイニングキッチンの隅にもい

「まだ全然片づいてないの。何しろ、引っ越したばかりだから」

「越してきたんですか」

「そうよ」

志摩子は私に椅子を勧めた。私は黙って腰掛けた。

「それで、お願いというのは何？」彼女は湯を沸かし始めた。ダイニングテーブルの上には湯飲み茶碗と急須が出ていた。茶碗の一つは父が使ったものだろう。二人がここで向き合ってい

私が深呼吸をすると彼女はくすっと笑った。高校生が緊張している姿は滑稽だったのだろう。

る姿を想像した。

私は勇気を出していった。「父と別れてほしいんです」

志摩子の顔から一瞬笑みが消えた。しかしすぐに唇を緩めた。

「どうして？」

「だって、父のことなんか好きじゃないでしょ。それなのにどうしてこんなふうに……」

「付き合ってるのかって？──」

私は彼女の目を見たまま顎を引いた。

ふうーっと志摩子は息を吐いた。

「お父さんのこと、嫌いじゃないわよ。それに、すごくよくしてもらってるから恩だって感じ

てる。それじゃだめなの？」

「結婚するわけじゃないんでしょ」

「結婚？　だってそんな話、全然出ないんだもの。だからあたしだって考えたことないわ」

そんなはずはないと思った。父は志摩子を独占したがっているのだ。「結婚だ

けがすべてじゃないの。大人になるとね、いろいろあるのよ」

「あたしたちの仲はね、そういうんじゃないの」嚙んで含めるように彼女はいった。「結婚だ

あなたもいずれわかる、とでもいいたそうだった。

「でもその　せいで、うちは大変なんです」

「大変って？」

「家にお金が全然ありません。父は最近、飲みに行かないでしょ。行けないんです」

すると彼女は鼻先で笑った。

「そんなはずないでしょ。大きなマンションを持ってて、家賃がどんどん入ってくるんだから。

店に来ないのは忙しいからでしょ」

「マンションなんかじゃありません。しょぼいアパートです。借金だらけだし、今月分の家賃

だって、父が使ってしまいました」

「まさか」

「本当なんです。だから、もう父に金を使わせないでください」

「そういわれても……」

薬缶の口からしゅーしゅーと湯気が出ていた。志摩子はレンジの火を消した。しかし茶を入

れようとはしなかった。

「そういわれても困るわ。田島さんのほうが来るんだもの。この部屋だって、田島さんが借りてくれたのよ」

私は絶句した。父が鍵を出すのを見た時からそういう気はしていた。

その時電話が鳴った。電話は段ボール箱の上に置いてあった。

子は受話器を取った。

「もしもし……ああ……あの、今ちょっと友達が来てるんです。だから……ああ、はい」すぐに電話を切った彼女はこちらを見て、「お店の人よ」といった。「ええと、どこまで話したかしら」

「父とは別れてもらえないんですか」

私が訊くと彼女は首を傾げてしばらく黙った後、口を開いた。「考えとく」

「父はどうかしてるんです」

すると志摩子は真顔になって私をしげしげと眺めた後、「そうかもね」といった。

家に帰ると、父はテレビの前で横になってビールを飲んでいた。私は隣の部屋に入り、勉強机の前に座った。宿題をするふりをしたが、頭の中では父に対する怒りが渦巻いていた。自分たちの生活をこれほど破綻させながら、あの女には贅沢をさせている。マンションを借りてやっただけでなく、家具や電化製品なども買い与えたに違いない。

この時初めて、父に対して殺意が湧いた。もちろん本気で父を殺そうと思ったことはない。だらしなく酔って寝ている父の海馬のような後ろ姿を見て、しかし何度もそのことを空想した。

いると、首を絞めたくなった。

志摩子を殺すことも考えた。こちらの空想をする時には、幾分本気になった。馬鹿にしたような表情を浮かべる彼女の細い首を、ぎゅっと絞めるシーンを何度も頭に描いた。動機は殺人を犯すにに値するものだと思った。罪悪感に苛まれることもあるまい。いわば正当な殺人というべきものだ。

だがそれを実行に移すための最後の一押しが足りなかった。志摩子を殺す空想は私をぞくぞくさせたが、必ず逮捕されるに違いないという思いが、それをいつも中断させた。

そしてある寒い夕方、ついに地獄から使者がやってきた。それは三人いた。

三人とも背広を着ていた。三十歳から四十歳の間だろうと思われた。一人は金縁の眼鏡をかけ、黒い大きな鞄を提げていた。あとの二人は黒子のように立っていた。

父親はいるかと金縁眼鏡が訊いた。その時私はたまたま管理人室にいたのだ。父は奥の部屋にいた。そのことをいうと、三人は断りもなしに中に入ってきた。そのまま奥の部屋への戸も開けた。

父のうろたえた声が聞こえた。勝手に入ってきたのだから怒るのが当然だが、父は怯えているようだった。三人が部屋に上がった後は、戸がぴしゃりと閉じられた。

会話は殆ど聞こえてこなかった。父の、何とかしますから、という声が漏れてくるだけだ。その声は弱く、震えていた。

やがて戸が開き、三人の男たちが出てきた。彼等は私に一瞥を投げることもなかった。ただ管理人室を出る時、金縁眼鏡が奥を振り返っていった。「じゃ、来月ですから」

奥の部屋では父が頭を垂れていた。

「来月って、何?」男たちが帰ってから父に訊いた。

「何でもない」

「何でもないって、そんな……」

「うるさいな」父はごろりと寝転んだ。「子供には関係のない話だ」

その背中を見て、何か不吉なものが近づいていることを確信した。

その日から父の憔悴が始まった。「子供には関係のない話だ」

ない。地獄の使者たちが到来することを予想していないはずがなかった。

父は日に日に痩せ衰えていった。血色は悪く、顔にはいつも脂が浮いていた。目は窪み、肌

の張りはなくなって頬の肉が醜く垂れ下がった。目が充血しているのは、よく眠れないからだ

ろう。

それでも時折外出した。行き先は志摩子のところに違いない。破滅を目前にして、たとえ一

時でも快楽に身を溺れさせたかったのだろう。

それから約二週間後だったと思う。夕食の最中に父がぽつりといった。

「和幸、おまえ、松戸の叔母さんをどう思う?」

「松戸の叔母さん?」父の親戚だった。あまり会ったことはない。「どうって……」

「嫌いじゃないだろ」

「別に、好きでも嫌いでも……」

「そうか」即席うどんを食べていた箸を父は置いた。「おまえな、しばらく松戸の叔母さんの

ところへ行け。話はつけておくから」

「行けって、どういうこと」

「うん。あのな、ここだけどな、もうすぐ住めなくなるから」

ついに来た、と私は思った。箸を落とした。「どういうこと……」

「その、ここはな、人に売ったから」

「売ったって……でも、人に売ったから」頭に血が上った。「どういうこと……」

「いろいろと事情があるんだ。そのうちに話す。とにかく、そういうことだから」

「そんなことして、その後どうするの。父さん、何かほかの仕事をするのかい」

「うん、そういうことになる」父はぼそぼそと答えた。私の目を見ようとしなかった。

「何をするの」

「それはまだ決まってない」

「でも」

「大丈夫だ。すぐに迎えに行くから、それまで松戸にいろ。わかったな。高校は行かせてもらえるよう頼んでおくから」

「いやだよ、俺、そんなよく知らないところで暮らすのなんて。どうしてアパートを売っちゃうんだよ。やめてくれよ」

「もう決まったことだ。子供じゃないんだから我慢してくれ」

「いやだ。絶対にいやだ」私は立ち上がった。

「かずゆきっ」

「なんだよ。子供には関係ないといってみたり、子供じゃないんだから我慢しろといってみたり。勝手すぎるじゃないか」私はテーブルを蹴っ飛ばした。その上に載っていたうどん鉢がひっくり返り、白い麺や汁がぶちまけられた。具らしきものは何も入っていない。

私はそのまま靴を履き、家を飛び出した。父の声は聞こえなかった。

どれぐらい夜の街を徘徊していたかは覚えていない。公園や駅や商店街を歩き回った記憶があるだけだ。

家に帰ると父の姿はなかった。私がひっくり返したテーブルは片づけられ、汚れたところも掃除してあった。私は水を飲もうと思い、台所に行った。

流し台の下の戸が開いていた。その内側に差してあるはずの包丁が消えていた。

瞬時に全身が熱くなった。私は父がどこへ行ったのかを察知した。再び靴を履き、アパートの前に置いてある自転車に跨った。

志摩子のマンションの前で自転車を降り、階段を駆け上がった。部屋の前に行くと、ドアのノブを回した。

鍵はかかっていなかった。私は壁のスイッチを探って押してみたが、明かりはつかなかった。

部屋の明かりは消えていた。私は部屋に飛び込んでいった。

私は玄関のドアを開けた。外から取り込まれた明かりによって、見覚えのある古い革靴が見えた。父のものだった。ほかに靴は見当たらない。ドアを閉めると、再び薄い闇に戻った。

手探りで奥に進んでみた。ダイニングキッチンに足を踏み入れたが、前に来た時とは何かが

違っていた。私はその場に佇み、もう少し目が慣れるのを待った。

やがてぼんやりと部屋の様子が見えてきた。それにつれて、何が違っているのか気づき始めた。一言でいえば何もかもが違っていた。そこには何もなかった。ダイニングテーブルも私が座った椅子も、段ボール箱も消えていた。

隣の部屋に目をやった。そこにも何もなく、ただ部屋の中央に黒い人影があるだけだった。人影は父に違いなかった。ぎくりとした。こちらに背中を向け、胡座をかいているようだ。

すべてを理解した。志摩子は逃げたのだ。おそらく父の憔悴ぶりから、もはやこの男に金は残っていないと踏んだのだろう。金がなくなった挙げ句に、自分のところに転がり込まれてはかなわない。そう思って、昨夜か今朝のうちに姿を消したのだ。もちろん父からせしめたものと共に。

私の足元に包丁が落ちていた。父が持ってきたものだろう。父は志摩子を殺し、自分も死ぬつもりだったのかもしれない。私はそれを拾い上げ、改めて父の背中を見た。

何という惨めな背中。何という愚かな人間。憎悪ではない。むしろ嫌悪に近いものがこみあげてきた。こんな馬鹿な人間の息子であったために自分は苦しめられているのだ。見ているのも不快な背中だった。

私は包丁を持つ手に力を込めた。一歩、父に近づいた。

「刺したいだろ」父が突然呟いた。古い井戸の底から聞こえてくるような声だった。

私は身体を硬直させた。

「刺してもいいんだぞ」父はさらにいった。そしてゆっくりとこちらを向いた。そのまま正座

し、頭を下げた。「すまんな、こんな父親で」

その姿を見た途端、嫌悪感が頂点に達した。私は包丁を肩のあたりまで振りかぶった。後は力一杯振り下ろすだけだ。

その時、父が顔を上げた。

「それとも、一緒に死ぬか」

父の顔が涙で濡れているのが見えた。そのくせその顔は笑っていた。精気のかけらもない笑いだった。

うすら寒い風が私の胸の中を吹き抜けた。同時に何かが吸い取られた。怒りの衝動とでも呼ぶべきものだ。包丁を振り下ろす気力を私はなくしていた。

どうした、と父は尋ねた。

答える気力もなかった。私は右手を下ろしていた。その手から包丁が離れた。

その場で踵を返し、玄関に向かって歩きだした。靴を履いて部屋を出る時も振り返らなかった。

13

その夜、父は帰ってこなかった。それは少しも意外ではなかった。さらに私は、そのまま父と会えなくなることを漠然と予想していた。

予想は外れなかった。翌日になっても、そのまた次の日になっても、父がアパートに戻って

くることはなかった。

何日かして、父の親戚の人間が数名やってきた。その一人が松戸の叔母さんだった。参ったなあ、困ったわねえ、という台詞が彼等の口から発せられ続けた。誰も私とまともに目を合わせようとしなかった。一度だけ、父の行き先について心当たりがないかと問われたが、何もないと答えた。

その日のうちに例の地獄からの使者三人もやってきた。特に言い争いのようなことは起こらず、淡々と何かの事務手続きがなされた。使者三人には表情がなく、親戚たちは苦い顔をしたまま話を聞いていた。

数日後、必要最低限の荷物だけを持って私はアパートを出た。三鷹に住んでいる親戚が迎えに来たのだ。造園業を営んでおり、使っていない部屋が一つだけあった。私がその家から高校に通うことになったのだが、生活の保証が得られたわけではなかった。私がその家にいたのは約三か月だった。その次には別の親戚に預けられ、二、三か月経つとまたよその家に移った。

父が話をつけるといっていた松戸の叔母さんの家に行ったのは、高校三年になってからだ。そこの家にはすでに嫁いだ娘がいて、彼女が使っていた部屋で寝泊まりすることが許された。ただし部屋のものに勝手に触れることは厳禁で、使用が許可されたのは勉強机と本棚だけだった。閉めきられた押入には合わせ部分に何枚も紙が貼ってあり、御丁寧に封印まで押してあった。洋服ダンスには鍵がかかっていた。

部屋には小型のステレオが置いてあったのだが、それを使用するのにも家人の許可が必要だ

った。それでも私は時々勝手にヘッドホンを使い、FM局から流れてくる流行歌や外国の音楽を聴いた。殺伐とした生活の中で、唯一の心安らぐ一時だった。本当はレコードを聴きたかったが、それらはすべて押入の中にあったのだろう。

本棚には小説本や昔の参考書、少女マンガなどが並んでいた。女性向けの雑誌も何冊か差してあった。そういう雑誌を目にしたことのなかった私は、その内容の意外などぎつさに面食らった。性に関するかなりあけっぴろげな表現が多く、女性もセックスには関心があるのだなと認識した。しばらくの間、それらの雑誌を読むのが密かな楽しみになった。

家人に気を遣うばかりの毎日で疲れたが、後から思うと、あの家の人たちは良い人たちだった。さほど血の繋がりが濃いわけでもないのに、私に食事を与え、寝る場所を提供し、おまけに学校にまで通わせてくれたのだ。自分は邪魔者なのだと感じさせられることは多かったが、露骨に嫌な顔をされたり、嫌味をいわれたことはなかった。よく娘が納得してくれたものだと思う。嫁いだとはいえ、時々は実家に帰ってきた。私の顔を見て、「好きに使っていいから」と笑いかけてもくれた。

その彼女にしても、時々は実家に帰ってきた。押入の封印やタンスの鍵などは、考えてみれば当然のことだ。

ある日何かの拍子に、洋服箪笥と壁の隙間に何かが押し込まれているのを発見した。三十センチの定規を使って引っ張り出してみると、それは小さな紙袋だった。中には未使用のコンドームが六個入っていた。

もちろんその存在は知っていたが、実際に目にするのは初めてだった。部屋の主がどういう経緯で所持することになり、そんなところに押し込んだのかは不明だ。しかしそれを見つけた

ことは、部屋の主がセックスしている光景を私に思い描かせた。さらにその空想は、異様に私を興奮させた。生まれて初めてコンドームを装着し、自慰を行った。頭の中で私が犯す相手は無論部屋の主だった。射精した後は、罪悪感と破戒意識が絡み合って刺激となり、快感はこの上なく高いものになった。射精した後は、虚脱した頭で、使ったコンドームをどこに捨てるべきか思案した。

父の行き先は依然として不明だった。親戚がどの程度熱心に調べていたのかはわからない。ただ、私のこと少なくとも松戸の家の人たちは、今のままでいいとは思っていなかっただろう。その証拠に一度叔母さんからこんなふうに尋ねられたことがある。

「ねえ、和ちゃん。おかあさんとは私の実母のことである。どうやら、父親を見つけだすよりも母親に任せたほうが話が早いと思ったらしい。

正直なところ、今さら母親と一緒に住みたいとは思わなかった。彼女の愛情に疑いを抱いていたし、無責任さに今更腹を立てていた。しかし私は、よくわからない、と答えた。

「でもやっぱり、実のおかあさんと一緒のほうがいいわよねえ」叔母さんは尚も訊いてきた。

私は首を傾げ、わからない、と答え続けた。精一杯の譲歩だった。叔母さんは不満そうだったが頷いていた。

結局、母親に引き取らせるという計画は頓挫したようだ。居所を摑めないはずはなかったから、母が断ったのかもしれない。彼女が別の男性と平和な家庭を築いていることは、ずいぶん前に私も目撃して知っていた。松戸の叔母さんから母との同居について打診されることはその

後なかった。

　三年生だったから進路についても考える必要があったが、迷う余地など皆無だった。就職先は、本人が殆ど何も知らないうちに某メーカーに決まっていた。社名に造船とつくが、実際には船などとは作らず、専ら重機の製造に力を入れている会社だった。

　卒業式が終わって間もなく、私は府中にある独身寮に入った。駅から遠く、バス停に行くのでさえ徒歩で二十分近くかかるという場所だった。工場はそのバス停のそばにあった。

　寮は古く、細長い八畳間がずらりと並んだ所謂ウナギの寝床方式だった。その狭い部屋を二人で使うのだ。私と同じ部屋になったのは、小杉という見るからにツッパリ上がりの男だった。何かにつけケチをつけないと気が済まないという性格らしく、入寮早々部屋の狭さについて文句をいい続けていた。さらに支給される作業服の形が野暮ったいといってはぼやき、作業帽をかぶると髪型がくずれるといってぼやき、安全眼鏡は間抜けに見えるから嫌だとぼやいた。寮の食事がまずいことや風呂の湯の出が悪いことも彼にとっては呪うべきことだったようだ。とりわけ気に食わなかったのは寮監督が勝手に寮生たちの部屋を見て回ることで、初めてそのことを知った小杉は、こうもり傘を手に寮監督室に乗り込んだ。彼の喚き散らす声は私をはじめ何人かが耳にした。しかしこうもり傘を彼も馬鹿ではなかった。彼は掲示板を見ないせいで寮生への連絡事項をまるで把握していなかったのだが、私のバックアップのおかげで恥をかいたり叱られたりしないですんでいたからだ。新入社員に課せられる日誌を代わりに書いてやったこともあった。たぶん彼は根っからの不良ではなかったのだろう。ただ、帽子でつぶれる

のを承知で髪をニワトリのトサカのように立てるために朝早くから延々とドライヤーを使うのには閉口した。

ともあれ、その独身寮は私が手にした久しぶりの「自分の城」だった。

私が配属されたところは、ロボット用モーターの生産ラインだった。最初に与えられた仕事は不良品の解体で、次には検査と梱包になった。どちらも重労働で、夜勤のたびに体重が二キロずつ減っていった。

私のいた班には班長以下十三人の従業員が属していた。同期社員はいなかったので全員が先輩だった。その中にいた三歳上の藤田という男は、何かにつけ私に嫌がらせをしてきた。

藤田のやり方は陰湿だった。たとえば彼は私の一つ前の工程を担当していたのだが、自分のところで一旦製品を溜めた後、突然大量に流してくるのだ。新しい仕事に不慣れな私は、たちまちあたふたしてしまう。それだけなら他愛ないが、彼は時にはその中にわざと不良品を紛れ込ませてきた。あわてて検査をこなしている私が見逃すことを期待しての行為である。実際、何度か見逃してしまい、そのたびに班長から大目玉を食らった。藤田の策略だと主張したかったが、証拠がないので黙っているしかなかった。

私が仕事に慣れてくると、藤田は次に信じられない暴挙に出た。私が目を離した隙に、検査済み製品のパレットに不良品を忍ばせるのだ。その時はたまたま気づいたからよかったものの、そのまま梱包していたら、納入先からクレームがつき、大変な騒ぎになるところだった。すべての後輩に嫌がらせをしているわけではなく、私だけが特別に嫌いだったらしい。「とにかくあいつの顔が気に入らねえ藤田が私を嫌っている理由についてはよくわからなかった。

んだ」といっていたという噂が耳に入ってきたぐらいだから、生理的なものだったのかもしれない。

しかし相性の悪さだけで嫌がらせをされたのではたまらない。ある日ついに堪忍袋の緒が切れた私は、作業を中断して藤田のそばに寄っていった。藤田は安全眼鏡越しに、何だとばかりに睨み返してきた。

「さっき、検査済みのパレットに不良品を混ぜたでしょ」

「やらねえよ、そんなこと」藤田は目をそらし、自分の作業を続けた。

「どうしてそんなことをするんですか。怒鳴られるのは俺なんですよ」

「だから知らねえっていってんだろ。てめえ、喧嘩売る気かよ」

「売ってるのはそっちでしょ」

だが藤田は答えなかった。私を無視し、次々と製品を組み付けていく。

「とにかくああいうことは」そこまでいった時、私の背後で警報ブザーが鳴りだした。振り向くと私の持ち場で製品が滞っているのだった。あわてて戻ったが遅かった。製品を搬送するコンベアが停止した。

「たじまっ」班長の声が鋭く飛んできた。「何をぼやぼやしてんだ。しっかりしろ」

すみません、と謝った時、せせら笑う藤田の横顔が目に入った。私はかっとなり、手に持っていた検査用の器具を投げつけていた。それは彼の右肩に当たった。

「何しやがるっ」

「あんたのせいだろうが」

「馬鹿野郎っ」その声と同時に私は羽交い締めにされていた。

「人のせいにする気かよ。頭おかしいんじゃないか」私はそばにあったスパナを手にしていた。そのまま彼に向かっていった。班長だった。「田島、おまえ何やってんだ」

「こいつが悪いんだ」安全靴を履いた足で藤田を蹴ろうとしたが、足は届かなかった。

藤田はへらへら笑いながら後ずさりした。

「怖えよ、こいつ。頭の線がどっか切れてるぜ」

「藤田、おまえが何かやったのか」班長が訊いた。

藤田は顔の前でひらひらと手を振った。

「知りませんよ。こいつが急に難癖をつけてきやがったんだ」

「難癖じゃないっ」

「黙ってろ。とにかく、一緒に来い」

私は班長に工場の隅まで引っ張っていかれた。事情を話したが、班長が私のいうことを信用している気配はなかった。一応、その後には藤田からも話を聞いたようだが、藤田が本当のことをいうわけがなく、班長が彼を疑う理由もなかった。

その日以来、私は職場で孤立するようになった。ラインの仕事から外され、材料の調達と製品の入った段ボール箱を納入品置き場まで運ぶことが主な仕事となった。チームワークを乱す存在と思われたらしい。休憩時間に皆が花札やポーカーで盛り上がっている間も、私は一人で

本を読むようになった。

同室の小杉がこっそりと女の子を連れ込んだのは、そんなこんなで会社生活が憂鬱になり始めた頃のことだった。夜勤明けで寮に戻って寝ていると、小杉が女の子を連れて入ってきたのだ。こちらも驚いたが、向こうもびっくりした様子だった。私が夜勤だということを忘れていたらしい。彼は有給休暇を取っていたようだ。

「ナオコっていうんだ」小杉はさすがに照れながら彼女を紹介した。ショートカットの小柄な女の子だった。彼女は首をすくめるようにして頭をぺこりと下げた。

小杉によれば彼女を連れ込んだのは初めてではないらしい。

「だって、女を連れ込んでるのは俺だけじゃないもんな」小杉はそういってにやにやした。「俺だって何人か見たぜ、そういうやつを。でもチクったりはしない。持ちつ持たれつだもんな。そう思うだろ」

小杉は暗に、このことは黙っとけよといっているのだった。もちろん私に告げ口する気はなかった。

ナオコは同じ会社の女子寮にいるということだった。私たちとは同期で、勤務先は別の工場だった。小杉とはコンパで知り合ったらしい。

雑談を交わしているうちに意外なことが判明した。ナオコは江尻陽子と同じ高校の出身だったのだ。私はおそるおそる、江尻陽子という同級生がいなかったかと尋ねてみた。ナオコは丸い目をぱちぱちさせた後、同じクラスだったと答えた。わりと仲がよかったという。

「クラスが同じ……つまり一年生の時だね」

「うん。だって……」

「わかってる」私は頷いて、彼女が続きをいうのを制した。陽子が高校に通っていたのは一年の秋までだ。

小杉が事情を知りたがったので、私は陽子の自殺について説明した。小杉も暗い顔つきになって、「そいつは大変だったな」と呟いた。

「それで自殺の原因ってのは知ってるの?」ナオコに訊いてみると、彼女は迷ったように目を伏せた。

「いろいろと噂は流れてたみたいだけど……」

知っているのだなと私は察した。

「妊娠してたって聞いたけど」鎌をかけてみた。

「うん、それはたぶん間違いないと思う。陽子のおかあさんが相手の男が誰か探してたっていうことだから」

やはり私の推理は的中していた。

「ちょっと待てよ。妊娠が原因で自殺したのか」小杉が口を挟んできた。「そんなこと、ふつうあるか? いや、俺の高校でもさ、腹ぼてになっちゃったやつはいるよ。でも別に悩んでたふうじゃなかったけどな。卒業式の時なんか、でっかい腹を抱えて堂々と並んでやがったぜ」

「それは個人の考え方次第だろ。それにその子だって、全然悩まないってことはなかったと思うけどな」

204

「そうかなあ」

「大きなお腹で卒業式に出たってことは、子供を産むつもりってことだよね」ナオコがいった。

「それならちょっと恥ずかしいかもしれないけど、好きな人との間に赤ちゃんができるわけだから、嬉しい気持ちのほうが大きいと思う。だけど産んじゃいけないってことになると、話が違ってくるんじゃないかな」

「何しろ高校一年だからな、産むわけにはいかないよ」私はいった。

「だったら堕ろしゃいいじゃねえか」

「簡単にいうなよ。盲腸を切るのとはわけが違うぜ」

「盲腸のほうがよっぽど大変だろ。俺の知ってる女なんか、高校に行ってる間に二回も堕ろしたぜ。別に入院するわけでもないし、本人だってけろっとしてたぜ」

「そう見えただけだよ」

「そりゃあちょっとは悩んだだろうけどさ、自殺ってことは考えないと思うぜ」

「だからそれは個人差があるんだよ」

「我々がいい合っていると、「違うの」とナオコがいった。

「大事なことは彼氏の気持ちなの。自分のことを考えてくれてると感じたら、悲しいだろうけど堕ろすことにも耐えられるんじゃないかな。だけど陽子の場合は、たぶんそうじゃなかったのよ」

「そうじゃないって?」私はナオコの顔を見た。

彼女は一旦うつむいてから、改めて顔を上げた。

「自殺するちょっと前、陽子がおかしなことをしてたの」

「どんなこと?」

「学校の階段を何度も上ったり下りたりしてたの。それもすごい勢いで。何度も何度も。何人も見てる子がいるし、あたしも一度だけ見たことがある」

「何してたんだ」小杉が訊いた。

ナオコは首を振った。

「その時はわからなかった。でね、もう一つ変な話があるんだ。あたしの友達で、陽子が泣きながら電話してるのを見たって子がいるの。放課後に学校の公衆電話で」

「誰と話してたのかな」心当たりはあったが、とりあえずそういった。

「わかんない。でもその友達が、陽子が話すのをちょっとだけ聞いてるのよね」

「何を話してたんだろ」なぜか心臓がどきどきし始めた。

「内容はよくわからなかったらしいけど、とにかく陽子は泣きながら、もうやめたいといってたそうよ」

「もうやめたい? 何を?」

「そこまではいわなかったみたい。ただ、もうやめたい、こんなことはもうしたくないといって泣いてたんだって。だけど電話の相手から説得されてるように見えたって」

「ふうん、どういうことなんだろうな」小杉が考え込むように腕組みした。

私には事情がうっすらと見えてきた。しかし自分の中で固まりつつある推論を、さらに進めようという気にはなれなかった。それはあまりに悲惨で不愉快なものだったからだ。しばらく

黙って古い畳の目を見つめていた。

「ひどい話だと思うよ」ナオコがぽつりといった。この台詞から、彼女も陽子の涙の意味を察しているのだと私は知った。

「何がだよ」鈍感な小杉はまだわからないらしかった。

「電話の相手は男だよ」私はいった。「たぶん陽子を妊娠させたやつだ」

「妊娠がいやだって泣いてたのか」

「そうじゃないよ。妊娠した後なんだから、それをいやだとかいったって仕方ないだろ」

「じゃあ、何だよ」

私はナオコを見た。彼女と目が合った。彼女は口を開きたくはなさそうだった。

「相手の男は、陽子に流産させようとしてたんだ」仕方なく私はいった。

「えっ、そうなのか」思いもよらなかったという顔で、小杉は私とナオコとを交互に見た。

ナオコは小さく頷いて、たぶんね、といった。

「聞いたことないか。妊婦は激しい運動をしちゃいけないんだ。すごい勢いで階段の上り下りをするなんてもってのほからしいぜ」

「それは知ってるけどさ」小杉はヘアスプレーで固めた頭に手をやった。「なんでそんなことさせるんだ。病院に行けばいいじゃないか」

「だって病院に行けばお金がかかるじゃない」

「そりゃそうだろうけど」

「陽子は母子家庭だったから、おかあさんに迷惑をかけたくなかったんだろ。それに妊娠して

るってことをいいたくもなかっただろうし」

「男が出しゃいいじゃねえか。自分が妊娠させたんだろうが」

「金のないやつだったんだろ」

あるいはそんなことには金を出したくないやつか。五目並べをしていた倉持修の後ろ姿が不意に蘇った。

「ひでえな。それで無理矢理流産させようとしてたってのか。階段の上り下りをさせて。それじゃあ泣くよな。もうやめたいっていうのも当然だぜ」小杉は憤り始めた。

「どうしていいなりになんかなったのかな」私は呟いた。

「そうするしかなかったんじゃないかな。陽子だって、産むことはできないってことぐらいはわかってたと思うし。だからといって、お金のことがあるから簡単には病院にも行けないし。もうちょっと遊んでる子だったら、友達に話してカンパしてもらうなんてことも考えたかもしれないけど」そんなふうにしている友人を知っている口振りだった。

それに、とナオコは続けた。

「やっぱりその彼のことが好きだったんじゃないかな。だからいうとおりにするしかなかったんだと思う。彼のことが好きで、逆らったりして嫌われるのが怖かったんだよ」

「そんなひどい奴をか」

うん、とナオコは頷いた。小杉は頭をゆらゆらと振り、わかんねえなあと呟いた。その日はなかなか眠れなかった。横になって布団をかぶっても、怒りと悲しみが胸の内側からこみあげてきて、いてもたってもいられなくなるのだ。

夜勤明けにもかかわらず、

江尻陽子とプールで遊んだ時間は、私にとってかけがえのないものだった。倉持はそれを奪い、さらには卑劣な方法で彼女を殺した。そう、あれは殺人に匹敵する行為だ。

人気のない校舎の階段を、黙々と上り下りする陽子の姿が目に浮かんだ。息をきらし、汗を流し、歯を食いしばって、好きな男の命令にしたがっていたのだ。命を宿した自分の身体を苛めることはこの上なく辛いことだっただろう。だがそれ以上に、愛する男からそんなことを命じられたことが悲しかっただろう。それでも彼女はやめなかった。見事に流産することだけが男の愛情を取り戻せる手段だと信じていたのだろうか。それともあまりに絶望的な状況に冷静な判断力をなくし、ただ機械的に足を動かしていたのだろうか。

しかし精神力にも限界がある。ある一線を越えた時、彼女の中の何かが壊れたのだ。彼女は階段の上り下りをやめ、すぐそばの教室に入っていった。そこの窓から見える光景は彼女にとってひどく魅力的に映ったのかもしれない。すべての苦痛を消し、悩みを取り除いてくれる空間のように思えたのかもしれない。

悲壮な決意の末に、まるで夢を見ているような気分で陽子は空中に身を投げ出したのだ。少なくともそう思いたかった。そうとでも思わなければやりきれない。

同時に倉持修への憎悪が復活した。自分の身の回りに劇的な変動があったため、その感情は長らく封印されていたが、鮮やかに蘇ってきた。

あんな男は生かしておいてはならない——その激情は、それまでに芽生えた殺意とは種類の違ったものだった。自分のためではない、江尻陽子のために殺すのだ。

14

もちろん、今すぐ倉持を殺しに行こうなどとは思わなかった。胸の中で怒りが渦巻いていたし、子供の頃から持ち続けている殺人への憧れは疼いていたが、それを実行するには何かが足りなかった。それは倉持へのさらなる憎悪でもよかったと思うし、ちょっとした衝動や自己陶酔感といったものでも十分だったかもしれない。ただその時の私には、それらのいずれもが欠けていた。

慣れない会社生活で、日々を無事に送るのが精一杯だったということもある。時間は瞬く間に過ぎ、年の暮れになった。私は相変わらず工場で、生産ラインから外れた仕事をさせられていた。

倉持をいつか殺したいという思いは、いつの間にかどこかに消えていた。

ここで重要なことは、消えていただけで、なくなったわけではないということだ。そのことに気づいたのは、ある場所に行き、あるものを目にした時だった。

その場所とは工作工場の倉庫だった。工作工場というのは、生産ラインで使われる機械を作ったり調整したりする工場だ。その時は班長に命じられて、ある樹脂の粉末を取りに行ったのだ。

その倉庫には倉庫番がおり、伝票を見せると、そこに記されている品物を窓口まで持ってきてくれるのだ。ただしあまりに重いものの場合や、倉庫番の手が空いていない時には、「勝手に持っていってくれ」といわれることもあった。

私が行った時、倉庫番は忙しそうではなかった。しかし伝票を見た彼は、一つ頷いてからこういった。

「持っていっていいよ。場所はわかってるだろ」

わかっていると答えると、倉庫番はうつむいて何かの書類作りを再開した。私は頻繁に出入りしていたので、彼も気を許していたのだろう。

たしかに私は目的の品がどこにあるかを知っていたし、その扱いにも慣れていた。いつもの棚から、いつものように必要量だけを台車に載せ、倉庫を出ようとした。

しかしその時、そばのキャビネットの戸が開いていることに気づいた。それは薬品の並んでいるキャビネットだった。茶色や白色の瓶がいくつか見えた。

私はしゃがみこみ、どういう薬品があるのかを興味本位で確かめた。瓶のラベルには名称や化学式が記されていたが、どれもこれも馴染みのないものばかりだった。めったに使われることがないのか、大抵の瓶には埃がうっすらとかぶっていた。

私の心臓が大きく弾んだのは、反対側の戸を開けた時だった。一番下の棚に茶色の大きな瓶があり、そのラベルにはシアン化カリウム（KCN）と印刷されていた。それだけに、一度見てみたいと思っていたのだ。その憧れの毒薬が目の前にある。

いわゆる青酸カリだ。それが毒薬の王様であることは以前から知っていた。それだけに、一度見てみたいと思っていたのだ。その憧れの毒薬が目の前にある。

工作工場では金属加工も行っていたから、冶金やメッキのために青酸カリを使うこともあるのだろう。もっとも、さほど頻繁ではなかったはずである。すでにそうした技術は古いものになっていた。

そのような宝を目の前にして、私はしばらく硬直していた。誘惑に負けそうな自分を感じ、早く立ち去らねばと良心が警報を鳴らしていた。

しかしその警報は徐々に弱まり、やがて消えた。私は樹脂粉末を入れるためのビニール袋を一枚拝借した。さらに青酸カリの瓶を棚から出すと、慎重に蓋を開けた。中には白い結晶が少し固まったような状態で入っていた。細長いスプーンも入っていた。

強アルカリなので皮膚に触れただけでも炎症を起こすおそれがあることを知っていた私は、手につかぬよう気をつけながら、スプーン三杯ほどの白い結晶をビニール袋に入れた。中の空気を極力抜き、袋の口を輪ゴムで止めた。青酸カリが空気に触れると炭酸カリウムになることも知っていた。

ビニール袋をポケットに忍ばせた私は、何食わぬ顔で倉庫を出た。倉庫番の前を通る時には平静を装って声をかけた。倉庫番はうつむいたまま返事した。新米の作業者が悪魔の薬を持ち出すことなど、想像もしていない顔だった。

その青酸カリは寮の机の引き出しに隠した。最も恐れたのは同室の小杉が勝手に触れることだったが、気のいいツッパリが他人の引き出しを開けるような真似をしないことは、それまでの付き合いでよくわかっていた。

青酸カリを手に入れたことで、私の中で眠っていた殺人への思いが蘇った。いつか使ってみたい、あれを飲んだ人間はどうなるのだろう、どのようにして死んでいくのだろう、小説でよくあるように血を吐いて死ぬのか、アーモンド臭とはどういうものだろう。嫌なやつがいればこれくらいでよく思い知らせてやりたい、拳銃を手にした人間と同様、自分が強くなったような錯覚に陥った。

を飲ませて殺してしまえばいい――。

中学時代の出来事が思い起こされた。昇奏を手に入れた私は、それを使えば誰でも毒殺できることを示し、卑劣ないじめから逃れた。大人の世界でもそれは有効だと思えた。たとえば藤田などは格好の標的だった。相変わらず陰険ないやがらせを繰り返す彼に、秘密兵器の存在を教えたらどんな顔をするだろう。

しかしこの考えはすぐに却下した。自分が青酸カリを持っていることは、決して誰にも知られてはならない。無論、倉持のことが頭にあったからだ。

「あーあ、どっかにうまい儲け話はねえかなあ。今のままじゃ、結婚指輪も買えねえよ」

休憩時間に仲間とトランプをしながら愚痴をこぼす藤田を、私は冷たい目で眺めた。もしも倉持を殺す計画がなければ、おまえが実験台になっていたかもしれないのだぞ、という思いを込めていた。

結婚指輪云々というのは、彼が結婚を計画していたからだ。相手は隣の班で働いていた女性従業員だった。あんな卑劣な男にも結婚相手が見つかるのかと意外に思った。もっともその女性従業員は、仕事が大変になると生理を理由にさぼることで有名だったから、似た者同士なのかもしれない。

そうした中でその年は暮れていった。正月休みを私は独身寮で暮らした。ほかに行くところがなかったからだ。小杉が実家に帰ったので、部屋を広く使えて快適だった。

休みが明け、二、三日した頃、松戸の叔母さんの家から大きな封筒が届いた。中身は年賀状

だった。前に住んでいたアパートから転送されてきたものも何枚か混じっていた。殆どは高校の友達からのものだった。

その中の一枚を手にした時、かっと全身が熱くなった。差出人は、あの倉持修だった。謹賀新年という文字と獅子舞のイラストの間に、次のように書いてあった。

『今は何をしてるんだ。大学生か、社会人か？　面白い話があるので一度会おう。連絡ください。会わないときっと後悔するぞ。ヨロシク』

彼の住所は練馬になっていた。電話番号も記してあったから、会いたいというのは社交辞令ではなさそうだった。

これは神がくれたチャンスではないかと思った。向こうが会いたいといっているのだから、近づいても怪しまれる心配は全くない。

ある土曜日、ついに私は電話をかけた。彼は家にいた。声を聞くなり、私だとわかった様子だった。

「よくかけてくれたなあ。待ってたんだよ」嘘か本当かはわからないが、はしゃいだ声でそういった。「元気でやってるのか」

「まあぼちぼち」

私が近況を話すと、「手堅い会社で手堅くやってるんだなあ」と、感心とも揶揄ともとれる口調で倉持はいった。

「そっちはどうだい」なるべく親しげに尋ねた。

「うん、そのことだ。年賀状にも書いたけど、ちょっと面白い話があるんだ。一度会わないか。

会って、ゆっくり話したいんだけどな」

「何の話だ」

「それは会ってからのお楽しみとしようじゃないか。明日はどうだ。俺は空いてる。たまには

二人でビールでも飲もうや」

「うん、俺もいいよ」

「よし決まった。待ち合わせ場所は――」

倉持は池袋の駅前にある喫茶店を指定した。

当日、私は例の青酸カリを持っていくべきかどうか迷った。殺人はなるべく計画的に実行し

たかった。ほんの思いつきで犯行に及んだりすれば、たちまち警察に捕まってしまうだろう。

それでも私は最終的に、ビニール袋をポケットに忍ばせて寮を出た。今後、怪しまれずに彼

に接触するチャンスが生まれるとはかぎらない。私は志摩子を殺せなかった父の背中を思い出

していた。運命の女神は、そう何度も現れないのだ。

私は安手のセーターにダッフルコートというありふれた格好で約束の店に行った。その喫茶

店は昼間でも薄暗く、おまけに席がたくさんあった。これなら余程目立った行動をとらなけれ

ば、他の客や店員から顔を覚えられることはないだろうと思われた。

倉持は隅の二人掛けのテーブルについていた。約束の時刻より数分早かったのに彼のほうが

先に来ていたのは意外だった。余程重要な用件があるのかなと思った。

「久しぶりだな。少し痩せたんじゃないか」私を見て倉持はいった。

倉持は今、何をやってるんだ。昨日の電話では、大学には進

「会社でこき使われてるからな。

まなかったみたいだけど」

「販売の仕事をしてるんだ」

「何を売ってるんだ」

「いろいろだよ。まあ、仕事の話は後回しにしようぜ」

倉持は髪を丁寧に分けていた。櫛目も奇麗に入っていた。セールスマンだからかなと私は思った。着ているジャケットも洒落ていて、ずいぶんと大人びて見えた。傍からだと同い年とは思わないだろう。

当たり障りのない雑談をしながらコーヒーを一杯ずつ飲み、喫茶店を出た。彼はビアホールに誘ってきた。断る理由はなかった。

唐揚げや枝豆といったありふれたものを食べながら、ジョッキを何杯か空にした。彼は専ら私の仕事について尋ねてきた。そのくせ自分のこととなるとお茶を濁すのだ。何か企んでいるのだなと私は感じた。

「話を聞いてみると結構重労働だな。それでその給料じゃ、割が合わないんじゃないか」倉持は遠慮のない口調でいった。

「そんなふうに考えたことはないな。とりあえず確実に金が貰えるだけありがたいと思ってる。あの会社にいれば住むところにも困らないし」

「住むところなんて何とでもなるぜ。なあ、そんな生き方をしていて楽しいかい。油まみれになって、会社の歯車として一生を終えるなんてつまらないと思わないか。そんなところじゃ、がんばって働いたって稼げる金額はたかが知れてる。稼げる額が決まってるってことは人生が

決まってるってことだ。並の女と結婚して、ウサギ小屋といわれるような家を買って、一生ロ
ーンに追いまくられるだけだ」

「それでも別にかまわない。結婚して家を持てるなら十分幸せだと思うし」

「そんなに悟ったようなことをいうなよ。その先に待ってるものごとのことを考えたことがあるの
か。大して賢くもない子供が二人ほど生まれて、うんざりするほど退屈な家庭生活を送ること
になるんだぜ。何十年もだ。いや、死ぬまでだ。まだ二十歳にもなってないっていうのに、そ
んな道を選ぶのか」

熱っぽく語る倉持の口元を私は見つめた。

「それだって得られない人間はたくさんいる。俺は高校を卒業するだけでも一苦労だったんだ。
これからは、なるべく平穏無事がいい。ドラマチックでなくていいんだ」

私がいうと彼はゆらゆらと頭を振った。

「情けないことをいってくれるじゃないか。俺たちはまだ若いんだぜ。勝負しようって気にはな
らなくてどうするんだ。なあ、田島。なけなしの小遣いを五目並べに注ぎ込んだ頃のことを思
い出せよ。あの頃のおまえはどこへ行っちまったんだ」

私は驚いて倉持の顔を見直した。小遣いを注ぎ込ませたのは彼で、しかも彼は五目並べ屋と
グルだった。そのことを私が忘れているはずはないのに、そんなことをしゃあしゃあという彼
の神経を疑った。ところが彼のほうは、私が驚いていることなどお構いなしにしゃべり続ける。

「悪いことはいわない。そんな仕事には早いところ見切りをつけろ。この世は地道にやってて
も浮かばれない。うまい手を思いついた人間だけが得をする仕組みになってるんだ」

そこまでいわれて、ようやく私は彼の話の方向を知った。

「倉持はセールスをしてるっていったよな。それが『うまい手』なのか」

彼はにやりと笑った。

「まあな。俺の話を聞いたらびっくりするぜ、きっと。そんな手があったのかってね。そうして、絶対に仲間に入れてくれっていうさ」

「それはどうかな」

彼は身を乗り出してきた。

「どうだい。これから俺の部屋に来ないか。そのへんのところをゆっくりと話したい。ここからだと電車で十分ちょっとだ。時間はとらせない」

倉持はいよいよ本題に入るつもりのようだ。その話にも多少関心があったが、何より彼がどんなところで暮らしているのかを見ておきたかった。今後、彼を殺害する計画を立てる際、大いに参考になるに違いなかった。

いいよ、と私は答えた。

倉持が伝票を手にしてレジに向かったので、私はあわてて追いかけた。財布を出すと、彼は軽く手を振った。

「ここはいいよ。俺の奢りだ。俺から誘ったんだし」

「でもそれは」

「いいからいいから」彼は一万円札をレジ係に渡した後、私の耳元に顔を寄せた。「俺の話を聞けば、こんなのは端金だと思うようになるさ」

218

私が彼を見ると、彼は楽しそうに片目をつぶった。

練馬駅から歩いて数分のところにある二階建てのアパートが倉持の住処だった。建ってから日が浅いらしく、外壁の白さが褪せてなかった。

「まあ入れよ」

倉持に促されて中に入ると、まず大きな洋服箪笥が目に留まった。その横にベッドと本棚。手前のキッチンにはダイニングテーブル、冷蔵庫、炊飯器、オーブントースターなどが置かれていた。寮の部屋とは大違いだった。立派に所帯と呼べる空間だった。

「すごいな、一通り揃ってる」

「一応ね。だけど中古が殆どなんだ。先輩から安く分けてもらった」

「先輩？」

「職場の、さ。ええと、コーヒーでも入れるか」

「いや、いいよ。それより話というのは？」

私から訊いたので倉持は嬉しそうな目をした。儲け話に食いついてきたと感じたのだろう。ダイニングテーブルを挟んで我々は向かい合った。彼は大きな封筒をテーブルに置き、中から書類を何枚か出した。封筒の表紙には『ホズミ・インターナショナル』と印刷されていた。

「何だい、それ」

「俺が働いてる会社さ。で、おまえも一口乗せてやろうと思ってね」

彼はパンフレットを私の前で広げた。そこにはルビーやサファイアといった色とりどりの宝石が並んでいた。輝きを強調して撮影してあるせいか、写真でも眩しかった。

「宝石を売ってるのか」私は思わず目を見開いた。

「一応、この会社が売るのは宝石だ」倉持は妙な言い方をした。「だけど会社の目的は儲けることじゃない。　相互扶助の組織を作ることだ」

「相互扶助？」

「助け合いの精神だ。みんなで楽して暮らそうってことだ。そのために宝石を売る」

「よくわからないな」私は首を捻った。

倉持はちょっと待ってろといい、腰を上げた。そして奥の部屋に置いてある戸棚の引き出しを開けた。私は室内をさりげなく観察した。家電製品や家具は一通り揃っているが、どことなく薄汚かった。たしかに中古のようだ。また掃除もこまめにしているようには見えない。見かけ上は片づいているが、隅に埃が溜まっていたりしている。

「ここに一人で住んでるのか」

「ああ。不便なことも多いけど気楽でいいぜ。寮はなかなかプライバシーが守られないだろ」

「そうでもないけど……。人が来ることはあるのか。ガールフレンドとか」

倉持は肩を揺らすって笑った。

「そういうのはいない。　遊ぶ程度の女はいないこともないけど、ここに連れてきたりしない。」

『遊ぶ程度の女』だったわけだ。同時に怒りもむくむくとこみ上げてきた。この台詞で江尻陽子の事件が私の中で急速に蘇った。陽子もまた彼にとっては『遊ぶ程度の女』だったわけだ。同時に怒りもむくむくとこみ上げてきた。だからそんな女に妊娠されたら後々が面倒だからな」

かなわないし、自殺されるのはより厄介だった。そこでしらを切り通す道を選んだのだ。

今ここで殺す手もある、と私は思った。ここに入るところは誰にも見られていない。

コーヒーを断ったことが全く知らないことが悔やまれた。

私の内心など全く知らない倉持が、小さな箱を手に戻ってきた。宝石入れのようだ。

「開けてみろよ」私の前に置いた。

蓋を開けると中には本物の宝石がいくつか入っていた。いずれもさほど大きな石ではない。

「すごいだろ」倉持が私の顔を覗き込んできた。昔、母が宝石箱を持っていた。その中にはもっと奇麗で大きな石

が入っていた。

そうだな、と私は答えた。

「それ、全部で最低百万円はするんだぜ」

「ふうん」ぴんとこなかった。

「六十万円で買わないか」

「はあ?」私は倉持の顔を見返した。彼は笑っていなかった。「冗談だろ」

「金がないなら分割でいいぜ。利息は極力抑えてもらえるよう、上に掛け合ってやるよ」

「ふざけるなよ」

「本気だ。おまえは今、馬鹿げた話だと思ってるだろうけど、俺の話を聞けば考え直す」

「何を聞いたって同じだよ。俺が宝石を買ってどうするんだ」

「転売すればいい」

「何?」

「転売だ。さっきもいったように百万でだって売れる商品なんだぜ。百万で売ってみろ、たち

まち四十万の儲けだ」

この数字を聞いた時、少し心が揺れた。しかし立て直すのに時間はかからなかった。

「そんなものどうやって売るんだよ。宝石を買うような知り合いなんていない」

「親戚がいるじゃないか。これだけの石を百万といえば、きっと喜んで買うさ」

私は首を振った。

「親戚には頼らないと決めたんだ。それにここしばらく会ってない。今後も会う予定はない」

「そうか、そういうことなら仕方がない」倉持は吐息をついた。「だったら、四十万ならどうだ」

「えっ」

「四十万円だ。それならどうだと訊いてるんだ」

「どうして急に二十万円も下がるんだよ。それなら最初から四十万といえばいいじゃないか。俺から商売しようとしたのか」

倉持はまあまあと両手の掌をこちらに向けた。

「怒る前に俺の話を聞け。四十万で売るには条件があるんだ。おまえがホズミ・インターナショナルの会員になったらという話だ」

「何だって?」

「会員になれば、特別価格で買えるということだ。ただし会員になったからには、それなりのノルマを果たさなきゃならないけどな。まあでも大したことじゃない。考えようによっては夢のある話だ。宝石を安く買いたくて渋々会員になったけれど、そっちの仕事のほうが本業より

「六十万じゃないというと……」

「四十万で売ってもいいのさ。つまりその客に会員になってもらうわけだ」

「ああ」突然視界が開けたような気がした。「そういうことか」

「しかもありがたいことに、その場合でもマージンは支払われる。ただし最初は二万円だけどな。最初は、といったのにはわけがある。ここからが面白いところだ」倉持はテーブルに上体を載せるようにしてしゃべりだした。「おまえが勧誘した会員が、さらに会員を作った場合でも、そのマージンの何パーセントかはおまえの懐に入るんだ。孫会員、曾孫会員、そのまた下の会員と増えていった頃には、おまえの口座に十万円単位で金が振り込まれてくるというわけだ。こう考えてみると、単に宝石を売るより、会員を増やしたほうが得策って気がするだろ」

倉持の滑らかな口調と共に、私の頭の中に数字が流れ込んできた。その勢いに、少しぼうっとなった。

「最初に必要なのは四十万円と二万円か……」

「その四十万にしたって、ただ払うわけじゃない。宝石という形で手元に残ってるんだ。実質的な投資はたったの二万円だ。どうだい。それなら安サラリーマンでも何とかなる金額だろ」

私は腕組みをし、低く唸った。倉持を殺す計画を固めるためにやってきたはずなのに、すっかり彼の話に引き込まれていた。

「やってみるか。俺はすでに二百万稼いだぜ」

「二百万……」

「まだまだ入ってくる予定だ」倉持は小声で続けた。「早い者勝ちだぜ。孫会員や曾孫会員が

たくさんいたほうがいいからな。おまえがやるというのなら、明日の朝一番に書類を出してや
る。月曜日だから殺到するだろうが、何とかがんばってみるよ」

時間がないということをいいたいようだった。

「そうだな」私は考えた末に答えた。「月賦がきくならやってもいいな」

「やるかい」

「やってもいいかな」

すると倉持は立ち上がり、突然げらげらと笑いだした。呆然とする私を指差し、彼は腹を抱
えながらいった。

「田島和幸先生。しっかりしてくれよ。こんなトリックに引っかかってどうするんだよ」

彼はなおも笑い続けた。

15

一種のネズミ講だよ、と倉持はいった。

「考えてみろよ、子会員、孫会員、曾孫会員というふうに増やしていったら、あっという間に
日本の人口を超えちまうぜ。実際には金のある人間はもっと少ないから、さらに早く行き詰ま
る。元手の回収をしようと思っても、新たに会員になる人間がいなくなるってのが数学的な帰
結だ。結局のところ、自分のところには借金しか残らない」

「それはわかるけど、早い時期なら儲かるんじゃないか」

「儲かるさ。少なくとも最初に始めた奴は大儲けできる。　だけどかなり初めの会員でないと元手の回収も難しい」

「今始めても手遅れということとか」

私が訊くと倉持はにやにやしながら頷いた。

「当たり前だろ。こういうのは幹部クラスが儲けたら、それでおしまいなんだ。よそから入ってきた人間は単なるカモだよ」

「でも宝石だけは手元に残るわけだな。宝石を売れば、元手は戻ってくるじゃないか」

「誰に売るんだい？」倉持の目はまだ笑っていた。

「それは誰でもいいだろ。宝石商が無理なら、最悪質屋でもいい」

「もし質屋に売ったとしたら」倉持は腕組みをし、小さく首を傾げた。「五万……いや、三万も戻ってくればましなほうかな」

「えっ、でも値打ちは百万だって……」

「そんなのは個人の価値観の問題だろ。でも質屋のおやじは百万とは見てくれない。　出来の悪い人造石に金を注ぎ込む馬鹿はいない」

「えっ、人造石なのか」私は改めて石を見た。

「しかもかなりの粗悪品だ。さすがにガラスじゃないけど、ふつうなら装飾品にはできない。それでもさ、素人が見ただけじゃ値打ちなんてわからないだろ。そういうものなんだよな、宝石ってのは。みんな知ったかぶりしてるけど、結局値札を見て、ああだこうだいってるだけだ」

「じゃあ、詐欺じゃないか」

「天然石だとは一言もいってない。仮にいったとしても、証拠はない」

私は倉持を睨みつけた。「汚いやり方だな」

しかし彼はびくともしなかった。

「儲けるってのはそういうことなんだ。誰かから金を合法的に取ることだ。合法的であれば、奇麗も汚いもない」彼は石の入ったケースを片づけた。

「でもわからないな。どうして俺にネタをばらしたんだ。騙す気でここへ呼んだんじゃないのか」

倉持は私を見て、意外そうに肩をすくめた。目を丸くしている。

「俺がおまえを騙す？　なんで？　騙す気だったら、こんなことまで話さないぜ。さっきおまえがその気になった時、知らん顔して契約書にサインさせてたさ」

「俺は勧誘されてるとばかり思ってた」

「田島よお、俺たちは友達じゃねえか。しかもガキの頃からのさ。一緒に遊んだ仲だろ。そんなおまえを引っかけたりするかよ。冗談としても傷つくぜ」

真面目な顔をしてそんなことをいう倉持の顔を私は見つめ返した。その友達に対して呪いの葉書が届くよう仕掛けたのは誰なのだ。

「うまい手があるといったぜ」私は彼にいった。「絶対に仲間に入れてくれっていいたくなるような話だって。ネズミ講の種明かしをすることに、どういう意味があるんだ」

「話はここからだ。ところで何か飲まないか。コーヒーはいらないならビールはどうだ」

「貰おうか」

倉持は冷蔵庫から缶ビールを二つ出してきた。一つを私の前に置く。プルタブを引き上げながら、これでは青酸カリを仕込むのは難しいなと考えていた。

「今もいったように、こういうネズミ講を使った商売というのは、最初に始めた連中が儲かるだけだ。後から加わった者は、ただ損をするだけだ」ビールを一口飲んでから倉持は話しだした。

「それはわかったよ」

「で、肝心なのはここからだ」彼はテーブルに片肘（かたひじ）をついて身を乗り出してきた。「要するにこの手の商売の目的は品物を売ることじゃない。どんな手を使ってでも会員を増やすことにあるんだ。となると、ここに一つ別の商売が生まれてくる」

「別の商売？」

「自分たちは会員にはならない。だけど誰かを入会させることの手伝いはするっていう仕事だ。誰かが入会することで組織が儲かるんだから、その手伝いをしたら報酬を貰うっていうのは当然のことだろ」

私は倉持の顔を見た。彼はその視線を受けとめて、二度三度と頷いた。

「それがおまえの仕事なのか」

「今のところはね」倉持は意味ありげにそういってビールを飲んだ。

「俺にうまい話があるっていうのは……」

「それのことだ。悪い話じゃないだろ。会員になる馬鹿どもと違って、自分の腹が痛むことは

絶対にない。ノルマもない。　要求されるのは演技力だけだ」

「演技力？」

「今にわかるさ」

倉持は報酬について説明した。それはたしかに時間給にすれば、現在の仕事とは比較にならないものだった。そんなに儲かるのか、と驚かされた。

「じつをいうと、このところ新規加入者が減ってきてる。それで今度大々的にキャンペーンを張ろうとしてるんだけど、人手が足りない。そこで誰か信頼できる仲間がいないかと上のほうからいわれてたんだ。で、真っ先に思い出したのが田島のことさ。じつは今日おまえを誘うとは、上にも報告してあるんだ」

「報告？　俺の名前をいったのか」

倉持は首を振った。

「名前まではいっちゃいないが、小学校の時からの幼馴染みだとは話してある。今までの話を聞いてくれたらわかると思うけど、この仕事は秘密厳守なんだ。だから、誰でもいいってわけじゃない。どうだ、今の仕事を続けながらでいいからさ、アルバイトのつもりでやらないか」

私はビールを舐め、吐息をついた。

「気が進まないな。どっちみち、他人を騙す片棒を担ぐわけだろ」

「さっきもいっただろ。金を儲けるってことは人から取ることなんだ。割り切らないといつまでも損ばかりすることになる」

「いや」私は缶ビールを持ったままかぶりを振った。

「やめておくよ。そんなにうまい話があるとも思えないし」

「俺を信用してほしいんだけどな」

倉持はそれ以上しつこくは誘ってこなかった。缶ビールを空にすると私は腰を上げた。殺す計画を実行できぬまま彼と長く一緒にいる理由がなかった。もっとも肝心の殺意が萎えていることに自分で気づいていた。どういうわけか倉持と長く話していると、いつも彼のペースに引き込まれてしまう。

「一つ、訊いておきたいことがあるんだけどな」玄関で靴を履く前に私はいった。

「なんだい、あらたまって」

「江尻陽子って女の子のこと、覚えてるかい」

どうせ白々しくとぼけるのだろうと思いながら訊いてみたが、彼の反応は意外なものだった。虚をつかれたように口を軽く開き、次には眉間に皺（しわ）を寄せた。

「覚えてるよ。プールの子だろ」

「あの子が死んだことは前に話したよな」

「ああ、聞いた。何年前だったかな」彼は鼻の横を掻（か）いた。

「あの子が死んだのは俺たちが高校一年の時だ。自殺したっていっただろ」

「うん……」

珍しく倉持が神妙な面もちになったので私は戸惑った。彼女の死さえも忘れているふりをするだろうと踏んでいたのだ。

彼は自分の首の後ろを揉みながら口を開いた。

「田島がさ、あの子に気があるのはわかってたよ。初めてプールで見た時にそう思った」

突然予想外なことをいわれたので私はうろたえた。

「そんなことをいいたいんじゃない」

「まあ聞けよ。だからあの子が死んだことも気になってるんだろ。でもさ、早く忘れたほうがいいぜ。あんな女のことは」

「あんな女?」自分の口元が歪むのを私は感じた。「どういう意味だよ。あんな女って」

倉持は奇麗にセットされた髪の上から頭を掻きむしり、弱ったような表情を見せた。

「田島はさ、俺とあの子のことを疑ってるわけだろ。自分の好きな子を取られたと思ってる」

私は何もいわず、大きく呼吸しながら彼を睨んでいた。じつのところ狼狽していた。彼がこういう形で話すとは思わなかった。

「白状するよ。俺、あの子とやっちゃった。おまえに隠してたのは悪かった」そういって彼は小さく頭を下げた。その頭の旋毛のあたりを私は呆然と見ていた。

「やっぱりおまえが陽子ちゃんの……」

「待ってくれ。だからといって、あの子の妊娠が俺のせいだなんて思われたら困る」

「おまえのせいじゃないか。やったとかいっといて、逃げる気かよ」私は語気を荒らげていた。

一歩彼に近づいた。

倉持は両手を前に出し、私を制するように掌を広げた。

「俺はこんなことをいいたくなかった。おまえがあの子に惚れてたのを知ってたからな。だけ

ど誤解はされたくない。だから仕方なくいうんだ」

「何いってるんだ。はっきりいえよ」

「じゃあいうよ。あっちから誘ってきたんだ」

「えっ……」

「おまえからあの子を紹介されたすぐ後で、あっちから電話がかかってきた。遊びに行こうっていう電話だった。俺はおまえに対して後ろめたさがあったけど、のこのこ行っちまった。そのことは謝る。だけどさ、あれはとんだ食わせ者だったんだぜ」

「どういうことだ」

私の胸に暗い雲が広がり始めていた。少し息苦しくなってもいた。

「最初にデートしたその日にだぜ、あっちからいってきたんだ。セックスしたことあるかってさ。あんな顔してそういうことをいうから、俺、びっくりしたぜ。俺は正直に、ないって答えたよ。そうしたら今度は何ていったと思う？　してもいいよ、そういったんだ」

「……嘘だろ」呻くように私はいった。瞼を閉じればすぐにでも陽子の笑顔を思い浮かべることができた。その顔と倉持の言葉とは到底相容れなかった。

「嘘なもんか。俺は最初、冗談をいってるのかと思った。それで冗談のつもりで、じゃあやらせてくれよっていったんだ。すると今度はこう訊いてきた。じゃあ、いくら持ってるってね」

「金？」まさか、と思った。

「その時は俺も初デートだと思って張り切ってたからさ、五千円ぐらいは持ってた。そういったら、じゃあ五千円でいいけど、どこでするって訊いてきたんだ」

「嘘だっ」私は激しく首を振っていた。大きな声が出た。「そんなこと、絶対に嘘だ。でたらめいうな」

「でたらめじゃねえよ。あの子からそんなふうにいわれて、それで俺も初めて、冗談じゃないんだって気づいた。後はもうドキドキさ。格好悪いけど、こっちのほうがびびってた。あっちは慣れてるって調子で、自分は青カンでもいいっていっていってきた」

「アオカン?」

「外でするってことだよ。結局近くの河原まで歩いて、人の来ない場所を見つけて……」その後を倉持は濁した。

私はまたしても首を振った。「信じられない」しかしその声に力がなくなっていることは自分でもわかった。

「事実だよ。あの子はもちろん初めてじゃなかった。慣れたもんだったよ。こっちのほうがみっともなかったほどさ。で、終わった後はさっさとパンツを穿いて、じゃ五千円だから、とこうきたんだぜ。余韻を楽しむってこともなくてさ、ちょっと白けたぜ」

「そんなこと……それじゃまるで売春婦じゃないか」

「まるでじゃなくて売春婦そのものだよ。あの子の家、金がないっていってただろ。だからブールでバイトをしてたわけだろ。だけどやっぱりそれだけじゃ足りなかったんじゃないか。それであういうことをしてたんだと思うね」

彼の話を聞くうちに、身体の芯が焼けるように熱くなってきた。心臓の鼓動も乱れきっていた。耳の奥で脈を聞きながら、そんなはずはない、あの子がそんなことをするはずがないと心で繰

り返していた。

「いっておくけど、俺はゴムを使ったぜ。それも俺が用意していったんじゃない。向こうが持ってたんだ。だから最初からそのつもりだったってことだよ。あの子はめぼしい相手を見つけたら、自分から近づいて、身体を売って金を稼いでたんだ。たぶんやった相手は十人や二十人じゃないと思うぜ。俺はそれっきりだったけど、中には常連になった奴もいたんじゃないか」

そんなはずはない、と繰り返す気力が少しずつ衰えていった。私は江尻陽子のことをよく知っていたわけではない。むしろ何ひとつ知らなかった。

「俺はさ、おまえもやったと思ってた」

倉持の言葉に私は顔を上げた。彼は唇の端に奇妙な笑みを浮かべていた。

「だからおまえとはキョウダイになっちゃったのかなと思ってた。でもおまえはしてないんだよな。だとしたら、あの女もケチだよな。バイト仲間の誼で、一回ぐらいタダでやらせてくりゃいいのにさ。どうせいろんな男にやらせてるんだし、減るもんじゃないんだから」

私は彼に殴りかかっていた。頭の中で怒りや悲しみや驚愕といったものが竜巻となっていた。

だが倉持は私の拳をよけると、逆に腕を取って突き飛ばしてきた。私は冷たい床の上に倒れ込んだ。彼を下から睨みつけたが、立ち上がる気力はなかった。

倉持は荒い息をしながら椅子に座った。

「おまえがショックだろうと思うから、今まで黙ってた。だけどやっぱり誤解は解いておかないとな」

「彼女の高校時代の知り合いから話を聞いたけど、そんなことはいってなかったぞ。自分を妊

娠させた男に子供を堕ろすよう命令されて自殺したって話だった」

「そんなのただの噂だろ。それにさ、自分が通ってる学校の人間相手に売春はしないぜ」

私は唇を嚙んだ。彼のいってることはもっともだった。しかし、だからといって納得できるというものでもない。

「証拠があるのか。彼女がそういうことをしてたっていう証拠があるのか」

「そんなものはない。俺が証人ということだ」

「あの子がそんなことをするなんて……」

「人のことは外側からじゃわかんないよ。この世じゃみんなが騙し合いをしてるんだ」倉持は私の前で腰を下ろした。片膝を立て、私の肩に手を置いた。「今度の土曜日、ちょっと付き合えよ。世の中がどういうものかって教えてやる」

翌週の土曜日に倉持に連れられて行ったところは、新しいビルの一室だった。小学校の教室程度の広さで、パイプ椅子が三十個ばかり並べてあり、すでに三分の二以上が埋まっていた。私と倉持は前列から三番目の右端に並んで腰掛けた。私は普段着だったが、倉持はスーツを着ていた。

「さっき打ち合わせたとおりでいい。後は黙ってればいいから」倉持が耳打ちしてきた。

灰色のスーツを着た若い男が会場の端に立ち、全体を見渡すように視線を巡らせた。

「ええ、本日はホズミ・インターナショナルのセミナーにお越しいただき、誠にありがとうございます。では始めたいと思います。まず保住浩太朗会長から皆さんに御挨拶があります。会

　長、どうぞ」

　やがて壇上に一人の男が現れた。黒縁の眼鏡をかけた、インテリ風に見えなくもない中肉中背の男だった。会長という肩書きのわりに、年齢は四十に手が届くか届かないかというところだった。

　保住が挨拶を始めた。言葉のはっきりした口調で、時折大きくアクセントを強調したりする。話の内容は、いかにこの世はチャンスに溢れているか、今の一般的な商品売買システムがどれほど無駄が多くてナンセンスか、そして自分が儲けるためにはまず人に儲けさせなければならないという相互扶助精神こそが未来の日本を救う、というものだった。会話の流れに淀みはなく、ジョークも適度に散らしてある。相当に慣れた弁舌といえた。

　その間に彼の背後に黒板がセットされた。保住はチョークを手に取り、消費者＝販売者と書き、それをさらにぐるぐると丸で囲った。

「これの意味はわかりますね。人が物を買おうとする時、誰の言葉を一番信用するか。店の人間の言葉なんか信じちゃいません。店員は、とにかく売りさえすれば客がどうなろうと知ったこっちゃないわけですから。一番信用できるのは、実際にそれを買った人の言葉なんですか。じゃあ、その買った人が販売してくれるとなったらどうか。これは説得力あるよね。自分が損したから、こいつも損させてやろうって考える人間もいないことはないけど、まあそんな奴は後で仲間はずれにされるわけだから、やってることに適度にくだけた口調を交えるのもテクニックの一つらしい。実際、会場の人間たち

が徐々に彼の話術に引き込まれていく気配を私は感じた。

保住の話は宝石のことに移った。自分たちがいかに特殊なルートを開発し、不要なコストを削減することで高級な石を輸入できるようになったかを得々と語った。

「だけど問題はここから」彼は声のトーンを上げた。「いくら安く仕入れても、皆さんの手に届くまでに何段階も手順を踏んじゃあ無意味だ。でっかい店舗を構えるやりかたも経費がかかりすぎてしまう。そこでうちが考えたのがこいつなんです」そういって先程『消費者＝販売者』と書いた部分をチョークで何度も叩いた。

販売システムに関する話が始まったが、それは倉持がしてくれたものと大差なかった。ただし語り口が違う。トリックだとわかって聞いていても、保住が全身から醸し出すムードと巧みな話術で、やっぱりこれは儲かるんじゃないかと錯覚してしまう。裏側を知っている私がそう思うぐらいだから、初めて話を聞く者は騙されて当然だった。

保住の話が終わった後、さっきの司会者がまた立ち上がった。

「ではここで、前回セミナーの入会者で、すでに実績を挙げている会員からの報告を聞きたいと思います。ワタナベカズオさん、お願いします」

その声に反応して立ち上がったのは、私の隣にいた倉持だった。彼は前に出ていくと、ぎくしゃくしたお辞儀をした。無論、それも演技に違いなかった。

「ワタナベです。ええと、今回御指名をいただきましてびっくりしています」

この前置きから倉持の話が始まった。それはホズミ・インターナショナルに入会してから今日までの間に、どれだけの利益を得たかという成功談にほかならなかった。いうまでもなく架

空の成功談だ。彼には保住のような話術はなかったが、突然成功者に転じた平凡な青年を表現する演技力があった。先週彼がいっていたのはこのことかと私は納得した。会場に集まった人々が、彼の成功例の一つ一つに身を乗り出した。

話し終えた倉持が皆の拍手を受けながら戻ってきた。彼の顔は相変わらず木訥とした青年のものだったが、その目は私を見て、どんなもんだいと誇っていた。よくやるよ、という意味を込めて私は瞬きした。

倉持が請け負っている仕事とはこれだった。成功談を話す役者だ。なぜそんなものが必要なのか、私はここへ来る前に訊いていた。彼の答えは単純明快だった。

「実際にはそんな成功者はいないからさ。成功談を話す人間が幹部クラスばかりじゃ怪しまれるだろ。そこで俺たちの出番というわけさ」

もう一人別の役者による成功談が終わると、またしても司会者が立った。

「ではセミナーはこれで終了させていただきます。後はグループごとに担当者がつきますので、隣のお部屋に移動してください」

隣の部屋には丸テーブルがいくつか置いてあった。客たちは会員に指示されるまま座っていく。一つのテーブルに四人ずつだった。

席についてから驚いた。向かいの席に藤田がいたからだ。彼も私に気づくと、驚いた顔をした後、不快そうに眉をひそめた。

私は以前彼が、「どっかにうまい儲け話がないかなあ」とこぼしていたことを思い出した。結婚を控えている彼は、何かと金が必要なのだろう。

我々のテーブルに女性会員がやってきて挨拶した。様々なパンフレット類を見せた後、保住会長がいかに偉大な人物であるかということ、ホズミ・インターナショナルのシステムがいかに優れたものであるかを早口でまくしたてた。

「ここまでで何か御質問はありますか」

すると一人の女性がおそるおそるといった感じで口を開いた。

「自分が買った宝石を転売する方法については面倒みてくださらないのですか」

「御自身で転売ルートをお持ちでない方には、こちらで店を紹介させていただきます。その店に置いて、売れた時点で皆さんの手に代金が入るというわけです」

「でもアクセサリーならともかく、石が売れるかしら」

「店によってはアクセサリーに加工してくれるところもありますから、御自身でデザインして、店先に並べてもらうという手もあります。加工賃はかかりますけど、その分高く売れるわけですから、そういうやり方を選ぶ人も多いです」

「自分でデザインをできるの。素敵ねえ」質問した女性は目を輝かせた。

私は唇を舐めた。次は私が質問する手筈だったからだ。

「会員は何人勧誘してもいいんですよね」

「もちろんそうです。たくさん勧誘すれば、その分マージンの額が大きくなります」

「すると僕の親会員も得をするわけですよね。なんか不公平だなあ。もしかしたらその親会員よりも成績がいいかもしれないのに、儲けを吸い上げられちゃうみたいで」

「相互扶助ですから、成績のいい人が悪い人の穴埋めをするという側面はあります。でも成績

優秀な方がいつまでも下位会員というのは気の毒ですから、子会員を一定数獲得したらランクアップするというシステムになっているんです」女性会員は私の質問に対してすらすらと答えた。

打ち合わせ通りの質問だから当然だった。

私の前に質問した女性もじつはサクラだった。つまりこのテーブルにいる五人のうち三人がホズミ側の人間なのだ。三人がぐるになって二人の客を落とそうというのが、このセミナーの狙いだった。

我々が発する疑問の数々に対し、女性会員は即座に答えていった。こういう場所に突然連れてこられた人間というのは、なかなか冷静には物事を分析できないものだ。疑問に対して必ず筋の通った回答が出されることで、次第に信頼を持つようになる。藤田ともう一人の客の頷く回数が増えていくのを私は見逃さなかった。

「どうでしょう。私たちと一緒に仕事をしませんか」女性会員がぐるの女性客に話しかけた。

女性客は大きく首を縦に振った。

「はい、是非やらせていただきます」

「ありがとうございます。ではこの書類を持って、あちらのテーブルに行ってください」女性会員の目は、次に藤田に向けられた。ここからが本当の仕事だ。

「いかがでしょう?」

「俺は……どうしようかな」藤田は頭を掻いた。

彼が論理的思考を苦手としているのを私は知っていた。ためらっているのは、四十万という大金を手放す勇気が出ないことのほかに、直感が大きく影響しているに違いなかった。

彼がちらりとこちらを見た。私がどうするのかを気にしているのだ。

私の今日の仕事はさっきの質問だけだった。後は黙っていればいいという話だった。しかし

私は口を開いていた。

「入会するなら早いほうが有利ですよね」

打ち合わせにない質問を急にしたので女性会員はうろたえた顔を見せた。

「はい……ええ、そうですけど」

「たとえば次のセミナーで入会したら、今日入会した人の子会員になるということも考えられ

るわけですよね」

「ええ、それはそうです」

「じゃあ、俺、入ります」

私は書類を受け取り、手続き用のテーブルに行った。そこでは倉持が待っていた。

「何だい、アドリブか」彼は意外そうな顔をして訊いた。

「まあね」私は自分たちのテーブルを振り返った。

藤田が女性会員の説明を受けながら、入会用の書類を受け取っているところだった。

16

年が明けて間もなくのことだった。昼食後にロッカー室に行くと、どこからか話し声が聞こ

えてきた。私のロッカーの裏側からのようだ。二人が話しているようだが、一方は藤田に違い

なかった。

「とにかく話だけ聞きに来いって。悪いことはいわないからさ。絶対に感謝するぜ」

「でもさあ、アルバイトは禁止だろ」

相手の声にも聞き覚えがあった。隣の職場にいる男で、藤田とは同期のはずだった。

「会社には黙ってりゃわかりゃしないさ。それに時間なんてそんなに取られないぜ。休みの日だけやればいいんだ。大丈夫だからさ、一度説明会に来てくれよ」

例の宝石売りの話だなと合点した。藤田はトリックに気づかず、せっせと会員集めに精を出しているらしい。四十万円を一刻も早く取り返し、さらには大きく儲けたいと考えているのだろう。

相手の男は、考えておくよ、という曖昧な返事を残して立ち去った。

私はロッカーの扉を開けた。その音が届いたのか、一番端のロッカーの向こうから藤田が顔を覗かせた。人がいたことに気づき、あわてて様子を窺ったらしい。だが、そこにいたのが私だったことを知り、ほっとしたようだ。彼は口元を嫌味な形に曲げた。

「なんだ、おまえか」彼は笑みさえ浮かべていた。「聞いてたのか」

「聞こえてきたんですよ」彼の顔を見ないで答えた。「例の勧誘ですか。熱心ですね」

「いっておくけどな」私の肩を藤田は後ろから摑んだ。「おまえは工場の連中には手を出すなよ。ここの奴らはみんな俺の客だ。わかったな」

藤田は、私もあのインチキ商売の会員になっていると思い込んでいるのだ。

「職場では何もしないつもりです」

「ようし、それでいい。もっとも、おまえみたいなペーペーが誘ったって、誰も話に乗ってこねえだろうけどな」

そのペーペーの芝居にまんまと騙されたのは誰だといいたいところだった。

「社内で勧誘はまずいですよ。会社にばれたら叱られるだけじゃ済まないかもしれない」

へっ、と藤田はせせら笑った。

「どうしてばれるんだ。俺の仲間には告げ口するような汚い奴はいねえよ。もしばれたとしたら、犯人はおまえだ」そういうなり藤田は私の作業着の襟を摑み、睨みつけてきた。私はその手を振り払うこともなく彼の顔を見返していた。

やがて彼は襟を離した。

「まあしかし、おまえがしゃべることはないよな。同じ穴の狢ってやつだ」

「何人か勧誘に成功したんですか」

「まあな。何十人も勧誘して、すぐに幹部クラスまで上ってやるさ。そうなったら、おまえは俺の子分だ。楽しみだな」

藤田は私の胸元を手の甲でぽんと叩くと、作業ズボンのポケットに両手を突っ込んで通路を歩いていった。その後ろ姿を見送りながら、私は倉持がいっていたことを思い出した。彼は先日の説明会の後、こんなことを教えてくれたのだ。

「はっきりいって幹部連中は逃げる支度をしてるぜ。どのタイミングでケツをまくるか見計らってる。そろそろ警察に目をつけられる頃だからな。これからは会員がどれだけ新入会員を集めても、バックマージンは出さないつもりだ。宝石の代金も入会金も全部自分たちの懐に入れ

て、とんずらする魂胆だ」

「警察に捜査されるとしたら出資法違反だろうと倉持は付け加えた。

「警察から逃げきれるのかい」

「逃げきれなくたっていいんだよ。稼いだ金を隠す時間さえあればいいんだ。後は逮捕された

としても、会員以外の幹部は、何も知らなかったといってとぼけてれば済むことだ。会長にし

たって、会員を騙す気はなかったといいはるつもりさ」

「それで済むのか」

「済むんだよ。そうしてほとぼりが冷めた頃、また新しいインチキ商売を考え出して、馬鹿な

連中をかもるって寸法さ」倉持は自慢話をするように鼻をぴくつかせた。

藤田がどの程度の仲間に話を持ちかけていたのかははっきりしない。ただ、彼がいうほどその

の仲間というのは信用できる人間ではなかったようだ。怪しげな宝石売買の噂は、思ったより

も早く広がっていた。そのことを知ったのは同室の小杉から話を聞かされた時だった。

「とにかく胡散臭いんだよ。会員になれば安く宝石が買えて、自分が会員を紹介したらマージ

ンが貰えるっていうんだけどさ、そんなにうまくいくものなのかねえ」自慢のリーゼントの具

合を指先で確かめながら彼はいった。

「どっかに落とし穴がありそうな気はするよな」その穴のことを十分に知っていながら、私は

とぼけて応じた。

「そうだよな。なんか、ちょっと聞いたら儲かりそうなんだけど、世の中そんなに甘いもんじ

ゃないものな」

「それに小杉が誘われたのかい」

「いや、そうじゃねえよ。職場の先輩が仕入れてきた話なんだ。会社の誰かが、その儲け話を広めてるらしい。どこの誰だか知らないけど、会社にばれたらやばいぜ」

「そうだな」

相槌を打ちながら私は危機感を覚えた。これほど噂が広まっているということは、早晩上の人間の耳にも入るだろう。張本人が藤田だと判明すれば、会社側は本人に確認する。藤田が否定し続ければいいが、白状したらどうなるだろう。彼がくびになるのは結構だが、私の名前を出さないとは思えない。

その時だった。寮内のアナウンスが流れた。呼び出されたのは小杉の名だった。電話がかかっているらしい。ナオコだな、と少し嬉しそうな顔をして彼は腰を上げた。電話は各廊下の入り口に取り付けられている。彼は部屋を出ていった。

しばらくして戻ってきた彼は、私の顔を見るなり訊いた。「おい田島。今度の土曜日、空いてねえか」

「別に用はないけど」

「だったら俺たちに付き合えよ。ナオコが友達を連れてくるからさ、みんなで飲みに行こうと思ってるんだ。合コンってやつだ」

合コンという言葉を覚え始めた頃だった。

「俺はいいよ」

「なんでだよ。面白いぜ」

「そういうの苦手なんだ。何を話したらいいかわかんないし」

私がいうと彼は楽しそうに大きく口を開けて笑った。

「うぶだよなあ。そんなこといってると、いつまでたっても女ができないぜ。だから俺が紹介してやるっていってるんだ。大丈夫だよ。話すのが苦手だっていうんなら、黙って聞いてりゃいいだけだ。そのうちに慣れるさ」

「うん……でも、やっぱりいいよ」

「まあ、無理にとはいわねえけどさ。だけど田島がだめとなると誰を誘うかな。ナオコの同級生ってことはみんな同い年なわけだから、こっちもなるべく年を揃えたほうがいいんだよな」

「同級生？　高校の？」

「そうだよ。おっ、その顔は興味が湧いてきたって感じだな」

「いや、そういうわけでもないけど」私はうつむいて少し考えてから顔を上げた。彼はまだ私を見ていた。「相手がナオコちゃんの同級生なら行ってもいいかな……」

「そうこなくっちゃ。後は残りのメンバーを決めるだけだ」

小杉は勢いよく立ち上がると部屋を出ていった。他の顔ぶれも寮生の中から選ぶつもりのようだった。

土曜日は雨だった。新宿にある喫茶店で我々は女の子たちと合流した。四人対四人の合コンだ。長いテーブルに向かい合うように座り、自己紹介をした。こちらは全員同じ会社の寮生だっ

たが、向こうはばらばらだった。

家事手伝い中のカナエという女の子は、さほど美人ではなかったが、四人の中では一番派手で化粧も濃かった。彼女はナオコと高校一年の時に同じクラスだといった。つまり江尻陽子ともクラスメートだったわけだ。

陽子の死の真相については、どうしても明らかにしておきたかった。そのために合コンへの参加を決めたのだ。

喫茶店を出た後、そこから歩いて数分のところにある洋風居酒屋に入った。広い店内には同じような若者のグループがいくつもあった。我々は四角いテーブルに、男女隣り合うように座った。私はカナエと隣り合いたかったが、他の二人の男によって、彼女の両側の席は奪われてしまった。一方の男は明らかにカナエを狙っているふしがあった。

仕方なく私は別の女の子と話をしながら、何とかカナエと話をする機会はないものかと様子を窺った。すると時折彼女と目が合った。単なる偶然だと思っていたのだが、そうではないとわかったのは、私がトイレに立った時だった。用を足して席に戻ろうと通路を歩いていると、反対側からカナエがやってきた。彼女がにこにこ笑いかけてくるのが薄暗い中でもよくわかった。

「和幸君、だよね」

突然下の名前を呼ばれてびっくりした。私がそれを口にしたのは、喫茶店で自己紹介した時だけだった。

「よく覚えてたね」

私も笑顔を返した。

「うん、何となく」カナエは意味ありげに瞬きを繰り返した。「今日は楽しんでる?」

「まあまあかな」

「そう? あんまり楽しそうに見えないんだけど」

「えっ、そうかい。そうなの……かな」

私が首を傾げると彼女はくすくす笑った。

「ねえ、この後はどうするの?」

「さあ、どうするのかな。小杉に任せっきりだし」

「和幸君はどうしたいの?」少しじれったそうに彼女は訊いてきた。

「俺は別にどうでも……」首の後ろを掻いた。

「じゃあさ、二人でどっか行かない? あたし、和幸君ともっと話をしたいし」

後から考えると、彼女のほうがずいぶんと積極的だった。しかしまともに女の子と交際したことのなかった私は、ふつうはこんなものなのかなとぼんやり考えていた。それで即座に、いいよ、と答えていた。

カナエと二人きりになるのは私としても大歓迎だった。

合コンはそれから間もなくお開きとなった。店を出て、全員で駅まで歩くことになったが、まずカナエが抜けた。彼女だけは地下鉄を使っているらしい。彼女は立ち去る時、私に目で合図を送った。

私は困っていた。ほかの連中が、男だけで飲みに行くといいだしたからだ。私は適当な理由をつけ、用だった。何といって抜ければいいのかわからなかったからだ。しかしその心配は無

先に寮に帰るといって別れた。

待ち合わせた喫茶店に行くとカナエが奥のテーブルで待っていた。ビールを飲んでいるので驚いた。

「また飲んでるのかい」

「だって飲み足りないんもん」

こちらだけがコーヒーというわけにもいかず、私もビールを注文することになった。

カナエは私のことをいろいろと尋ねてきた。仕事のことを訊かれる分には問題なかったが、趣味や休日の過ごし方に話が及んだ時には返答に窮した。自分に楽しみといえるものが何ひとつないことに気づいたのも、それが恥ずかしいことだと自覚したのも、その時が初めてだった。

「君はナオコちゃんとは高一の時に同じクラスだったんだろ。江尻陽子って子、覚えてないかな」

カナエの目が大きくなった。「陽子のこと、知ってんの?」

「バイトで一緒だった」

「ふうん」彼女の目つきが少し変わった。私と陽子の関係を疑ったのかもしれない。

「彼女、妊娠が原因で自殺したんだろ」

「そういう噂ね」

「君、相手の男が誰か知らないかい」

「知らない。みんな、勝手なこといってたけど、証拠なんて何もないし」

「君は彼女と親しかったの」

「まあ、ふつうかな。でも二学期の途中で死んじゃったもんね、あの子。ねえ、どうして陽子のことばっかり訊くの」

「彼女のお母さんから疑われたことがあるんだよ。子供の父親じゃないかって」

「へえ」カナエは私の顔を凝視した。興味を持ったようだ。

「彼女、どんな女の子だった？」

「どんなって？」

「だからその、気安く男の子と付き合うようなタイプだったのかな。付き合って、ええと、何というか……」

「気楽にセックスしてたかったってこと？」カナエの表情が少し和んだ。嫌いな話題ではないらしい。

「どうかな。おとなしそうに見えたけど、案外そうじゃなかったかもしれないな」

「というと？」

「だって女の子なんて、外から見ただけじゃわかんないもん。遊んでそうな子が真面目だったり、おとなしそうな子がすっごくやりまくってたりするんだよね」

まあそうだね、と私は答えた。自分のことを売り込んでいるのかなと思った。カナエは明らかに「遊んでそうな子」の部類だった。

「自殺する直前、校舎の階段を上り下りしてたそうだね。それから誰かと公衆電話で話してたとか。話しながら泣いてたとか……」

カナエが吐息をついた。

「なんだ、そのこと知ってんの。そうかナオコから聞いたわけね」

「それ、デマじゃないんだろ」

「デマじゃないよ、たぶん。でさ、それを聞いて、ふうん陽子ってそういうところがあったんだと思ったわけ。おとなしそうに見えたけど案外、といったのはそのせい」

「どういう意味?」

「例の階段を使って子供を流産させちゃう方法ってさ、あの頃ちょっと話題になったんだよね。流行ってたって感じ」

「流行った? まさか」

私が余程驚いた顔をしたのだろう。カナエは面白そうに笑った。白い歯が見えた。

「流行ったっていうのはやばいよねえ。何ていうかな、こういうやり方があるらしいよって口コミで広がってたわけ。で、そんなことまでする時っていうのは、やっぱりふつうじゃないわけ」

「どういうこと?」

「だから彼氏の子供を妊娠したわけじゃないってこと。好きでもない男とやって出来ちゃった子だから、そんなふうにひどい始末の仕方もできるわけ。好きな彼氏の子なら、無理矢理流産させるなんて残酷な方法はできないんじゃないかな」

カナエにいわれ、はっとした。彼女の説には一理あるような気がした。

「江尻陽子の腹にいた子は、付き合ってた男の子供じゃないっていうのか」

「あたしはそんな気がする。彼氏の子なら、やっぱり病院で処理してもらうんじゃないかな。お金の問題ではないと思うよ」

もしそうなら倉持修の話に信憑性が出てくることになる。信じたくはなかった。

私はビールを飲んだ。生ぬるくなっていた。

「ねえ、陽子の話はもういい？　あんまりしたくないんだけど」

「あと一つだけ。その流産の方法って、そんなに頻繁に使われてたのかな」

すると彼女は肩をすくめ、かぶりを振った。

「本当のことはわかんない。実際にやったって人は陽子以外に知らないもん。その陽子にしたって流産する前に死んじゃったし。後から聞いた話だと、そんなに簡単には流産しないってことだった」

奔放な性行為を続けている女の子たちの間で広まった一種の伝説ということか。

「ねえ、どっか行こうよ。あたし、知ってる店があるんだ。夜中でもやってるし」

「これからかい」

「だってまだ早いじゃない」

私は時計を見た。終電がなくなろうとしていた。しかしそれをいうと馬鹿にされそうな気がした。カナエの話を聞いたことで、自分がこれまでいかにおとなしい世界にいたのかを思い知っていた。

じゃあ行こうか、と私は答えていた。

人生にはいろいろな記念日がある。まず最初のそれが誕生日であり、次には小学校に入った日ということになるだろうか。もちろん人によって違う。自転車に乗れた日を克明に覚えている人もいるだろうし、生まれて初めてテストで百点を取った日を満点記念日とでもしている人もいるかもしれない。

しかし多くの人が共通して記憶し続けるに違いない日がある。初めてセックスした日というのはそれに当たるのではないか。日にちまでは覚えてなくても、その時のことをきれいさっぱり忘れている人のほうが少ないと想像する。

カナエと会った日は、私にとってそういう日になった。彼女に誘われて行った店で、私と彼女はしこたまアルコールを胃袋に入れた。飲んだことのない酒ばかりだったが、どれもおいしかった。カクテルだというだけで、詳しい名称は何ひとつ覚えていない。何杯飲んだのかもさだかではない。記憶にあるのは、さほど美人ではなかったはずのカナエがやけにかわいく見えたことだけだ。

店を出てすぐにキスをした。道端で立ったままだ。誰かに見られることなど気にしていなかったように思う。

どちらかがいいだしたのか、それとも成り行きだったのか、とにかく我々はその三十分後にはラブホテルに入っていた。宙に浮いているようなふわふわした気分のまま、私はカナエと抱き合っていた。頭はぼんやりしていたが、自分はこれからついにセックスをするのだなあとやけに冷静に考えている部分もあった。

初めてのセックスにしてはうまくいったほうだと思う。たぶん彼女のほうが慣れていたのだ

ろう。

翌日は昼過ぎに寮に戻った。二日酔いで頭痛がしたが、何となく浮き立った気分だった。人生の大きな壁を乗り越えた気になっていたのだ。壁でも何でもなく、単にどんなことにも最初があるというだけのことだと気づくのは、もう少し後のことだった。

小杉は部屋にいなかった。私は寝転がったまま、初体験を何度も思い起こしていた。さっき別れたばかりなのに、もうカナエと会いたくなっていた。彼女の肉体の柔らかい感触を思い出すと、即座に勃起した。

恋人が出来た、と思った。もちろんそれは錯覚だった。彼女のことが好きだという感情さえ、一時の逆上せに過ぎなかった。しかしその時それに気づくほど私は大人ではなかったし、何より初めてのセックスは魅力的過ぎた。

17

カナエは漢字で書くと香苗だ。名字は津村。父親は普通のサラリーマンだという話だった。

彼女が進学も就職もしなかったのは、別の夢があったからだという。

「お芝居がやりたかったの。それである劇団に入ったんだけど、そこの団長がいい加減でさあ、世間に認められようって気が全然ないの。とにかく適当に楽しくやれればいいって感じなのよね。こんなところにいたら駄目になっちゃうと思って、それでさっさと辞めちゃったわけ」

今は進路を模索中だと香苗は説明した。女優になりたいという夢は捨てていないが、自分に

合った仕事がほかにあるんじゃないかという気もしている。だからしばらくはじっくり考える
つもりだといった。

例の初体験以来、私は香苗と毎週会うようになっていた。映画を見たり、ボウリングをした
りといった、ごく普通のカップルがするようなデートだった。夜勤明けは日曜日の朝に寮に帰
るのだが、そんな時でも二、三時間仮眠をとっただけで出かけていった。逆上せていたとしか
いいようがない。

そんな私の様子に同室の小杉が気づかないはずがない。ある夜、テレビを見ていた私に彼の
ほうから話しかけてきた。

「田島さあ、おまえあの子と付き合ってるのか」

「あの子って……」

「とぼけなくていいよ。合コンの時にいた子だよ。カナエっていったっけ」

「ああ……」どう答えていいかわからず、私は口ごもった。

「付き合ってんだろ」

「うん、まあ」

つい顔が綻んだ。冷やかされるのだろうと予想したからだ。そういうことをされたことは、
それまで一度もなかった。照れ臭い半面、その気分を味わってみたかった。

しかし小杉は冷やかしてはこなかった。彼らしくない難しい顔つきで口を開いた。

「あのさあ、これはナオコがいってたことなんだけど、あの子はやめたほうがいいらしいぜ」

私は彼の顔を見返した。彼は目をそらした。

「どういう意味だよ」私は訊いた。

「俺も詳しいことはよく知らねえんだよ。でもナオコがさ、あの子はたかり屋だから油断しないほうがいいって……」

「たかり屋？　何だよ、それ」

小杉はリーゼントに固めた頭の先をいじった。

「あの子が男と付き合うのは、ただで遊んだり、旨いものを食ったりするのが目的だっていうんだ。極端なことをいうと、よっぽど嫌な男でないかぎり、相手は誰でもいいって話なんだ。要するに、単なる遊びってやつだ」

「それ、ナオコちゃんがいったのか」私は小杉を睨みつけていた。

「あいつを責めるなよ。あいつはこれまでの付き合いで、カナエって子のことをよくわかってるから、わざわざ教えてくれたんだ」

「俺なんかと遊んだって、彼女は一銭も得しないじゃないか」

「だから暇つぶしなんだってさ。わざとうぶそうな男を誘って、自分に夢中にさせるのが趣味らしい」

私はぐっと奥歯を嚙みしめた。もしもっと乱暴な性格だったら、小杉に殴りかかっていただろう。

「あの子はそんな悪い人間じゃないよ」それだけいうとテレビの前から離れた。小杉もそれ以上はしつこくいってこなかった。

256

倉持から寮に電話がかかってきたのは、そんなある日のことだった。重要な話があるから、今からちょっと出られないかというのだ。時刻は九時を過ぎていた。私は渋ったが、どうしても話しておきたいことがあるのだと彼はいう。さらにこんなふうに付け加えた。「俺の話を聞いておかないと取り返しのつかないことになる」口調も真剣そのものだった。

結局駅前の喫茶店で会うことにした。私は自転車で出かけていった。

「潰れたぜ」私が席につくなり倉持は切り出した。

「潰れた？　何が？」

あっ、と声を漏らしたきり私は固まった。小声でいった。「ホズミだよ。決まってるじゃないか」

倉持は顔を近づけてきて、小声でいった。「ホズミだよ。決まってるじゃないか」

「幹部連中は今日、姿を消した。事務所はそのままだけど、明日出勤するのは何も知らされてない臨時雇いの社員だけだ。マスコミも嗅ぎつけるだろうから、ちょっとした騒ぎになる。だけど何も出てこない。ホズミのやり口は徹底的に法の網をかいくぐっている。結局のところ、中小企業が一つ潰れたってことだけのことだ」コーヒーカップを口に運びながら倉持は楽しそうにいった。

「被害者はどうなるんだ」

私が訊くと、その言葉を待っていたように彼はにやりと笑った。

「被害者？　どこにいる？」

「会員だよ。セミナーで入会した人たちだ」

「ちょっと待てよ。その会員ってのは、ホズミ・インターナショナルの仕事を自分たちもやり

たいと希望した人間たちだぜ。いわば組織の一部だ。それがどうして被害者ってことになるん
だ？」

「でも金を払ってるじゃないか。四十万も」

「それは宝石に支払われた金だ。粗悪品かもしれないけれど、売買契約は成立してる。がらく
たを買わされたことを被害というなら、同じものを人に売りつけたことはどうなる？　加害っ
てことになるぜ」

私はにやにや笑う彼の顔を見返した。なるほどと思った。被害者は同時に加害者でもあるの
だ。

「それでも、自分は被害者だといって騒ぐ人間は出てくるぞ」真っ先に私の脳裏に浮かんだの
は藤田の顔だった。

「だからこうして呼び出したんだ」倉持は真顔に戻った。一層声を落として続けた。「俺たち
は被害者でもなければ加害者でもない。だけどそうは見ない人間もいる。そんな連中に見つか
ったら面倒だ」

「逃げろとでもいうのか」そんなことできるわけないと私は思った。

倉持はかぶりを振った。

「逃げる必要はない。俺たちの選ぶ道は一つさ」そういって彼は人差し指を立てた。

倉持と会った数日後には、ホヅミ・インターナショナルの崩壊は一つの事件としてマスコミ
に報じられていた。倉持はああいったが、新聞やテレビは「被害」という言葉を使っていた。

警察の捜査は始まったが、関係者の居所はわからず、事務所に残っていた社員たちが何も知ら

されていないという点も倉持のいったとおりだった。

さらに数日が経過した頃から、工場内で妙な噂が飛び交うようにな
った。ホズミ事件の被害者が何人かいるらしいというものだった。彼等が自分から名乗り出るはずはなかったから、勧誘された者の中に密告者がいたのだろう。

藤田は工場に姿を見せなくなっていた。その理由について班長は明言しなかった。藤田の代わりに私が生産ラインの仕事に就くことになった。

「二課にサワムラってのがいるだろ。あいつ、警察に捕まったらしいぜ」休憩時、トランプをしていた班員の一人がいった。

「なんでだよ」と別の一人が質問した。

「詳しいことは知らないけど、飲み屋で暴れたらしい。なんでも、あいつ、例の宝石売買のネズミ講をやってたらしいんだ」

「この間から騒いでる事件か。へええ、あいつも被害者だったのか」

「それであいつを誘ってそのネズミ講に引き入れた人間に、酔った勢いで殴りかかったらしいんだな。それまではたぶん、これからどうしたらいいかって相談を飲みながらやってたんだろう」

「ふうん、くだらないことで捕まったもんだなあ」

「喧嘩（けんか）で捕まったことはまだいいんだよ。問題は、あのネズミ講に手を出してたことだ。会社にばれるだろうから、ただじゃ済まないぜ」

「そりゃそうだな」

話を聞きながら、鼓動が速くなるのを感じていた。サワムラという男に殴りかかられたのは誰なのだ。藤田ではないのか。

私のところへ人事部の人間がやってきたのは、それから二、三日が経った頃だ。工場の一角に作られた事務所の一室に、私は見知らぬ二人と向き合って座った。一人は三十歳ぐらいの小男で、終始気味の悪い愛想笑いを浮かべていた。もう一人は彼よりも少し若い。こちらは表情の変化が殆どなかった。

小男は、まあ気楽に、と最初にいった。

「君に関してちょっと気になる情報が入ってきたのでね、一応確認しておきたいんだよ」小男は笑いを絶やさずに訊いてきた。「ホズミ・インターナショナルって会社を知ってるかい」

いよいよ来たか、と私は身構えた。

「宝石の会員販売をしている会社でしょ」

「よく知ってるね」

「新聞で読みましたから。それに職場でも噂になってたし」

「職場でも？　どんな噂かな」

「社員の中に引っかかった奴がいるって話でしたけど」

「ふうん」小男は小さく頷き、机の上で指を組んだ。その上に顎を載せた。「こっちに入ってきた情報では、君もあそこの会員だったという話なんだけどね」

「俺がですか？　いいえ違います」首を振った。「誰がそんなことをいってるんですか」

小男は答えず、じっとこちらを見つめてきた。私の言葉の真偽を見抜こうとしている目だっ

「でもねえ、あそこが開催したセミナーで君を見たという人がいるんだけどなあ」

決定的だった。情報源は藤田だ。彼はすでに人事部の調査を受けているということになる。

ならば、嘘をつき続けるのは得策ではない。

「その話をしたの、藤田さんじゃないですか」

「藤田？　どこの？」小男は眉も動かさずにとぼけてみせた。

「うちの職場の藤田さんです。今は休んでるけど。あの人から訊いたんじゃないですか」

「どうしてそう思うのかな」

「正直にいいます。セミナーには行きました。別に関心があったからじゃなくて、しつこく勧誘されて、断るのが面倒臭くなったからです。その時、藤田さんに会いました。もちろん偶然です」

セミナーに出たこと自体は否定する必要がない、肝心なのは影の勧誘員だってことを隠し通すことだ——それが倉持からのアドバイスだった。

「その時、入会したんじゃないのかい」

「いいえ、入会はしていません。誘われましたけど、断って帰りました」

人事部の男たちは顔を見合わせた。

「本当かい。隠したって、いずれわかることなんだよ」小男はいった。

「嘘じゃないです。調べてもらえばわかります」

小男は私の目を見た。目を見れば真実がわかるとでも思ったのかもしれない。その目を私は

見返した。瞬きも我慢した。

「藤田君によれば、君はたしかに入会手続きをしていたというんだがね」小男はついに藤田の名前を出した。

「そんなふうに見えたかもしれませんけど、僕をセミナーに連れていってくれた人と話をしていただけです。その人からも強く誘われましたけど、きっぱり断りました。だって、四十万なんて大金は出せないですから」

「ローンを組めるという話だったけど」

「借金はしたくないです。それに、何となく胡散臭い話だと思いましたし」

小男は一度小さく頷いた。口元に笑みは残っているが、何かを思案している表情だった。藤田を信用すべきか迷っているのだろう。

田と私のどちらを信用すべきか迷っているのだろう。

藤田が会社を辞めたと知らされたのは、それから約一週間後だ。彼が宝石売買の会員商法に手を出し、うちの会社では副業は禁じられていたので、それだけでも処分の根拠となりうる。彼の場合は被害を拡大させたという点で、人事部としても見過ごせなかったのだろう。

これまた噂だが、決まっていた結婚話も白紙に戻されたということだった。藤田は結婚資金を増やしたくて、あのようないかがわしい商売に手を出したわけだから、全く皮肉な結末とい

職場ではしばらく彼の噂が絶えなかった。誰かが新しい情報を仕入れてきては、休憩時間に

それを披露した。日雇い労働者になったとか、本格的にネズミ講事業に取り組むことにしただとか、どこまで信用していいのかよくわからない話ばかりだった。

だがこの一連の出来事は、これで終わったわけではなかった。

一か月ほどが経ち、暖かい日が続くようになっていた。職場では、気の早いことに花見の計画が立てられていた。私は新しい仕事に慣れ、仲間たちとも談笑できるようになっていた。藤田のことが話題に上ることは殆どなくなっていた。

その日は残業が二時間あったので、着替えを終えて会社を出る頃には、八時半頃になっていた。私は自転車に跨り、寮に向かってこぎだした。寮の食堂は十時まで開いている。夕食後に部屋でゆっくりビールを飲むのが楽しみの一つだった。

途中にあるスーパーでスナック菓子と缶ビールを買い、袋を籠に入れて帰路についた。

自転車置き場は寮の裏にあった。薄暗く、そばにゴミ置き場があるせいで異臭が漂っている。私はいつも息を止め、自転車を指定の位置に駐輪させていた。

その時も自転車を押しながら、大きく息を吸い込んだ。その時だった。ゴミ置き場の陰から突然黒い人影が現れた。飛び出したというより、低く滑り出たという感じだった。「おい」

その場に立ち尽くした私にその影は声をかけてきた。遠くの明かりが相手の顔をうっすらと照らしていた。藤田だった。

私は身体を硬直させた。顔には無精髭が生えていた。唸るような声だった。

「てめえ、よくもはめやがったな」藤田がいった。黒いジャンパーを羽織っており、

何が何だかわからなかった。藤田がここにいる理由も、何のために私の前に現れたのかも理

解できなかった。

藤田が近づいてきた。反射的に私は後ずさっていた。

「はめたって……何のことです」ようやくそれだけいった。

藤田の顔が歪むのが、薄明かりの中でもわかった。

「とぼけるな。あのインチキ商売に俺が引っかかるように仕組みやがったくせに」

それを聞き、ようやく事態を理解した。彼は知っているのだ。私がセミナーで演技をしてい

たことを。しかしなぜ知っているのか。誰から聞いたのか。疑問が渦巻き、一瞬混乱した。

「俺、そんなことしてません」辛うじてそういった。早く誰か来てくれないかと思った。

「ふざけるな。こっちは何もかもわかってるんだ。てめえのせいで俺はどんな目に遭ったと思

う？　会社は辞めさせられるし、結婚だってパアだ。インチキ商売に勧誘した連中には責めら

れるし、金だって全部なくなった。どうしてくれるんだ、ああ？」

「だから会社じゃ勧誘はしないほうがいいって……」

「うるせえっ」藤田は吼えた。「人事の奴らから聞いたぜ。てめえは会員にはなってないとし

ゃあしゃあと抜かしたそうじゃねえか。それで処分なしだってな。俺だけがクビになって、て

めえは俺の後釜に座ってやがるんだろう。くそっ、てめえにだけいい目を見させてたまるか

よ」

彼が何かを出してきた。それがナイフだと気づき、私の全身は震えだした。

「あ、わっ、やめろ」無様な声が漏れ出た。同時に私は押していた自転車を離した。自転車は

激しい音をたてて倒れ、籠に入れてあった缶ビールとスナック菓子が道端に散らかった。

藤田がスナック菓子の袋を踏みつけた。破裂音と共に菓子が散った。

逃げねば、と思った。だが彼の顔を見て、足が動かなくなっていた。彼の眼球は憎悪で膨らんでいるように見えた。顔面は灰色で、口元は曲がっていた。首筋からこめかみにかけて血管が浮き上がり、その影が彼の形相を一層不気味にしていた。呼吸は荒く、生臭い息がこちらの顔にかかりそうな錯覚がした。

歪んだ唇から声が発せられた。言葉なのか呻きなのかわからなかった。それと共に彼は向かってきた。ナイフが光るのが視界に入った。そこまできて、ようやく私の足は動いた。後ろに向かって走りだそうとした。

だが何かが足に引っかかった。倒れた自転車のハンドルだと気づいた時には遅かった。私は前のめりになって倒れ、膝と顎を強打した。次の瞬間、鈍い痛み、鈍い痛みを左肩に感じた。見ると藤田のナイフが深々と刺さっていた。

あわてて身体を起こしたが、そこへ藤田が襲ってきた。よけるというより、思わずバランスを崩す格好で私は横転した。

「ああああ」私は悲鳴を上げていた。鈍い痛みは忽ち焼けるような激痛となり、広がり始めた。数秒後には身体の左側全体が痛みで覆われていた。私は死を覚悟した。そして妙な話だが、死そのものよりも、それに至る激痛を予想して怯えた。

ナイフを抜いた藤田は、再び私を刺すつもりのようだった。

だが藤田は刺してこなかった。踵を返すと、突然走りだした。自転車置き場のさらに奥の暗

闇に彼は消えた。

誰かが駆け寄る気配があった。気配だけで音は聞こえない。まるで聴覚が麻痺したようだった。

私は地面に倒れていた。私を覗き込む顔があった。何か呼びかけている。

「——しろっ」急に声が聞こえた。「大丈夫か」

私は頷いた。左半身は熱く痺れたようになっていた。頭を起こされた。目の前には小杉の顔があった。ほかにも誰かいるようだ。

「田島、しっかりしろ」彼の呼びかけが耳に届いた。私は頷こうとしたが、首がうまく動かなかった。

その時だ。どこかで車の急ブレーキの音がした。

私の傷は全治一か月と診断された。腕が動かなくなることはなさそうで安心した。もしあの時異常事態に気づいた数人の寮生が駆けつけなければ、間違いなく刺し殺されていただろう。

藤田はあの後、寮の塀を乗り越えて逃走したが、片側三車線の国道を強引に横切ろうとしてトラックにはねられて死んだ。即死だったらしい。それで私は病院のベッドに横たわったまま、刑事に一部始終を話さねばならなくなった。

わけがわからない、ということをむずいった。

「どういうわけか藤田さんは、僕もホズミ・インターナショナルに入会したと思い込んでいたようです。それで自分だけが処分されて、僕には何のお咎めもないことを、ひどく不満に思っ

「それでその鬱憤を晴らすために君を刺した、というわけかね」年輩の刑事は訊いた。

「そう思います。それしか考えられません」

被疑者が死亡しているからだろう、刑事にはまるでやる気が感じられなかった。通り一遍の話を聞き、さっさと帰ってしまった。その後、事件がどう処理されたのかも、私にはよくわからなかった。

傷の痛みは日に日に薄れていった。しかし薄れないものがある。藤田は間違いなく私を殺そうとしていた。殺人の気配とでもいえるものを彼は身に纏っていた。

傷の痛みは消えても、私を金縛りにしたあの殺意と憎悪の記憶だけは、おそらく永遠に消えないだろう。

18

全治一か月といわれたが、結局病院にいたのは一週間だけだった。その後、さらに二日間だけ会社を休み、翌週の月曜日から出社した。

職場の人間たちの私を迎える態度はよそよそしいものだった。誰も私と目を合わせようとしないし、こちらから彼等の話に入っていこうとすると、わざとらしく散会するのだ。こういった事態を予想はしていたものの、実際に態度で示されるとショックだった。

私が藤田から恨みを買っていた点に彼等はこだわっているに違いなかった。この男にはそんな二面性があったのかと不気味に思っているのだろう。関わり合いにならないほうが身のためだという意識が、彼等の全身から発せられていた。

班長から声をかけられたのは、昼休みまであと三十分という頃だった。にわか雨に遭ったような不景気な顔つきで近寄ってきた班長は、ちょっと一緒に来てくれといった。連れていかれたのは生産ラインから少し離れたところにある休憩所だった。そばに黒板が立てられていて、通路から視界が遮られている。そこでは白い職服を着た課長が煙草を吸っていた。私はその課長とは殆ど言葉を交わしたことがなかった。

班長に促され、私は課長と向き合うように座った。班長も傍らの椅子に腰掛けた。

「田島君か」課長が眼鏡越しに私のネームプレートを見た。「いろいろと大変だったね。傷のほうはもうすっかりいいのかい」

ええまあ、と私は曖昧（あいまい）に頷いた。何をきりだされるのかわからず、不安だった。

「あの事件の後、私のところにも警察が来てねえ、何だかんだと訊かれて大変だったよ。ああ、課長に水を向けられ、班長は黙って首を縦に振った。

「迷惑かけたみたいですみません」私はとりあえずそういった。

「まあそんなことはいいんだ。それより問題は、今後のことなんだけどねえ。君はどうするつもりなのかな」

何をいわれているのかわからず、私は課長の顔を見返した。

「何しろ加害者が藤田だろ。で、刺されたのが君と。同じ職場内でこういうことがあるというのはねえ、何かと問題なわけだ。生産ラインというのはチームワークが大切だろ。ところがチーム内でもめごとがあると、なかなか仕事に集中できないわけだよ」

課長のいいたいことがようやくわかった気がした。

「俺、ほかの職場に移されるんですか」

だが課長は頷かなかった。眼鏡の真ん中を指で押し上げ、その位置を直した。「事件のこと はどこの職場でも知ってるし、そうなると、なかなかうちで引き受けようというところがなくてねえ」

「うんまあ、それも一つの手ではあるんだけどねえ」もごもごと口の中でいう。

「いやいや」課長は手を振った。「辞めろとはいわんよ。ただ、君だってこれから何かと苦労するだろうし、それならまだ若いんだし、再出発という手もあるかなと……あくまでも君のためを思っていってるんだ」

ここで初めて真意を理解した。私は目を見開いていた。

「俺に会社を辞めろってことですか」

辞めろってことじゃないかと思ったが、口には出さないでおいた。

私は班長を見た。彼は作業帽を脱ぎ、鍔のあたりを触っていた。そこだけ紺色というのが班長の印だった。

彼等の悩みは私にも理解できた。藤田は辞めていたとはいえ、同じ職場の人間同士で殺人未遂事件が起きたとなれば、直属上司の管理責任が問われて当然だ。田島和幸を何とかしろとい

うのは彼等の意思ではなく、会社からの指示かもしれなかった。

しかし私は首を縦に振るわけにはいかなかった。身寄りもなく、独身寮を追い出されたら住むところもなくなってしまう。再就職など簡単にできるとも思えなかった。今の会社に残ることだけが生きていける道だと思った。

「俺、辞めるわけにはいきません」率直にそういった。「課長のいうこともわかるけど、会社を辞めたら、この先どうやって食っていったらいいかわかんないし、それに第一、あの事件では俺は被害者なわけだし。俺、何も悪くないんだし……」

うまい説明とはいえなかったが、とりあえず私は自分に非がないことを主張した。課長は露骨に渋い顔を作ったが、反論はしてこなかった。

「わかった。じゃあ、今後のことはまたこれから考えるとする」課長は腰を上げ、班長に何やら目配せした。

これで終わったとは思えなかった。班長が何をどう考え直すつもりなのか気になった。無言で先を歩く班長の背中を見ながら、足元がぐらぐらと揺れるような錯覚に陥った。

それからしばらくは何事もなかった。相変わらず職場では誰も口をきいてくれなかったが、いやがらせをされることもなかった。それでも不安な毎日だった。

気になっていることがもう一つあった。香苗のことだ。

入院中、彼女は一度も見舞いに来てくれなかった。小杉とナオコは来てくれたし、その時にナオコが香苗にも連絡したといったから、彼女も怪我のことは知っているはずだ。

私からは一度電話をした。電話口に出たのは彼女の母親だった。香苗は留守だと素っ気なく

いわれただけだ。電話があったことを伝えてくれと頼んだが、伝わったかどうかはわからない。

退院後も香苗からは連絡がなく、いよいよ不安になってきた。ある夜私は小杉に、ナオコち

ゃんに香苗のことを訊いてくれないか、と頼んでみた。

「連絡ねえのかよ」小杉は訊いてきた。

そうなんだ、と私は答えた。ひどくばつが悪かった。

「そりゃまあよう、と私は答えた。ひどくばつが悪かった。

「そりゃまあよう、ナオコに頼むぐらいのことは構わねえけどさあ」

「なんだい」

「いや……まあいいや。何かわかったら教えてやるよ」

すまないな、と私はいった。

それから間もなくのことだった。仕事中にまたしても班長に呼ばれた。だが今度は事務所に

行けという。私は嫌な予感がした。

事務所に入った途端、その予感が的中したことを察した。前に会ったことのある人事部の二

人が、端の席で待っていた。小男のほうが私に気づき、軽く手を上げた。

「傷のほうはもういいの?」小男が尋ねてきた。

「ええ」

「それはよかった」小男は短く答え、すぐに手元のファイルに目を落とした。「早速なんだけ

ど、事件のあらましについて整理しておこうと思ってね。それでいろいろと話を聞かせてもら

いたいんだ」

「はあ……」

「とにかく一番わからないことは」小男はファイルから顔を上げて私を見た。「動機だよ。なぜ藤田君は君を殺そうとしたんだろう」

「それは警察にも話しましたけど」

「うん。どういうわけか藤田君は君も例の宝石売りに参加していたと思い込んでいて、君だけが処分されないことに腹を立てて、ということだったね」

「そうです」

「じゃあ藤田君はどうしてそう思い込んだんだろう」

「だからそれは前にも話しましたけど、僕がセミナーに行ったのは事実で、そこで藤田さんと顔を合わせたから、僕も入会したと」

「思い込んだというわけだね」小男は私の話を途中から奪った。「でもねえ、いくらそう勘違いしたからって、殺そうとまでするかなあ」

「そんなこといわれても」私は下を向いた。それでも小男の視線は感じていた。

「じつはこの前君から話を聞いた後、我々はもう一度藤田君に会ってるんだよ」

その口調が少し重々しく変わったので、私はつい顔を上げた。彼はいつもの愛想笑いを浮かべてはいなかった。

「彼は、君がホズミ・インターナショナルに入会してないなんてことは絶対にない、と断言していたんだけどね」

「嘘です。俺、入会してません」

「でも彼は、目の前で君が入会したから自分も入る気になった、といってた。あれは嘘をいっ

ているようには見えなかったがね」

その場に同席していたのか、隣の男も小さく頷いた。

「藤田さんは俺のことを嫌ってたんです。俺につられて入会するなんてこと、あるわけないじゃないですか」

「君にだけいい目を見させたくないから自分も入ったんだ、と彼はいってたんだがね」

「嘘です」私はかぶりを振った。「俺、入ってません」

小男は椅子の背もたれに体重を預け、腕を組んだ。視線は私の顔から外されなかった。何かを観察している目だった。

「たしかに君が会員だったという証拠はどこにもなかった。それで藤田君より君の話を信じることにしたわけだ。ところがあの事件が起きた。しかもその後、妙な情報が入ってきてね」

私の胸の内で心臓が大きく跳ねた。不吉なものを感じたからだが、単なる直感ではない。私には引っかかっていることがあった。藤田があの時にいった台詞だ。

「インチキ商売に俺が引っかかるように仕組みやがったくせに」

なぜそのことを藤田は知っていたのか。そのことは病院のベッドで寝ている間も、ずっと頭の隅にこびりついていた。

「君はホズミの会員ではないけれど、ホズミに雇われてバイトをしていた、というのがその情報のあらましだ」小男はいった。

どうしてそのことを、とは口が裂けてもいえなかった。

「誰ですか、そんないい加減なことをいってるのは」

「誰であるかはこの際関係ないだろう。ただ君にわかっておいてもらいたいのは、我々はいい加減な情報を鵜呑みにするほど馬鹿ではないということだ。情報が入ってくれば、まず調査して裏づけを取る。藤田君の話を鵜呑みにしなかったようにね」

「それで……取れたんですか、裏づけは？」

ほう、と小男は久しぶりに表情を緩め、身を乗り出してきた。「気になるかい」

「そりゃあ……」

「おかしいじゃないか。君によればそんな情報はでたらめなわけだろう。だったら、悠然と構えていればいいはずだがね」

私は言葉に詰まった。すると小男はいかにも狡猾そうな笑みを唇の端に浮かべた。

「そのバイトに関する話というのは、じつによく出来てるんだなあ。信憑性があって、しかも興味深い。どういうバイトかを一言でいうと、所謂サクラだよ。セミナーには出席したけれど入会する決心のつかない人間たちの背中を押す役割さ。つまり入会するふりをして見せるわけだ。だけど実際には入会しない。なぜならホズミの実体を知っているからだ。知っていて、勧誘の手伝いだけはする。これは考えてみれば会員になって仲間を勧誘していた連中よりもたちが悪い。確信犯なわけだからね」小男は上目遣いで私を見た。「どうだい、状況が似てると思わないかい。藤田君はたしかに君が入会するのを見たといった。しかし君はしていないといっているし、実際に入会していたふしもない。でも君がそうしたバイトをしていたと考えれば、すべて辻褄が合う」

腋（わき）の下を冷や汗が流れた。口の中はからからに渇いていた。頭の中では、どこのどいつがそ

んな情報を流したんだという疑問がぐるぐると回っていた。

「そんなこと、してません」

「じゃあその情報は間違いだと」

はい、と私は答えた。目をそらさぬよう自分にいいきかせた。

「ではもし証拠なり証人なりが出てきたらどうする？　その場合は会社に嘘をついたということで、さらにペナルティが課せられることになるけど、それでも構わないわけだね」

上目遣いで見つめてくる小男の顔に、何ともいえぬ悪意を感じた。自分が徐々に逃げ場のない袋小路に追いつめられているような気がした。実際そうなのかもしれなかったが、後戻りはできなかった。

構いません、と私は答えた。　結構、といって小男は頷いた。

「その言葉を忘れないように」

席を立った彼の顔には、勝負をものにした自信が漲っていた。

その週末に倉持修と会うことにした。私のほうから呼び出したのだ。いつか待ち合わせた駅前の喫茶店で向き合った。倉持は濃紺のジャケットを着ていた。ネクタイもきちんと締めていて、一流企業の営業マンに見えなくもなかった。

私は人事の人間から詰問されたことを彼に話した。コーヒーを飲みながらそれを聞いていた倉持は、話が終わるとまず深いため息をついた。

「要するに会社側じゃあ、もし勧誘のバイトをしていたことが証明されたら、田島をクビにす

「そういう意味だと思う。例の刺された事件から、会社は俺のことを邪魔に思ってる。何とか辞めさせようとしてるんだ」

「まあ会社としちゃあ、そんな厄介事を持ち込むような人間を残しておきたくはないだろうからな」倉持は足を組み替えた。「で、俺を呼び出した理由は？」

「どうして会社が、あのバイトのことを知ってるのかがわからない。俺たちのようなサクラがいたことは、一般会員は知らないはずだし、何か証拠を摑んでるみたいだった。そんなことってあり得るのか」

「俺たちがやってたことに関する記録はホズミにも残ってないはずだ。俺たちのようなサクラがいたことは、一般会員は知らないはずだし……。俺たちのようなサクラがいたことは、一般会員は知らないはずだし……。俺たちのようなサクラ

「わからんな。大体、考えたって仕方のないことだ」

「仕方ない？」

「だってそうだろ。会社側が何か証拠を摑んでるなら、今さらじたばたしたって無駄じゃないか」

私は拳でテーブルを叩いた。隣の女性客が驚いてこちらを見た。

「俺はおまえにそそのかされて、あのバイトに首を突っ込んだんだぞ」

「だからどうだというんだ。俺に責任を取れというのか。忘れてみたいだから思い出させてやるよ。あの時のおまえの仕事は、セミナーの相談会で適当に質問することだけだった。ところが藤田って男を引っかけたいばかりに、入会するふりをした。そもそもの発端はそこにあるんだ。全部自分で蒔いた種だろうが」

彼の反論に私はいい返せなかった。彼のいうとおりだった。もしあの時あんなことをしなければ、藤田は入会しなかったかもしれない。いや仮に入会していたとしても、私のことを変に疑ったりはしなかっただろう。

「あのさあ」倉持が声のトーンを落とした。「おまえのほうに心当たりはないのか」

「心当たりって……」

「誰かに話さなかったか。例のバイトのこと」

当たり前だといおうとし、一瞬ためらいが生じた。その後で答えた。「話してない」

私のわずかな表情の変化を倉持は見逃さなかった。下から顔を覗き込んできた。

「ほんとうか？」

「ああ」

「嘘だな」倉持はにやにやし、煙草を取り出した。一本引き抜くと、箱の上でとんとんと弾ませた。「誰かに話したんだろう。顔に書いてあるぜ」

「信用できる人間だ」

私が答えると倉持は苦笑して横を向いた。小さく首を横に振る。

「何人？」

「一人だけだ」

「女か」倉持は小指を立てて見せた。

私が返事しないでいると、彼はそれを肯定と受け取ったらしい。「その彼女に確認したほうがいいだろうな」

「彼女がどうしてそんなことを俺の会社に話したりするんだ。意味ないじゃないか」

「その彼女が誰かに話す。それを聞いた誰かが、ほかの誰かに話す。そのうちにおたくの会社の関係者の耳に入る。そういうものさ」

「考えられない」

「だから確かめるんだ。今度はいつ会うんだ」

「決まってない」

「じゃあ」倉持は店の隅にある公衆電話を指差した。「これから会ってみろよ。本人から直に聞くのが一番だ」

「何といって呼び出すんだ」

倉持は身体を揺すって笑った。「恋人を呼び出すのに理由がいるのかい？」

「最近留守がちなんだ」

「それがどうした。今日も留守とはかぎらないだろ」

返す言葉がなくなり、私はのろのろと立ち上がった。香苗と連絡がとれなくなってから二十日以上が経つ。こんな用件がなくても、そろそろ電話をすべき頃だった。一方で、また彼女の母親に素っ気なくされるだけでは、という思いもあった。

迷った末に電話をかけた。ところがやはり母親が出た。そして、香苗は出かけているという。電話をくれるようお伝えくださいといって私は切った。

「連絡をとれないか、とる気がないかのどっちかだな」私の話を聞いて倉持はいった。「直接会えばいいじゃないか」

「そんなこといっても、どうやって……」

「自宅は知ってるんだろ。今は出かけてるかもしれないけど、いつかは帰ってくるぜ」

「家の前で待ち伏せしろっていうのか」

「おまえの自由だけどさ」倉持はコーヒーの代金をテーブルに置いた。「俺なら行動に移すね。」

「よくよく考えてたって、何の解決にもならないからな」

じゃあな、といって彼は席を立った。

その約一時間後、私は電話ボックスの陰から一軒の家を睨んでいた。香苗の家だった。何度かこの前まで送ってきたことがある。小さな庭のある和風家屋だ。

こんなふうに誰かを待ち伏せするのは何度目だろうと思った。遠い昔には、倉持の実家である豆腐屋のそばで張り込んだ。その何年か後には、ホステスに夢中になっている父親を見張った。あの父にしても、ホステスが店から出るのをははは待ち受けていたのだ。

そこでどれぐらいそうしていたのかははっきりしない。二時間近く経っていたようにも思う。人影が現れるたびに緊張したので、意外に時間の長さを感じなかったのかもしれない。

午後十時を回った頃、一台の車が家の前で止まった。助手席に座っている香苗の顔がはっきりと見えた。さらに運転している男を見て息を呑んだ。合コンに来たメンバーの一人だった。当然私と同じ寮にいる。名字は芝山といった。

二人の影が車の中で一瞬重なった。それから助手席のドアが開き、香苗が降りてきた。彼女は私とのデートでは着たことがないような大人びたワンピースを着ていた。

車が走り去るまで、香苗は家の前に立っていた。車が見えなくなると彼女は踵を返し、家に

入ろうとした。その彼女の背中に声をかけた。「かなえっ」

彼女は振り向き、顔を強張らせた。怯えと狼狽の色があった。

「どういうことだ」うつむいている彼女にいった。

「なんであんな奴と会ってるんだよ」

「そんなの、あたしの勝手でしょ」

「俺のことはどうなってるんだ。電話しても全然出ないし」

香苗はふて腐れたように黙り込んだ。かなえっ、と私はもう一度叫んだ。

「大きな声出さないでよ。家の中に聞こえるでしょ」

「じゃあ何とかいえよ」

「わかった。はっきりいう。あたしもう和幸君とは会わないことにしたの」

「どうして？」

香苗はため息をつき、前髪を掻きあげた。

「ごめんね。ほかに好きな人ができちゃったの。二人と付き合うわけにはいかないでしょ。だから」

「そんな……」

「だって、人の気持ちって変わるものじゃない。それとも、一度付き合いを始めたら、絶対に心変わりしちゃいけないわけ？　一生付き合い続けなきゃいけないの？」

「そんなことはいってない。ただ」

「それに」彼女は私を見上げた。「和幸君、会社を辞めなきゃいけないんじゃないの？」

私は口を開けたまま固まった。思わず瞬きを繰り返した。「何のことをいってるんだ」

「だって芝山さんがいってたもの。そんなやばいバイトをしてたんなら、会社にばれたら一発でクビだって」

「芝山に話したのか。俺のバイトのこと」

彼女はしまったという顔で唇を噛んだ。私は彼女の腕を摑んだ。「どうなんだっ」

「痛い、離してよ」

「答えろよ。芝山にしゃべったのか」

「痛いったら。誰か、たすけてえ」彼女の声が響いた。

玄関の内側の明かりがついた。誰かが引き戸の向こうに現れた。私は香苗の腕を離した。彼女はその部分を押さえたまま、玄関まで駆けた。「はやく、早く開けて」

私は駆けだした。誰かの怒声を背中で聞いた。

独身寮に戻ると、自分の部屋で悶々とした。芝山に会いにいこうかとも思ったが、余計に惨めになるような気がした。

やがて小杉が帰ってきたので、芝山のことをそれとなく尋ねた。

「あの人のことはよく知らないんだ。たしか俺たちより三歳上だろ。あの日の合コンではピンチヒッターだったんだよな」

「どこの職場だろう」

「さあ。どうしてあの人のことなんか訊くんだ」

「いや、ちょっと」私は曖昧に答えた。

三歳上ということは、芝山は藤田と同期入社だ。当然顔見知りだろう。香苗から聞いた話を彼が藤田に伝えたことは大いに考えられた。また藤田の死後、人事部に情報を流したのも芝山に違いない。

私は座り込んだ。全身から力が抜けていくのを感じた。

19

人事部からは、自己都合退職ということで手を打たないかと提案された。それならば些少なからも退職金を出せるというのだった。

「君はまだ若いんだから、これからのことも考えなくちゃならんだろう。クビになったというのと依願退職じゃ聞こえが違うよ。仮に君が別の会社に就職しようとすると、間違いなくその会社はうちに君のことを問い合わせてくるんだ。その時に悪いことをいわれたくないだろう？　うちだって、依願退職した人間のことを悪くいうようなことはしないよ」

例の人事部の小男は、時折鼻を膨らませながら軽やかにいった。

この面談の最初に、彼は一枚の書類を私に見せた。そこにはある人物からの聞き取り調査結果が記されていた。内容は、田島和幸の悪質な副業に関するものだった。その人物名は隠されていたが、芝山に相違ないと私は踏んだ。

ここで否定したところで人事部の調査は終わらないだろう。彼等は最終的に香苗から話を聞くに違いない。そして香苗が私のために嘘をついてくれることは、もはや期待できなかった。

「自己都合の依願退職、ということでいいね」小男が下から覗き込んできた。舌なめずりをしそうな顔つきだった。

はい、と私は頷いた。何もかもが面倒臭くなっていた。

退職することを小杉にだけはその日のうちに話した。例の刺傷事件以来、私に関してあれこれと噂が飛び交っていたからか、彼はあまり驚いた様子は見せなかった。それでも沈痛そうな顔だけはしてくれた。

彼にだけは本当のことを知っておいてもらいたかったので、ホズミとの関わりや、香苗を通じて情報が漏れてしまったことなども包み隠さず話した。聞き終えた後、彼は自慢のリーゼントを崩す勢いで頭を掻きむしった。

「あの合コンがまずかったってことかよ。俺が香苗なんかを紹介しなきゃ、田島だって辞めることはなかったのか」

「気にしなくていいよ。そもそも、いかがわしいバイトをしてたこと自体、悪いんだからさ。それに小杉は香苗とは付き合わないほうがいいといってたし」

「あの女、やっぱり食わせ者だったな」

「いい勉強になった。これからは気をつけるよ」

小杉は力無く頷き、女は怖いよな、と呟いた。それを聞き、私は心の底から情けなくなった。私の犯した過ちは、かつて父が犯したものと同種だと気づいた。

早急に考えねばならないのは、住むところについてだった。独身寮にいられるのは、退職日から一週間以内と決められていた。

私には行くところなどどこにもなかった。親戚の家に転がり込むのは、もう御免だった。それに、就職以来どこの親戚とも連絡を取っていない。

皆が会社に出かけていった後、私は部屋で就職情報誌をめくった。給料面で贅沢をいう気はなかった。必要なのは、寮があるということだった。しかしどんなに条件を譲歩しても、特に特技も資格もない人間を中途採用してくれる職場は少なかった。その上に寮付きとなればさらに限定されてしまう。

ろくに次の落ち着き先も決まらぬまま、徒に時間が過ぎて焦り始めていた頃、私にとって最も危険な人物から電話があった。いうまでもなく倉持修である。

ちょっと会わないか、というのだった。

「その後のことを聞きたいし、俺のほうからも話があるんだ」

会う必要はない、と突っぱねるべきだった。自分を今の状況に追い込んだ張本人はこの男なのだと考えるべきだった。しかし私は会う約束を交わしていた。告白すれば、誰かと話がしたかった。本音を吐露できるのであれば、相手は誰でもよかった。要するに私は寂しかったのだ。

その事実に自分で気づき、愕然とした。さらに自己嫌悪に陥った。それでも約束の時刻になると、駅前の喫茶店に出かけていったのだった。

「あれからどうなった」倉持は喫茶店の椅子に斜めに腰掛け、私を見上げるなり尋ねてきた。

私は下唇を嚙んでうつむいた。それから改めて顔を上げて彼を睨みつけ、吐息をついた。

「会社は辞めることになった」

「やっぱりな」倉持は予想通りという顔をした。「ばらしたのは女だろ」

私は答えなかった。倉持はふんと鼻を鳴らした。

「で、これからどうするつもりだい。あの寮だって追い出されるんだろ」

「まあ、何とかするさ」

「当てはあるのかい」

「探してる」

「寮にはいつまでいられるんだ」

「あと三日ってところかな」

私の答えに倉持は満足そうに頷いた。意味ありげな笑みを浮かべ、さらに身を乗り出させた。

「何なら俺のところに来ないか。じつをいうと、最近少し広いところに引っ越したんだ。場所は練馬のままだけどさ。次の仕事に備えて、じっくり腰を据えてみるのも悪くないだろ」

私は彼のにやにや笑いを眺め、ゆっくりと首を横に振った。

「もうおまえの誘いには乗らない」

「何だよ、その言い方は」倉持は苦笑した。「ホズミのバイトに誘ったことを恨んでるのか。敢えていう必要もないと思うけど、俺がおまえのことを騙したかい？ バイトの内容もホズミのからくりも先に話してあったはずだぜ。それを知った上でおまえは話に乗った。おまえの会社にばれちまったのは、俺とは関係のないことだ。こんな言い方はしたくないけど、刺されたのも、クビになったのも、田島自身のミスが原因なんだぜ」まるで洋画に出てくる俳優のように、両手をひらひらさせながらいった。

反論はできなかった。彼のいっていることは正論ではある。しかしそれを認めたくない気持

ちが私にはあった。

「まあ、嫌だというなら無理には誘わない。だけどもし当てがないなら連絡してくれ。三日以内に何とかなればいいな」

私は曖昧に頷いた。

「話はそれだけか」

「いや、もっと大事な用件があったんだけど今日はやめておこう。タイミングが悪そうだ」彼はレシートを指先でつまみ上げ、レジに向かった。

この時点では、これまでにただの一度もなかったことなどは論外だと思った。あの男と関わって良かったことなど、これまでにただの一度もなかったことなどを何度も自己確認した。

いよいよあと一日しか寮にはいられないという切羽詰まった夜だった。荷物をまとめている私に、小杉が話しかけてきた。

「次の行き先が決まったら教えてくれよな」

「うん、必ず教える」

小杉の真剣な顔に答えながら、私は深い喪失感に襲われていた。この男ともたぶん今後会うことはないだろうという確信のようなものがあったからだ。これまでもそうだった。中学の同級生だった木原をはじめ、私に心を開いてくれる人間とは、いつも必ず最後には別れることになるのだ。

「短い付き合いだったけど、田島と一緒の部屋でよかったよ」

「そうかい？」私は彼を見返した。

「最初はもっとつまんねえ野郎だと思ってたんだ。だけどいろいろなことを教えてくれるし、びっくりするような思いきったこともするし、何というか……うん、刺激的だった」

「それで会社を辞めることになったんじゃあ、仕方ないよな」

すると小杉は顔をしかめ、下を向いた。

「田島は信用できる男だったよ。俺はさ、めったに人を信用しないんだけど、おまえは違った。俺には嘘をつかないと思えたもんな」

「どうかな。俺だっていい加減なところがあるから」

「一緒に住んでりゃわかるよ。外でどんなにいい顔を見せてても、自分のねぐらに戻ったら素顔が出るもんだからさ。それをずっと見てるわけだぜ。大抵のことはわかる」

「そうかもしれないな」

いわれてみて気づいた。私も小杉には心を許している。最初はとんでもない不良だと思ったが、生活を共にするうちに、見かけとはまるで違う人間性の持ち主だと感じるようになったのだ。

その瞬間、はっとした。倉持修に対する様々な疑問を解消するには、彼と住むことが一番の早道ではないか。彼のこれまでの言動が嘘の固まりなのか、それとも誠意から来たものなのかを見極めるには、それが一番いい方法かもしれない。

この思いつきは強烈に私の心を摑んだ。それまでは倉持と同居することにメリットなどないと思い込んでいたが、そんなことはないのだ。

その夜遅くまで、私は迷っていた。倉持のところに行くのは抵抗がある。しかしそれ以上に、

彼の本性を見たいと思った。

「こっちの部屋を使ってくれ。狭くて悪いけどさ」

倉持が指し示したのは三畳の和室だった。彼の部屋は2DKで、入ってすぐ台所があるのは以前の部屋と同じだが、奥に二部屋ある点が違っていた。二部屋といっても、六畳と三畳の部屋が襖で仕切られているだけのことだ。彼によれば、古くて駅から遠い分、前の部屋よりも家賃が安いのだという。

「遠慮はいらないから、何でも好きなように使ってくれ。冷蔵庫の中のものも食べてくれていい。もっとも、大したものは入ってないけどな」笑いながらそういった後、倉持は人差し指を立てて続けた。「お互いのプライバシーは尊重することにしようぜ。不愉快な思いはしたくないからさ」

同感だ、と私は答えた。

「さてと、じゃあ飯にするか。田島は嫌いな食べ物はあるのか」

「いや、ないけど」

「それは助かる。食い物のことで気を遣わなきゃならないってのはいらいらするからな」

「倉持も好き嫌いはないのか」

「殆どないけど、一つだけ食べたくないものがある」

「何だい」

「豆腐とおからさ」そういってから彼は口元を曲げた。「何しろ、ガキの頃から食わされ続け

たからな。たぶん一生分はもう食ってるぜ」

彼の実家の豆腐を思い出しながら私は頷いた。

その日の夕食は野菜炒めと味噌汁だった。どうやらこれまでも自炊してきたようだ。

の手際のよさに感心した。倉持が料理したのだ。難しい料理ではないが、そ

「店屋物や外食だと栄養が偏るからな。おまけに金が続かない」食事の後で煙草を吸いながら

彼はいった。

料理ができて、豆腐とおからが嫌い、好きな煙草はセブンスター――何もかもこれまで私が

知らないことだった。

「倉持は今、何の仕事をしてるんだ」

「地味な仕事だよ。一言でいうとセールスマンだ」

「またか。今度は何を売ってるんだい」

「金だよ。ゴールドだ」

「金？　前は宝石で、今度は金か」

「そういう疑わしそうな目で見るなよ。地味な仕事だっていっただろ」

「まさか、またネズミ講まがいの商売じゃないだろうな」

倉持は肩をすくめて苦笑いをした。

「今度のはあんなインチキじゃない。俺たちセールスマンが、一軒一軒売って回るんだ。会員

になったらマージンが入ります、なんていうおいしい言葉もない」

「何ていう会社なんだ」

私が訊くと倉持は自分の部屋に行き、一枚の名刺を持って戻ってきた。その名刺には『東西商事』という社名が入っていた。倉持の所属は販売一課となっている。

「この会社なら聞いたことがある。東西電機の系列だろ」

「系列ってことになるのかな。関係はあるようだけど」

「東西商事か……ここなら大丈夫かもしれないな」名刺を眺めながら呟いた。東西電機は日本でも五本の指に入る家電メーカーだった。「こんな会社に、よく入れたな」

「知り合いに紹介してもらったんだ。だけど正社員じゃない。セールスマンをしているのは殆どが臨時雇いだ。成績が悪けりゃ、すぐにクビを切られる」

「大変そうだな」

「ノルマが決められてるから、それをクリアするまでは大変だな。だけど慣れればやり甲斐もある。成績に応じて臨時ボーナスが出るんだ。すぐにクビを切られるといったけど、じつのところは人手不足でさ、若くていきのいい人間がいないかって、上の人によく訊かれるんだ」

そこまで聞いたところで私は寡黙になった。彼が何をいいたいのかがわかってきたからだ。

ホズミ・インターナショナルのバイトに誘われた時のことを思い出した。

「この間、話があるといったただろ」倉持がいった。「じつはこのことなんだ。もしまだ次の仕事が見つかってないようなら、田島のことを紹介してもいいんだけどな」

「俺が金のセールスマンを？」

「ネズミ講じゃないぜ」倉持はにやにや笑った。

私は少し考えるふりをしてからかぶりを振った。

「せっかくだけど断る。次はとりあえず地道な仕事につくつもりだから」

「だから地味な仕事だっていってるじゃないか。でもまあ無理強いはしない」彼は自分の名刺を摘み上げた。

倉持のいうように、仕事は地味なもののようではあった。彼は朝七時に起き、七時半に地味なスーツを着て出かけていった。帰ってくるのは早くても夜の八時頃だ。帰ると足をマッサージするのが彼の日課だった。歩き回るので足が疲れるのだという。

その間も私は働き口を探していた。きちんとした会社に就職したかったがなかなか見つからず、結局アルバイトをしてしのぐことになった。最初は冷凍食品を運ぶ仕事で、その次は印刷所での活字拾い、そしてその次がビルの清掃係だった。モップで床を磨きながら、自分と同世代の男たちが颯爽と闊歩するのを眺めるのは、さすがに屈辱的だった。いつまでもこんなことをしていられないという焦りが、常に頭の中を占めていた。

家事については倉持と分担して行っていた。私は彼に家賃の三分の一しか払っていなかったが、家事負担は半々だった。それについて彼から不満が出たことはなかった。彼に比べて私の料理の腕が劣っていることも、彼はあまり気にしていないようだった。何か落とし穴があるのではないかと勘繰っていた私も、次第にその状況に慣れていった。客観的に見て、彼と同居したことは、私にとって明らかに得な選択だった。

倉持の収入について詳しいことはわからなかったが、同世代のサラリーマンより実入りがいいことはたしかだった。臨時ボーナスを時々貰っていたようだから、セールスの成績が優秀だったのだろう。

肝心の倉持の人間性についてだが、本当の姿が私にはなかなか見えなかった。というより、裏の姿というものが存在するのかどうかもわからなかった。彼は私に対して好意的だったし、誰に対してもそれなりに思いやりといえるものを発揮していた。彼と一緒にいればいるほど、これまでの自分の認識のほうが間違いで、彼の言動には嘘も企みもなかったのではないかと思えてくるのだった。

ある夜、夕食中に再び彼が仕事の話を始めた。

「いつまでも床掃除ばっかりしてるわけにはいかないだろ。今はまだ若いからいいと思ってるんだろうけど、今のうちに実務経験を積んでおかないと、ますます出口がなくなっちまうぜ。悪いことはいわないから、うちの面接を受けてみないか。田島なら、問題なく採用してもらえるぜ。俺だって口添えするしさ」

こんなふうにいわれても、以前の私なら即座に断っていただろう。しかしその時の私はそれができなかった。じつは何社か中途採用の面接を受け、不採用になっていた。行き詰まりを感じ、焦燥感に襲われていた時期だった。倉持に対する疑念も薄れていた。

「だけどセールスマンなんて、俺には無理だ」

「やってみないとわからないだろ。やってみて無理だと思ったらやめればいい」

私は口を閉じたまま、ただ唸っていた。すると倉持がいった。

「明日、上の人にいってみる。いつでも面接してくれるはずだからさ」

「本当に俺にできるかな」

「できるって。俺に任せておけよ」倉持は自分の胸を叩いた。

面接は三日後に池袋の会社で行われることになった。倉持は私にスーツやワイシャツを貸してくれた。さらに私を床屋に連れていき、私の頭を典型的なリクルートカットにするよう指示した。

顔に馴染まない髪型と、身体に合わない洋服を着て、私は倉持と共に東西商事の本社に出向いた。面接をしてくれることになったのは、山下という男だった。年齢は三十そこそこに見えた。彫りの深い顔立ちで、ウェーブのかかった髪をオールバックにしていた。

山下は履歴書などはろくに見ないで、「カネは欲しいかい？」といきなり尋ねてきた。

私が戸惑い、答えに詰まっていると、焦れったそうに、「どうなんだ。カネなんかは欲しくないのか」と重ねて訊いてきた。

「そりゃあ欲しいです」

「じゃあ、どうすればいい？」

この質問にもすぐには答えられなかった。山下は腕組みをして私を見つめた。

「うちに来た以上、カネが欲しければ、君のすべきことは一つしかない。金を売ることだ。金を売れば会社が儲かり、君にも給料を払える。君のできることは金を売ることだけだ。可能なかぎりたくさん売ってほしい。そのためには効率を考えねばならない。あらゆる無駄は排除する必要がある。無駄なものはいろいろとある。労力、時間といったものを無駄にしているよう では話にならない。もう一つ気をつけねばならないことがある。無駄な考え、というものだ。君が考えるべきことは、いかにして売るかということだけだ。それ以外の考えは、すべて無駄

といっても過言じゃない。わかるか」

「相手のことを考えるのも無駄ですか」

すると山下は大きく首を横に振った。

「金を売るためならばいくらでも考えたらいい。だけど金を買わない人間のことを考える必要はない。そういう人間は我が社とは無関係だからだ。そのことを忘れてはいけない。いいな」

山下にいわれ、私は思わず倉持を横目で見た。彼はかすかに頷いた。それを見て私は山下に答えた。「わかりました」

「オーケー、採用しよう。じゃあ、早速回ってきてくれ」

山下が立ち上がったので、私は驚いた。「これからすぐに、ですか」

「当然だよ。何か文句があるかい。今もいっただろ、我が社では無駄は許されてない」

山下が出ていった後、私は倉持を見た。余程呆気にとられた顔をしていたのだろう、彼はくすくす笑った。

「俺の時もそうだったよ。とにかく無事に採用が決まってよかった。じゃあセールスに出かけようぜ、相棒」

「相棒?」

「そう。今日から俺とコンビだ」倉持はアタッシェケースをぽんと叩いた。

わけがわからぬまま会社を出た。西武線に乗り、保谷駅で降りた。

「これから行くところは川本という婆さんの家だ。家族はいない。田島は横で聞いているだけでいいけど、たぶん婆さんのほうからいろいろと質問してくるだろう。それについては適当に

答えてもらって構わない。ただしひとつだけ気をつけてほしいことがある。　婆さんの前では絶

対に仕事の話をしない、ということだ」

「仕事の話って……」

「金を買ってくれとか、そういうことだよ。こっちからは決してしない」

「でもそれじゃあセールスにならないだろう」

「いいんだよ。その婆さんに対しては、そういうやり方で」

何か考えがあるらしく、倉持は口元をわずかに緩めた。

川本房江の家はあまり大きくはない一戸建ての日本家屋だった。　倉持がインターホンで名乗

ると、「ちょっと待ってね」という返事が聞こえてきた。　間もなく玄関の戸が開き、見事な白

髪をパーマでまとめた老婦人が顔を見せた。

「しっこいわね、あなた。何度来ても無駄よ」老婦人はいった。だがその言葉とは対照的に、

表情には和んだものがあった。

「御挨拶に伺っただけです。新しいパートナーが出来たものですから」

あら、という顔をして彼女は私を見た。

田島です、といって私は頭を下げた。

「まだ入ったばかりなので名刺もないんです。　名刺が出来ましたら、また改めて御挨拶に来さ

せますから」

「そんなこといって、なんだかんだと理由をつけてはやって来るんだから。　いつかは商売でき

ると思ってるんでしょう」川本房江は倉持を睨みつけた。

「それについてはもう諦めました」彼は顔の前で手を振った。「こちらに伺うのは息抜きと割り切ることにしました。今日も、大泉学園のほうにお得意さんがいらっしゃるんで、そちらに行ったなんて帰りに寄らせてもらっただけなんです」

「悪いわねえ。いいお客になってあげられなくて。前もいったと思うけど、息子がねえ、そういうものには手を出すなとうるさいもんだから」

「ええ、それは承知しています。なかなか御理解いただけなくて残念ですけど、無理されることはないと思います」倉持は鞄を開け、中から小さな紙袋を取り出した。来る途中、池袋のデパートで買ったものだ。「これ、つまらないものですけど」

老婦人の顔がぱっと明るくなった。

「ああ、これ、桃山堂の最中でしょう？　いいのかしら」

「どうぞどうぞ、僕のポケットマネーで買いましたから」倉持は内緒話をするように口元を片手で覆った。

しばらく彼女と世間話をした後、我々は辞去した。とうとう一度も金の話は出さなかった。

「あれでいいのかい、と私は訊いた。

「いいんだよ。あの婆さんにはあれでいい。田島も、このあたりに来ることがあったら、顔を見せてやってくれ。五、六分、話をしてくるだけでいい」

「だけど金は買ってもらえないんだろ。これって、山下さんのいってた無駄じゃないのかな」

「私がいうと倉持は突然立ち止まり、肘で軽く私の脇腹を突いた。「このやり方は、山下さんから教わったんだから」

「いいんだよ」彼はにやりと笑った。

この瞬間、もしかしたらまた落とし穴にはまったのではないかという嫌な予感が、私の頭をかすめた。

20

初仕事の翌日に出勤すると、私と倉持は会議室に行くよう指示された。そこには我々と同じような二人組が何組かいた。何が始まるんだろうと倉持に訊くと、彼は意味ありげな笑みを浮かべ、囁いた。「レッスンだよ」

「レッスン?」

「新しく入った人間に、セールスのコツを覚えさせようってことさ。緊張することはない。俺だって、入ったばかりの頃に受けさせられた。すぐに慣れるよ」

新しく入った人間に対するレッスンなら、なぜ倉持もここにいるんだろうと思っていると、私に面接試験をさせた山下という男が入ってきた。

「全員揃ってるな。じゃあ会話術のレッスンを始める。パートナーと向き合って座れ」

いわれたように私と倉持は向き合うように椅子を動かした。

「ではこれから新人諸君は、先輩を客だと思ってセールスするんだ。先輩はその都度悪いところを訂正してやるように。ふざけたり無駄なことをしゃべったりした者は給料をカットするから真面目にやれよ。では始め」

山下の指示と同時に、何人かがしゃべり始めた。彼等は何回かこのレッスンを受けているよ

うだ。私のように初めて臨む者は、要領がわからず戸惑うしかない。

「どうした。早く何かしゃべれよ」倉持が小声で催促した。「でないと叱られるぞ」

「何をしゃべったらいいんだ」

「俺は客なんだぜ。まずは挨拶からだろ」

そんなふうにしゃべっていると、途端に山下に怒鳴られた。「こら、何をぐずぐずしてるん
だ。早く始めろ」

早く、と急かすように倉持が手招きした。

空咳を一つしてから私は口を開いた。「こんにちは」

「お宅、誰？　何かの勧誘ならお断りだよ」倉持がいう。慣れた口調だ。

「東西商事の者ですが、じつは、金の売買に関心がおありにならないかと思い——」

そこまでいったところで倉持は首を横に振った。

「そんなこと訊かれて関心があると答える人間はいないぜ。それに東西商事なんて最初から名
乗る必要はないんだ。まずこう答えるんだ。勧誘ではありません。年金のことでちょっとお尋
ねしたいことがありまして。いってみな」

同じことを鸚鵡返ししてみた。

「年金がどうかしたの？」倉持はどうやら客の芝居に戻ったようだ。

私が口ごもっていると彼は少し身を乗り出してきた。

「次はちょっと長いぜ。先の予算委員会で法律が改正されまして、場合によっては来年度より
年金が減額されることを御存じですか——覚えたかい」

「何だって、もう一度いってくれ」

倉持は繰り返した。それでも覚えきれず、何度か繰り返した後、私も同じことがいえるようになった。

「オーケー、次に進もう。相手は必ず知らないというから、その時にはこう答えるんだ。預貯金額が一定額を超えている場合は年金支給額が最大半額になります。お手数ですが、預貯金額のわかるものをお見せいただけないでしょうか。通帳があれば一番いいんですが。さあ、いってみな」

「それ、本当かい？」山下のほうを気にしながら私は訊いてみた。

「何が？」

「預貯金が一定額を超えてたら年金が半分になるって」

「知らないよ」山下に注意されることをおそれているのだろう、倉持は口を殆ど動かさずにいった。「そんなことはどうだっていいんだ。何も考えず、マニュアルどおりにしゃべりゃいいんだよ」

「そんなのでいいのかよと思いながら、私はいわれたとおりにした。その後もレッスンは続いた。

「あなたの話はよくわかったけど、息子に相談してみないとねぇ」倉持がいう。

「嫌な言い方ですけど、子供というのは親の財産を狙っているものなんです。金の売買で貯金を増やした結果、子供がそれを当てにしだして、挙げ句の果てに親子の仲がうまくいかなくなったというケースが結構多いんです。まずは内緒にされたほうがいいと思います」こう答えた

のは私だ。

「でも少ない金額じゃないし、やっぱり一度誰かに相談してから――」

「他人に話すのなんて、もっと危ないですよ。たしかに金額は大きいけど、それで何かを買うわけじゃなくて、貯金している先を替えるだけだと思えばいいんです。郵便貯金から信用金庫に預け替えるだけなら、誰かに相談したりはしないでしょう？　そんなことしたら、大金を持っていると知られて、却って危険ですよ」

「だって預け替えるなんてこと、めったにしないし」

「利率が大して違わないからでしょ。でもうちと銀行じゃ、三倍も違うんですよ。銀行は年利がせいぜい五パーセント、うちだと十五なんです。それにうちに預けておけば、あなたにたくさん財産があるってことを役所に知られなくて済みますよ。それとも来年から年金を半額にされてもいいんですか」

後から思うととでたらめな話ばかりだったが、何度も繰り返し練習するうちに、考えずに口から出るようになっていった。出るだけでなく、相手を説得しようと言葉に気持ちを込め続けていると、次第に自分のしゃべっていることが真実だと錯覚するようにさえなっていった。もちろん、我々をそういう気持ちにさせることも、このレッスンの目的だったのだろう。この朝のレッスンは三日間続いた。

いうまでもないことだが、預貯金額が一定額を超えると年金が減額されるなどという法律はない。情報には疎いが、年金に関わることとなると目の色を変えずにいられないという老人の心理を巧みについたきりだし方だった。東西商事だと最初に名乗らないのは、年金の話題を出

すことで、役所かその関係の人間だと錯覚させるためだ。

だがこの会社の最も胡散臭い点は、金を買ってもらう契約を交わしておきながら、その現物を相手に渡さないということだった。代わりに利息の支払いを約束した証書だけを渡す。だからこそ、「何かを買うわけじゃなくて、貯金している先を替えるだけのことだと思えばいいんです」というトークが必要になってくるのだ。

しかし私は胡散臭さを感じながらも、そのからくりの悪質さを正確には把握していなかった。多少強引な商売のやり方ではあっても、実際に銀行よりも率のいい利息が老人たちの懐に入るのであれば、結果的に彼等のためにはなるはずだと呑気に考えていた。

入社して一週間が経った頃、私と倉持は山下に席まで呼び出された。彼は顎を引き、上目遣いで我々を見た。

「どういうことだ。この一週間、契約が一件も取れてないじゃないか。そんなのは君たちだけだぞ」

「すみません、いいところまではいくんですけど」倉持が言い訳した。

山下は煩わしそうに顔を振った。

「そんな話は聞きたくない。いいか、オリンピックだって善戦しただけじゃ誰も喜ばんだろうが。勝たなきゃ褒めてくれんだろうが。おまえたちは負けてるんだよ。それで恥ずかしくないのか」

すみません、と倉持は頭を下げる。隣で私も彼に倣った。

「倉持君」そういってから山下は私を見た。「やっぱり彼がお荷物になってるのか。彼と組ん

「でから調子が悪いようだけど」

「いえ、そんなことはないです。田島はよくがんばってると思います」倉持は即座に否定した。

「自分が未熟なんだと思います」

「倉持に庇ってもらっていると思うと屈辱で身体が熱くなった。何か反論をと思うが言葉が出てこない。実際、私が彼の足を引っ張っているのかもしれなかった。

山下は椅子にもたれ、我々の顔を見比べた。

「仕方がない。しばらくはキャッチだけしてもらうか。そうすれば彼もセールスに慣れてくるだろう」

「わかりました」

「キャッチ？」私は倉持を見た。

「教えてやってくれ」山下がいった。「三角クジなんかがいいと思うけどな」

「三角クジですか。そうですね。やってみます」

「何のことかわからぬまま私は倉持と共に山下の前を離れた。

「三角クジって何だ」歩きながら訊いた。

「まあ、見てりゃわかるよ」

我々は共用机についた。セールスマンには個人用の机が与えられていない。倉持がどこからか小さな色紙とスティックのり、さらにスタンプ台と何かの判子を持ってきた。試しに判子を押してみると、『当たり』という文字がスタンプされた。

「何だ、これ」

「クジの材料だよ。こうするんだ」

倉持は色紙の裏に『当たり』のスタンプを押すと、それを内側にして三角に二つ折りした。さらにスティックのりで縁だけをしっかり接着させた。

「一丁上がり」そういってにっこりした。

「三角クジか」

「これを百個ほど作ろう。俺がスタンプを押して紙を折るから、田島は糊付けするんだ」

目的はまるっきりわからなかったが、とりあえず作るしかなさそうだった。

単純な作業だった。倉持が寄越す紙を糊付けするだけだ。何も考えず、手だけを黙々と動かしていればいい。セールスマンがする仕事でもないように思えたが、作業中はそんな疑問も頭から追い出すことにした。

だが三十個ほど作ったところで新たな疑問が湧いてきた。

「なあ、ちょっと『当たり』が多すぎないか」

倉持は意表を突かれたように口を半開きにした。それから徐々に表情を笑い顔に変えていった。「いいんだよ」

「どうして？　当たる確率は何パーセントぐらいにするつもりなんだ」

「百だ」

「えっ」

「百パーセントだ。全部当たりクジにする。当然じゃないか。はずれクジなんか作ったって意味がない」

「だけどそれなら何のためにクジをするんだ」

「いいから、黙っていうとおりにすりゃいいんだ。すぐにわかるからさ」倉持は作業を再開した。

黙々と手を動かす彼を見て、私はデジャビュを感じた。いつだったか思い出せない。

すべてが『当たり』の三角クジを作り終えると、倉持は書類用の大きい封筒を持ってきて、その中に入れた。

「よし、じゃあ行こうか」

「どこへ?」

「セールスさ。当たり前だろ。さあ、行くぜ」

東西商事の本社は、その建物の五階にあった。エレベータに乗ると倉持はB1のボタンを押した。私はそれまで地下に行ったことがなかった。

「地下に何かあるのか」

「駐車場がある」倉持は車のキーを見せた。「今日は車で移動する。ドライブと洒落込もうぜ。男同士じゃ盛り上がらんけどさ」

「倉持が運転するのか」

「心配するな。ペーパードライバーじゃない。こう見えても慎重派だしな」

十八歳になってすぐ、免許証を取得したのだと彼はいった。乗り込む前に、私は倉持から一枚の書類を手渡された。そこには

約三十人の氏名と住所、電話番号、年齢などが並んでいた。人によっては貯蓄額や家族構成、趣味などまで書き込まれている。

リストアップされている人々には二つの共通点があった。住所が池袋から比較的近いということと、全員が六十五歳以上の老人ということだった。

「まずは上から二番目に書いてある宮内という家に行こう。たしか場所は江古田だったな」運転しながら倉持はいった。

宮内公恵の欄には次のように記されていた。昨年夫を癌で亡くし、現在は独り暮らし。長男夫妻と同居する予定だったが、彼は海外勤務になり、帰国時期は未定。貯蓄額約八百万円。年金暮らし。

「こういうデータはどうやって集めるんだろう」私は訊いた。

「基本的には電話をかけまくるんだ。年寄りが出たら適当なことをいって話し込む。まあ担当者によれば、年寄りってのは話好きが多くて、話を長引かせるのにさほど苦労しないらしい。で、その話の合間に家族のこととか貯蓄のことを尋ねるんだ。大抵の連中が、怪しむこともなくしゃべってくれるそうだ」

「若い人間が出たら？」

「その場合はあっさりと引き下がる。いい忘れたけど、電話をかけるのは昼間だ。そんな時間帯に若い人間が出るような家は、うちの客じゃない」

「要するに」私はリストを一瞥してからいった。「年寄りが一人でいるところを狙うわけか。この書類は、そのための情報というわけだ」

倉持は答えなかった。真っ直ぐ前を向いて運転している。その顔に笑みはない。

「騙しやすいからか」

「騙す？　誰が誰を？」倉持は前を向いたままいった。「金を売ることが騙すことなのか」

「じゃあどうして年寄りばかりを狙うんだ」

倉持はしばらく黙っていたが、やがて車を道路の左端に寄せて止めた。シートベルトを外し、こちらを向いた。

「なあ、田島、面接の時の話を忘れたのか。俺たちが考えることは、どうやったら金を売れるかということだけだ。年寄りを狙うのは、そのほうが売りやすいからさ。売りにくい相手と売りやすい相手がいるなら、簡単なほうを選ぶのは当然だろ？」

「年寄りに売りやすいのは、判断力が鈍っているせいだぜ」

「そうだろうさ。それにつけ込むのは悪いことかい。俺たちがつけ込まなくても、誰かがつけ込む。大したことはしないくせに高いカネばっかりとるヘルパーたちかもしれないし、無駄なほど贅沢な仕様の老人ホームの経営者かもしれない。わけのわからん健康食品を売りつける連中かもしれない。はっきりいえることは、判断力の鈍い年寄りは、いずれは誰かにカネを渡すってことだ。どうせ誰かに渡すものなら、俺たちに渡してもらったっていいじゃないか。それのどこがいけないんだ」

「渡してもらうというより、奪い取ってるという気がする」

倉持は肩を小さく揺すって笑った。

「人聞きの悪いことをいうなよ。じいさんやばあさんは、カネを出す代わりに金を手に入れて

るんだぜ。それだけじゃない。利息まで貰ってる。文句をいわれる筋合いはない。それにさ

——」彼は私の顔をじろじろ見て続けた。「奪い取ってるというけど、おまえは今日までに一

円でもそのことに成功してるのか。文句をいいたいなら、まずは契約を取ってからにしよう

ぜ」

それをいわれると返す言葉がない。倉持は話が済んだと思ったか、車を発進させた。

「山下さんの話じゃ、俺と組む前は成績がよかったみたいだな」

「悪くはなかったな」

「俺とじゃやりにくいのか」

「やりにくくはないよ。だけど、ちょっと遠慮してるかな」

「遠慮？　誰に？」

「誰にってわけじゃない。前に組んでた奴はわりと強引な性格だったから、こっちもそれに乗

せられてた。今は、自分でもおとなしすぎるかなと思うことがある」

彼のいいたいことがわかってきた。

「俺の前だから、強引なことが思い切ってやれないのか」

「どうかな」

「気を遣わず、好きにやってみろよ。俺だって、自分が足を引っ張ってるみたいに思われたく

ない」

「別にそんなことは思っちゃいないさ」

いい機会かもしれないと私は思った。うまくすれば倉持の本性を見られる。

　宮内公恵の家は江古田駅から歩いて数分のところにあった。古い木造住宅だ。賃貸で、住み始めてから四十年以上が経つという。年齢は七十三歳というから、息子と同居しないかぎりこを離れることはできないだろうと思われた。

　門構えなどはなく、玄関の戸がいきなり道に面している。その戸の横の呼び出しブザーを倉持が押した。やがて現れたのは痩せた老婆だった。柄物の割烹着を着ている。

「どちら様ですか」

「年金のことでお尋ねしたいことがあり伺いました。ええと、宮内公恵さんでしょうか」倉持がレッスン通りのトークを始めた。

　彼の話術は見事だったが、宮内公恵は見かけほど無警戒ではなかった。どんなに説明しても、契約するとはいわなかった。彼女は八百万円の貯蓄を心の支えにしており、利息で増やすことはできなくとも、一円でも減らすことだけは絶対に避けたいと決意しているようだった。

　またしても契約を取れそうにないぞと私は思った。山下の顔が目に浮かんだ。

「わかりました。では一応、パンフレットだけ置いていってもよろしいでしょうか」

「それはかまわないけど」

「ずいぶんとお時間をとらせていただき、申し訳ありませんでした。ああ、そうだ」倉持は私の手から例の三角クジの入った袋を取り、老婆の前に差し出した。「よろしければ一つ引いていただけませんか。現在キャンペーン中でして、当たりが出た場合は素敵なプレゼントを差し上げます」

　プレゼントと聞き、初めて宮内公恵の顔が和んだ。

「金を買ってないけど引いてもいいの?」

「どうぞどうぞ、キャンペーン中ですから」

当たる確率百パーセントの三角クジを引き、彼女は慎重に開いた。「あら、当たっちゃったけど」

戸惑いと喜びの混じった顔で私たちを見た。『当たり』の文字を見て、倉持は大きく喜びの声をあげた。

「すごいなあ、『当たり』が出たのは今日初めてじゃないか。なあ」私に同意を求めた。

私は中途半端な笑いを浮かべて頷いた。彼のいっていることは嘘ではない。

「何が貰えるのかしら」

「それは我々にも知らされていないんです。ええと宮内さん、これから三十分ほどお時間をいただけますか。プレゼントの受取所まで御案内したいんですけど」

「今ここで貰えるんじゃないの?」

「私たちがプレゼントを持ち歩いてるわけじゃないんです。車で御案内しますし、すぐに済みますから」

だが宮内公恵はためらいを見せた。「でもこんな格好だし」

「大層にお考えにならなくて大丈夫ですよ。プレゼントを貰って、すぐに帰ってくればいいんです。あっそうだ、判子だけ用意していただけますか。プレゼントの受取証に押していただきたいので」

「三文判でいいのかしら」

「ええ、もちろん。では、この前まで車を移動させますから」

倉持は私に目配せして出ていった。逃がすなよ、という意味に読み取れた。

車が家の前に止まると、さすがに宮内公恵も断りづらくなったらしく、割烹着を脱いで出てきた。手には判子ケースが握られていた。

を閉めると同時に倉持は車を発進させた。

東西商事の入っているビルの前に着くと、倉持は即座に車から降りて後部ドアを開けた。宮内公恵はビルを見上げて困惑の色を滲ませた。

「こんなところでプレゼントを貰うの？　受取所というから、小さなお店みたいなところだと思ってたのに」

倉持は笑みを浮かべるだけで答えない。　彼女の手を引いて建物に入っていった。　私は二人の後に続いた。

倉持は彼女をエレベータに乗せ、五階にある東西商事まで連れていった。　受付カウンターの女子社員が立ち上がった。「いらっしゃいませ」

「こちら、クジに当たった方だから」倉持がいった。

女子社員は心得顔で頷き、奥に下がった。　間もなく戻ってきた彼女は、「では三番の応接室へ」と倉持にいった。

「三番だね」倉持は宮内公恵の背中を押すようにして、彼女をその応接室に連れていった。　小さなテーブルと安っぽいソファがあるだけの狭い部屋だ。こうした応接室が十室ほど並んでいる。

さすがに老婆の顔が不安そうに曇っていた。

310

「ずいぶん大げさなのね。プレゼントは？」

「今、担当の者が来ます。ここでお待ちになっていてください」倉持の口調は冷酷なものにな

っていた。すがるような目をする老婆を残し、私たちは応接室を出た。

彼女をどうするつもりなのかと訊こうとした時、山下が歩み寄ってきた。後ろに部下が三人

ついている。

「キャッチしたようだな。名前は、みやうちきみえ、でいいな」山下は何かのファイルを見て

いった。

「そうです。例の三角クジを使いました」

「わかった」そんなことはどうでもいいというように手を振り、山下は応接室のドアを開けた。

ほかの三人も彼に続いた。

倉持は私を見た。「さあ、行くぜ」

「行くって、どこへ？」

「決まってるだろ。次の客を捕まえに行くんだよ」そういうと彼は歩きだした。

足早に進む倉持の背中を見ながら、私はさっきのデジャビュの正体に気づいた。三角クジを

作っていた彼の横顔は、あの時のものと同じだった。

あの賭け五目並べ屋の奥で、インチキな手品用道具作りの内職をしていた顔だ。

「次はリストの五番目にある家に行こう。何という名前だったかな」シートベルトを締めなが

ら倉持は訊いてきた。

「上村繁子、六十八歳。東久留米市だ」

「ちょっと遠いな」倉持は車を出した。

私は宮内公恵のことが気になっていた。彼女は一体どうなるのだろう。山下たちが彼女にプレゼントを渡して、そのまま解放するとは考えられない。おそらく、契約するよう激しく詰め寄るつもりなのだ。人相のあまりよくない男たちに囲まれて、震えながら書類に判子を押す彼女の姿が目に浮かんだ。自責の念に駆られた。

「キャッチってのは、こういうことだったのか」

「やり方はほかにもいろいろある。三角クジってのは、誰が考えだしたのかは知らないけど、キャリアの少ないセールスマンでもできる便利な方法だ」

私は黙り込み、フロントガラス越しに前方を見た。倉持と同じ空気を吸っていることさえ不愉快になってきた。この男はやはり善人などではないと思った。心が冷えきっていなければ、あの無力な老婆を騙し、山下たちに預けるなどということはできない。

上村繁子の住まいは古いアパートの一階にあった。端の欠けたドアホンを鳴らしたが返事はない。倉持はドアをノックしてみた。結果は同じだった。

「留守か。ついてない」彼は舌打ちした。

上村繁子はついている、と私は思った。

その時だった。隣の部屋のドアが開き、一人の老人が出てきた。頭がすっかり薄くなった、七十歳前後の男性だった。銭湯にでも行くつもりらしく、洗面器とタオルを抱えていた。薄いブルーのシャツの上にベージュのカーディガンを羽織っている。

後に倉持から聞いた話では、彼はこの瞬間に老人が独り暮らしであることを見抜いたという。

いくら古いアパートとはいえ、風呂（ふろ）がついていないはずはない。にもかかわらず銭湯に行くのは、自分一人のために風呂を沸かしたり掃除したりするのが面倒だからだ。そして決して安くない銭湯代が惜しくない程度に老人はカネを持っている。

もしこの時上村繁子が留守でなかったら、あるいは老人が洗面器を抱えていなかったら、その後の展開は全く違ったものになっただろう。その展開の中には、私や倉持の人生も含まれている。

老人は我々をちらりと見ただけで、何もいわずに歩きだした。その背中に倉持が声をかけた。

「ちょっとすみません」

老人は立ち止まり、振り返った。「わたし？」

「ええ、じつは年金のことでお尋ねしたいことがあるんです」

「何ですか」皺（しわ）に包まれた老人の目が少し大きくなった。

「来年度から年金が減額されるおそれがあるというのを御存じですか」

「えっ、そりゃ本当ですか。そりゃたいへんだ」

「貯蓄額が一定額を超えている人に、その法律が適用されるんです。失礼ですが、現在の貯蓄額はいかほどでしょうか」

「ええと、いくらぐらいあったかな。通帳を見なきゃわからんな」

「どうぞ、お調べになってください。待ってますから」

「そうですか。じゃあちょっと調べてみるかな」老人は鍵（かぎ）を外し、ドアを開けた。倉持は老人に続いて、素早く中に入った。私にも入ってこいと手招きする。仕方なく、彼に倣った。

十数分後、牧場喜久夫という老人は三角クジの入った袋に手を突っ込んでいた。預貯金合わせて一千万円近く持っているという彼は、見知らぬセールスマンから金を買うほどには無防備でなかったが、プレゼントが貰えるかもしれないという話を信用する程度にはお人好しだった。『当たり』の文字を見た時、彼は子供のようにはしゃいだ。

「こういうので当たったことは、今まで一度もないんだ。珍しいこともあるもんだなあ」

ではこれから受取所に行きましょうという倉持の誘いにも、彼は易々と乗った。クジに当ったことが余程嬉しかったのだろう。

例によって判子を手にした牧場老人と共に我々が部屋を出た直後、見知らぬ娘が声をかけてきた。「あれ、牧場のおじいちゃん、どこ行くの？」

二十歳前と思える奇麗な顔だちの女性だった。色が白く、目が大きい。トレーナーにジーンズという出で立ちで、手にタッパーウェアを持っていた。

「ああ、ユキちゃん。じつはクジに当たってね、これから景品を貰いに行くところなんだ」老人は目を細めて答えた。

「へえ、クジに。よかったね」ユキちゃんと呼ばれた女性は、やや警戒する目で我々を見ながらいった。「これ、焼き鳥なんだけど」

「焼き鳥か。そりゃいい。じゃあ、帰ったら貰いに行くよ」

「うん、わかった。行ってらっしゃい。気をつけてね」

ユキちゃんに見送られ、我々は車に向かって歩きだした。

「近所の子なんだ。昔から優しくしてくれてね、時々おかずを持ってきてくれる」

「美人ですね」倉持がいった。

「うん、奇麗になった」家族を褒められたように老人は笑った。

車に乗る前に私は後ろを振り向いた。彼女はまだ我々を見ていた。気をつけてね、という言葉が耳に残っていた。

21

一刻も早くこんな仕事はやめなければと思いながら、ずるずると毎日を過ごしていた。告白すれば、やはり確実に給料を手にできるという生活を捨てがたかったのだろう。しかしやはり、私はもっと早く決断すべきだった。

東西商事のやり方は、どう考えてもおかしかった。金を売っておきながら現物を渡さず、預り証なる紙切れだけを押しつけるのだから、詐欺といわれても当然だった。だが被害者たちがすぐに騒ぎださないのは、最初の一、二回は利息と称した端金が被害者たちの口座に振り込まれるからだ。それらの数字を見て、人のいい年寄りたちはすっかり安心してしまうのだ。

私は殆どの場合、倉持とペアで行動したが、彼が風邪をひいて休んだ時に一度だけ、別のセールスマンと組まされたことがある。石原という表情の乏しいその男は、私を見た時にこういった。

「君が田島君か。なるほど倉持がいってたとおりだな」

何のことかと思って首を傾げていると、石原は口元だけでかすかに笑った。

「年寄りを安心させるキャラクターだといってた。特に取り柄はなくても、それは大きな武器になる。今日は俺の横にいて、何でもいいからふんふんと相槌を打ってろ。わかったな」

自分がそんなふうに見られているとは知らなかった。褒め言葉にも聞こえなかった。複雑な思いで石原と会社を出た。

出向いた先は、やはり独り暮らしをしている老婆の家だった。しかも彼女は耳が悪かった。

無論、石原はそのことを承知していた。

「金を、買ったほうが、いいですよ」石原は老婆の耳元で怒鳴った。「預金を、たくさん持ってると、年金を、貰えなくなるからね」

だが老婆は考え込んでいる。金を買う気はないように見えた。

石原は再び怒鳴った。「預金通帳と、生命保険の証書、ありますか。あるなら、ここへ、持ってきて、ください。見てあげるから」

老婆は話が聞き取れたことで、うれしくなったのかもしれない。たぶんふだんは話相手もいないのだろう。いわれたように通帳と保険証書を持ってきた。

「印鑑は？」石原は訊いた。しかし今度は少し声が小さかった。

えっ、と老婆は聞き返す。石原は指で形を作り、「印鑑は？」ともう一度訊く。今度も声は大きくない。老婆は焦り、耳を彼のほうに近づける。

「いんかん」ここでようやく石原は大声を出す。ああ、と頷き老婆は奥へ下がった。

最初から通帳類と印鑑を要求していたら、なぜ必要なのかと老婆も疑っただろう。だが別々に要求し、しかも印鑑を求めているのだと理解させるのにわざと時間をか

けることで、老婆が考えるのを防いでいるのだ。

彼女が来るまでの間に、石原は通帳と保険証書をチェックした。

「銀行預金は大したことないな。これじゃ危険を冒す意味がない」数字を見ながら呟いた。

老婆が印鑑を持って現れると、石原は預金通帳を彼女に渡した。さらにそれと引き替えに印

鑑を受け取り、保険証書に押されているものと同一かどうかを確かめた。彼が何をしているの

か、老婆にはわからなかっただろう。

石原が保険証書と印鑑をこちらに寄越した。

「会社に戻って、黒沢さんに渡してくれ。あとは黒沢さんの指示に従え」小声で、しかも早口

でいった。老婆には聞こえなかっただろう。

「えっ、これを持って、ですか」

「そうだよ。早くしろ。怪しまれるだろ。家を出る時に、ばあさんににっこり笑うのを忘れる

な」

どういうことか理解できぬまま、私はいわれたとおりにした。当然老婆はあわてた様子で石

原に何かいっている。大丈夫だからと彼がなだめる声を聞きながら家を出た。

黒沢さんというのはセールスレディの一人だが、実際に外回りをしているのをあまり見たこ

とはない。大抵は共用の机に向かい、煙草を吹かしている。年齢は五十過ぎで、見たところセ

ールスレディたちのボス的存在だった。

社に戻ると案の定彼女は煙草を吸いながら女性週刊誌を読んでいた。保険証書と印鑑を渡し

ながら石原からいわれたことを伝えた。彼女は尊大な態度で聞き終えると、証書を見て呟いた。

「七十歳か。まあ、何とかなるだろ」

さらに彼女はそこに書かれている住所と氏名、生年月日などを口の中で何度も暗唱し始めた。

それをしながら、席を立った。行き先は洗面所だった。

数分して戻ってきた彼女を見て、私は仰天した。化粧を剝ぎ、髪をぼさぼさにした姿からは、先程までの精気は感じられなかった。いきなり十歳以上も老けたようだ。姿勢まで微妙に変えているようだ。おまけにどこに隠してあったのか、地味なカーディガンを羽織っている。

「さあ、行こうか」彼女はいった。その声にも加工が施されていた。

「どこへですか」

「保険会社に決まってるだろ。さあ、ぐずぐずしない」

我々は保険会社に出向いた。道中、私は黒沢さんから、親戚の人間を演じるようにいわれていた。ここでも、「あんたは黙って座ってればいいから」という指示が出された。

ビルの一階に来客用の受付カウンターがあった。黒沢さんはそこに保険証書と印鑑を出し、解約を申し出た。カウンターにいた受付嬢は、愛想笑いを浮かべながら、どうしても解約しなければならない事情があるのか、という意味のことをいった。

黒沢さんは背中を丸めた姿勢で口を開いた。

「それがねえ、どうしてもまとまったお金がいるってことになっちゃってねえ。といっても、ほかの大きな保険を解約するほどのこともないから、悪いけどお宅のところのをやめちゃおうと思ったのよ。ごめんなさいねえ」

私は驚いた。のったりした口調といい、声の張りのなさといい、まさしく七十歳の老婆のも

のだった。受付嬢は全く疑わず、それなら仕方がないですね、といって解約の手続きを始めた。まずは解約申込書に住所、氏名、生年月日などを書き込むのだが、黒沢さんは、書き込む欄について迷ったふりをした以外は、すらすらとペンを動かした。また金の振込先の欄には、メモを見ながらある会社の口座を書き込んだ。息子の会社だ、と黒沢さんは説明した。

手続きは三十分足らずで終わった。保険会社を出ると、黒沢さんは私に一枚の書類を渡した。金の預り証だった。

「それを持って、石原さんのところに戻ってちょうだい。あとの手続きはこっちでやっとくらと伝えて」黒沢さんの声は、すでに中年女のものに変わっていた。

いわれたように石原さんの元に戻ると、彼はまだ老婆の家の玄関口に腰掛けたままだった。老婆は不安そうに座っている。だが石原の傍らに茶碗が置いてあるのを見て、老婆が騒いだわけではないのだと思った。もちろん石原が口先でうまく丸め込んだに違いなかった。

「御苦労」石原は満足そうに私からの土産を受け取った。

「あの……保険は？」老婆が訊いた。

「ごめんねぇ」石原が彼女の耳元でいった。「彼もおばあちゃんが金を買うつもりだと勘違いして、保険を解約してきちゃったんだって。でもね、そのかわりほら、金の預り証を、持ってきたから、これで同じことでしょ。保険よりも、こっちのほうが得だしね」

「本当に大丈夫？」

「大丈夫、大丈夫。安心して」石原は立ち上がった。行くぞ、と目配せしてくる。まだ老婆が何か喚いているのを無視して、石原は家を出た。その顔はすでに無表情なものに

戻っていた。

帰宅してから倉持にこのことを話した。少し熱のひいた彼は、聞き終えるとにやにや笑った。

「石原さんがよくやる手だ。年寄りってのは耳が遠いのが多いから、少々強引なことをしても、勘違いしたで済ませられると思ってるんだよ」

「でもまさか替え玉まで使うとは知らなかった」

「黒沢のおばはんは、あれ専門で雇われてるようなものさ。よく化けるだろ。八十五歳に化けたこともあるって威張ってたな」

「あれは詐欺っていうか、殆ど泥棒だぜ」

「盗んでるわけじゃなく、金を売ってるわけだから、泥棒じゃないだろ。だけど押し売りといわれても仕方ないよな。俺もあそこまで強引なことはできねえなあ」

倉持は布団の中で首を捻ったが、おまえだって同類じゃないかと私は腹の中で怒鳴っていた。たしかに倉持は強引な方法は使わなかったが、考えようによってはもっと卑劣な手段を得意としていた。その顕著な例が、川本房江の一件だ。

川本房江は、私が倉持に連れられていった最初の相手だ。ただし彼はその前に、決して仕事の話をするなと釘を刺してきた。理由については、何もいわなかった。

その後もことあるごとに、我々は彼女の家を訪ねた。倉持はその度に、何かしらの手土産を用意した。和菓子が多いが、稀にケーキや果物も持っていった。それらを一緒に食べながら、他愛ない世間話をするのが決まり事になっていた。話してみてわかったことだが、彼女には私たちと同年齢の孫がいたのだ。ところが中学三年の夏に、悪い友人と無免許でバイクを乗り回

していて、電柱に激突して死亡したということだった。息子の非行を放置しておいた母親の責任だと彼女は嫁をなじったが、後に判明したのは、死んだ孫が家庭を嫌うようになった原因は母親と祖母の不仲にあるということだった。それまで房江は長男夫婦と同居していたのだ。

真実を知った長男は、母親と別居することを決意した。彼は、息子の死をきっかけに妻と母親の仲が良くなることを期待するほど楽天家ではなかったのだ。

そういう経緯があっただけに、川本房江は長男一家と殆ど交流を持てずにいた。自分から会いに行くのは彼女のプライドが許さなかったようだ。またそのプライドは、あまり付き合いのない近所の人間に歩み寄っていくことも妨げていた。

彼女が孤独で味気ない毎日を送っていたことは明らかだった。私と倉持が訪ねていくと、

「金なら買わないわよ」と冗談混じりの口調で断った後、鼻歌でも歌いそうな表情で家に入れてくれるのだ。彼女は心底我々の訪問を楽しみにしていたのだ。

いうまでもなく、これらはすべて倉持の計算によるものだった。もっとも彼にいわせれば、

「俺は山下さんから教わったとおりにやってるだけだぜ」ということになる。つまり、これも東西商事に伝わるテクニックの一つだったわけだ。

梅雨入りして間もなくの頃だった。しとしとと細い雨が降っていた。その日、倉持は手土産を買わなかった。代わりに私に妙なことをいった。

「今日はいつもと違う。今日は、おまえは絶対に笑うな。それから出されたお菓子や飲み物に手をつけるな。わかったか」

「何をする気なんだ」

「横で聞いてりゃわかる。おまえは俺に話を合わせてりゃいいんだ。いいな」

私は頷いた。彼が何をする気なのか何となくわかった。それまでは川本房江のところに行くことを私自身も楽しみにしていたのだが、それも今日からは違うのだなと思った。

インターホンで倉持の声を聞き、少女のようにはしゃいで出てきた川本房江だったが、我々の様子を見てすぐに表情を曇らせた。

「どうかしたの?」倉持に訊いた。

「ええ、じつは今日は、ちょっとお話がありまして」倉持は首の後ろを掻いた。

「へえ……まあとにかく入りなさいよ。濡れてるじゃないの。どうして二人とも傘を持ってないの?」

「すみません。急いでたものですから」倉持はいったが、噓だった。車の中には二本の傘が置いてある。傘をさすなというのも彼の指示だった。

彼女は我々をいつもの応接間に通そうとしたが、倉持は靴を脱ごうとしなかった。自分たちはここでいいです、と沓脱に立ったままいった。

「どうして? だって、せめて上着ぐらいは乾かしたほうがいいし」

「いえ、もう、そんな、結構です」

「一体どうしたの? 田島君も憂鬱そうな顔をして」

私の場合は演技ではなかった。これから倉持が始めることを想像し、本当に憂鬱になっていた。

「川本さん、じつはあまり楽しくない話をしなきゃならないんです」倉持が話し始めた。

「楽しくない話って……」

「僕も田島も、こちらにお伺いするのは、今日が最後だということです」

虚をつかれたように川本房江は、えっ、と漏らした。途方に暮れた顔を私に向けてきた。

「本当なの?」

何とも答えようがなく、私は倉持を見た。彼は横目で、打ち合わせ通りにしろ、と訴えてきた。

「本当です」仕方なく、そう答えた。

「どうして?」彼女は倉持に視線を戻した。「何かあったの? 転勤?」

「いえ、そういうことじゃなくて」倉持は唇を舐めた。「勤務時間中に、契約者以外の家に定期的に出入りするのはどういうことかと叱られまして……」

「えっ、でも……」川本房江は狼狽していた。息が荒くなっていた。「一応うちには契約の勧誘に来てるってことになってるんじゃないの?」

「そうなんですけど、何というか、じつをいいますと、僕らに対して抜き打ち検査のようなことが行われたんです」

「抜き打ち検査?」

「つまりセールスマンが真面目に働いているかどうかを、こっそり監視するんです。それで僕らがこちらによく出入りしていることが知れまして、ところが契約は全然取れていないのでおかしいじゃないかと……」倉持はしゃべりながら徐々にうつむいていく。いかにも口に出すの

が辛そうに見える。大したものだと感心した。

抜き打ち検査のことなど聞いたことがなかった。契約を取れない社員には、給料が支払われ

ないというペナルティがある。それで十分だった。

だが川本房江は倉持の言葉を疑わなかった。

「そうだったの……」眉の両端を下げ、項垂れた。「私、全然契約してやってないものねえ。

あなたたちの言葉に甘えて」

「いえ、それはいいんです。川本さんにとっては大事なお金ですから、それを納得できないと

ころに使う必要はないと思います。別に、僕たちがクビになるわけでもないです。ただ、これ

からは今までのようにお伺いするわけにはいかないというだけのことです」

「だけど、ずっと監視がついてるわけでもないんでしょう?」

「それはそうですけど、もう自分の好きなところには行けなくなりました。僕と田島は分かれ

させられて、それぞれ別の人とパートナーを組みます。その相手の人の指示に従わなければな

りません。それに担当地区も変えられます」

「じゃあ、お仕事のない日とか」

「そうですね。そうできたらいいと思います。ただ、僕も田島もすごく忙しいので……」

「そんなに忙しいの?」彼女は眉をひそめた。

「二人とも、まだ新米ですから」倉持は苦笑し、頭を掻いてみせた。

川本房江は膝を揃えて座り込み、考え込み始めた。彼女の心の揺れが伝わってくるようだっ

た。

「というわけで、たぶん今日限りということになると思います。短い間でしたけど、いろいろとお世話になりました」倉持が明るい声を出した。無理にそうしているという感じをうまく醸し出していた。作り笑いも堂に入ったものだ。

じゃあ行こうか、と彼は私にいった。うん、と私は頷いた。

「ちょっと待って」川本房江がいった。その瞬間倉持の目が光ったが、六十七歳の彼女は気づかぬ様子で続けた。「じゃあ、私が契約すればいいんじゃないの？　金を買えばいいんでしょう？」

「いや、そういうわけにはいきません」倉持は手を振った。

「どうして？」

「だって、川本さんは前から、そういうものには手を出さないとおっしゃってたじゃないですか」

「時と場合によるわよ。あなたたちがそんなふうに会社で叱られているなんて知ったら、私だって黙ってられないわ。ねえ、私が契約をしたら、そういった処分もなくなるんじゃないの？」

「それは、そうかもしれませんけど……」

「ちょっと待ってて」

川本房江が奥に消えるのを見送った後、倉持は私に向かって小さく頷きかけてきた。私は不快な思いを示すためにため息をついた。彼はそれをどう勘違いしたのか、「あと一息だからがんばろうぜ」と囁きかけてきた。

川本房江が小さなバッグを手に戻ってきた。

「いくらぐらい契約すればいいの？　五十万？　それとも百万ぐらいは必要？」

「川本さん、本当にもう結構ですから。田島も何とかいえよ」

突然こちらに振ってきたので、私はびっくりした。

「無理されないほうがいいですよ。契約なんか……しないほうがいいです」

「そうですよ。息子さんから厳しくいわれてるっておっしゃってたじゃないですか」

「私にだって、自由に使えるお金が少しはあるのよ。さあ、はっきりいってちょうだい。いくらほど契約すればいいの？」

我々から引き止められたことで、彼女は却って意地になっているようだった。そんなことも倉持は計算している。

だが彼は困惑したように頭を両手で掻きむしった後、ふうーっと息を吐いた。

「では正直にいいます。たしかに会社からは、今日川本さんから契約が取れたなら、今回のことは水に流すといってもらっています。ただ、その場合の最低契約額というのが、かなり高額なんです。僕は、そんなのは無茶だと抗議したんですけど、全然聞き入れてもらえなくて」

彼の言葉に、さすがに川本房江も不安になったようだ。

「高額って、いくらぐらいなの？　百万円じゃ足りないの？」

困り果てたというように倉持は肩を落とした。下を向いたまま、ぼそぼそといった。

「最低三百万……会社からはそういわれました」

「三百万……」

「すみません。つまらないことをいいました。僕たち、川本さん相手には商売をしないでおこうと決めてたんです。だからその、もういいです」

「ちょっと待ちなさいよ。三百万の契約をすればいいわけでしょう?」彼女は手元のバッグを開けると、通帳を出してきた。中を改めてからいった。「ここにちょうど三百万の定期預金があるのよ。これを解約すれば済むことだから」

「でもそんな大事なお金を……」

川本房江は首を振った。

「蓄えということなら、銀行よりも金のほうが堅いって、あなたもいってたじゃない。それは間違いないんでしょう?」

「それはそうですけど」

「だったら、それほど大した問題でもないでしょう。考えてみたら、もっと早く少しでも契約してあげればよかったわねえ。だったらこんなことにならなくて済んだのに。本当にごめんなさいね」

「いえ、川本さんに謝っていただくようなことはありません」

「とにかく三百万、契約させていただくわ。それでいいのね」

倉持は通帳を見つめたり、やたらと吐息をついたりして、逡巡する様子を見せた。それからうつむき加減になったまま彼女を見た。「本当にいいんですか」

「いいのよ。そういってるじゃない」

「もし契約していただけるということでしたら、今日中がいいんですけど」

「今日中ね。いいわよ。どうすればいいのかしら」

「とりあえず銀行に行って、定期を解約していただいて
もらえれば、明日にでも正式な契約書をお持ちします。あの、こちらの指定する口座に振り込んで
らわなければいけないんで……」

「わかったわ。じゃあ、これからすぐに行きましょう」彼女は腰を上げた。神妙な顔をしてい
る倉持の腹から、一丁上がり、という声が聞こえてきそうだった。

若い二人の力になれたということで、川本房江は浮き浮きしているように見えた。人間は年
を取ると、自分は誰からも必要とされていないと感じ、そのことに寂しさを覚えるものらしい。
川本房江は、その後も二度倉持の泣き落としに引っかかり、さらに大金を騙し取られることに
なった。

東西商事内で『ババ落とし』と呼ばれるこの勧誘方法は、元々はセールスレディたちが老人
相手に行っていた『ジジ落とし』を参考にしたものだ。いずれにしても、老人たちの孤独な思
いにつけこんだもので、見方によっては腕尽くで通帳を奪うやり方以上に暴力的だった。
もっとも私に倉持たちを非難する資格などなかった。私は彼等の悪事を知っていながら、そ
の場で何もしなかった。老人たちが騙され、こつこつと貯めた虎の子を奪われていくのを、た
だ黙って眺めていただけだ。私は共犯者以外の何者でもない。それだけに倉持を責めてしまった同
時に、自分自身の弱さをも憎んだ。どうして自分はこんなにも醜い人間になってしまったのだ
ろうと悩んだ。

当時、襖の向こうで眠っている倉持の寝息を聞きながら、私はしばしば、今こそ彼を殺す時

ではないのかと自問した。彼の人間性については完全に見抜いたつもりだった。今なら簡単に殺せると思った。襖をそっと開き、彼の首に手をかけて、きゅっと絞めてやるだけでいい。あるいは濡れた紙で口と鼻を塞いでやればいい。数分後には、彼の息は止まっていることだろう。

だがその思いはいつも想像だけで終わった。行動を起こすほどには殺意は沸き立ってこなかった。子供の頃から殺人には興味がある。さらに自分には倉持を殺す理由がある。それなのになぜ憎しみが殺意にまで至らないのか。

そのことを考えると、いつも藤田のことを思い出した。彼の中でどのように憎悪が渦巻いて、私を殺そうと決意し、実行に至ったのか。殺意という導火線に火がつくには、何かが必要なのだ。その正体が知りたかった。

ある日の夕方のことだった。例によって結婚詐欺と同次元のやり方で新規契約を獲得し、我々が社に戻ると、受付カウンターに一人の女性がいた。その若い女性はしばらく山下と何かいい争っていたようだが、やがて諦めたように廊下に出てきた。

出てきた女性とすれ違う時、向こうのほうが声を上げた。「あっ、あなたたち……」

それで初めて女性の顔を見た。見覚えはあったが、どこの誰かは思い出せなかった。一瞬、テレビタレントかと思った。それほど整った顔立ちをしていた。

「あっ、君はたしか……」倉持が先に反応した。「東久留米の……たしか、牧場さんといった、あの爺さんの近所に住んでる人だ。そうだよね」

そういわれて私も思い出した。牧場老人の部屋に、焼き鳥を持っていこうとしていた女性だ。

正解だったらしく、彼女はこくりと頷いた。しかしその表情は固い。

「いやあ、一瞬わからなかった。あの時とずいぶん印象が違うものだから」私も倉持と同意見だった。あの時はトレーナーにジーンズという出で立ちで、化粧もしていなかったようだが、我々の前にいる女性は大人っぽいワンピース姿で、しかも格段に美人に変身していた。

しかし彼女は彼の言葉など耳に入らなかったようだ。

「一体どういうことなんですか」鋭い口調で詰問してきた。「どうしてお金を返してもらえないんですか。おかしいじゃないですか」

「ちょっと待って。いきなりいわれても何のことだかさっぱり」倉持は会社にちらりと目を向けた。「とにかく下に行こう。ここじゃあ落ち着いて話せないから」

一階に下り、ビルの外に出た。倉持が向かった先は、東西商事の社員が来る心配のない喫茶店だった。

「あのお金、返してもらえないと困るんです。だってあれ、牧場のおじいちゃんの数少ない拠り所なんですから」コーヒーに手を伸ばそうともせず彼女はいった。そもそも彼女は飲み物などいらないといったのだが、倉持が適当に注文したのだ。

「何か急にお金がいることでも？」倉持が訊いた。

「そういうことじゃないんです。おじいちゃんは今は働いてないから、何かあった時のために、って、大切にとっておいたお金なんです。それを金なんかに……」彼女は私たちを睨みつけて、「大体、ひどいじゃないですか。クジに当たったからって会社まで連れていって、契約

するまで帰さないなんて、そんなの脅迫じゃないですか」

「そういわれても、俺たちはただのセールスマンで、いわれたことをやっているだけだから。クジに当たった人がいたら、会社まで案内しろってこともⅠⅠⅠ」

「そのクジですけど」彼女は上目遣いに倉持を見た。「はずれなんかなかったんですか。全部当たりだったんじゃないんですか」

私はどきりとしたが、倉持は落ち着いていた。

「そんなことはないよ。はずれだって入ってるはずだよ、なあ、と同意を求めてきた。

私としては頷くしかなかった。また嘘の片棒を担いでいると思った。

「おじいちゃんが知り合いから聞いたらしいんです。東西商事で金を買わされて、ひどい目に遭っている人が多いって。払ったお金は戻ってこないといわれています。それでおじいちゃんは、すぐに解約しようと会社に電話をかけたそうなんですけど、なんかいろいろといわれて、結局応じてくれないらしいんです。おじいちゃん、心配が高じて、先週からとうとう寝込んじゃったんです」

「それで君が代わりに?」私は訊いてみた。

「お金を返してもらおうと思って、ここまで来たんです。でも、やっぱりお金は返してもらえませんでした。契約違反だとか、本人以外の人間とそういう話はできないとか。おじいちゃんが動けないから代理で来たといっても、ちっとも取り合ってくれなくて」

山下の冷酷な表情と口調が頭に浮かんだ。

「ねえ、おかしいじゃないですか。どうしてお金を返してくれないんですか。もしお金を返せないということでしたら、おじいちゃんが買ったという金をください」

彼女のいうことは正論だった。これに対して倉持がどういい逃れをするつもりだろうと思い、私は彼を見た。やがて彼は口を開いた。

「じつをいうと、俺も最近、なんか変だなと思ってたところなんだ」

重々しく語った台詞を聞き、私は思わず目を剝いていた。

22

倉持の口のうまさには慣れているつもりだった。それでもこの時の衝撃は忘れることができない。なぜそんなことがいえるのか、平然と嘘をつけるのか、頭を切って中を覗きたい心境だった。

彼にしてみれば、クレームをつけてきた客を適当にあしらうことなど何でもないはずだった。この時も、自分たちは何も知らないとでもいって逃げることはできた。ところが彼はそれをしなかった。

「俺がおかしいと思ったのは、ごく単純なことがきっかけだったんだよ。ほら、映画とかテレビドラマなんかに出てくる金の延べ棒さ」倉持は真面目くさった顔で語り始めた。「金塊というのを一度この目で見てみたいと思ったんだよ。

牧場老人の代理でやってきた金の延べ棒さ」に出てくる女性は、興味を持った表情で倉持を見つめた。瞬時にして相手

の気持ちを摑むことにかけては、彼は天才的だった。

「それでいろいろな人に訊いてみたんだ。金はどこに保管してあるんですかって」

「すると、どうだったんですか」

倉持はかぶりを振り、役者のように両手を広げた。

「誰もはっきりしたことを教えてくれない。セールスマンがそんなことを知る必要はないって、逆に叱られたよ」

そんな話は初耳だった。それに金の保管場所というのは、私がそれまで考えなかったことだ。

彼女は眉をひそめた。

「そんなのっておかしいじゃないですか。金を売ってるんだから、どこかに保管しているはずでしょう?」

牧場のおじいちゃんが買った金も、どこかにはあるわけでしょう?」

「そのはずなんだけどね」倉持は首を傾げた。「とにかく僕も気になっていることだから、一度調べてみる。ただ、会社にはばれないようにやらないといけないから、少し時間がかかるかもしれないけど」

「お願いします。今のままだとおじいちゃん、夜もゆっくり眠れないみたいだし」

「なるべく急ぐよ。何かわかったら連絡する」倉持は手帳を取り出した。「ええと、そういえば君の名前も聞いてなかったね」

いわれて初めて気づいたらしく、はっとした顔を彼女は見せた。

「ごめんなさい。ウエハラといいます」

「ウエハラさん。ええと、字はこれでいいのかな」倉持は手帳に『上原』と書いた。

「そうです」
「一応、下の名前も教えてもらえるかな。それから電話番号を」
　倉持に促されるまま彼女は答えた。上原由希子という名前と電話番号が判明した。　牧場老人が彼女のことを「ユキちゃん」と呼んでいたことを私は思い出した。
「解約できるでしょうか」
「できなきゃおかしいと思うんだ。だって僕たちは、お客さんにはそう説明しているんだからね。いつでも解約できるって。——なあ」
　倉持が私に同意を求めてきた。私は頷き返しながら、いつの間にか彼の自分を示す言葉が、『俺』から『僕』に変わっていることに気づいていた。
　上原由希子と別れた後、私と倉持は会社に戻ることにした。エレベータを待つ間に私は彼に訊いた。
「あんなことって？」彼はエレベータの階数表示を見上げていた。
「よくあんなことがいえるよな」
「うちの会社がおかしいってことだよ。今まで、あんなこといわなかったじゃないか」
「いったってしょうがないからさ。俺たちは俺たちの仕事をするしかない」
　エレベータが到着した。幸い、我々以外に乗る者はいなかった。
「変だと思いながら客を勧誘してたっていうのか。しかもあんな汚いやり方で」
　彼が怒ってもいいという思いで私はいった。しかし彼は薄笑いを浮かべながら階数ボタンを押した。

「やり方に奇麗も汚いもないだろ。最初にいわれたことを思い出せよ。無駄な考えを持つな、いかにして金を売るかということだけ考えろ——忘れたのか」

「じゃあどうして今日にかぎって彼女にはあんなことをいったのか。それとも、その場しのぎでいっただけのことなのか」

「何をそんなにムキになってんだよ」倉持は呆れたような顔をした。「ははあ、彼女に惚れたんだな。美人だもんな」

「おまえこそ、彼女に気に入られようとしていい加減なことをいったんだろ」

倉持は笑ったまま肩をちょっとすくめた。

会社に戻ると、「ここで待ってろ」といい、彼はどこかへ消えた。私はいわれたとおり共有デスクで待っていた。他のセールスマンやセールスレディたちの姿はなかった。外回り担当者は、会社にいても仕事がないのだ。唯一の例外が、変装担当の黒沢さんだ。

倉持が戻ってきた。

「ちょっとついてこいよ。いいものを見せてやる」

「何だ」

「ついてくりゃわかる」彼はにやにやしていた。

彼は再びエレベータに乗ると、一つ上の階のボタンを押した。私はその階には行ったことがなかった。

「上の階も東西商事の一部なんだ。知らなかっただろ」

私は頷いた。ビルの一階に各フロアの説明パネルがあるが、そこには何も書かれていない。

エレベータを降りると、殺風景な廊下の途中に仕切りがあった。小さな鉄の扉がついている。鍵も頑丈そうで、おまけに電卓のようなキーボードが据え付けられていた。

「何だかものものしいな」私は感想を述べた。

「そう見えるかい?」

「見えちゃいけないのか」

「いや、そう見えれば正解なんだよ。そのためにつけてあるんだから」

倉持は大きなキーホルダーを手にしていた。いくつか鍵がついている。さっきはそれを取りに行っていたらしい。そのうちの一本を鍵穴に差し込んで回し、さらにキーボードの番号ボタンをいくつか押した。ジーという音がした後、がちゃりと何かの外れた気配があった。

倉持は扉の把手を摑み、ぐいと回して引いた。かすかなきしみ音と共に扉が開いた。

「入れよ」

「いいのか」

「ああ」

私は少し狭い入り口をくぐった。中は薄暗かった。赤い照明がほんのりと点っているだけだ。

目を凝らすと、前方に鉄格子のようなものが見える。その鉄格子にも扉がついていた。

「何なんだ、ここは」私は訊いた。

「保管室さ」倉持は答えた。「客の中にはいろいろな人間がいる。こっちが強引な手を使わなくても、金を買ってもいいかなと思っている者だっている。だけどそういう人間は、会社に対する関心も強い。金をどんなふうに保管しているかを見たがったりもする。そんな時に見せら

れなきゃ、せっかくの上客を逃すことになる。だからそういう場合は、ここへ連れてくるんだ。

今日はいないけど、客を案内する時には、さっきの扉のそばに警備員を立たせる」そういって

からくすくす笑った。「もちろん、警備員の格好をした、ただのアルバイト学生だけどさ」

「この奥に金が保管されているっていうのか」私は鉄格子を指差した。その向こうは廊下がの

びているだけだ。廊下を挟んでドアが二つある。

「お客様」倉持が突然かん高い声を出した。「お客様のお買いにならされた金は、すべてこの先

の保管庫にて保管されます。警備員は二十四時間ついておりますし、この通路は御覧のように

二重の扉で仕切られています。先程のドアはコンピュータに登録された暗証番号がなければ絶

対に開けられませんし、あの鉄格子のドアにも特殊な鍵がついております。さらに現在お客様

がいらっしゃる場所から奥の保管庫まで、すべて監視カメラによってモニターされております。

しかも鉄格子から先には赤外線監視装置がはりめぐらされており、不審者が一歩でも入れば、

即座に警報装置が作動する仕組みです。このように、セキュリティに関しましては、まず完璧

であると自信を持ってお答えできます」身振り手振りを交えてしゃべった後、彼は私に白い歯

を見せた。まっ、それもバイトで雇うらしいんだけどさ」

「案内役は専用のコスチュームを着たガイド嬢だ。コンパニオンって呼ばれてるけ

どね。

私は周囲を見渡した。壁の隅にテレビカメラが設置されているのはわかった。だがそれがど

れほど機能しているのかは確認できない。

「そんな説明だけで客が納得するかな」

「まあ、ふつうはしないよな」

倉持は鉄格子に近づき、またキーホルダーを取り出した。さっきとは別の鍵を鍵穴に差し込んでがちゃがちゃするうちにロックの外れる音がした。

「その鍵のどのあたりが特殊なんだ」

「さあね。俺には何ともいえないな。入れよ」扉を開いた。

そこの入り口をくぐろうとして私は足を引っ込めた。彼の話を思い出していた。

「赤外線監視装置ってのは？　一歩でも入れば警報装置が作動するんだろ」

すると倉持は背中をぴんと伸ばし、また先刻のガイド口調を始めた。

「現在は警備室に連絡して、監視装置のスイッチを切っております。ですからお客様がお入りになっても、警備器が鳴りだすことはございませんから御安心を」

馬鹿にされたような気分を味わいながら私は足を踏み入れた。たしかに何も起こらなかった。壁をじっくり見つめたが、赤外線監視装置なるものがどこにどのようにはりめぐらされているのか、さっぱりわからなかった。

「通常は」倉持が口を開いた。「皆様の足元に赤外線が走っております。それが遮られると、不審者の侵入と解釈して警報装置が作動するのです」

「警報装置って？」

「まず警報器が鳴り、今までに通ってきた扉がすべて自動的に閉じます。階段のシャッターも閉じられ、エレベータも使用不能になります。つまり侵入者はここに閉じこめられるわけです。警報は警備室でも鳴りますから、当然すぐに警備員が駆けつけます。同時に地元警察にも連絡が入るようになっています」

「そのおかしなしゃべり方はやめろよ」

「ほかに何か御質問は？」

「監視装置と警報装置のことはわかったよ。肝心の金はどこにあるんだ。いや、その前に――私は倉持を見つめた。「どうしておまえだけがこういうことを知ってるんだ。それとも俺だけが知らなかったのか」

倉持は顔を少ししかめ、頭を掻いた。

「知らないのは田島だけじゃないよ。一部のセールスマンだけが知ってる。だって、ここのことを知らなきゃ、客から保管庫を見せろっていわれた時に困るもんな。今まで俺と田島が相手にしてきた客の中には、そういう難しいことをいう者がいなかった。だからおまえにも教える機会がなかった。それだけのことだ」

「積極的には教えないっていうふうに聞こえるけど」

倉持は真顔で私を見つめ、そして頷いた。

「そうだな。なるべく教えないっていうのが会社の方針だ。当然だろ。セールスマンが会社を辞めた後、保管庫のことを他人にぺらぺらしゃべったりしたら物騒だからな」

「教えるのは、会社側が心底信用しているセールスマンだけってことか」

「そういう言い方が妥当かもしれない」

「倉持は信用されてるってことだ」

「そうなるのかな」倉持はポケットからまたしても鍵の束を出してきた。「金を見たいんじゃないのか」

「彼女……上原由希子さんには嘘をついたんだな。金の保管場所は知らないなんていってたじ
ゃないか。どうしてこのことを教えてやらなかったんだ」

「教えれば見たいっていいだすだろ、たぶん」

「そりゃあそうさ」

「それが嫌だったんだよ」

どうして、と私が訊く前に、倉持は壁のドアに鍵を差し込んだ。そのドアも金属製に見えた。
それを開けると彼はこちらを振り向いた。

「さあ、好きなだけ見ろよ。お目当ての品だぜ」

私はそこから中を覗き込んだ。同時に息を呑んだ。

中は一層薄暗かったが、積み上げられた金の板や延べ棒が、わずかな光を受けて浮かび上が
っていた。よく見ると手前にガラス板をはめ込んだ仕切があるので、手に取ることはできない。

積み上げられた金の向こう側には、銀色をした金庫が見えた。

「お客様の金は、奥の金庫にて保管されております。手前に置かれているのは、当社で所持し
ている金の、ほんの一部でございます」倉持が私の後ろでいった。

「すごいな。本当にあったんだ」

じつは金など存在しないのではないかと疑っていただけに、心の底から意外だった。

「どうぞお客様、もっとそばに寄って御覧になってください。本物の金でございます」

「そのしゃべり方はやめろっていってるだろ」

私はガラスのすぐ手前まで近づいた。弱い光のはずなのに、金の輝きが眩しかった。私は何

度も瞬きした。すごいな、とまた呟いていた。

しかし感嘆しながら、かすかに違和感を覚えていた。それは徐々に膨らんでいった。何かが

おかしいと思い始めた。異物が頭の中で引っかかっている。

やがて私はその異物の正体に気づいた。振り返って倉持を見た。

「どうして俺たち二人だけでこんなところまで入ってこれるんだ。それほど信用されてるわけ

じゃないと思うけどな」

倉持は答えない。私から目をそらせた。

「たとえば」私は続けていった。「今、このガラスを叩き割って中の金を持ち出すことだって

できるんだぜ。もちろんそんなことをしてもすぐに捕まるだろうけど、だからといって俺たち

だけでこんなところまで入れるというのは不用心すぎないか。しかも警報装置だって切ってあ

るんだろ」

「ガラスを叩き割る必要なんかない」彼はキーホルダーを見せた。「中に入るための鍵だって

ここにある」

私は小さくのけぞった。

「その鍵にしても、やけに簡単に借りてきたじゃないか。もっと複雑な手続きが必要なはずじ

ゃないのか」

「この鍵の束は山下さんの机から勝手に持ってきた」

「山下さんが鍵の管理者？　だとしても、あまりにいい加減じゃないか」

「いいんだよ」

「どうして?」

倉持はキーホルダーをかちゃかちゃ鳴らしながらガラスに近づいた。さらに一本の鍵の先で、こんこんと表面を叩いた。

「このガラスは厚さ二センチの防弾仕様でございます。アメリカのFBIでも推奨されている商品です。一メートルの距離からピストルで撃ってもびくともしません──」そこまでいってから、鼻をふんと鳴らした。

「何が二センチの防弾ガラスだ。それだったら、こんなに安っぽい音がするかよ」尚も、こんこんと叩いた。

「違うのか」

「違うに決まってるだろ」彼はゆっくりとこちらに顔を巡らせた。「なあ田島、俺は嘘をついてないぜ。ガイドの物真似をしたのは、あくまでもそういう説明が客相手にされてるってことをいいたかったからだ。その説明が事実だとはいってない」

「全部嘘……なのか」

「嘘も嘘、大嘘さ。各扉の鍵なんて、ちょっとしたコソ泥なら外すのに一分もかからないだろう。赤外線監視装置なんてものもついてない。警報装置も絵空事だ。そもそも警備室なんてものが存在しない。で、このガラスはただのガラスだ。おまえのいうとおり、簡単に叩き割れる」

倉持は金の板や延べ棒を眺め、腕組みをした。

「そんなので金を保管しようってのか。少なくともこれは金だろ」ガラスの中を指差した。

「そうだな。この中にある金を全部集めたら、小指の先ぐらいにはなるかもな」

すぐには彼のいっている意味がわからなかった。だがガラスの内側を見つめているうちにわかった。

「作り物か……」呻くように呟いていた。

「おそらくな。段ボールか発泡スチロールで作ったものに金箔を張ってある――まあそんなところだろう。本物の金塊をこんなところに放置しておくわけがない。見学者を納得させるためのせこい小道具さ。子供騙し、じゃなくてジジババ騙しだな。連中はただでさえ老眼なのに、御丁寧に照明まで絞ってある」

「すると金庫の中も空っぽってわけか」

「本当に金庫かどうかも怪しいぜ。ベニヤ板にアルミか何かを張って、それらしく加工してあるだけじゃないのか。廊下のもっともらしい仕切壁といい、この部屋といい、おそらくその気になれば数時間で撤去できるんじゃないかな。いざって時には証拠隠滅できるって寸法さ」

「そういうことはみんなが知ってるのか」

「さあね、ここのことについて誰かと話したことは一度もない。今いったことは、全部俺が自分で導き出したことだ。誰かから聞いたわけじゃない」

「聞いたわけではないのに、インチキだと見抜いたってのか」

私の言葉に彼は苦笑した。

「見抜けないほうがどうかしてるぜ。ちょっと気をつけて観察すれば、おかしなことだらけじゃないか。いい例がこの金の山だ。田島、おまえ、金の比重って覚えてるか」

「比重……いくつだっけ」

比重なんて言葉を使ったのは高校以来だ。その意味すらすぐには思い出せなかった。

「約二十だよ。つまり同じ体積だと水の二十倍の重さがある。十センチのサイコロで二十キロだ。となると、ここに飾ってある金だけで一トンはある。それが一部だとすると、金庫の中身を足したら一体何十トンになるんだ。もちろん金庫の重さも加えなきゃならない。そうすると、この部屋だけでとてつもない重さになるじゃないか。そんな重さに耐えられるような設計に、このビルがなってると思うか？　ふつうのビジネスビルなんだぜ。床が抜けて、柱が歪んだっておかしくない」

いわれて初めて気づいた。そのとおりだと思った。しかし自分が迂闊だったことをごまかすため、ほんの少しだけ反論した。

「金庫を置くんだから、当然それなりの工事をしていると思ったんだけどな」

「この下は何だと思ってるんだ。俺たちのオフィスだ。あの、柱の少ないがらんどうのオフィスだ。これだけの重量に耐えられるだけの工事をしようと思ったら、ふつう下の階は使えなくなるさ。大体、そんな記録なんてない」

私は黙り込んだ。倉持の言い分はもっともだった。

「まあでも、見抜けなかったからといって田島がしょげることはない。元々、人を騙すために作られた設備だ。騙されて当然なんだよ。ただ、何度か見ているうちに必ず矛盾に気づく。おまえだっていずれは気づいた」

私は何とも答えなかった。慰められたようで余計にプライドが傷ついていた。

「いつから知ってたんだ。こういうインチキのこと」

「いつ頃からかなあ」倉持は首を傾げた。「先輩と一緒に、何度か客をここへ案内したことがあるんだ。去年の秋頃かな。そのうちに変だと思いだした」

「インチキだとわかっていて、金を売っていたのか」いってから首を振った。「金じゃない。売ってたのは金の預り証なんていう怪しげな紙切れだ。おまけに俺をそんな仕事に引きずりこんだ。詐欺の片棒を担がせた」私の息は荒くなっていた。

倉持は壁にもたれ、そのままずり下がるようにして腰を落としていった。しまいには床に尻をつけ、そのまま両足を前に投げ出して座った。

「俺は詐欺をしてるつもりはないよ」

「どこが詐欺じゃないんだ。ないものを売ってるんだろうが」

「俺が断言できるのは、この保管庫には本物の金は置いてないということだけだ。東西商事がどこかほかの場所に隠しているのかもしれない。金がどこにもない、なんてことは誰もいってない。おかしいとは思うけど、証拠なんて何もない。そうなると俺のできることは、命じられたとおりに仕事をこなすことだけだ。それのどこが詐欺なんだ」

「おかしいと思うなら、確認すればいいじゃないか。この保管庫がインチキだと見破った時みたいにさ」

「なぜ俺がそんなことをしなきゃならないんだ。俺はただのセールスマンで、警察官じゃない。知らないことは知らないままで、なんでいけないんだ」

「被害者が増えているじゃないか。俺たちが被害者を作りだしているんだぞ」

「どうして被害者だといいきれる？　金の売買契約を結んだだけだ」

「でもその金は被害者たちの手元にない。解約しようとしても、元の金が戻ってこない。これでなんで被害者じゃないんだ」

「それについては俺は知らない。会社と客の問題だ」

「俺たちだって会社の一部じゃないか」

だが倉持はゆらゆらと頭を振った。

「会社に雇われていることは事実だけど、会社の一部じゃない。俺は金が存在しないなんてことは聞かされてない。もしも存在しないのなら、客だけが被害者じゃない。存在しないものを売らされてた俺たちも被害者だ。裁判になっても、俺たちの責任が問われることはない。だって俺たちは何も知らされてないんだからな」

「契約に関しては責任があるだろう」

「なんでだよ。契約書に押されている判子は、東西商事のものと客のものだけだ。おまえ、自分の判子をどこかに押したか？　押さないだろ？　俺たちは契約とは無関係の第三者なんだよ。そのことがどうしてわからないんだ」

「年寄りの大事な貯金がふいになることに薄々感付いていながら、強引なやり方で契約させているじゃないか。そのくせ第三者面しようってのか」

「誰がそんなことに感付いてるっていった？　さっきから何度もいってるだろ。俺が確信しているのは、この保管庫には金なんてない、ということだけだ。それ以外のことは何も知らない。強引なやり方というけ知らない以上、教わったマニュアル通りに年寄りを勧誘するしかない。強引なやり方とい

ど、俺がいつそんなことをした？　石原さんは耳の遠い婆さん相手に泥棒まがいのことをした みたいだけど、俺は一度だってそんなことはしてない。川本の婆さんの時のことを忘れたのか。 あの時、俺は金を買ってくれとは一言もいわなかった。向こうが買うといいだしたんだ」

「買わざるをえないように仕向けたんじゃないか」

「強引だったかって訊いてるんだ。川本の婆さんが逃げられないような状況に追い込んだか よ？」

「じゃあ三角クジは？　『当たり』だけのクジを引かせて、騙して会社に連れてきたじゃない か」

「勧誘の手段だよ。とりあえず会社に連れてこいって命じられたから、それに従っただけだ。 いっとくけど、三角クジで連れてきた客との契約については、俺たちの手柄にさえなってない んだぜ。全部山下さんが契約を取ったことになっている」

初耳だったが、そんなことはどうでもよかった。

「どんなふうに言い逃れしようと、騙したことは事実だろ。おまえだって感付いてなかったは ずがないんだ。ここは怪しい会社だってな」そこまでしゃべったところで、急速に自分自身の 中から力が抜けていくのがわかった。私はうつむいていた。「だけど俺も同罪だ。最初は何が 何だかわからなかったけど、途中からは本当のことに気づいてたんだ。でも辞められなかった。 自分が大事だったからだ」

「誰だって自分が一番さ」

そんなふうにいわれ、またしても怒りがこみ上げてきた。

私は顔を上げて倉持を睨みつけた。

彼はちょっと気圧されたように顎を引いた。

彼は立ち上がり、尻をぱんぱんと叩いた。

「さっきもいったけど、仮に訴訟問題になったって、俺たちが責められる理由はないんだ。歯車の一つに過ぎないんだからな。ただ、恨まれるおそれはある。上原由希子さんの目を見ただろ？　最初は俺たちを仇のように見てた」

「恨まれて当然だろ」

「俺はそうは思わないけど、まあいいや。話を進めよう」倉持はインチキ商品を背にして立った。「上の人間は俺たちには内緒にしているみたいだけど、このところ会社に対するクレームが増えてきている。中には弁護士を立てて、カネを取り戻そうとする者もいるらしい。上原さんも、そうした人間の一人といえるだろうな」

「こんなインチキ、長続きするものか」

「そう。どうやらインチキは本物らしい。東西商事は沈没寸前の船だ。で、その船底にいるネズミの俺たちとすれば、できることは一つしかない」倉持は抑えた声で続けた。「そろそろ逃げ出し時ってことだ」

23

東西商事が危機的状況にあることは、中にいる者なら誰もがわかっていた。倉持のいうとおりネズミたちは、つまり臨時雇い程度にすぎない末端の社員たちは、沈没の気配を察知して

次々と辞めていった。契約違反ということで最後の給料が貰えない者も多かったが、それを犠

牲にしてでも逃げ出す必要があったということだ。

私も保管庫の金が偽物とわかった日に退職を決意し、三日後には辞表を出していた。山下は

面白くなさそうな顔をしていたが、引き止めたりはしなかった。

もう一つ、決意したことがある。倉持の部屋を出るということだった。そのことを告げると、

倉持は合点がいかないというように首を振った。

「どうしてそんなことをする必要があるんだ。会社を辞めたからって、ここにいちゃいけない

っていう法はないんだぜ」

「俺が嫌なんだよ。もうおまえの世話になりたくない。このままだと、ますますだめになる」

「だめになるって、何が?」

「人間が、だ」私は倉持を見ていった。「こんなところに来なきゃよかった」

「それはまたずいぶんな言われ方だな」倉持は怒らず、苦笑してみせた。「わかってると思う

けど、俺だって騙されてたんだぜ」

「それはどうだか」

「まあいいや、どうしても出ていくというなら引き止めない。でもさ、田島、これだけは覚え

ておけよ」倉持は少し真剣な目になっていった。「不本意だったかもしれないけど、今日まで

生きてこられたのは、おまえが毛嫌いするあの会社のおかげなんだ。今、多少なりとも貯金が

あるのも、あのあくどい仕事に手を染めてたからだ。ほかの誰がおまえのことを助けた? お

まえがどんなに突っ張ろうと、もうおまえの身体には、あの会社の毒が染み込んでるんだ。で

もさ、そのことを恥だと思う必要はないぜ。社会ってのはそういうものなんだ」

「俺はそうは思わない」私はかぶりを振った。「後ろ指を指されずに生きていくことだってで

きるはずだ」

「誰が俺たちに後ろ指を指す？　生きていくのに必要なことをしただけだ」

「もういいよ」私は荷物を片づける手を動かした。「出ていくから」

倉持はそれ以上は何もいわなかった。やれやれとばかりに両手を広げた後は、テレビのバラ

エティ番組を見ていた。

倉持のアパートを出た後、次の住処を探すのにかなり苦労した。無職の人間には誰も部屋を

貸したがらないからだ。

まず仕事を見つけた。大手家具店の下請け運送業者だ。倉庫から家具を運び出し、客のとこ

ろまで届け、命じられるままに設置する――それが主な仕事だった。肉体を酷使する仕事だが、

私は満足だった。少なくとも誰にも嘘をつかないで済む。

新しい住処は江戸川区にある古いアパートに決まった。そこからだと会社までバスで行ける

のだ。じつはアパートと呼ぶのも憚られるような建物だった。何しろ平屋なのだ。三畳の部屋

がずらりと並んでいて、トイレも炊事場も共同だった。トイレといっても水洗ではなく、炊事

場といっても水の出る流し台があるだけだった。もちろん風呂はついていない。そのアパート

に入っている人間の大半は日雇い労務者であり、残りは外国人だった。

最初は仕事に慣れるのに必死だったが、三か月ほどすると時間的にも金銭的にも少し余裕が

できるようになった。川本房江のことを思い出したのも、そんな気持ちのゆとりがあったせい

かもしれない。

その日、私は運転手と共に保谷へ行った。婚礼用の家具一式を届けるためだった。簞笥が三竿、リビングボード、書棚、ダイニングセット等々、うんざりするほど荷物があった。それを二人だけで運ぶのだ。

建って間がないと思われるマンションにそれらの荷物を運び込んだ時には、あたりは薄暗くなっていた。あとは会社に帰るだけだ。

しかし私はトラックに乗らなかった。ちょっと寄りたいところがあるので、と運転手にいった。

「これかい？」エンジンをかけながら、運転手は小指を立てた。

「違いますよ」

「そうかい？　保谷と聞いた時から、そわそわしてたみたいだったけどな」

「以前、世話になった人が住んでるんです」

「ふうん。まあそういうことにしておこうか。タイムカードは押しといてやるよ」

「すみません、お願いします」

トラックが見えなくなってから、周りを見回しながら歩き始めた。やがて見覚えのある町並みが現れた。

セールスマンをしていた頃は、会社を出て客のところへ向かうのが憂鬱だった。今回はどんな騙しのテクニックを見せられるのだろう、どんなインチキの片棒を担がされるのだろうという思いが頭の中を占めていた。

しかしこの街に来る時だけは違った。ここを歩くのは川本房江の家に行く時だけだ。彼女に対しては何もしなくていい。ただ家を訪ねていって、お茶を飲んだり、話相手をするだけでいいのだ。川本房江も喜んでくれる。

もっとも、その唯一の息抜きも最後には傷つけられることになった。倉持修はこれ以上はないと思える残酷な手口で、彼女を見事に罠にかけたのだ。

最終的に倉持がどれだけの金を彼女から騙し取ったのか私は知らなかった。それについて詳しく知るのが怖かったのだ。

川本房江の家は、前に来た時と同じようにひっそりと建っていた。ただ一つ違うのは、家の前に自転車が置いてあることだった。彼女が自転車を使っていた記憶がなかったので、その光景には違和感があった。

私は息を整えてからインターホンのボタンを押した。川本房江が東西商事の悪事に気づいているかどうかはわからない。それでも一度会って謝っておきたかった。もしまだ気づいていないようなら、即刻法的な手段を取るよう進言するつもりだった。

やがてスピーカーから声が聞こえた。「はい」男の声だった。

予想していなかったことなので一瞬うろたえた。それでも黙っていては怪しまれると思い、あわててマイクに向かっていった。

「あの……川本さんに以前お世話になった者なんですけど」

「田島といいます。川本房江さんは御在宅でしょうか」

「どういった御用件ですか」落ち着いた声だ。

相手は黙っている。こちらが何者なのか思案しているのだろう。

「ちょっとお待ちください」続いてインターホンの切れる音。

間もなく玄関のドアが開いて、中年の男性が姿を見せた。オールバックにした髪には白いものが混じっていた。川本房江が見事な白髪であったことを私は思い出した。

「何でしょうか」彼は改めて尋ねてきた。

私は会釈を一つした。彼が川本房江の息子であることはまず間違いなかった。

「前にいろいろとお世話になった田島といいます。この近くまで来たものですから、ちょっと御挨拶をと思いまして」

「ははあ……」戸惑った顔で彼は私の胸元に目を向けた。「ああ、家具屋さんですか」

そういわれて、自分が着ているジャンパーの胸に家具屋のロゴが入っていることを思い出した。脱ぐのを忘れていたのだ。

「ええ、はい、あの……家具屋になる前に、いろいろと相談に乗ってもらいまして……」

東西商事のことはいいだしにくかった。目の前にいる男性は、いかにも有能なビジネスマンという雰囲気だった。経済問題にも明るいに違いない。川本房江を勧誘したことについて、悪気はなかったといくらいっても、到底理解されそうになかった。

「母とはどういったことで知り合われたのですか」警戒を含んだ口調で訊いてきた。

「それは、ええと……」頭を掻いた。咄嗟（とっさ）に嘘が思いつかない。倉持なら何とでもいい抜けるのだろうが、その能力が私にはなかった。

倉持のことが頭に浮かんだせいか、思わず漏らしていた。

「友人の紹介で……」

「お友達の？　紹介？」彼は眉をひそめた。訝しがるのも当然だった。二十歳そこそこの男が、友人の紹介で老婦人と知り合ったなどという話に、誰が信憑性を感じるだろう。

「いや、その、友達がどうやって知り合ったかはよくはわからないんですけど」私は頭を掻き続けた。「いろいろと親切にしてくれるおばさんがいて、相談に乗ってもらったりしてるとかいってたので、僕もちょっと会ってみたいといったら、じゃあ紹介してやるよということになって……」しどろもどろだ。内容も支離滅裂だった。

私は後ずさりした。「あの……お留守のようですから、また来ます」踵を返し、逃げ出そうとした。

「あっ、ちょっと待って」呼び止めてきた。無視して駆け出せばよかったが、私は足を止めていた。振り返ると彼がすぐそばまで近づいていた。「母はいないよ」

「ですから……」

彼は軽く瞼を閉じて首を振った。

「留守という意味じゃない。もうこの世にはいないということだ」

「えっ」

胸が大きくひと跳ねした。唾を飲むと、何か大きな固まりが喉を通過する感覚があった。次には苦い味が口中に広がった。

「亡くなったんですか」

「先月ね」そういって彼は頷いた。目が光ったような気がした。

「そうだったんですか。それは、あの……」御愁傷様でした、の一言が出てこなかった。

「せっかく来てくれたんだから、線香でもあげてやってもらえないかな。母も喜ぶと思うし」

「でも……」

「いいだろう？」有無をいわせない威圧感が彼の全身に漂っていた。私は思わず頷いていた。

彼に続いて玄関をくぐった。見慣れた沓脱でスニーカーを脱いだ。しかしそこには婦人用の履き物が一つもなかった。あるのは男物の革靴とサンダルだけだ。

家に上がってから、重要なことを聞いていないことに気づいた。

「御病気だったんですか」川本房江の息子の背中に訊いた。

「いや、違うよ」彼は背中を向けたまま答えた。

「じゃあ、事故？」

「うん、それも違う」彼は歩きだした。今ここで答える気はないようだった。

案内されたのは六畳の和室だ。隣の部屋とは襖で仕切られている。襖の向こうが居間として使われていたことを私は知っていた。そこで何度か川本房江と茶を飲み、菓子を食べたことがある。

六畳間の奥には小さな仏壇が置かれていた。その上に写真立てが見える。

どうぞ、といって彼が座布団を勧めてきた。私はその上で正座した。

彼は胡座をかき、ため息を一つついた。

「この家は両親が建てたものでね、築四十年にはなるでしょう。あちこち改築はしたけれど、古臭い日本家屋であることに変わりはないね」

なぜこんなことをいうのかわからず、私は彼の顔を覗き見た。

「鴨居のある家、なんてのも近頃じゃ珍しいんだろうな」

彼が視線を上に向けたので、私もつられてその方を見た。襖の上だ。

「母はね、そこに首を吊って死んだんだよ」

世間話をするような軽い口調だった。しかしそれだけにその言葉は、無防備だった私の胸を鋭く貫いた。身体が硬直し、声も出せなくなった。

「君は知ってるかどうかわからないが、うちと母とは殆ど交流がなかった。ごくたまに電話で話すぐらいかな。ところが先月のある日、私が家に帰ると、妻がいったんだよ。夕方お母さんから電話があった、とね。用件は何だったかと訊いたら、それがよくわからないという。妻がいうには、母はまず夕飯のおかずを尋ねたらしい。まだ決めていないと妻が答えると、だったら筑前煮にすればいいと母はいったそうだ。私の好物だから、と。話した内容はそれだけだったというんだ」

嫁と姑の仲が悪く、それで別居したという話を私は思い出していた。

「私は何となく気になって電話してみた。もう九時を回っていたと思うよ。ところが誰も電話に出ない。風呂にでも入っているのかと思ってもう一度電話したけど、やっぱり同じだった。出かけるには遅い時間だし、いくら年寄りとはいっても、眠るには少し早いだろう。母は枕元に電話機を置いていたりもした。その後、三十分ごとに電話をかけたが、呼び出し音が鳴るだけだった。とりあえず明日もう一度電話して、それでも出なければ様子を見に行ってみようと思ったが、どうにも気になって仕方がない。それで夜中ではあったけれど、車を飛ばして来てみたわけだ」

その時に彼が目にしたもののことを想像し、私は全身を粟立たせていた。

「驚いたよ」彼は静かに続けた。「お恥ずかしい話だがね、悲鳴をあげた。五十歳にもなって、あんな無様なことになるとは思わなかった。だけど正直いって怖かった。母親が死んで悲しいと感じたのは、ずいぶん後になってからだ。それまではただただ怖かった。母親の死体を怖がったことを自分に恥じたのは、もっと時間が経ってからだ」

「何を使って……」つい声が出ていた。無意識の言葉だった。

「何?」

「あの、何を使って首を……」

「ああ」彼は虚をつかれた顔をした。「着物で使う紐だよ。臙脂色のね」

「そうですか」

「それがどうかしたかね」

「いえ」首を振った。なぜそんなことを訊いたのか、自分でもわからなかった。

「それからは大変だったよ。警察の取り調べやら何やらでね。しかしどうやら自殺であることに疑う余地はないようだった。動機について心当たりはないかと訊かれ、強いていえば寂しかったのではないかと答えた。別居以来、母は一人ぼっちだったからね。まあ彼等にしてみれば、遺書らしきものもなかった。事情を聞くと警察も納得したようだった。事件性がなければ捜査する意味もないわけだから、早いところ片づけたかったのだろう」

お気の毒なことでした、と私は呟いた。それは本当に小さな声だったので、彼の耳に届いたかどうかは不明だった。

「ところがね」彼は続けていった。「通夜やら葬式やらの準備をしているうちに、いろいろとおかしなことがわかってきた。たとえば近所の人の話だと、この家に時々出入りしていた若い男がいたというんだね。まさか母が燕を引っ張りこんでるとは思わなかったけれど、セールスマン風だったというのが気になった。しかも二人で来ていたこともあるらしい。玄関先で楽しそうに話しているのを聞いたという人もいたから、かなり親しい間柄だったようだ」

全身が熱くなるのを私は感じていた。肌寒い季節だというのに汗が滲み始めた。

「おかしなことはもう一つある。母の預金通帳から多額の金が引き出されたり、引き落とされたりしていることだ。何度かに分けて数百万円。定期を解約されていた」

私はうつむいたまま彼の話を聞いていた。こちらのことを見ず知らずの人間だと思っていれば、こんな話をするはずがなかった。いやそもそも、線香をあげろとはいわなかっただろう。逃げ出したかったが、私の下半身は座布団の上で固まっていた。

「通帳の記録から、どこに振り込まれたのが判明したよ。東西商事という会社だった。その名前を聞いて、正直耳を疑った。あの会社のことは知っていたからね。しかしまさか自分の母親が関わっているとは夢にも思わなかった。もっともそれで自殺の理由がわかった。銀行から引き出された多額の現金も、たぶん東西商事に流れているんだろう。それらのお金は彼女の全財産とでもいっていいものだった。それを騙し取られたと知り、生きていく気力を失ったんだろう」

彼の話を聞いて、改めて罪悪感が押し寄せてきた。あの時川本房江は、自分の貯金のほんの一部のような言い方をしていた。しかしあれは我々を安心させるための嘘だったのだ。

「私はすぐに東西商事に連絡したよ。ところがどうにも要領を得ない。というより、はなから逃げ腰なんだ。電話では埒があかないと思い、乗り込んでいくことにした。しかしそのためには金の預り証が必要だ。そこで母の身の回りを探したが、この家のどこにもそれらしいものがないんだ。これは一体どういうことかねえ」

預り証がない――なぜだろうと私も思った。倉持はたしかに彼女に渡したはずだ。

「私はこう思うんだよ。預り証は母が処分したのではないか、とね」

私は顔を上げた。彼と目が合った。

「川本さんが自分で、ですか」

「そう」

「どうして……」

「さあねえ。今となっては真相はわからないけれど、考えられることは二つあると思う。一つには、単純な騙しに引っかかったことを世間に知られたくなかったんじゃないだろうか。母はプライドの高い人だったからね。死んだ後、どんなふうに嘲笑されるかと思うと、我慢できなかったのかもしれない」

それはありそうだと私も思った。

「もう一つはね」彼は唇を舐めた。「庇うことにしたんじゃないかな」

「庇う?」

「母におかしなものを売りつけた連中を、だよ。あの母に信用させたぐらいだから、その人物は余程うまく取り入ったんだろう。母は騙されたとわかった後でも、その人物のことは恨めな

かったんじゃないかな。それだけじゃない。自分の死で、その人物に迷惑がかかったり、その人物が苦しんだりすることがないように、すべての証拠を処分したんじゃないだろうか。預金通帳の記録だけはどうにもできなかったわけだが」

まさか、と私は思った。自分を騙した人間を庇おうとするものだろうか。だがその一方で、あるいはそうかもしれない、とも思った。倉持と話している時の、川本房江の幸福そうな顔が瞼に蘇った。

彼女はそのとびきりの笑顔を、私にも向けてくれた。

「だけどね、私は諦めないよ」彼は低く、しかし鋭くいった。「母がどれほどそのセールスマンを大事に思ったかはわからないが、私にとっては母親を苦しめた悪魔なんだ。ほうっておくわけにはいかない。その人物にもいろいろと事情はあったと思うけれど、からくりを知らなかったはずはないから、やはり東西商事という会社と同罪ということになる。いずれ何らかの形で仕返しをすることになるだろう。覚悟を決めておくように、といっておきたいね」

私に対していっているのだ。彼は私がセールスマンの一人であることを見抜いている。また同時に、もう一人のセールスマンに伝えるよう指示しているのだ。

ふっと彼が息を吐いた。薄く笑った。

「興奮して、少ししゃべりすぎたかもしれないな。もしかしたら君に話しても無駄だったのかもしれない。君はどうやら家具屋さんのようだからね。今の会社にはいつから？」

「三か月前からです」

「そうか」何かを納得したように彼は頷いた。「よくここへ来る気になったね」

「この近くに配達の仕事があったものですから」

「そう。じゃあ、せっかくだから線香でもあげてやってくれるかい」彼は仏壇のほうに掌を出した。

私はうつむいたまま仏壇に近づき、合掌した。何かが胸に迫ってくる感じがした。線香をあげ、もう一度掌を合わせてから、写真立てに目をやった。そこには懐かしい顔があった。川本房江の見事な白髪が奇麗にセットされている。

突然、激しい目眩が襲ってきた。気分が悪くなり、座っているのも辛くなった。私は逃げるようにその場を離れた。

「どうした?」

川本房江の息子が訊いてきたが、答える余裕はなかった。私は彼に向かって会釈すると、あわてて玄関に向かった。スニーカーの踵を踏んだまま表に出た。門を出て少し歩いたところで猛烈な吐き気が襲ってきた。私はその場にしゃがみこみ嘔吐した。水のようなものがとめどなく出た。

ようやく吐き気が収まった後も、私はすぐには立ち上がれなかった。座り込んだまま肩で息をしていた。

私の脳裏には忌まわしい記憶が蘇っていた。祖母の葬式でのことだ。棺桶の中を覗き、花の臭いを嗅いだ途端に吐き出した。あの時と全く同じだと思った。

それから数日後、私は東久留米に行った。会っておきたい人物がいるからだった。いうまでもなく牧場老人だ。彼がその後どうなったのか、気になって仕方がなかった。

私が気に掛けねばならない人物はほかにもいた。東西商事に籍を置いていた期間は短かった
が、それでも大勢の年寄りを騙したからだ。悪気はなく、すべて倉持のせいだったという言い訳は
通用しないだろう。取引の仕組みに疑惑を感じつつも、私は会社を辞められずにいたのだから。

大勢のかわいそうな老人たちの中でも、特に牧場老人のことが印象に残っているのは、彼が
最も不運だったと思うからだ。彼は元々、東西商事に目をつけられてはいなかった。隣の老婆
が留守だったために、倉持が気紛れで声をかけたにすぎない。我々と出会わなければ、彼は
悠々自適な生活を続けられたはずなのだ。

もう一つ告白するならば、上原由希子のことが気になっていた。たった二度しか会っていな
いのだが、彼女のことはいつも私の記憶の中にあった。あの決意に満ちた真摯な表情を思い出
すと、たちまち胸の奥が熱くなるのだ。

牧場老人のアパートには一度しか行ったことがなかったが、道順は覚えていた。迷うことな
く、あの古いアパートの前に辿り着いていた。一階の真ん中あたりに『上村』という表札の出
たドアがある。私たちは本来、この部屋に住んでいる老婆を勧誘するはずだったのだ。彼女は
今も、自分が驚くべき幸運に助けられたことに気づいていないだろう。

その隣が牧場老人の部屋だ。私は深呼吸を一つしてからドアホンを鳴らした。頭の薄くなった、皺だらけの痩せた顔が、
中で人の動く気配があり、ドアの鍵が外された。頭の薄くなった、皺だらけの痩せた顔が、
ドアの隙間から現れた。

「どなたですかな」老人は私の顔を覚えていなかった。

私は頭を下げ、かつて東西商事にいた者だと正直にいった。老人は思い出したようだ。ああ、

と口を開けた。

「会社のことで、いろいろと御迷惑をおかけしたようで、本当に申し訳ありません」

「あんた、それをいいにわざわざ？」

「一言お詫びしたいと思いまして」

「ははあ」老人は戸惑っている様子だった。

私は持っていた紙袋を差し出した。「これ、あの、つまらないものですけど」デパートで買ってきた和菓子だ。

老人は紙袋と私とを交互に見比べた後、顎を撫でた。「まあ、入りなさいよ」

「いいんですか」

「それだけで帰るわけにもいかんだろ。それともほかに寄るところがあるのかね」

「いえ……じゃあ、お邪魔します」

狭い部屋だった。六畳の和室と台所があるだけだ。前に来た時よりも狭く感じられたのは、布団が敷きっぱなしだからかもしれなかった。その布団を端に寄せ、二人が座れるスペースを老人はこしらえた。

「あんた、今もあの会社に？」

「いえ、三か月前に辞めました」

「そうか。逃げ出したか」老人はいった。「あれはまあ何というか……ひどい目に遭った」

「すみませんでした」もう一度頭を下げた。

「逃げ出したか」老人はいった。その言葉の真意がわからず私が黙っていると、続けて彼はいった。

「まあ、あんたに謝ってもらっても仕方がない。あの頃はあんただって、会社のやり口につ

いてはよく知らなかったんだろうから」

頭を下げ続けた。

「そうやって被害者の家を回っているのかね」

「皆さん全員のところに、というわけではありませんけど」

「そうかい、大変だねえ」

「あの、お身体は大丈夫なんですか。前に上原さんから、体調を崩されたようなことを伺った

んですけど」

「うん、まあ、寝たり起きたりだけど、最近はずいぶんよくなった」

「それはよかったです」

「あんた、今はどんな仕事を?」

「家具の運送業者にいます」

「力仕事か。うん、それがいい。それが一番いい」老人は何度も頷き、首筋を掻いた。手の甲

には染みがあった。

「それで、あの、解約はうまくいったんでしょうか」気になっていることを尋ねた。

「ああ、あれえ。まあ、いろいろとやっとる最中だ」

「というと、弁護士さんに相談されたとか」

「いや、そこまで大層なことではないが」

なぜか老人の歯切れが悪くなっていた。詳しく訊こうと思って口を開きかけた時、ノックの

音がした。はいよ、と老人が答えた。
ドアが開き、白いニットを着た上原由希子が姿を見せた。

24

上原由希子は私を見て、笑顔のまま固まった。ビデオテープを止めたようだった。
私は彼女に向かって会釈した。彼女も頭を下げたが、反射的なものだったのだろう。
「どうして？」由希子は牧場老人に戸惑った目を向けた。
「謝りに見えたそうだ」老人はいった。「東西商事のことで」
ああ、と彼女は頷いた、再びこちらに視線を戻した。しかし発すべき言葉は見当たらないらしく、黙っていた。そんな彼女に老人が、私の現在の職業などを説明した。彼女は頷きながら聞いていたが、そんなことはどうでもいいようだった。
「今、牧場さんから聞いたんですけど、解約手続きはまだ片がついてないみたいですね」私からいってみた。
彼女はこくりと顎を引いた。それを見て私は続けて訊いた。
「弁護士さんとかに頼んでるわけでもなさそうですけど大丈夫ですか。もし俺に何かできることがあればお手伝いしますけど」
すると由希子は一旦目を伏せてから、また顔を上げた。
「でも田島さんにだって、どうすることもできないでしょ。今はもう会社を辞めちゃってるわ

「けだし」

「それはそうだけど……」彼女の指摘は鋭かった。実際に私には何の手だてもなかった。だがそうはいえず、苦しまぎれに口を開いた。「昔の知り合いに様子を訊いてみるとか、いろいろと力にはなれると思うんですけど」

彼女はかぶりを振った。

「適当なこといわないでください。口でだけなら何とでもいえます」

「いや、そういうわけじゃ……」

「大丈夫です。あたしたちの力で、何とかおじいちゃんを助けてみせますから。お気持ちだけで十分です。どうもありがとう」彼女は頭を下げた。

完全なる拒絶と見てとれた。私は返す言葉がなく、同時にその部屋にいる理由も失っていた。仕方なく腰を上げた。「じゃあ俺はそろそろ」

二人は私を引き止めたりしなかった。

私が靴を履き、玄関を出るまで、由希子はドアのそばに立っていた。まるで疫病神が出ていくのを見届けているようだった。当然とはいえ、それほどまでに嫌われているのかと思うと悲しくなった。

「信用できないかもしれないけど、本当に力になりたいと思っているんだ。俺に何かできることがあったら連絡してほしい」私は名刺を出した。といってもそこに印刷されているのは私の上司の名前だった。「ここの職場にかけてもらえれば取り次いでくれるし、もし俺がいなくても伝言しておいてくれればこっちから電話するから」

彼女は無言で受け取った。連絡する気などは毛頭ないが、ここで話を長引かせたくないから受け取るのだ、という顔つきだった。

私が歩きだすとすぐに後ろでばたんとドアの閉まる音がした。

それからしばらくは何事もない日々が続いた。つまり由希子からの連絡もないということだ。予想していたこととはいえ、落胆は小さくなかった。仕事中も、部屋で安酒を飲んでいる時も、彼女のことを思い出したことととはいえ、落胆は小さくなかった。自分で思っていた以上に、彼女への気持ちは大きかった。

そんな中、ついに東西商事に強制捜査が入った。あるセールスマンの強引なやり方が摘発の対象となったのだ。その男は「区役所のほうから来た」といって年寄りを安心させ、預金通帳や健康保険証、印鑑などを強引に奪ったらしい。犯行が発覚したのは、銀行で預金口座の解約を申し込んだ時に、応対した行員が不審を抱いて通帳の持ち主に照会したからだ。その男の容疑は詐欺罪だが、警察は会社ぐるみの犯行と断定しているようだ。

そのニュースを聞いて鳥肌が立った。捕まったセールスマンのしたことは、私が片棒を担がされていたこととまるで同じだった。ひとつ間違えれば、捕まっていたのは私たちだったのだ。

東西商事は完全に壊滅するだろうと私は思った。となれば、牧場老人の手にも、いくらかは戻ってくるかもしれない。事件が一段落したら、一度様子を見に行ってみようと思った。

しかし現実は、そんなに甘いものではなかった。

強制捜査の記事が出てから十日ほど経ったある休日、久しぶりに午後まで寝ていようと思っていたら、激しくドアがノックされた。田島さん、田島さん、と呼ぶ声もする。男の声だが、

聞いたことはなかった。宅配便か何かだろうと思ってドアを開けると、外に人相の良くない男が二人立っていた。どちらも三十代半ばに見えた。

「田島和幸さん？」パジャマ代わりのTシャツを着ていた私に、四角い顔の男がいった。

そうですけど、と私が答えるのとほぼ同時に、男は上着の内側から警察手帳を出してきた。手帳の表面は手垢で黒光りしていた。

「これからちょっと我々と一緒に警察署まで来てもらえませんかね。伺いたいことがありまして」

予期せぬことだったので面食らった。「どういうことですか」

「来てもらえばわかりますよ。お時間は取らせませんから」

「待ってください。せめて何に関することかだけでも……」二人の刑事を交互に見た。

四角い顔の刑事が笑顔で答えた。「東西商事のことでちょっと」

「東西……ああ」

「わかってもらえたようですな」刑事は私の身なりに目を向けた。「着替える間、ここで待たせていただきます」

「でも俺は……僕は何か月も前に辞めています。今さら、お話しすることなんか何もありません。お役に立てないはずです」

「それはこっちが判断するよ」そういったのは、もう一人の痩せた刑事だった。「さっさと着替えたらどうなんだ」

参考人にというより、容疑者に対する言葉遣いに聞こえた。しかしそれについて抗議する余

裕もなく、私はのろのろと着替え始めた。刑事たちは部屋の中をじろじろと見回していた。私が連れて行かれたのは池袋警察署だった。小さな机を挟んで、先程の二人と向き合った。

まず四角い顔の刑事が一枚の書類を出してきた。「これに見覚えは？」

それは見覚えがあるどころか、二度と見たくない書類だった。

「東西商事の金の預り証ですね」私はいった。

「そう。正式名称を知っているかな」

「たしか、純金ファミリー証券だったと思います」

「正解」刑事は満足そうに頷いた。「入社はいつ？　現在の会社の話じゃなく、東西商事のほうだけど」

「去年の——」

この後刑事たちは、私が東西商事にいた間のことについて事細かく質問してきた。特に細部にこだわったのは、勧誘方法についてだった。私は極力ごまかしながらしゃべった。先に捕まったセールスマンのことを思い出していた。

「あんたが本当のことをしゃべりたくないのはわかるけど、正直に話しておいたほうが身のためだよ」やがて焦れたように刑事がいった。「偽証罪という罪もあるからねえ」

私が顔を強張らせると、その刑事は含み笑いをした。

「心配しなくても、こっちはあんたらみたいな下っ端を捕まえようなんて思っちゃいない。そんなことをしてたら刑事がいくらいても足りないからな。こっちの狙いは会社そのものだ。いや、会社を裏で操ってる連中だ。だからさ、何でも正直に話してくれりゃいいのさ。悪いよう

にはしないから」

刑事たちの口調を聞きながら私は、この連中がセールスマンになったらきっと優秀だろうな
と考えていた。

たしかに彼等は、たとえば詐欺などの疑いで私を逮捕しようとしているわけではなさそうだ
った。私は少しずつ、セールスマン時代に行った強引な勧誘方法について供述していった。刑
事たちは私の話に、ほう、とか、ひでえなあ、といった感嘆の声を上げた。しかし心底驚いて
いる様子でもなかったから、たぶんほかのセールスマンから同じような話を聞いていたのだろ
う。

東西商事が破産宣告を受けたのは、それから間もなくのことだった。新聞やテレビが、連日
この事件について詳細に報道した。被害者数は約四万人、被害総額は千五百億円に上るという
ことだった。内部にいた私が驚くほどの馬鹿げた数字だった。被害者の大半が、生活を年金に
頼っている高齢者だということが、この事件の大きな特徴だった。

さらに私が初めて知ったことは、東西商事の上にはさらに統括会社があり、その会社の系列
には似たような詐欺的商法をしている会社がいくつもあるということだった。また会社の金庫には、とうの昔に行方をくらましていた。倒産前に、トップ連中が大急ぎ
東西商事のトップにいた連中は、とうの昔に行方をくらましていた。倒産前に、トップ連中が大急ぎ
純金どころか、客から預かった現金さえも残っていなかった。倒産前に、トップ連中が大急ぎ
で整理したと思われた。被害者たちは結束し、何とかして自分たちの財産を取り戻そうと訴訟
を起こしているが、果たしてどれだけの金が戻ってくるかは甚だ怪しかった。

千葉まで花嫁道具一式を運ぶという仕事があり、くたくたになって帰宅してみると、またし

ても例の四角い顔をした刑事が部屋の前で待っていた。彼は私の疲れた顔を見て、「どうもご

くろうさん」と声をかけてきた。

「まだ何かあるんですか。もう十分話したじゃないですか」

「事件は終わってないからねえ」

「話すことなんか、もう何もないですよ」

ポケットから鍵を出した。しかし私が鍵穴に差し込もうとする前に、刑事はドアのノブを引

いた。ドアがすっと開いた。

鍵をかけ忘れたはずはなかった。私は驚いて中に入ってみた。

明らかに誰かが侵入した形跡があった。荒らされているというわけではないが、あらゆると

ころに他人の触れた跡が残っている。

「昼間、捜索させてもらったよ」刑事はいった。「もちろん令状はある。大家さんに鍵をあけ

てもらった」

「どうしてそんなことを……」

「まあそれについてはゆっくり説明するよ。とりあえず一緒に来てもらおうか」彼は道端に止

めてあったセダンを指差した。

池袋警察署に着くと、例によって小さな机を挟んで我々は向き合った。

「会社がつぶれたことは知ってるね。君のところに何か連絡はあったのかな」

「いえ、何も」

「会社で一緒だった人間とはどう？　今でも付き合いのある人間はいるんじゃないのかい」

「いえ、今では誰とも」倉持の顔が浮かんだが、考えないようにした。事実、彼のアパートを出て以来、電話さえもしていない。

刑事は机を指先でとんとんと叩いた。

「最近わかったことなんだけどね、君の退職届は受理されていないようなんだ」

「えっ」

「つまり会社の倒産時、君はまだ在籍していたことになっている」

「そんなはずはないです。俺、たしかに退職届を出しましたよ。山下さんという人に渡しました」

「山下……販売担当部長のね」

私は頷いた。そういう肩書きだったことを、いわれて初めて思い出した。

「ところが事実はそういうことなんだ。で、君にはずっと給料が支払われていたことになっている。あくまでも帳簿上のことではあるがね」

「俺、そんな金貰ってません。調べてもらえばわかります」

椅子から腰を浮かせて主張する私を、まあまあと笑いながら刑事はなだめた。

「それはわかっているよ。だから帳簿上ではといってるだろ。それに君のような幽霊社員はほかにもいる。おそらく幹部連中が会社の金を分配するために、君たちの名前を使ったんだろう。いずれ破産することはわかっていただろうからね」

「なんて汚い……」私は唸っていた。

「確認したいことはもう一つある」刑事は人差し指を立てた。「君の話によれば、契約の手順

はこうだったね。一つは、まず客に現金を会社の口座に振り込ませる。入金が確認された時点で、純金の預り証──ファミリー証券といったかな、それを契約者に郵送または持ち帰ったセールスマンが直に届ける。もう一つは、契約者から現金を預かった場合、それを会社に持ち帰ったセールスマンが、会社から証券を発行してもらい、契約者に直接渡す。違ってたかな」

「いえ、そのとおりです」

「問題はこの二番目のケースだ」刑事はいった。「このやり方だと、何らかの手段でファミリー証券なるものを手に入れられれば、セールスマンは現金をネコババできるということになるな」

「えっ……」一瞬戸惑ったが、すぐにその意味が理解できた。「それはそうですけど、お客さんが会社に確認の電話を入れたら、すぐにばれるじゃないですか」

「ふつうの時ならね。しかし君が辞めた後は、あの会社の中は到底ふつうの状態ではなかった。本来なら取り扱いが厳重であるはずの証券の発行についても管理についても、お話にならないぐらい杜撰だった。早い話が、ちょっと内部事情に詳しい人間なら、簡単に証券を作れたわけだ。なぜそんなに杜撰だったかについては説明するまでもないだろう。東西商事の幹部たちは、そんな証券など近いうちに紙切れにしかならないことを知っていたからだ。純金の預り証というう名目だが、元々純金そのものが存在しない。そんな紙切れを使って、誰が何をしようが、幹部たちにとってはどうでもいいことだったんだ」

「実際にそういうことが……ネコババしたやつがいるんですか」

「いたようだね。正確にいうと、その痕跡がある」

刑事が机の上に一枚のコピーを置いた。そこに写っているのはある書類だった。何度か目に

したことのある用紙だ。

「これが何かはわかるな」

「現金の預り証ですね」

「そう。契約者が現金で支払った場合、証券が届くまでの間、たしかに払ったという証拠とし

てセールスマンが契約者に渡すものだ。これを見て、何か気づくことはないか」

私はそれを凝視した。すぐに目を剝いた。あっと声をあげた。

「俺の印鑑が押してある……」

「そう。田島という印鑑が押してあるだろ。こちらで調べたかぎりでは、東西商事に田島とい

う社員はほかにいない」

「でもこれ、俺じゃないです。俺は判子なんか押した覚えないです。大体、俺はいつも補佐の

仕事ばかりで、こういう責任のある仕事は任されてなかったんですから」

「印鑑のほかに気づくことはないかい」

まだ何かあるのかと思い、コピーに目を落とした。今度は気づくのに少し時間がかかった。

端っこに小さく記されていたからだ。

「日付が……俺が辞めてから一か月も後だ」

「そうだね。つまりこういうことになる。君以外の誰かが君の名前を騙（かた）ってセールスを行い、

現金による取引を成立させた。その人物は田島という印鑑を押した現金預り証を客に渡し、後

日不正な方法で作成した証券を持っていった」

「だけどそれなら」私はコピーを見つめていった。「証券と引き替えに現金の預り証を返して
もらうから、こんなふうに預り証が残っているのはおかしいですよ。そういうことをする人間
なら、返してもらった預り証をすぐに処分するでしょうから」

「ところがそういうわけにはいかない。その人物は会社側も騙さなきゃならないからな。君は
知らないかもしれないが、東西商事では、発行した証券を管理するために、現金預り証か証券
の受取証、もしくは書留の控えをファイルすることになっていた。犯人はこっそりと預り証を
そこに紛れこませておく必要があったんだ」

「じゃあそのファイルの中にこれが……」

「そのとおり、といいたいところだが、ちょっと違う」刑事は鼻の横を掻いた。「そういうフ
ァイルがあったのは事実のようだが、強制捜査の段階ですでに消失していた。被害者の身元を
知られたくなかった幹部連中が処分したんだろう。これはまだファイリングされていない書類
の中からたまたま見つかった」

私はコピーを手に取った。金額は二十万円とある。比較的少額だから現金で支払ったのだろ
う。

「これ、お客さんの名前が書いてないですね」

「そう。空欄になっている」

「どうしてそのセールスマンは客の名前を書かなかったんだろう」

「たまたまかもしれんが、意図的とも考えられる。客がわかれば、そのネコババセールスマン
を特定することが可能になるからな」

　私は頷いた。客にセールスマン全員の顔写真を見せればいいのだ。

　それにしても、辞めた人間の名前を騙って詐欺を働くとは何というずる賢い手口だ。東西商事の存続が危うく、幹部たちが取引の証拠を隠滅すると踏んでの犯行だろう。

　はっとして顔を上げた。

「そのセールスマンが俺の名前を騙ってネコババしたのは、これ一回だけでしょうか」

　四角い顔の刑事は口元を曲げて首を傾げた。

「とは思えないな。この手を使えば、簡単に金が手に入るわけだからな。しかし残念ながら証拠はない」

　私は唇を嚙んだ。自分が損をしたわけではなかったが、卑劣なことに利用されたというのが悔しかった。会社を辞めた後も、『田島』と名乗るセールスマンは次々に老人を騙していたのだ。

「家宅捜索を行ったのは、君の印鑑が見たかったからだ。この預り証に押してあるものと同じ判子を君が持っていれば、君自身がネコババしていたことになるからね」

「俺、やってません」相手を睨みつけた。

「わかってるよ。念のためだ。それから君の預金その他も調べさせてもらった。結論からいうと不審な点はなかった。こういう言い方をしては失礼かもしれんが、つましい生活を強いられているようだな」

「それで」刑事が身を乗り出してきた。私は刑事から目をそらした。「ここまでの話を聞いて、君のほうに何か心当たりは

　大きなお世話だった。

君の名前を騙って、ちゃっかりと東西商事という詐欺会社の上前をはねそうな悪党にさ」

即座に一人の男の名前が頭に浮かんだ。いや、刑事の話を聞きながら思い浮かべていたといったほうが正確だろう。

私は呼吸を整え、考えるふりをした。どう答えるのが最も自然か。

やがて都合のいい答えを見つけだした。私は刑事の目を見ていった。

「あんな会社でしたから、セールスマンにもまともな人間は少なかったように思います。人を騙しても平気だという連中ばかりです。心当たりがあるというより、誰がそういうことをしてもおかしくないというのが正直なところです。だから強いていえば全員が怪しいということになります」

刑事の顔に失望の色が広がった。

あそこで倉持修の名前を出していたらどうなっていただろう、と時々考えてみることがある。彼は警察に捕まり、その後の私の人生も違ったものになっただろうか。いや、たぶんそうはならなかっただろう。あの倉持が、あっさりと犯行を自供したとは思えない。証拠は何もないに等しいのだ。また仮に何か証拠があったとしても、それほど大きな罪には問われなかったのではないか。

しかし私が刑事に彼の名前を告げなかったのは、そういう思考が働いたせいではなかった。新たに発見した彼のさらなる悪の部分は、自分の胸の内におさめておいたほうが今後にとって

も有効だと判断したからだった。彼を裁くのは自分だと決めていたので、警察に介入をされたくなかった。

数日後、私は倉持のアパートに出向いた。目的は、彼が私の名前を騙ってセールスを行ったかどうかをたしかめることにあった。

だが倉持はすでに引っ越していた。隣の部屋の住人に尋ねてみると、一か月以上前にいなくなったという。行き先は知らないらしい。

私はその足で、アパートの管理を任されている不動産屋に行ってみた。太った顔の店主は面倒臭そうに書類をぱらぱらとめくった後、連絡先は実家になっている、と答えた。

「実家って、あの豆腐屋さんの？」

「知らないよ。住所しか書いてないから」

連絡先を見ると、やはりあの古い豆腐屋の住所が記されていた。

私は倉持の実家に電話をかけてみることにした。電話に出たのは彼の母親だった。中学の同級生だ、と私はいった。

「今度同窓生名簿を作るので、倉持君の現住所を教えていただきたいんです」

倉持の母親は、私の言葉を疑っている様子ではなかったが、電話の向こうで困ったように唸（うな）った。

「それがねえ、こちらでもよくわからないんですよ」

「えっ、といいますと？」

「去年の今頃、一度連絡があっただけで、その後は音信不通なんです。最後に住んでたのは練

馬のほうですけど、そこにも今は電話が繋がらなくて……」

あなたのほうこそ息子について何か知らないかと逆に問われた。

私は早々に電話を切るしかなかった。

私は、同居していた頃に彼と一緒に行った銭湯や食堂、喫茶店などを回ってみた。どこでも返ってくる答えは同じだった。そういえばこのところずっと来ていない、だ。

東西商事のあったビルの近くまで行ってみたこともある。しかしそんなことをしても仕方がなかった。

倉持がのこのことそんなところに現れるわけがなかった。

時間が経つうちに、私の中での彼の存在も次第に小さくなっていった。生きていくためには働かねばならず、人捜しをしている余裕はなかった。

そのまま彼のことを忘れ去れたなら、たぶん私にとって一番よかったのだと思う。事実その後の数年間は、比較的穏やかに、それなりに楽しく過ごせたのだ。

しかし私と彼を繋ぐ黒い運命の糸は切れてはいなかった。

25

その日私が三番目に担当した客は、中年男と二十代半ばと思われる女性のカップルだった。男は五十に手が届くか届かないか、というところだ。腹にはたっぷりと脂肪がつき、頭のほうもかなり寂しくなっていた。ただし身なりから察して、金回りはよさそうだった。若い女性はラフな服装をしていたが、持っているものの一つ一つが高価なブランド品だった。いつもより

かは幾分薄くしているのだろうが、それでもふつうの女性に比べて化粧が濃い。ホステスと店の客だな、と私は即座に察知した。

「今日はどういったものをお探しでしょうか」自分の名刺を渡してから男のほうに訊いてみた。

二人の関係には全く関心がない、という顔を作っている。

「まずはソファかな。テーブルも見たい。それからベッドも」

「かしこまりました」

「ドレッサーもね」女が男の横顔にいった。

男が鼻の下を伸ばす。

「ああそうだった。ドレッサーも見せてやってくれ」

「わかりました。ではこちらへ」私は二人を導くように歩きだした。

女が新しく部屋を手に入れたのだなと私は想像した。そこで家具も欲しくなって、この中年男にねだったというわけだ。無論、二人は結婚するわけではない。男には妻子がいる。いわゆる愛人関係を続けるための巣を作ろうということだ。

ならば遠慮することはない。値の張る高級品をどんどん勧めればいいのだ。男は女の手前、いい格好をしたがるだろう。また女は、自分のためにこの男がどこまで太っ腹になれるかを値踏みしている。

ふつうの新婚夫婦が相手なら、まずは国産品のコーナーから案内するところだが、この二人にはそんな手順はいらない。私は真っ直ぐにドイツ製ソファの並ぶコーナーに連れていった。

某メーカーがモデルチェンジを控えている製品の在庫があり、早いところ売りつけろと上から

指示されている。しかし他の製品よりは明らかに値が張るので、ふつうの客ではなかなか買ってくれず、苦慮していたところなのだ。ちょうどいいカモが来た、と私はほくそ笑んだ。

この家具販売会社に就職してから二年が経っていた。この店の大きな特徴は、基本的にはすべての客に担当社員になり、やがて売場担当になった。最初は臨時雇いだったが、一年前に正社員が一名ずつつくということだった。サービス向上が主たる狙いだが、冷やかし半分の客に歩き回られるのを防止する意味もあった。

初めて訪れる客は、入り口のカウンターでまずは会員登録を行う。その後、担当者が割り当てられるのだ。客が次に来た時には、前回の担当者を指名してもいいし、別の人間を希望してもいい。指名の多い社員は優秀ということになる。私は新人の中では評判のいい部類に入っていた。

「革張りのソファといってもいろいろあるんですよ。簡単な見方をお教えしましょう」私は携帯用のルーペを取り出して、そばにあったソファの表面に近づけた。

「御覧ください。毛穴が見えるでしょう? 動物の皮ですから、当然人間と同じように毛穴があるわけです。これが質の悪いものですと、すっかりつぶれてたりするんです」

ルーペを覗き込んでいた女が、へええ、と感心の声を上げた。中年男も満足そうだ。狙いどおりにドイツ製ソファを売りつけ、ついでに大理石のセンターテーブルを買わせることにも成功した。その後はアメリカ製の家具コーナーに移動し、そり型のベッドフレームを決めた後、寝具コーナーでワイドダブルの最高級ベッドを売った。残念なのは女性の気に入るドレッサーがなかったことだ。

「あのカップルはまた来るよ」事務所に戻ってから、同僚に成果を話した。「どうやら中古のマンションを買ったらしい。それで照明器具はついているようだけど、愛人には合わないみたいなんだな。今日買ったリビングセットはあっさりしたモダン調なのに、今ついているのはごてごてした代物だというんだ。あれだけ高級品を揃えたら、徹底的に合わせたくなるのが人情さ。たぶん近いうちに来るね」

「いい客を摑んだなあ」同僚は羨ましそうにいった。

「今度も俺を指名してくれれば、の話だけどさ」私は煙草を取り出して、深々と吸った。いろいろと職をかえてきたが、もっとも自分に合った仕事なのかもしれなかった。家具は好きだし、他人の家のインテリアについてあれこれ考えるのも楽しい。低予算で何とか小奇麗で快適な生活を得ようとしている客が相手の時は、商売を二の次にして親身になってやろうと思う。要は、客が何を求めているか、なのだ。

ずっとこの仕事を続けられたらいい、というのが正直な気持ちだった。

煙草を一本吸ったところで、受付から電話が入った。初来店の客に担当者をつけてほしいという。その時、数名の販売員が待機していたが、たまたま電話を取ったのが私だった。二本目の煙草を箱に戻し、上着を手に立ち上がった。

ネクタイの歪みを直しながら受付ロビーへと出ていった。「お客さんは?」受付にいる女性に訊いた。

「あちらの方よ」彼女は入り口を指した。髪の長い女性が、陳列されているアンティーク家具を眺めているところだった。薄いブルーのワンピースを着ていた。

受付嬢から資料を受け取り、彼女に近づいた。資料というのは、来客が会員登録時に書くものだ。名前や住所、電話番号が記されている。いつもの私なら名前を確認してから近づくところだった。しかしその日にかぎって、よく見ないで歩き始めていた。

「お待たせしました」私は女性客の背中に声をかけた。それから改めて資料に目を落とした。

名前の欄を見る。

彼女が振り返るのと私が名前を確認するのとどちらが早かったのかはよくわからない。ほぼ同時だったのかもしれない。いずれにせよ私は電気ショックを受けたように固まっていた。

そこに立っていたのは上原由希子だった。数年前に比べると格段に大人っぽく、そして美しくなっていたが、紛れもなく彼女だった。

彼女のほうは瞬時には私のことを思い出さなかったようだ。しかし目の前で表情を強張らせ<ruby>強張<rt>こわば</rt></ruby>らせている男を見て、不審に思わないはずがなかった。名刺を出そうとしたが、指先が震えてかすかに眉を<ruby>顰<rt>ひそ</rt></ruby>めた彼女に、私は一歩近づいた。名刺を出そうとしたが、指先が震えてまく摑めなかった。

「あの、以前どこかで……」彼女のほうが口火を切った。覚えてくれていたのだ。

ようやく私は名刺を取り出せた。震える手で差し出した。

「お久しぶりです。あの節はどうも」声まで震えてしまった。

名刺に印刷された名前を見て、彼女は目を宙に泳がせた。記憶を<ruby>辿<rt>たど</rt></ruby>っている顔だった。やがて彼女の目の焦点が私の顔に乗った。ああ、というように口を開けた。

「あの時の田島さん……」

「御無沙汰しています」私は頭を下げた。

驚いた。ここで働いておられたの？」

「いろいろ転々とした末に、です」

「そう」

「あの時は本当に御迷惑をおかけしました」

「あ、そのことはもう……」彼女は目を伏せた。

偶然というべきかどうかはわからなかった。来る日も来る日も、不特定多数の人間を相手にする仕事だ。これまで知っている人間と出会わなかったこと自体が奇跡的なのかもしれなかった。

「あの……」私は手元の資料を見ながらいった。「資料をよく見ないで声をおかけしてしまって迂闊でした。すぐにほかの者と替わってもらいます。不愉快な思いをさせて申し訳ありませんでした」

もう一度頭を下げ、私は踵を返した。だが歩きだす前に彼女がいった。

「あたしなら構いませんけど」

踏み出しかけていた足を止め、私は振り向いた。由希子と目が合った。彼女は微笑みかけてきた。「昔のことですし」

「もう何も気にしてませんから」

「でも、僕の案内じゃ不愉快じゃないかと……」

「だから、気にしてませんってば。それとも、田島さんのほうがやりにくいかしら」

「いや、そんなことは」頭を掻いた。やりにくいことは事実だが、彼女を案内したくないわけ

ではなかった。「いいんですか。僕で」

「お願いします」彼女の笑顔はあの時のままだった。

カーテンを見たいのだと彼女はいった。今日すぐに買うつもりはないが、下見をしておきた

いらしい。部屋の模様替えをする気なのかと尋ねてみた。

「まあそんなところかな」彼女はちょっと首を傾げた。

カーテンに関しては専属の女性アドバイザーがいる。私は彼女を由希子に紹介した。

由希子の中ではまだこれといった部屋のイメージが固まっていないようだ。いくつかの案を

聞いた後、もう少し考えてみるといった。

「たくさんあるから迷っちゃう」カーテンコーナーを出てから彼女がいった。

「焦ることはありません。いつでも相談に乗ります」

「ありがとう」

「礼なんかいりません。仕事ですから」私の言葉に由希子は笑って頷いた。

家具を少し見たいといったので店内全体を案内することにした。

「由希子さんは今何を?」歩きながら尋ねた。

「今は経理みたいなこと……かな。それより田島さんはどんな仕事をしてきたの?」

「さっきもいいましたけど、いろいろなことを。ここの下請けの運送会社にいたこともありま

す。そのコネを生かして、臨時雇いでもぐりこんだというわけで」

「がんばったのね」

「そうでもないです」彼女に褒められると心が浮き立った。桐箪笥をはじめ日本間に合った家具を置いているフロアに彼女を連れていった。そこなら殆ど人が来ないからだが、もう一つ理由があった。

「この場所が一番好きなんです」フロアの入り口に立ち、私は深呼吸をした。木の香りを含んだ空気が肺に入っていくのがわかる。

どうして、というように由希子は私を見上げた。

「ここに来ると生まれ育った家を思い出すんです。古い家でね、台所は土間になってました。桐の家具なんかもいくつかあったと思います。信じられないかもしれないけど、お手伝いさんを雇ってました」

由希子は目を見開いた。「お金持ちだったんだ」

「どうでしょうか。お金は多少あったと思います。親父が歯医者でしたから。でも小さい頃の話です。家族はバラバラになり、私も一気に貧乏生活突入です」

「苦労してるんだね」

「でも、ああいうことはしちゃいけませんでした」

「ああいうこと?」

「東西商事」

ああ、と彼女は顔をそらした。思い出したくない話のようだ。

「あのおじいさん……牧場さんといいましたっけ。あの後、どうしたのかな」

「そのことなら安心して。無事にお金は戻ってきたから」

「お金、返してもらえたんですか？　全額？」

彼女はこくりと頷いた。

「すごくラッキーだったと思うの。ほかの人はまだ揉めてるみたいでしょ。おじいちゃんの場合は、力になってくれる人がいたから助かったのよ」

たしかにあの会社から回収できたというのは驚きだった。

「一体どうやって……」そこまで訊いたところで言葉を呑み込んだ。何ひとつ力になれなかった私に、それを訊く資格はないと思った。

「牧場のおじいちゃん、今も元気よ。ちょっと足腰が弱くなったみたいだけど、時々公園を散歩したりしてるし」

「へえ、それはよかった」ほっとする気持ちと後ろめたい気持ちが私の中で交錯した。

一時間あまりをかけて店内を案内した後、我々はロビーに戻った。何も買わなくてごめんなさいね、と彼女は謝った。私はかぶりを振った。

「案内したお客さんがいつも買ってくれるわけじゃありません。それに僕も楽しかったし」

「それならいいけど」

「カーテンのこと、いつでも相談に乗ります。前もって電話してもらえれば、その時には仕事を入れないようにしておきますし」

「うん、ありがとう」

ガラス扉の向こうに去っていく由希子の後ろ姿を、浮き浮きした気持ちで見送った。会社にいても落ち着かなかった。電話が鳴るたび、その日からしばらく幸せな気分が続いた。

誰よりも早く受話器を取った。他の客の案内をしている間も、彼女から電話が来るのではとそわそわしていた。

由希子の連絡先はわかっていた。会員登録をした際の資料に書いてある。こちらから電話してみようかと思ったことも何度かある。理由などいくらでもつけられる。カーテンの新しい生地が入ったから、とでもいえばいいのだ。しかし勇気が出なかった。少しばかり親しく話しただけで、過去のことをすっかり忘れていい気になっている、と思われたくなかった。

悶々として幾日かを過ごした後、待望の電話がかかってきた。客の案内を終えて事務所に戻った時だった。先輩社員が受話器を手にし、上原さんという方から電話だぞ、と教えてくれたのだ。

奪うように受話器を受け取り、もしもし田島です、といった。息が荒くなっていた。

「もしもし上原です。この間はどうもありがとう」

「いえ、とんでもない」先輩の目を意識しながら答えた。馴れ馴れしい話し方は禁物だ。

「明日、お伺いしたいんだけど、いいかしら」

「大丈夫です。ええと、何時頃でしょうか」胸の高鳴りを抑えながら私は訊いた。

翌日は土曜日だった。夕方六時頃に行くと彼女はいった。お待ちしています、と私は答えた。

次の日は朝から興奮気味だった。髪型に気を配り、髭の剃り残しにも注意した。制服なので服装のことで悩まなくていいのは幸いだった。

土曜日は来店者が多い。案内係が足りなくなることもしばしばで、そういう時には客だけで

回ってもらうことになる。私もひっきりなしに客の相手をしなければならなかった。それでも時折上の空になった。時計ばかり見て、六時になるのを待った。

大して買う気はなさそうなのに、やたらと説明ばかりを求めてくる客をロビーで見送った直後、上原由希子が店に入ってきた。グレーのスーツ姿だった。彼女は私を見て、にっこりした。

「ちょうどよかった。前のお客さんがお帰りになったところでした」

「忙しいのに、大丈夫だった?」

「もちろん。それに、由希子さんだってうちの大事なお客様です」

「ありがとう、という形に彼女の唇が動いた。

「えと、じゃあカーテンコーナーでいいのかな」

彼女は黙って頷いた。私の幸せな時間の始まりだった。

「正直いうと心配でした。もしかしたらもうここへは来てくれないんじゃないかと思って」

「どうして?」

「それはだって、昔のこととかいろいろあるから……」

「もう昔のことをいうのはやめましょ。済んだことじゃない」

諭すような口振りだった。そうですね、と私はいった。

カーテンコーナーに行くと、アドバイザーの女性が困ったような顔で立ち尽くしていた。こちらを見て、助けを求める目をした。

「どうかしたんですか」

「ああ、田島君。今、変なお客さんが来てるのよ」

「変って?」

「カーテンの生地を見せてくれっていうから、どうぞって答えたの。そうしたら、吊してある見本の生地を次々に外していくのよ。それだけじゃなく、レースのカーテンも」

「なんだ、それ。警備を呼んだらどうですか」

「でも、ただ見比べてるだけだっていわれたら何とも反論できないし」

「だけど、次々に見本を外されたら、ほかのお客様に迷惑じゃないですか」

「そうなのよ。それで困ってたところなの」

「その人、どこにいるんですか」

「奥のテーブルよ」

私は頷き、外れていた上着のボタンを留めた。

「由希子さんはここにいてください。すぐに片づくと思いますから」そういって歩きだした。

カーテンの生地見本が並ぶ中を通り抜けると、アドバイザーの女性がいっていたとおり、一人の男がテーブルに向かっていた。テーブルや椅子の上には十枚以上の見本生地が置かれている。

「お客様、申し訳ありませんが、ほかのお客様も御覧になられるので、見本を外される場合は一度に二、三枚にしていただけませんか」アイボリーホワイトのジャケットに声をかけた。

しかし男は無反応だ。こちらに背中を向けたまま、相変わらず生地を並べかえたり、光線に透かしてみたりしている。

「お客様——」

「けちなことというなよ」男が向こうを向いたままいった。「見てるだけじゃないか」

「しかしほかの方の迷惑に」

そこまでいったところで男がくるりと振り向いた。彼の顔を見て、私は絶句した。思考が瞬間的に吹っ飛んだ。

「窓がたくさんあるからカーテンもたくさんいる。それで迷ってるのさ」かつて私を悩ませた顔が、すぐ目の前にあった。その顔はにやりと笑った。「久しぶりだな」

間の抜けた話だが、その時私が返した言葉は、「やあ」というものだった。まだまともな思考力が戻っていなかったのだろう。そんな私を見て、倉持修はさらに笑った。

「どうした、狐につままれたような顔をしてるぞ。俺がいるのがそんなにおかしいか」彼は舌なめずりをした。「しかしまあ、驚くだろうな」

「どうしてここにいるんだ」

「さあ、どうしてでしょう？」彼は道化のように両手を広げた。

背後で人の気配がした。振り向くとカーテンの間から由希子が出てくるところだった。この瞬間、ずきんと胸が痛んだ。具体的に何かを考えたわけではなかったが、不吉な予感が針のように私の心を刺した。

「ごめんなさい」由希子はばつの悪そうな顔をした。「黙っとけっていわれてたの。それであたし一人で店に入っていったわけ。そんな子供みたいなことやめとけばって、あたしはいったんだけど」

「ちょっとした演出だよ。何しろ五、六年ぶりだからな。単純にこんにちはって現れるんじゃ、芸がないだろ」おどけた調子で倉持がいう。

「どういうことなんだ」私は二人の顔を交互に見た。

「何、むきになってんだよ」倉持は苦笑を浮かべ、当然のような顔で由希子の隣に並んだ。

「この前由希子が来ただろ？　その後で彼女が俺におまえのことを教えてくれたんだよ。それで、じゃあ今度は是非俺も一緒に行こうってことになったわけさ」

私は由希子を見た。たぶん陰険な顔つきになっていただろう。

「この前は倉持のことなんか話してくれなかったじゃないか」もはや敬語を使う余裕もなくなっていた。

「うん、何となく話すきっかけを失っちゃって」彼女は舌を覗かせた。そのしぐさが私を余計に苛立たせた。

「大したもんじゃないか。こんな一流の家具屋に就職するなんてさ。由希子から聞いて、俺も嬉しかったよ。おまえのこと、ずっと心配してたからさ」倉持は店内を見渡しながらいった。感心している口調だが、その底にどこか見下した響きがあることに私は気づいていた。

「二人は……その、あれからずっと交流があったのか」

「あれからっていうのは、東西商事の事件以後って意味かな。まあそうだよ。あの件じゃ、お互いひどい目に遭ったよなあ」

まるで被害者のような言い方だ。おそらく由希子の前ではそう振る舞ってきたのだろう。

「あの、もしかしたら」私は由希子に訊いた。「牧場さんの力になった人というのは……」

「彼よ」彼女はあっさりと認めた。

私は驚いて倉持を見た。彼は照れ臭そうに鼻の横を掻いた。

「大したことはしちゃいないよ。ただ俺は内部の人間だったからさ、いろいろと便宜を図れたってことだ」

「でも東西商事には、もう金なんて残ってなかったじゃないか」

「そうなんだけど、いろいろと手はあったわけさ。まあ、そんなことはどうだっていい。それより店を案内してくれよ。この前は由希子を案内したんだろ。家具を見ながら、お互いの近況報告といこうや」

「悪いけど、そういうわけにはいかない。俺、仕事中なんだ」

「誰が仕事をさぼれっていった？　俺たちは客だぜ。客に家具を見せるのがおまえの仕事だろ。自信を持って推薦できる家具を、俺たちに紹介してくれ」

いつの間にか倉持の手が由希子の肩にかかっていた。それを目の端でとらえたまま、私は彼に訊いた。覚悟のいる質問だった。

「今、二人は付き合ってるのか」無様にも声がかすれた。

「まあな」倉持はさらりといった。「来年の春に結婚する。新居のための家具を探してるというわけだ」

26

アメリカ製の家具がいいと倉持はいった。何もかもが大きく出来ているからだという。

「十人ぐらい座れるダイニングテーブルがいいな。客を呼んでパーティができそうなやつだ。なあ田島、そういうのはないか」

「八人ぐらいが楽に座れるテーブルならいくつかある」

私は二人を外国製家具のコーナーに連れていった。そこに展示してあるカップボードに、倉持は真っ先に目をつけた。

「いいな、これ。これぐらいの大きさがあれば、例のクリスタルの皿だって楽勝で飾れるぜ」

倉持は由希子を見ていった。「由希子が集めてる食器だって置ける」

そのカップボードと同じ素材、同じ色合いのダイニングテーブルがそばに置いてある。私はそれを彼に勧めた。

「今は六人掛けにしてあるけど、天板を足すことで八人掛けにできる」

「へえ、なかなかいいな」

彼はテーブルの表面を撫でながら、カップボードと見比べていた。それらを自分たちの新居に置いた様子を想像しているのかもしれなかった。

やがて彼の目が別のものをとらえた。彼はテーブルから離れ、つかつかと歩きだした。その行き先を見て、私の気持ちは一層暗くなった。

「おい、由希子。これはどうだ?」倉持は自分の妻となる予定の女性を手招きした。サイズはワイドダブルで、かなり大きい。

彼が気に入ったのは同じメーカーのベッドフレームだった。

「素敵だけど……」

「これならあの部屋にぴったりだろ。前からいってたように、俺はせせこましいベッドで二人して寝るのは嫌なんだ。壁紙の色にだって合うぜ」

それに、といって倉持は声を落とし、由希子の耳元で何か囁いた。内容はわからないが、何に関することなのかは、そのにやけた表情が語っていた。由希子は照れと困惑の混じった表情を見せ、馬鹿ね、と彼を睨んだ。私は思わずうつむいていた。

二人の間にはもう肉体関係があるのだなと察した。当然だと思うが、目をそらしていたものをついに見せつけられたようで、心が沈んでいくのを止められなかった。

「おい、田島。とりあえずこれは決まりだ」ベッドフレームを指して倉持がいった。「今さら在庫がないなんていわないでくれよな」

「調べてみるけど、たぶん大丈夫だと思う。この間、そのメーカーの家具を積んだ船が着いたばっかりだから」

「そうか。ところで、これもいいな」彼の視線はベッドの横のチェストに移っていた。

倉持はベッドフレームのほかに、ダイニングセットとカップボードとチェスト、さらにナイトテーブルまで購入するといった。総額は三百万近くになる。二人を契約者用ロビーに案内した私は、彼等のためにオレンジジュースを運んだ後、数枚の伝票を作成することになった。

「田島、これは全部おまえの成績になるんだろ？」倉持が訊いてきた。

まあね、と私は答えた。

「それならよかった。どうせならおまえの成績アップに協力したいからな。じつをいうとマンションを買った不動産業者から格安の家具店を紹介されてたんだ。でも由希子からおまえのことを聞いて、それなら田島のところで買ってやろうってことになったわけだ」

「ありがとう」

「なんだよ、それだけかよ。もうちょっと感激してくれてもいいと思うんだけどなあ」

「修さん」由希子が彼の腋を肘でつついた。

「感謝してるよ」私は作り笑顔でいった。「感激もしてる。だけど何というか、唐突すぎてぴんとこないんだ。会うのが久しぶりだし、しかも彼女と結婚するっていうし……」

「家具をばんばん買うし、か」倉持は愉快そうに笑った。「今度ゆっくり話そうや。俺の仕事について聞いてもらいたい。おまえもいろいろあったみたいだけど、俺のほうだって波瀾万丈だった。浮いたり沈んだり、それはもう大変だったんだ」

「今は何の仕事をしてるんだ」

「一言でいうと株だ」

「株？」全く予期しない言葉だった。それについての知識もなかった。

「株式会社の株だよ。売ったり買ったりすると、得したり損したりする」

「それを売ってるのか」

私がいうと倉持は吹き出した。

「俺が株を売れるわけないだろ。だから今度説明してやるよ。面白い仕事だ」彼はにやにやしていた。

「ふうん……とにかく成功してるのは事実みたいだな。マンションも買ったわけだろ」

「中古だけどな。一応都内だぜ」倉持は軽く胸を張った。「引っ越しが済んで、落ち着いたら連絡するよ。一度遊びに来てくれ。その時には今日おまえが売った家具が、しかるべき位置に納まっているはずだ」

「羨ましいな」

「おまえだってがんばれよ。だから、今度ゆっくり話をしようというんだ」

倉持のその言葉に私は何か不穏なものを感じた。その思いが顔に出たらしく、彼は眉を寄せた。

「そんな疑うような目で見るなよ。大丈夫、今度はインチキの片棒なんか担いでないからさ。

——なあ」

同意を求められた由希子もにこやかな表情で、今度は信用できそうですよ、といった。

二人を入り口まで見送った私は、事務所に戻ってからも気持ちが塞いだままだった。大口の売上があったことなど嬉しくも何ともない。ただ屈辱感が胸の中で渦巻いているだけだった。倉持にあの由希子を奪われただけでなく、二人がこれから家庭を築いていく道具選びまでやらされたのだ。由希子の手料理を倉持が食べるためのテーブル、そして由希子の身体を倉持が抱くためのベッド——。

その日の販売成績について上司が褒めてくれたが、私は殆ど聞いていなかった。

天国から地獄とはまさにこのことだった。由希子と再会した直後は毎日が楽しくて仕方がな
かったというのに、倉持と出会って以来、何をするのも嫌になった。販売にも身が入らず、成
績は落ち込んだ。

「一体どうしたんだ。体調でも悪いのか」

事務所でぼんやりしている時、上司から声をかけられた。

「いや、何でもありません」

「そうか？　だけど、このところの君はちょっとおかしいぞ。昨日だって、せっかく買う気に
なってるお客さんを逃がしたそうじゃないか」

「はあ……」

同僚が告げ口したに違いなかった。和箪笥を買うつもりでやってきた中年夫妻からいろいろ
と質問されたのだが、答えるのが次第に面倒になってきて、急いで買う必要はないという意味
のことをいってしまったのだ。

「とにかくそんなことじゃ困るよ。具合が悪いのなら休暇をとってくれ。そうでないのなら、
しっかりしてもらわないと」

「はい、どうもすみません」

上司はまだ何かいいたそうだったが、その時電話が鳴りだした。彼が受話器を取った。少し
話した後で私を見上げた。

「お客さんだ。君のことを指名してきているそうだ。がんばってくれよ」

はい、と頭を下げ、私は事務所を出た。

気が乗らないまま受付に行った。しばらく仕事を休もうかなどと考えていた。だが客の名前を確認した瞬間、すべての思考が消し飛んだ。上原由希子という名前が目に入った。

ロビーに行くと由希子が一人で待っていた。しかし私は安心しなかった。前のように倉持が

彼女はそんな私の警戒感に気づくはずもなく、こちらを見てにっこりと微笑んだ。

「こんにちは」

「倉持は？　どうせ一緒に来てるんだろ」私は周囲に目を走らせていた。

彼女の微笑が苦笑に変わった。

「この前はごめんなさいね。彼って、ああいう子供っぽいところがあるのよ」

「じゃあ、本当に一人なの？」

「一人よ」彼女は頷いた。「もう一度カーテンを見たいと思って」

「わかった。案内するよ」

複雑な気持ちだった。彼女を倉持に奪われたことにはショックを受けていたが、こうして会えたことには喜びを感じていた。彼女が見たいと思っているカーテンは、彼等の新生活のために選ばれるものだとわかっていても、そのことは考えまいとした。

カーテンコーナーに倉持は潜んでいなかった。私は前のようにアドバイザーの女性を呼び、由希子のカーテン選びを補佐した。

アドバイザーの女性は、部屋の雰囲気や窓の大きさなどを由希子に質問した。由希子が答え

るのを横で聞くことで、私は倉持が買ったマンションの大体の間取りを把握していった。2L
DK、しかもLDKはかなり広めだ。先日彼等が買ったダイニングセットやカップボードは、
よくマッチするだろうなどと想像した。もはや嫉妬の火がめらめらと大きくなることはなかっ
たが、かといって消えるわけもなく、ぶすぶすと黒い煙を漏らし続けていた。

カーテンを決めた後、前と同様に応接ロビーで我々は向き合った。

「君が倉持と結婚するなんて、何だか妙な感じだな」

「田島さんから見ればそうかもしれないわね。何年も会ってなかったわけだから」

「ずいぶん前から付き合ってるの？」

「そうねぇ……」彼女は少し首を傾げた。「四年ぐらいになるかな。でも、軽いデートみたい
なことはもっと前からしてたかな」

「やっぱり牧場さんのことがきっかけで親しくなったのかな」

「うん、まあね。あの件でしょっちゅう会ってたから」

「前に聞いた話だと、裁判で勝ったわけではないんだね」

「そう。裁判なんかしたって、いつお金が戻ってくるかわからないし、戻ってきたとしてもご
くわずかだって彼がいったの」

「それで彼はどうしたんだろう」

「詳しくは知らないんだけど、彼がまだ東西商事にいる間に、牧場のおじいちゃんの解約手続

私は、東西商事を辞めてしばらくしてから牧場老人に会いに行ったことを思い出した。あの
時老人も由希子も私のことを拒絶したが、倉持は彼女の心を摑んだのだ。

きを済ませて、それに見合うお金を返してもらうという形で、強引に経理からお金を引き出し
たみたい。会社には殆どお金が残ってなかったから、同じように被害者の解約手続きをしよう
と思っている社員たちと、すごい競争になったっていってた。早い者勝ちだったんですって」

嘘だ、と私は思った。会社には殆どどころか、全く金などなかったはずなのだ。第一、契約
自体がいい加減なものなのだから、解約手続きも何もなかった。

「一体、いくら戻ってきたんだろう」

私が訊くと彼女は指を三本出した。

「三百万円。おじいちゃんの被害は手数料だけよ」

ますます変だと思った。あの会社は、倉持のような下っ端にそんな大金が回るようなシステ
ムにはなっていなかった。金は全部幹部連中が持ち逃げしたのだ。

「そんなに簡単にいくのかな」

「簡単じゃなかったみたいよ。今もいったけど、最後はお金の取り合いだったらしいの。彼は、
どんなことがあっても牧場のおじいちゃんの分だけは取り返すと心に決めて、それこそ命がけ
で会社と掛け合ったそうよ」

「ふうん……」

とても信用できる話ではなかったが、由希子に疑っている様子はない。もちろん、だからこ
そ倉持の誠意に感激し、彼に引かれていったに違いなかった。

彼女が帰った後、事務所で煙草を吸った。頭の中を嫌な想像が駆け巡っていた。

数年前、刑事が訪ねてきた。私の名前を騙って取引し、客の支払った金をネコババしている

セールスマンがいたらしいという話だった。私にはその犯人は倉持以外に考えられなかった。

だが彼がなぜそんなことをしたのか、その金をどうしたかについては考えたことがなかった。

その答えが見つかったと思った。彼は牧場老人に弁済するため、別の被害者を作りだしたのだ。なぜ彼があの老人だけを特別扱いしたのかについては、その後の展開を考えれば容易に見当がつく。彼の目的は老人に感謝されることではなかった。真の狙いは由希子の好意を得ることにあったのだ。

それにしても三百万とは──。

そこまで考えたところではっとした。首を吊って死んだ川本房江のことを思い出したからだ。彼女の被害総額は数百万円だった。その中のいくらかは一旦銀行から現金で引き出された形跡があるということだった。倉持は、彼女から奪った金を牧場老人に回したのではないか。

あの男はそれぐらいのことをする人間だ。そうやってずっと生きてきたのだ。

川本房江の息子の、ぼそぼそと呟くような声が耳に蘇った。怨念の籠った声だった。あの声を倉持に聞かせてやりたいと思った。

倉持が一人でやってきたのはそれから一週間が経った頃だった。彼だとわかった時には誰かと替わってもらおうかと思ったが、客から指名されている以上、そして手が空いているかぎりは、その者が対応するというのが会社のルールだった。

「カーテンが届いたよ」私の顔を見るなり彼はいった。「いい色だ。あの生地は田島が勧めてくれたんだってな。よろしくいっておいてくれとのことだった」

「気に入ってもらえたのならよかった」

「家具は来月届けてもらうことになってるけど、変更はないだろうな」

「大丈夫だ。それを確認しに来たのか」

「いや、ライティングデスクを見せてもらおうと思ってさ。それから書棚。結構、家でする仕事も多いんだ」

「株の仕事をしてるっていってたな。証券会社とは違うのか」

「少し違う。というより、全然違うといったほうがいいかな」そういってから彼は私の顔を見つめた。「株のこと、勉強したのか」

「勉強ってほどじゃない。本屋で立ち読みした程度だ」

「ふうん、そうか」何か企んでいる顔で彼は頷いた。彼がそんな表情を見せることは、私にとってあまりよくない前兆だった。

ライティングデスクや書棚は同じコーナーにある。私は足早にそこへ案内した。手っ取り早く、この憂鬱な仕事を終えたかった。

しかし倉持のほうにはその気はあまりないようだった。私が勧める家具を見ながらも、別のことを考えているようだ。

「株ってのはな、国が認めている博打みたいなものなんだ」ライティングデスクを撫でながら彼は口を開いた。「しかも賭け金が大きい。負けたからといって、賭けた金がなくなるわけじゃない。そのまま辛抱していればいいこともある。勝って儲けが出た時には売ればいい。それを繰り返していけば損はしない。そういう仕組みだ」

「でも損してる人も多いって話じゃないか」

「なけなしの金を賭けるからそういうことになる。辛抱する余裕がないからいけないんだ。それから、情報を大切にしないのもよくない。早く儲けたければ情報が必要だ」

「まさか俺に株を買えとかいうんじゃないだろうな」

私の言葉に倉持は目を大きく見開いた。

「だとしたらどうする？」

「冗談じゃない」私は手を振った。「そんなことをする余裕なんてまるでない。その日その日を食いつないでいくのが精一杯ってところなんだ。もし俺に株を売りつける気でやってきたのなら、悪いけどこのまま帰ってくれ」

すると倉持は途中から首を振り、最後には手まで横に振り始めた。

「安心しろよ。そんな気は全くない。それに前にもいったと思うけど、俺には株を売れない。ただ、もしおまえに株を買う気があるのなら、ちょうどいい銘柄があるから教えてやってもいい。今日明日中に買えば、かなり高い確率で儲かる」

「だったら自分が買えばいいじゃないか」

「もちろん買えるだけ買ったさ。友人の誼で、おまえにもいい目を見させてやろうと思ったわけだよ。少なく見積もっても、百万や二百万は儲かるんじゃないか。まあ俺は欲をかかずに売り抜けるつもりだけどさ」

大金のことをさらりと話す倉持を私は見た。株というのは、こういう仕事をしているのか。それで贅沢な暮らしができるようになったのか。株というのは、そんなにうまくいくものなのか――。

倉持が突然笑いだした。私の肩を叩いた。

「嘘だよ。そんなおいしい銘柄なんて、そうそうあるわけない。そもそも俺は自分じゃ株を買わない主義なんだ」

「どうしてそんな嘘をいうんだ」

「俺の仕事の内容を理解してほしかったからだ」彼は上着のポケットから名刺を出した。そこには投資クラブ株式部主任、という肩書きが印刷されていた。

「投資クラブ？」

「投資コンサルタントの会社さ。株を買って儲けたいと思っている人間は多い。だけどどういう銘柄を買っていいのかわからない。そこで我が社の出番となる。そういう人に情報を提供して、報酬を受け取る。それが仕事の内容だ」

「情報をねえ……」

「そんなことが商売になるのかという顔だな。ところが立派になるんだよ。田島だって、たった今俺の嘘の情報で気持ちがぐらついただろ」

「ぐらついてなんかいないよ」私はむきになっていった。「そんなにうまい話があるのかと思っただけだ。株を買う気になんかならなかった」

「でも関心は持ったはずだ。それが第一歩なんだよ。株をやろうという人間は、みんな情報に飢えてる。どんな情報でも売り物になる。それを証明しているのが、うちの会社の成功だ」

成功しているらしいことは、倉持の買い物の内容を見ればよくわかる。それにしても、この男はどうしてこういういつも、掴み所のない業界に身を置いているのだろうと思った。

「どうしてその会社に？」

「社長にスカウトされたんだ。うちの社長の年齢を聞いたら驚くぜ。なんとまだ三十歳だ。会社を興した時には二十八歳だった。事務員と二人だけで始めた。それが今や百人以上の従業員を抱えている。すごいもんだろ」

「倉持はいつからその会社にいるんだ」

「ちょうど二年になる」

「二年？　じゃあ、会社ができたばっかりじゃないのか」

「そう。社長の唯一の部下だった事務員というのがこの俺さ」倉持は自分を親指で指し、笑った。

応接ロビーでライティングデスクと書棚の売買手続きをしている時、彼は例によってこんなことを訊いてきた。

「なあ田島、今給料をどれだけ貰っているんだ。満足できる額かい？」

「それなりに満足してるよ」

私の答えを聞き、ふんと鼻を鳴らした。

「田島は欲がないからな。だけどそれじゃあ成功はしないぜ。一度うちの会社に遊びに来ないか。仕事の内容を説明してやるよ。大丈夫、すぐに覚えられるさ」

私は伝票を書き込んでいた手を止め、彼を下から睨んだ。

「それ、俺を勧誘してるってことかい」

「いけないかな」

「東西商事のことを忘れたわけじゃないだろ。俺はおまえに誘われて、あんなインチキ商法の片棒を担がされた。あんなことはもうまっぴらだ」

すると倉持は怒るどころか、呆れたように両手を広げた。

「俺が今やってることをインチキだっていうのか。東西商事の件については悪かったと思うよ。でも俺だって被害者なんだ。それにあの時とは今回とは根本的に違う。あの時俺は東西商事のトップのことは何も知らなかった。でも今はよくわかっている。俺自身がトップの人間だからだ」

だから信用できないのだ、という言葉を私は辛うじて呑み込んだ。

「とにかくそういう話に乗る気はない。俺は今の仕事に満足している」

「そうか。それなら無理にとはいわない。残念だな。せっかくの成功のチャンスなのに」

私は手早く伝票を書き上げ、倉持に確認のサインを求めた。彼は面倒臭そうに自分の名前を書き込んだ。

「川本さんを覚えてるか？」伝票を封筒に入れながら私は訊いた。

倉持は眉をひそめた。「誰だって？」

「川本房江さんだ。忘れたのか。保谷で独り暮らしをしてたおばあさんだ。おまえがババ落しで金を騙し取った人だよ」

ババ落としという言葉で、倉持の表情が曇った。思い出したくない言葉なのだろう。

「あの婆さんがどうかしたのか」

「亡くなったんだよ。自殺したんだ。首を吊ってな」

少しは辛そうな顔をするかと思ったが、倉持の表情に大きな変化はなかった。

「ふうん。そうなのか。それで？」

「何とも思わないのか」

「気の毒だと思うよ。東西商事の被害者全員に対してさ。でも俺に何ができる？　せいぜい何人かに金を返してやる程度だ」

「何人か？　おまえが金を返したのは牧場の爺さんだけだろ。それも、由希子さんに気に入られたくてやったことじゃないか」

倉持は笑いだした。頭を掻き、参ったな、と呟いた。

「そういえば田島も彼女のことが気に入ってたみたいだな。妬いてるのか」

私はボールペンを握りしめた。それで彼の目玉を突き刺してやりたい衝動に駆られた。

「東西商事がインチキ会社だとわかった後も、何度か川本さんから金を騙し取っただろ。川本さんだけじゃない。ほかにも新たに何人か騙した。その金をネコババした。俺の名前を騙ってさ。そうやって手に入れた金を牧場さんに渡した。そうじゃないのか」

さすがに倉持の表情が険しくなった。私を見つめる目に鋭い光が宿った。

「何か証拠でもあるのか」

「証拠はないけど、そんなことはちょっと考えればわかる」

「想像だけでいっていいことと悪いことがあるぜ」彼は立ち上がった。「友達だから許してやる。本当なら家具は全部キャンセルしているところだ」

「おまえのせいで人が死んだんだ。その人の命の次に大切な金を、おまえは騙し取ったんだ」

歩きかけていた倉持が立ち止まり、振り返った。人差し指を横に振った。

「正確さを欠いてるぜ。金を取ったのは俺だけじゃない。俺とおまえが取ったんだ。コンビだったろ」

一瞬絶句した私に彼は続けていった。

「結婚式には来てくれよ。何しろ小学校からの友達なんだからな」

大股で立ち去る彼の背中を見て、殺してやる、と思った。

27

まさかと思ったが、それからしばらくして本当に結婚式の招待状が届いた。会場は都内の一流ホテルで、中にある教会で式を挙げるらしい。式にも列席してほしい旨と、あろうことかスピーチをしてくれという依頼が書き添えられていた。私の出席を信じて疑っていない様子なので、改めて倉持という男の神経を疑った。

もちろん出席する気などなかった。だが数日後、またしても由希子が私の職場にやってきた。

「田島さんの出席を確認してほしいって彼から頼まれたの。案内状を送りつけただけじゃ失礼だからって」

無邪気に話す彼女の笑顔を見ながら、倉持にしてやられた気分だった。彼は私が反発していることを見越して、先手を打ってきたのだ。

「式には来てくださるでしょう？」家具売場を歩きながら彼女は私の顔を覗き込んだ。

「うん、まあ……ね」

倉持の計算は正しい。彼女にこんなふうにいわれて、出席する気はない、とはいえない。とりあえず今はこう答えておいて、後日改めて断ればよいと考えた。

「よかった」私の内心など知るはずもなく、彼女は嬉しそうにいった。「それからスピーチをお願いしたいんだけど」

「そいつは勘弁してほしいな。俺なんか、そんな柄じゃないし」

「でも彼は、どうしても田島さんにしてもらいたいといってるのよ」

「それがよくわからない。どうして俺なんだろう」

「だって、彼とは昔からの付き合いなんでしょ。小学校からずっと友達だって、いってたわよ」

「友達ねぇ……」

私は彼女をイタリア家具のコーナーに連れていった。平日の午前中は客が少なく、特に外国製品のフロアはがらんとしている。ゆっくり話すにはちょうどよかった。

「羨ましいなと思うの。小学校や中学からの友達というのはいないこともないけれど、今でも親友付き合いしている人間なんて、あたしには一人もいないもの。その点二人は、一時職場で同じだったんだものね。すごいよね」

由希子の無邪気な言葉を聞き、苛立つというよりは、むしろおかしくなった。我々の関係のどこが親友なのだ。

倉持がまさか本気でそう考えているはずがない。彼女の手前、そういっているだけだろう。

「本当に彼は田島さんのことを信用しているの」彼女の主張は続いた。「あいつ以外の人間は誰も信用できないし、あいつでなかったら、今まで付き合うこともなかったって。自分の本音や本当の姿をさらけ出せるのも、あいつの前だけだって」

「そうなのかな」

「そうなのよ。だから」彼女は続けた。「スピーチ、是非お願いします。披露宴に関してはあたしの好きなようにしていいけど、それだけは譲れないと彼はいってるのよ」

考えておくよ、と私は答えておいた。

彼女が帰った後、私は倉持の真意について考えた。何のために私にそんなことを頼むのか。本気で私の祝辞を求めているとは思えないから、やはり嫌がらせなのだろう。私が由希子に引かれていることを知っているから、その思いが大それたことであったことを思い知らせるため、わざと神経を逆撫でしてくるのだ。あるいは川本房江や牧場老人の件で私から非難されたことについて、仕返ししているつもりなのかもしれない。

悔しくてその夜はなかなか眠れなかった。布団の中で悶々としながら、何とかして倉持に痛い目をみさせることはできないものかと考えた。

なぜこれほどたった一人の男に苦しめられねばならないのだろうと思った。そもそも、なぜ倉持は常に私につきまとうのか。彼はいつも、私が安住の地——たとえ一時であっても心身を休められる場所を確保した時に現れる。そしてそこから私を引っ張り出し、奈落の底に突き落とすのだ。そのためだけに出現するといってもいい。

明け方近くになってようやく少しだけ微睡んだ。その時にはじつは一つだけ自分の中で決定

していることがあった。

結婚式には出よう、披露宴にも出席しよう。幸せそうな倉持の姿と、由希子の美しい花嫁姿を目に焼き付けておくのだ。屈辱と嫉妬はこれまでになく膨れあがるに違いない。そのことにより今まで越えようとしてどうしても越えられなかった限界点を、ついにクリアできるのではないかと思った。

憎悪が殺意へと変わる限界点だ。今までどうしても手にすることができなかった本気の殺意、それを得られるのではないかと思った。

倉持修と上原由希子の結婚式は、三月の第二日曜日に行われた。まだ空気は冷たかったが、よく晴れた気持ちのいい午後だった。

銀色のモーニングコートを着た倉持と純白のウェディングドレスを着た由希子は、舞台のトップスターのように輝いており、幸せに満ちた表情を浮かべていた。そんな二人のために私は賛美歌を歌い、偽の笑い顔を作った。私の中にはある計算があった。倉持がそのようにいうのならそれも結構、私は彼の親友を演じてやれと思った。首尾良く周囲を欺けたなら、これから先、彼の身に何かが起こったとしても、私に疑いの目が向けられることはない。何しろ小学校以来の無二の親友なのだから。倉持本人がそう吹聴しているのだから。

披露宴は二百人ほどの客を集めた盛大なものだった。客の中に私の知った顔は殆どなかった。倉持の招待客の大半は現在の仕事絡みの人物ばかりであり、学校時代の友人というのも当然だと思った。何と私一人きりだった。これでは友人代表として私がスピーチを求められるのも当然だと思った。

そういえば、とこれまでのことを思い出しながら考えた。倉持には友人と呼べる人間がいた

彼はいつも一人だった。一人で何かを企んでいた。その相方に、いつも私を指名してきただろうか。

今さらながら、自分が呆れるほど滑稽な人間のように思えた。何のことはない、彼の本性に気づかず、うかうか付き合っていたのは私だけだったのではないか。ほかの人間はとっくの昔に気づいて、彼には近づかないようにしていたのではないか。

彼が私につきまとい続けた理由がわかったような気がした。彼にとって最も与し易い相手、それが私だったのだ。絶好のカモだったのだ。

倉持の家族は一番隅のテーブルで小さくなっていた。華やかな雰囲気の客が多い中で、そこだけがやけにくすんで見えた。他の客が時折挨拶に行くと、年老いた両親はぺこぺこ頭を下げていた。彼等の姿を見るのは久しぶりだった。豆腐屋以外で見るのは初めてだった。小学生時代のエピソードの中からほのぼのしたものを選び、それに多少脚色を交えて話すと、場内から柔らかい笑いが起きた。雛壇の倉持は満足そうで、由希子は幸せそうだった。どうかいつまでもお幸せに、そういって私はマイクを置いた。

「ありがとう。いいスピーチだったよ」披露宴会場を出る時、金屏風の前に立った倉持が、私に握手を求めながらいった。隣で由希子も微笑んでいた。

私は何か皮肉をこめた台詞をいおうとし、結局頷いただけで彼等の前から離れた。余計なことをしてはならない。誰の目にも、自分は倉持のよき親友として映らなければならないのだ。仮にそうだとしたら、人を踏み台にした勝利だ。倉持は人生の勝利者といった顔をしていた。

そして私も彼にとっては踏み台に過ぎない。彼が私という人間に付きまとったのは、利用しやすかったという以外に理由はない。

彼の顔を見るたびに憎しみは極限近くまで達した。彼がこれまでにしてきたことをぶちまけたい衝動に駆られた。マイクを渡された時もそうだった。しかし私は堪えた。いつか倉持を殺せばいい、その楽しみは後に取っておこう——その思いだけが私を支えていた。

倉持と再会するまでの数年間、私の殺人に対する関心は間違いなく薄らいでいた。生きていくのが精一杯だったというのもある。いくつかあった苦難も、誰かを殺せば解決するという性質のものではなかった。

だが倉持が由希子と結婚すると知った時から、私の中にまたしても殺人に対する思いがむくむくと頭をもたげるようになった。少年の頃、それは単なる興味だった。人を殺すというのはどういうものなのだろう、どんな気持ちがするものなのだろう、人はどこまで追いつめられた時にそれを決心するのだろう、と。

しかしこの時新たに芽生えた疑問は、それとは少し違ったものだった。一言でいうならば、人は本当にいかなる時でも人を殺してはならないのか、ということだった。

私はそれまでに何度か倉持を殺そうと思ったことがある。そのたびに様々な迷いに邪魔され、成し遂げることができなかった。しかし果たしてそれでよかったのだろうか。もしもどこかで彼を殺していたら、今ほど苦しむことはなかったのではないか。

人は人を殺してはならない――それは原則にすぎないのではないか。たとえば戦争だ。人を殺すことを国家が命じるのだ。あるいは正当防衛という法律。どこからどこまでを正当とするかは誰にも決められない。未来の危険を予想して殺した場合はどうなるのか。

もっと早くに倉持を殺しておくべきだった、という思いが、この頃から私の脳裏を占拠するようになった。それをできなかった自分を責め、今度機会がある時には必ず成し遂げねばならないと強迫観念さえ抱くようになった。

だが表向きは、私は以前よりも親しく倉持と付き合っていた。おそらく自らの成功と幸福ぶりを誇示したくてだろうが、彼はしばしば私を自宅に招いた。二十畳近くあるリビングルームには、私が勧めたカップボードや応接セットが並んでいた。彼は革張りのソファに腰掛け、ゴルフクラブを磨きながら私に仕事の話をした。もちろんどれだけうまくいっているかという自慢話ばかりだ。

私が何の抵抗もなく彼の家に行けたわけではない。由希子がかわいいエプロンをつけ、彼のために甲斐甲斐しく家事に励む姿など見たくもなかった。私の目的はただ一つ、倉持を殺すチャンスを見つけることだった。これが生涯最初で最後の殺人であり、人生最大の勝負だと思っていたから、その準備には十分に手間と時間をかけるつもりだった。焦る必要はなかった。相手がどこかへ消える気遣いはなく、また何らかの制限時間が設定されているわけでもない。ただし倉持ではなく由希子に誘われたのだった。

その日も私は仕事の後、南青山にある倉持のマンションに寄った。昼間、職場に電話がかかってきて、用がないならどうしても今夜来て

ほしいといわれた。理由を尋ねたが、「それは来てからのお楽しみ」とはぐらかされた。

マンションに行くと由希子がエプロン姿で待っていた。キッチンからはいい匂いが漂ってくる。彼女の得意料理はイタリアンだった。

「もうちょっと待っててね。間もなく来ると思うから」彼女は時計を見ていった。

「来るって、誰が?」

「それは内緒」意味深長な笑みを浮かべ、彼女はキッチンに消えた。

わけがわからず、私はテレビをつけた。だが画面よりも由希子の後ろ姿を見ている時間のほうが長かった。彼女の細い脚や腰のくびれを見て、倉持に対する嫉妬を再燃させていた。

「倉持は今日、遅いのかな」彼女の背中に声をかけた。

「ええ、少し遅くなるかもって。さっき電話したら、自分のことはいいから、先に始めててくれって」

「ふうん」

「先に始める——何をだろう、と思った。

その時だった。玄関のチャイムが鳴った。由希子が顔をぱっと明るくして「はい、じゃあ今開けるわね」そういうと踊るような足取りで玄関に向かった。

ドアの開く音と同時に、聞き慣れない女の声が届いた。

「ごめんなさい、遅くなっちゃって」

「いらっしゃい。道、混んでたの?」

「そうなのよ。内堀通りが全然動かなくってえ。ほんとにもう、どうしてあんなところに皇居

があるのかしらねぇ。もうちょっと小さくしてくれればいいのにぃ」声の大きい女だった。由希子にスリッパを出してもらったようだが、それをひきずる足音も大きかった。

由希子に続いてその女がリビングに入ってきた。目と口の大きい、派手な顔立ちの女だった。彫りも深く、由希子よりもずいぶん色黒でもあった。私はソファに座ったまま、彼女たちを見上げた。

「ええと、紹介するわね。こちらは修さんの幼馴染みの田島さん。田島和幸さん。前にも話したことがあるから知ってるでしょ」由希子は早口でそういった後、私を見た。「田島さん、彼女はあたしの高校の同級生で、関口美晴」

「えっ、どうしてあたしは呼び捨てなの？」

「あ、ごめん。関口美晴さんです」

関口です、といって派手な顔立ちの女は頭を下げた。田島です、と私も応じた。私にとって運命の出会いともいうべき瞬間だった。

関口美晴はよくしゃべる女だった。生命保険会社に勤めていたこともあるそうで、なるほどなと思った。今はデパートの外商部にいるということだった。

「ねぇ覚えてる？　世界史のヤマダ。嫌なやつだったわよねぇ。チャイムが鳴り始めると同時にやってきては、まだ席についてない生徒のことをねちねち叱るのよね。ふつうはチャイムが鳴ってから職員室を出るものでしょう？　それをあの男は、鳴るちょっと前から教室のそばで

待ってるのよね。奥さんにいびられてるものだから、その腹いせに生徒に八つ当たりしたのよね—」

機関銃のように美晴がしゃべり、由希子もそれに合わせてげらげらと笑っている。由希子の

そんな表情をあまり見たことがなかったので、私は少し戸惑っていた。

ひとしきり自分たちの思い出話に花を咲かせた後、由希子は私のほうに話題を振ってきた。

私の勤務先である家具販売店の名を聞き、関口美晴は目を輝かせた。

「一度あのお店に行ってみたいと思ってたんです。今度遊びに行ってもいいですかあ?」美晴

は少女のように胸の前で手を組んだ。

「いいですよ、いつでも」行きがかり上、名刺を渡した。

「あたし、アンティークのドレッサーが欲しいんですよね。でも高いんだろうなあ」

「いろいろです。高いのになると百万以上しますが……」

「見るだけでもいいのかしら」

「いいです、もちろん」

「じゃあ、今度是非伺います。わあー、楽しみ」

そんな話をしていると倉持が帰ってきた。彼はクリーム色のダブルのスーツを着ていた。

「お揃いだな」全員を見回し、最後に私を見ていった。

倉持が着替えるのを待って、夕食会となった。由希子の手料理はやはりイタリアンだった。

シーフードを使ったオードブルから始まり、スープ、ゴルゴンゾーラスパゲティ、最後は手長

エビのグリルと本格的だった。途中、倉持が白と赤のワインを一本ずつ開けた。

私はこの集まりの目的を察知していた。どうやら倉持たちは私と関口美晴とを引き合わせたかったらしい。

関口美晴がどういう女性なのか、私にはよくわからなかった。顔立ちは派手だがとびきりの美人とまでは至らず、どことなく不健康さを化粧でごまかしているようなふしもあった。むしろ彼女がどうこうではなく、倉持に紹介された女性と付き合えるか、という思いが私にはあった。そもそも自分が現在も倉持と交流を保っているのは、天誅を加えるチャンスを待っているからなのだ。

夕食が終わり、食後のコーヒーを飲み終えたところで私は腰を上げた。

「じゃあ、俺はそろそろ失礼するよ」

すると関口美晴も時計を見て立ち上がった。

「もうこんな時間だったのね、あたしも帰らなきゃ」

倉持たちは引き留めなかった。そのかわりに玄関先まで見送りに出た倉持は、私の耳元でこんなことをいった。

「彼女、家は木場なんだ。送ってやれよ」さらに一万円札を握らせようとした。タクシーを使え、ということらしい。

私は西葛西に住居を替えていた。たしかにタクシーならば木場を通ることになる。だがまだ電車の動いている時間だ。自分一人なら、タクシーなど使わない。

「いいよ、それは」私は一万円を押し戻した。でもさ、といいかけた倉持に頷いて見せた。

「わかってる、送っていくよ」

私は関口美晴にその旨を申し出た。あるいは断るかなと思ったが、彼女は素直に喜んだ。さっきと同じように胸の前で手を組んだ。あるいは断るかなと思ったが、彼女は素直に喜んだ。さ倉持たちのマンションの前で手を組んだ。「ええー、いいんですかあ」

美晴は私のことをあれこれと尋ねてきた。趣味だとか、休日は何をしているのかだとか、最近どこへ旅行したのかとか、服はどういう店で買っているのかと途中で気づいた。脈絡なく訊いているようだが、さりげなくこちらの生活水準を探っているのだと途中で気づいた。案外しっかりしている、言い方を変えればこちらの計算高いところもあるのだなと思った。ただし、さほど悪い印象は抱かなかった。

彼女が住んでいるという木場のマンションは、私が借りているところに比べて格段に新しく、グレードも高そうだった。間取りを尋ねると1LDKだという。賃貸らしいが、さすがに家賃までは訊けなかった。

翌日、由希子から電話がかかってきた。関口美晴の印象を尋ねるのだった。あれはないよ、と私はまず愚痴った。

「何の予告もなしじゃ困るよ。こっちだって心づもりというものがあるんだから」

本気で苦情をいったつもりだったが、由希子は笑っていた。

「だって変な先入観とかないほうがいいでしょ。話だって自然にできるし」

「正直いうとそうでもなかった。すぐに君たちの魂胆が見えたから」

「そうだったの。で、どう思った?」

「どうって……」

「彼女のことよ」

「よくわからないな。明るい人だとは思ったけれど、とにかく急なことで戸惑った。向こうだってそうじゃないかな」

「それがねえ、彼女のほうは田島さんのことが気に入ったみたいなの。機会があればまたお会いしたいといってた。是非お店にも行ってみたいって」

気に入ったといわれ、悪い気はしなかった。しかし浮かれるほどではない。

「店に来てもらうのはかまわないよ。お客さんなんだから。でも、改まった席は勘弁してほしいな」皮肉のつもりでいったが、由希子はそう受け取らなかったようだ。「じゃあ彼女にもそういっておく」

それから数日後、本当に店に関口美晴がやってきた。由希子と一緒だった。まさか断るわけにもいかず、私は応対に出た。

「この間は送っていただいて、どうもありがとうございました」私の顔を見るなり、美晴はぺこりと頭を下げた。悪びれた様子もなく、さわやかで、かわいく思えなくもなかった。私もつい笑顔を返していた。

「こんなに早く来るとは思わなかった」二人の女性に向かっていった。

「善は急げっていうでしょ」由希子が人差し指を立てた。

美晴のリクエストがあったので、まずはアンティークのコーナーに連れていった。求められるまま、私はそれぞれの家具について説明した。何を話しても彼女は感心してくれた。

美晴はきゃあきゃあと騒ぎながらいろいろな家具を見比べている。

「田島さんって、家具についてすっごい詳しいのねぇ」

「だってそりゃあ、商売だから」私は苦笑した。冷やかしだけで帰ってはまずいと思ったのか、由希子はベッドカバーとシーツを買ってくれた。その程度の買い物でも伝票はきちんと作らねばならない。いつもの契約者用ロビーに二人を通し、彼女たちのためにジュースを出した。

「今度は美晴一人で来れば?」由希子がいった。

「えー、でも迷惑じゃないのかなあ。今のところ、まだ高級な家具とか買う余裕ないし」

「別に見るだけでもいいじゃない。ねえ?」由希子がこちらを見た。

「いつでも気軽に来てください。平日なら、そんなに忙しくないですから」

「そうですか。じゃあ、本当に来ちゃいますよぉ」美晴は嬉しそうな顔をした。自分の一言で女性の表情が明るくなるというのは、気分のいいものだった。ええどうぞ、と安請け合いしていた。

美晴が手洗いに立った。それを待っていたように由希子が声を潜めていった。

「いったとおりでしょ。彼女、相当田島さんのことを気に入ってる。田島さんにもわかったんじゃないの?」

「どうかなあ」

「まあ、付き合うかどうかはゆっくり決めればいいと思うの。結論を焦ることはないと思うし」

「俺はまだ何も考えてないんだけどね」

私の言葉に、彼女はふふふと意味ありげに笑った。

「修さんもそういってた。だから彼はあまり乗り気じゃないの」

「どういう意味?」

「あたしが彼女を田島さんに紹介するといったら、あいつにはまだそういうことをしないほうがいいって反対したのよ。あいつの相手は自分が見つけてやるつもりだ、なんていうのよ」

「倉持が……」

彼の端正な顔を思い浮かべた。ではなぜあの夜、送っていけなどといったのだろう。

由希子が白い封筒をバッグから出してきた。「これ、よかったら使って」

「何だい」手に取ってみた。中にはホテルのディナー券が入っていた。

「二人で行ったらどうかと思って」

「彼女と二人で、かい?」

由希子が頷いた時、美晴が戻ってくるのが見えた。私は封筒をポケットにしまっていた。

28

そのホテルは都内でも上の部類に入るクラスだった。由希子から貰ったディナー券は、そこに入っているすべての料理店、レストランで使えることになっていた。私はできれば和食にしたかった。きちんとしたレストランで食事をしたことなど一度もなかったからだ。しかし美晴は即座にフランス料理を希望した。

「だってこんな機会でもなければ、きちんとしたフランス料理なんて食べられないもの」電話口で彼女は天真爛漫にいった。

金曜日の夜にホテルのロビーで待ち合わせ、地下にあるフレンチ・レストランに入った。その店は男性客には上着着用を要求していた。会社帰りでよかったと思った。もしも休日なら、私は間違いなく野暮ったい普段着姿だっただろう。上着も羽織っていなかっただろう。

ディナー券があるからといって、メニューが決まっているわけではなかった。でかいメニューを恭しく見せられ、私は途方に暮れた。さすがに日本語で書かれていたが、そこに並んでいる料理の中身も、どんな按配で注文すればいいのかも、まるでわからなかった。こちらが戸惑っているにもかかわらず、黒い服を着たウェイターは、いきなり何か飲み物はいらないかと尋ねてくる。食前酒を訊かれているのだとはわかったが、どういうものを頼めばいいのか見当がつかなかった。

困っていると向かいの席にいた美晴があっさりとした口調でいった。「あたし、シャンパンをいただくわ」

救われた思いだった。同じものを、と私はいった。ウェイターは頷いて去った。

「こういうところ、めったに来ないから緊張しちゃうよ」私はネクタイを少し緩めた。めったにどころか、まるっきり初めてなのだが、ささやかな格好付けだった。

「あたしもそう。でも楽しい、すごい料理ばっかりだし」

「でもどれを頼んでいいかよくわからない。君の好きなものでいいよ」

「だったらこれにしない？　シェフのお勧めのフルコース」

424

そういわれてメニューを見た。なるほどそれなら考えずに済みそうだった。私は安堵し、そうだね、といった。それから視線を下に移し、目を見開いた。超過分は自腹を切ることになる。ディナー券が賄ってくれる金額をはるかにオーバーしていた。いうまでもなく、超過分は自腹を切ることになる。

料理の次はワインだ。ウェイターの質問にしどろもどろになって答えながら、わけもわからず勧められるままに決めた。そのワインが料理よりも高く、支払いの時に目を剥くことになるとは、その時はわからなかった。

「料理にありつくまでに一苦労だ」

私が思わずぼやくと、美晴はにっこり笑った。

「御苦労様。でも、おいしいものを食べられるんだからいいじゃない」

「それはまあね」

かなり無様なところを見せたと思ったが、彼女がそれを気にしている様子はなかった。私はそれを気さくな人柄のせいと解釈し、好感を持った。

今まで目にしたことのない料理が次々と出てきて、私たちは歓声を上げっぱなしだった。私はナイフとフォークの使い方に戸惑ったり、スープを飲むのにやけに緊張したりしたが、このデートを楽しむ気分になっていた。

ようやく落ち着いて話をできるようになったのは、デザートが出てきた頃だった。ワインで少しいい気持ちになっていた。

「田島さんの将来の夢って何なの?」アイスクリームを食べながら彼女は訊いてきた。

「特にはないなあ」私はそういってから首を傾げた。「強いていえば家、かな」

「家?」

「いつかは自分の家を持ちたいと思ってて、小さくてもいいから庭のある家を建てたい」

「やっぱりマイホームがほしいんだ」

「子供の頃は自分の家に住んでた。近所でも、かなり大きいほうだったと思うよ。親父が歯医者をしてて、隣が診療所になってた。お袋もそっちを手伝ってたから、いつも家政婦さんが来てた」

「いいところのお坊っちゃんだったんだ」

「昔の話だよ。今は親父もお袋もいない。何もかもなくなった。だからせめて家だけでも取り戻したいと思ってね」私は食後のコーヒーを飲んだ。

「その気持ちはわかるような気がするけど、マイホームにこだわらなくてもいいんじゃないのかな」

「そうかい」

「だってやっぱり高いもの。土地も家も、これからどんどん高くなるっていってるよ。毎月毎月、すごい金額のローンを支払って、苦しい生活を何十年も続けるぐらいなら、そのお金を人生を楽しむことに使えばいいんじゃないのかな。だって若い時にやりたいこともやらないで、マイホームが自分のものになった時にはおじいさんっていうんじゃ、意味ないと思うもの」

「そういう考えもあるね」

彼女の考えが間違っているとは思わなかった。マイホームなんかいらないという人々の代表

的な意見でもあった。能天気そうに見えて、結構いろいろと考えているんだなと、感心した思いで彼女を見た。

レストランを出た後、最上階にあるラウンジでカクテルを二杯ほど飲んだ。そういう店に入るのも初めてだったが、以前、ホームバーのセットが家具売場に置かれたことがあり、その時にデモンストレーション用のカクテルがいくつか用意されていたので、二、三の定番ぐらいは知っていたのだ。

夜景を眺めながら女性と二人でカクテルを飲むなどという時間が自分に訪れるとは、少し前までは想像もしなかった。倉持への憎しみだけを腹一杯に抱えて、毎日を生きていた。美晴といると、そんなことをしていた自分がひどく滑稽に思われた。この世には自分の知らない楽しいことがいっぱいあるのだと発見した。

その後、月に何度かはデートするようになり、やがて休みのたびに会うようになった。美晴とのデートは、それまで未体験だった様々な刺激を私にもたらしてくれた。世界各国の料理を食べ、飲んだことのない酒を飲み、ファッション雑誌ぐらいでしか見たことのない洋服を買い、通りすぎるだけだったコンサートホールに足を運ぶようになった。まるで新世界への扉が開かれたようだった。それらのめくるめく体験は私を感動させた。そして私はそれらの感動を、美晴への思いと混同するようになった。出会ってから数か月後には、私は彼女に夢中になっていた。

美晴との交際について倉持が口出ししてくることは、全くといっていいほどなかった。むしろ、途中経過を知るために倉持が連絡してきたのは由希子だった。

「東京ディズニーランドに行ってきたそうね」ある夜、私が受話器を取るなり彼女はそういった。

「なんだ、もう彼女から聞いたのか」

「田島さん、子供みたいに楽しそうだったっていってたわよ」

「かなり照れ臭かった。せっかく東京に出来たことだし、試しに行ってみたというところだよ」

「そんな言い訳する必要ないでしょ。それより、かなりうまくいってるみたいね」

「何が?」

「とぼけないで。二人の仲よ。毎週デートしてるって美晴からは聞いたわ」

「うん、まあ、そうかな」

「で、どうなの?」彼女は声をひそめた。「そろそろ具体的なことも考えてるんでしょう?」

具体的なことというのが何を意味するのかは私にもわかった。私は、うーんと唸った。

由希子は電話の向こうでくすくす笑った。「何唸ってるの」

「まだぴんと来ない。いや、彼女がどうこうってことじゃなくて、自分の将来を考えようと思っても、今ひとつ実感が湧かなくてね」

「その気持ちはわかるけど、そんなことばかりいってられないでしょ。彼女だって、いつまでも若くないわけだし」

「それはわかってる」

「まあ、あたしが急かす問題でもないんでしょうけど。……あっ、ちょっと待ってね、彼が話

したいっていうから」

彼というのが倉持のことだとわかり、私の中に憂鬱（ゆううつ）な思いが生じた時には、受話器から聞き慣れた声が出てきた。「よお、元気かい？」

ああ、と私は中途半端な声を発した。

「由希子がいろいろと世話を焼いているようだな。暇なせいか、他人のことに首を突っ込みたくて仕方がないらしい」

倉持の後ろで由希子が何かいっているのが聞こえてきた。内容はわからない。倉持はくすくす笑っている。

「迷惑ってことはないよ」

「そうかい。だったら、いいんだけどさ。おまえとしては軽い気持ちで付き合っているにすぎないのに、由希子が変にはしゃいでるんじゃないかと心配になってさ」

「俺だって、軽い気持ちで付き合ってるわけじゃないから」

「へえ、そうなのか」倉持の口調が少し落ち着いたものになった。「じゃあ、将来のことも考えてるわけかい」

「全然考えないことはない」

「ふうん」倉持は一呼吸置いてから、低い声でいった。「俺はさあ、まだあわてることはないと思うんだけどな」

「どういう意味だ」

「だから結婚を、だよ。田島みたいなタイプは、もっとじっくりと相手を見つけたほうがいい。

まだ若いんだし、これからだっていくらでも出会いはある。焦ることなんてない」

焦る、などという表現を使われたことが、私の癇に障った。

「もちろん焦ってなんかいないよ。でも俺みたいなタイプは、どういうことだ」

「だから」倉持はいった。「生真面目でさ、女の子ともそんなに付き合ったことがないだろ。そういう人間が急に逆上せ上がるのは危険だといってるんだよ」

「逆上せ上がってなんかいないぜ」

「そうかなあ」

「俺なりに冷静なつもりだ。だからこそ今も由希子さんに、まだ実感が湧かないといってたところだ」

「実感が湧いてないのと冷静なのは違うと思うがね。でもまあ、あわてて結論を出すつもりがないのなら安心した。俺は前から、田島は三十を過ぎて、もっと落ち着いてから所帯を持てばいいと思ってたんだ。結婚を考えるには、まだ早すぎるよ」

「おまえと俺は同い年じゃないか」

「だけど俺とおまえは違うからなあ。いろいろな面でさ」

「自分は女に慣れているといいたいわけか」

皮肉のつもりだったが、倉持はそう受け取らなかったようだ。

「まあ、そういうことだ」しゃあしゃあといってのけた。「由希子にもいってるんだ。美晴さんも悪くないけど、田島の相手には俺がもっといい女性を見つけてやりたいとね。とにかく、ほどほどにすることだ」

おまえに世話してもらう気はない、といおうとしたが、その前に電話の相手が替わってしまった。由希子が、ごめんなさいねと謝ってきた。

「あたしが勝手に二人の仲を取り持ったみたいになったから、ちょっと拗ねてるのよ。気にしなくていいから、美晴と仲良くやってね」

「もちろんそのつもりだよ。それにしても、変なやつだ」

「そうよね」由希子は電話口で笑った。

倉持の家で美晴と知り合ったということに、以前はこだわりを持っていた私だが、すでにその気持ちは薄らいでいた。紹介してくれたのはあくまでも由希子で、倉持とは関係がない。むしろ彼は私と美晴の仲が進展するのを嫌がっているようにも感じられた。そのことは私を痛快な気持ちにさせていた。どういった思惑があるのか知らないが、何もかもおまえの望み通りになると思ったら大間違いだ、という気分だ。彼から、女性には奥手のようにいわれたのも不愉快だった。

その意識が影響したのだろう、倉持との電話以後、私は美晴との結婚を現実的な問題として考えることが多くなった。自分が無事彼女とゴールインし、幸せな家庭を築くことに成功したら、奴はどんな顔をするだろう。そんなふうに考えるだけでも楽しくなった。

隅田川の花火に行った帰りだ。私はタクシーで美晴をマンションの前まで送っていき、自分も車から降りた。彼女は驚いたように私の顔を見上げた。

「うまくいえないんだけれど」私はその日ずっとポケットの中に隠し持っていたものを出した。

「これを受け取ってもらえれば、と思って」

いが、安月給の身としては奮発したつもりだった。

　0・4カラットのダイヤがついたプラチナの指輪だった。ダイヤのグレードはさほど高くな

美晴は目を見張った。

「これって、もしかして……」呼吸を整える気配があった。「そういうことだって思っていい

の?」

「それしかないだろ」私は照れ笑いを浮かべた。「受け取ってくれる?」

　美晴は指輪と私の顔を交互に見つめ、最後にうつむいた。口元に笑みが滲んでいた。

「ちゃんと言葉にしてくれればいいのに」

「あ……」身体が熱くなっていた。

　私は深呼吸を一つした。唇を舐めた。口の中はからからだった。

「結婚してくれるかい」かすれ気味の声で、ようやくそれだけいえた。

　彼女はほんの少し間を置いた後、小さく頷いた。全身から力が抜け出るのを感じ、私はその

場にしゃがみそうになった。

「ありがとう、俺、きっと、君を」

　そこまでいったところで、待って、といって美晴は掌を出した。

「風が湿っぽくなってきた。続きは部屋の中で聞きたいな」

「いいのかい」

「うん」彼女はマンションに向かって歩きだした。

　私が彼女の部屋に入るのは、その日が初めてだった。

その一か月後には、板橋にある美晴の実家に出向いていた。彼女の父親は元公務員で、退職した後は学校教材を作る会社に再就職していた。母親はどこにでもいそうな太った女性で、和菓子屋でパートの仕事をしていた。建築資材メーカーに勤める兄が一人いたが、札幌に住んでいるということだった。ごくふつうの家庭、というふうに見えた。

私が挨拶をすると、両親は娘をどうぞよろしくと頭を下げた。安堵しているように見えたか、そろそろ嫁いでほしいと思っていた頃なのだろうと私は解釈した。二人とも無口で、そういう場合には必ず披露されるはずの娘の思い出話なども、殆ど話題に上がらなかった。

「気に入ってもらえたのかな」帰る途中で美晴に訊いてみた。

「当たり前じゃない、と彼女はいった。「だから何も文句をいわなかったのよ」

「でも何となくよそよそしかったなあ」

「固くなってたのよ。何しろ初めての経験だから」

「そりゃそうだ」私は笑った。

何もかもが順調に進んでいた。少なくとも私の目にはそう映っていた。

結婚を前に決めねばならないことは山のようにあった。式場の予約もそうだが、一番大事なことは、どこに住むかということだった。私のアパートも、彼女のマンションも、二人で住むには狭すぎた。

二人で不動産屋に行った際、間取りの希望を訊かれ、できれば2LDKを、と彼女が答えたときにはびっくりした。事前に打ち合わせた時には、2DKということで話が決まっていたからだ。そのことをいうと彼女は肩をすくめ、舌をぺろりと出した。

「だってやっぱりリビングがあれば便利だと思うもん。ソファとかだって置きたいし」

「だけど予算ってものがあるだろ。ソファにしたって、買う余裕があるかどうかもわかんない
し」

「応接セットはうちの親が買ってくれるらしいの。あなたの店で買うといってた」

「だけど予算が」

「探せばあるわよ、予算に合う物件が。──ねえ」不動産屋に媚びるような目を向けた。

探してみましょう、と中年男の不動産屋は愛想笑いをした。彼が我々に紹介したのは三つの
物件だった。二つが2DKで、一つが2LDKだ。予算に合うのは前者二つだったが、美晴は
難色を示した。やはり2LDKが気になる様子だ。しかしその部屋は場所がいい上に新築で、
とても払いきれる家賃ではなかった。

部屋探しに迷走する日々がその時から始まった。私は毎日のように不動産屋のドアをくぐっ
た。一軒ではだめだと思い、一日に何軒もはしごすることさえあった。よさそうな物件がある
とコピーを貰い、美晴を呼びだして見せてみた。しかし彼女はなかなか首を縦には振らなかっ
た。狭すぎる、古すぎる、駅から遠すぎる──彼女の指摘は理不尽なものではなかった。たし
かにどの物件にも難点はあるのだ。だが予算に上限がある以上、すべての条件をクリアするこ
となど無理だった。

彼女のために、と足を棒にして歩き回った私だが、忍耐にも限度があった。いい加減にしろ
よ、とついに怒鳴ってしまった。

「少しは探すほうの身にもなってくれよ。何もかも希望を叶えるなんて無理なんだよ。ちょっ

とは我慢しようって気にならないのか」

すると彼女の顔から表情というものが消えた。能面のような顔で斜め下を見つめ、ふうーっと鼻から息を吐いた。彼女の前に見えない幕のようなものが下りたのを私は感じた。付き合って以来、そんなことは初めてだった。

「だったら、もういい」彼女はいった。

「いいって？」

「どこでもいい。あなたが決めて。あなたが家賃を払うんだし」

「自棄になってどうするんだよ。ある程度の妥協は必要だといってるだけじゃないか」

「一つ妥協するのも二つ妥協するのも全部妥協するのも同じことだから、あなたが決めればいいといってるの。自棄になってるわけじゃない」

「話し合って決めればいいじゃないか」

「だからあたしはどこでもいいっていってるのよ。希望を訊かれたから2LDKといっただけ。だめだっていうなら仕方ない。だったらどんなところだって同じ。親には、応接セットはいらないっていうから」彼女は横を向いた。「本当に俺が決めていいんだな」

私は吐息をついた。「本当に俺が決めていいんだな」

「どうぞ」

「わかった」

後味が悪いまま、我々は別れた。だがその夜のうちに彼女から電話がかかってきた。ごめんなさい、と真っ先にそういった。

「つい甘えて我が儘をいっちゃったの。悪かったと思ってる」

「いや、俺のほうこそ怒鳴ってすまなかった」

「部屋のことはあなたに任せる。どんなところでも文句はいわないから」

「でも2LDKがいいんだろ」

「そうだけど」

「探してみるよ」

「ありがとう」

翌日、私は不動産屋で選択を迫られていた。候補物件は二つあった。一つは手頃な家賃の2DK、もう一つは少々無理をすれば払える程度の家賃の2LDKだ。

しおらしく謝ってきた彼女の声が耳に残っていた。私は2LDKの図面を指差した。このことが間違いの第一歩、いや悪夢への入り口だとは、もちろんこの時には気づかなかった。

翌年の春、我々は都内のホテルで式を挙げることになった。私の招待客は殆どが会社の人間だった。控え室には親戚はおろか、両親さえもいないという状況だった。

私が新郎用控え室で祝電などの確認をしていると、ノックの音がして倉持と由希子が入ってきた。由希子とはしばしば会っているが、倉持の顔を見るのは、美晴を紹介された時以来だった。

「さすがに緊張した顔をしているな」倉持は私を見てにやにや笑った。「まずはとにかくおめでとう」

ありがとう、と私は答えた。

「おまえ、とうとう俺のアドバイスを聞かなかったなあ」倉持はいった。「結婚を急がないほうがいいといったのに」

「無視したわけじゃない」

嘘ではなかった。彼からそんなふうにいわれたから意地になったという面も大いにあったのだ。

「まあ、結婚する以上は幸せになってくれ」

「そのつもりだよ」

「じゃあ後でな」倉持はドアを開けた。

「あたし、もう少し話をしていくから」由希子がいった。

「わかった。じゃ、向こうにいるよ」倉持だけが部屋を出ていった。

ドアが閉まるのを見届け、由希子はふふっと笑った。

「あんなふうにいってるけど、心の中じゃ祝福してるはずよ」

「そうかな」

「決まってるわよ。だって──」由希子は悪戯っ子のような顔で私を見た。「あのこと、もうしゃべってもいいかな」

「あのこと？」

「うん。これは修さんからは口止めされてたんだけど」由希子は唇から舌の先を覗かせて続けた。「美晴を田島さんに紹介したらどうかっていいだしたのは、じつは彼なのよ」

「えっ……」

「でもあたしの紹介という形にしたほうがあいつは受け入れやすいだろうからといって、彼は
あまり首を突っ込んでこなかったの」

「いや、でも、美晴は君の同級生だろ」

「一応はね」

「一応？」

「彼女とは卒業以来会ってなかったの。再会したのは、彼の会社のパーティに出た時。彼女、
たまたま彼の会社にいたのよ。だから彼女の最近のことについては、修さんのほうがよく知っ
ているぐらいなの」

「いや、でも、美晴はそんなこと、一言もいってなかった」

「いわないほうがいいっていうのが修さんの意見だったわけ。あくまでもあたしの同級生とい
うことだけのほうがいいっていって」

私は血が逆流するのを感じていた。耳の後ろでずきんずきんと何かが響いていた。

「隠しててごめんなさいね。でも、うまくいったんだからいいよね」由希子はおどけて手を合
わせ、にっこり笑った。

「じゃあ、どうしてあいつはあんなことをいったんだろう。結婚を急がないほうがいいなんて
ことを……」

「あれはあたしもおかしいなあと思ってたの。それをいったら、紹介はしたけれど、変に焦っ
て結論は出してほしくないんだって彼はいったわ。それに、何事にも賛成する人間と反対する
人間がいたほうがいいんだって。だからあたしが賛成側に回ったってわけ」

鼓動の乱れはおさまらなかった。私は無邪気に話す彼女の顔を見つめていた。

「あっ、じゃああたしも向こうに行ってます。がんばってね」彼女は手を振って出ていった。

私はしばらく茫然と立ち尽くしていた。何ということだと思った。倉持の思惑を外したつもりだったが、じつはまんまと彼の計略に引っかかっていたということになるのだ。

何ともいえぬ不吉な風が胸の中で吹き始めた。私は脂汗を流していた。

その時、再びノックの音がした。顔を出したのは係の女性だった。

「新郎様、お時間です」恭しくそういった。

29

美晴との新婚生活はそれなりにうまくいっていた。それなりに、というのは、特別に変わったことはないという程度の意味だ。私は仕事を終えると、どこに寄り道することもなく江東区南砂に借りた2LDKのマンションに帰った。彼女が作った夕食を食べながらテレビを見て、風呂に入り、ベッドで横になった。休日は買い物に出かけることが多かった。新生活を始めると、足りないものがたくさんあることに気づくのだ。

平凡な新婚生活だったといえるだろう。美晴は新居を住み易くしようと努力しているように見えた。私も協力を惜しまなかった。何もない穏やかな毎日が続いた。そこに身を置いていることが、私には快適だった。

だがそうした日々を平穏と取るか退屈と受けとめるかは人による。美晴はどうやら後者のよ

うだった。

「ゴルフだって?」私は目を剝いた。夕食を食べている時だった。

「友達がみんな始めたのよ。あたしもよく誘われるの。いいでしょう?」

「習いに行くって、どこへ?」

「木場に大きな練習場があって、そこでレッスンを受けられるのよ。パンフレットも貰ってきちゃった」

「でもそんな、ゴルフなんて……」私は箸を持つ手を止めたままだった。考えたこともない話だった。「高いんじゃないのか。レッスン料って」

「それほどでもないのよ。個人レッスンじゃないから。道具だって借りられるって話だし、あそこならバスで行けるし」

「だけどさあ……」

「あたしだって何か始めたいのよ」美晴は不満そうな顔をした。「一日中家にいたって、何もすることがないんだもの。で、友達はみんなゴルフでしょ。たまに会って話をしようにも、ゴルフのことばっかりでついていけないの。そんなのつまんないと思うでしょ。だからあたしもやろうと思ったの」

「家計には響かないのか」小声でいってみた。

「それはあたしが何とかするわよ。じゃあ、いいのね」

「まあ、そこまでいうなら……」

よかった、といって喜ぶ美晴を見ながら、嫌な予感を抱いた。

それからさらに一か月が経った頃、美晴は自分のゴルフクラブが欲しいといいだした。

「道具は借りてればいいって話だったじゃないか」

「レンタル料を考えたら、買っちゃったほうが経済的なの。それに先生にもいわれたんだけど、やっぱり自分に合った道具を使わないとうまくならないそうなの。今のままだとコースにも出られないし」

「そんなこと、はじめからわかってたことじゃないか」

「あたしだって我慢しようと思ったのよ。でもどうせ買うなら早いほうがいいと思って、こうしてお願いしてるわけ。ねえ、いいでしょ」彼女は手を合わせ、首を少し傾げた。

私はため息をついた。

「高いんだろ、クラブって。それにクラブだけじゃすまないんだろ。バッグだとか靴だとかいるんじゃないのか」

「今、スクールに出入りしてる業者がキャンペーンをやってるのよ。スクール生なら六割の値段で買えるの。キャディバッグとクラブがセットになってたりするんですって」

単にスクールを巻き込んだ業者の商法に乗せられてるだけじゃないか、と私は思った。

「いくらぐらいするんだ」

「そりゃあいろいろあるわよ。なるべく安いのにするつもりだけど」

私はまたため息をついた。たしかに世はゴルフブームで沸いていた。同じような会話が多くの夫婦間で交わされているに違いなかった。

「なあ、俺の給料は知ってるだろ。ここの家賃だって馬鹿にならない。そんな状態でゴルフを

するってこと自体が無茶だとは思わないか」

「だからあたしだってやりくりしてるわよ。 ねえ、買っていいの? それともだめなの?」

「買えるならいいけど」

家計は彼女が管理していた。だから彼女が大丈夫だといえば、それを信用するしかなかった。

ゴルフ用具一式を揃えた美晴は、やがてコースにも出かけていくようになった。月に一度ぐらいのペースだ。ゴルフのことなど殆ど知らない私だったが、一回行けば数万円を使うこともあるという話を聞いていたので、さすがに問い詰めざるをえなくなった。

「あたしたちのゴルフは、そんな贅沢なものじゃないの。何万円もかかるっていうのは、土曜とか日曜の、しかも高級ゴルフ場の料金のことでしょ。あたしたちが行くところなんて、二流三流ばっかりよ。レディスデーなんていうのもあって、その日に行ったらいつもの三割引なの。お昼だってラーメンとかしか食べないから、ぜーんぜんお金なんてかからない。だから心配しないで」

こんなふうにいわれれば返す言葉がない。それに金があるから行けるのであって、懐が寂しければ行かないだろうと単純に考えてもいた。

だが話はゴルフ熱だけで終わらなかった。

寝室のドレッサーの横にあるクローゼットは、私が殆ど開けることのない空間だった。ある時、美晴の留守中に急遽喪服を探さねばならなくなった私は、そのクローゼットを久しぶりに開けた。

そこにぎっしりと詰め込まれていたのは、ブランド品の箱や袋だった。中を見てみるとバッ

グや財布、アクセサリー、洋服といったものが入っていた。どれも新しく、まだあまり使っていないように見えた。

その時は通夜があったので、自分の喪服を見つけだすと、私はとりあえず出かけていった。だが家に帰るとすぐに美晴に問い質した。彼女は動じなかった。おそらくクローゼットの中を見られたことを、その形跡から察していたのであろう。

「あれはねえ、人から貰ったものだとか、ディスカウントショップで買ったものばかり。それに高級そうには見えるけど、本当の値段だって大したことないのよ」

「貰ったって……どうして人が美晴にくれるんだよ」

「いろいろよ。海外旅行のお土産とか、買ったけど気に入らなくなったとか」

このあたりの話になると、さすがに不自然としか思えなくなってきた。

テレビに顔を向けていた美晴は、すぐには返事しなかった。私はもう一度声をかけた。

「なあ、うち今、どれぐらい貯金があるんだ」

「えっ、なあに?」彼女はこちらを向いた。

「うちの貯金だよ。いくらぐらいある?」

「えっ、いくらぐらいかなあ」彼女は首を捻った。

「通帳を見せてくれよ」

「それはいいけど、最近記帳してないから、見てもわかんないわよ」

「金を下ろした時の控えとかないのかい」

「えー、そんなのいつも捨てちゃってる」

「じゃあ今度見ておいてくれ」

「うん、わかった」

家計を美晴に任せていた私は、銀行のキャッシュカードも彼女に預けていた。彼女が金を下ろし、その中から私にも小遣いが渡されるのだ。

それから何日か経ったが、彼女はなかなか預金残高を確認しなかった。私がせっつくと、忙しくて銀行に行けなかったとか、うっかりしたとかいうのだった。

業を煮やした私は、会社から取引銀行に電話をかけた。名乗ってから口座番号をいい、残高を尋ねてみた。返ってきた答えを聞き、私は心臓が止まりそうになった。その数字にはマイナスがついていたのだ。つまり預金があるどころか、借金をしていたのである。どうしてそんなことになるのかと電話で尋ねてみた。相手の女性はこちらの剣幕に驚いた様子で、定期預金額の九十パーセントまではキャッシュカードで借り入れられるのだと早口で説明してくれた。

その日は定時になると、すぐに会社を出た。マンションに帰ると、大きな話し声がリビングから聞こえてくる。ゴルフ仲間だなとすぐに察した。玄関には見慣れない靴が二組並んでいた。

私の帰宅に気づいたらしく、美晴のほかに二人の女性がいた。お邪魔しています、と彼女たちは頭を下げた。どちらも美晴と同い年ぐらいだ。一方は黒を基調にした洋服に身を包み、もう一方はやけに花柄の目立つ服を着ていた。どちらも派手な印象を受けた。

「じゃああたしたちそろそろ」花柄の女性がいって腰を上げた。「もう一人もそれに倣う。

「あらそう。じゃ、またね」

美晴は二人を玄関まで見送りに行った。

「ゴルフスクールで一緒だった人たちよ」戻ってきた美晴がいった。

「美晴」

「あの人たち、今度ハワイにゴルフをしに行くんですって。いいわよねぇ」

「そんなことはどうでもいい。ちょっとそこへ座れ」ソファを指差した。

「何よ、一体」不審そうに彼女は座った。

私は立ったまま口を開いた。「今日、銀行の残高を調べた」

その途端、美晴の目元がさっと暗くなった。それを見て、やっぱりそうか、と私は落胆した。

何かの間違いであってほしいと願っていた。

「どういうことなんだ。残高がマイナスになってる。おかしいじゃないか。説明してみろよ」

私はまくしたてた。しゃべっているうちに気持ちがより昂っていた。

「ごめんなさい」美晴はあっさりと謝った。両膝に手を置き、うつむいた。

「説明しろといってるだろ。どういうことなんだよ」

「下ろしすぎたからお金がなくなったの」

「そんなことはわかってる。なぜこんなことになったのかと訊いてるんだ」

「ごめんなさい」

「謝って済むことじゃないだろ。なぜ今まで隠してたんだ」

「いえなかったの」

「いわないでどうする気だった？　ずっと隠し続けられるわけないだろ」

彼女は答えない。肩で息をしている。

「どうするつもりだったんだ。定期預金の分まで全部食いつぶしたら、後はどうするつもりだったんだ」

「わかんない」

「わかんない。あたし、自分でもどうしていいかわからなかったのよ」美晴は両手で頭を抱えると、だだをこねるように身をよじらせた。

「結局はあれだろ、ゴルフだとかに使い過ぎたんだろ。家計は自分がやりくりするとかいって、結局は預金に手をつけることになっちまったんだろ。毎月毎月赤字で、それを埋めるために預金を下ろして、そんなことを繰り返してるうちにこうなったんだろ」

彼女は黙って頷いた。

「何てことだっ」私は地団駄を踏んだ。「ゴルフだけじゃないだろ。あの高級なバッグだとか洋服だとかも、自分で買ったんだろ。俺にはあんなことをいったけど、全部嘘だったんだろ」

「違うの。あれは本当よ。自分で買ったものなんてそんなにないし、本当に安売り店で買ったの。それは信じて」

「どうでもいいよ、そんなこと」ソファを蹴飛ばした。「二百万あったんだぞ。どんな思いであそこまで貯めたと思ってるんだ。やりたいこともせず、買いたいものも我慢して貯めた金だ。いつかは自分の家が欲しいと思って貯めてきた金だ。それがどうだ。五十万も残ってないじゃないか。どうするつもりなんだ。ええ？　一体、どうしてくれるんだ」

彼女が何かいった。しかし声が小さすぎて聞こえない。

「えっ、何だって？　もっとはっきりいえよ」

「……します」

「なに？」

「返します」彼女は下を向いたままいった。

「ふざけるな」私はソファの背もたれを叩いた。「働いて返します」

「自分が何をしたかわかってるのか。いいか、使うのは簡単でも、百万以上の金を稼ぐのは大変なんだぞ。節約に節約を重ねて、やっとこ貯められる額だ。それをおまえは……ちょっと甘い顔をしていたら……」怒りのあまり言葉が出なくなった。

突然美晴がソファから崩れ落ちた。と思ったら、今度はそのまま床に両手をついた。私に向かって土下座を始めた。

「ごめんなさい、本当にごめんなさい。最初はこんなつもりじゃなかったの。だけどあたしだって寂しいから、もう誘われてつい……。やめなきゃいけないとは思ったの。付き合いの悪い人間だと思われたくなかってもらえなくなったらどうしようと思って……」床に彼女の涙がぼろぼろと落ちた。それを見ると、昂っていた私の感情も急速に沈んだ。

「そもそもうちみたいな安月給の身で、ゴルフなんてものを始めるのが間違ってるんだ」

「もう二度としません」彼女は頭を下げ続けた。

「まったく……」私は舌打ちをし、ソファに腰を落とした。頭を掻きむしった。私はそちらを見なかった。

美晴の立ち上がる気配がした。すると彼女は何もいわずにリビングを出ていった。泣いたから顔でも洗いに行ったのかと私は思った。

だがしばらくしても彼女は戻ってこなかった。私は心配になり、様子を見に行った。洗面所に彼女の姿はなかった。そのかわりに奥のバスルームのドアが開いたままになっていた。私は中を覗き込んだ。

美晴が手首を切って倒れていた。

皮膚を切っただけだ、と病院ではいわれた。血管を切るのは案外難しいのだと医師は説明してくれた。彼女が気を失っていたのは、精神的なものらしい。

病院のベッドで二、三時間眠らせた後、私は彼女を家に連れて帰った。彼女はずっと無言だった。私も、かけるべき言葉が見つからなかった。

それから何日間も美晴は殆ど口をきかず、ふさぎこんでいた。寝室で横になっていることが多かった。

キャッシュカードや通帳は私が管理することにした。失った金のことはなるべく考えないようにした。深く反省しているように見える妻を責めるのも大人げない気がした。慣れない結婚生活でストレスが溜まり、それを発散したくてゴルフや買い物に走ったのだろうと考えることにした。

しかしそれで問題が解決したわけではなかった。美晴は家事をあまりやらなくなっていた。徐々に家の中が荒れ始めていた。私が帰宅しても夕食の支度はおろか買い物さえもしておらず、面倒臭そうに買い置きしていた冷凍食品を暖めて出してくる、という生活が続くようになった。そのことを注意すると、「今日は疲れてた」

とか、「今月はもう生活費が残り少ないから」と言い訳するのだ。しかもその口調は徐々に無愛想になり、やがてぞんざいになっていった。彼女はいつも何かに苛立っているようだった。私のちょっとした小言に対し、ヒステリックに喚きだす、ということも少なくなかった。「ねえ、あたし、働いてもいい？」ある夕食時に美晴は訊いてきた。だった。彼女は私の顔を見ていなかった。いつもの投げやりな口調

「働くって、どこで？」

「友達が池袋で居酒屋をしてるのよ。手伝ってくれないかといわれてるの」

「居酒屋か……」

「料理を運んだり、皿を洗ったりするのよ」

「ふうん」

「あたし、このままじゃ気が変になる」

私は美晴を見た。彼女もこちらに顔を向けた。覇気のない目をしていた。

「何の楽しみもない毎日なのよ。来る日も来る日も、あなたを送り出した後は、ずっとこの部屋に籠ってテレビを見てるしかない。誰とも会わないことなんてざら。最近は電話だってかかってこない。いろいろな付き合いを全部断っているうちに、誰もあたしのことなんか誘わなくなったのよ。そんな毎日で、楽しいと思う？　あたし、今は何の生き甲斐もないのよ」

「だから働くのか」

「あたしにだって人生を楽しむ権利はあるでしょ。でもうちの経済状態じゃ、あたしは何もしちゃいけないのよね。だから自分が遊ぶためのお金ぐらいは自分で稼ごうと思ったの。それに

外に出て働けば、いろんな人とも出会えるし、気分転換にもなるし。
はじめは私を見ていた目が、徐々にずれていって、最後にはテーブルを見つめながら彼女はし
ゃべっていた。

ゴルフを始めた時と同じ理由だなと私は思った。問題は解決されてはいなかったのだ。

「なあ、子供を作らないか」私はいってみた。「子供が生まれれば、君だってきっと考え方が
変わるよ」

すると美晴は眉間に皺をくれた。

「暇なら子育てしてろっていうわけ？」

「そういう意味じゃない」

「じゃあどういう意味？　あたしは自分の時間を自分のために使いたいといってるのに、子供
なんか作ったら、もっと何もできなくなるじゃないか」

「君だって子供は欲しいといってたじゃないか」

「いずれはね。でもそれとこれは違う。あたしまだ、何の楽しみも味わってないんだから。そ
れに、今のうちの経済状態じゃ、子供なんか作ったら大変よ。あなたの給料が突然倍になるわ
けじゃないでしょ」

　家事だけの生活じゃ退屈そうだから、もっと大変な仕事をくれるっていうの？

子供のことについてはずっと意見が対立していた。私は家庭というものを早く築き上げたか
ったから、子供は早く欲しかった。一方彼女は今はいらないという。実際に育てるのは彼女の
ほうなのだから、私としても無理強いはできなかった。結婚前は彼女も子供好きのような面を

見せていただけに、この態度の豹変(ひょうへん)は意外だった。

「居酒屋ってことは、夜働くんだろ。家のことはどうするんだ」

「あなたの晩御飯の支度ぐらいはしていくわよ。あなたに不便はかけない。それならいいでしょ」

「だけどそれじゃあ全くのすれ違いになっちまう。顔を合わせる時がないじゃないか」

「あなたが眠る前には帰ってくるわよ。それに休日だってあるでしょ。毎日顔をつきあわせてるより、そっちのほうが新鮮なんじゃない」

私は言葉に窮した。結婚してさほど年月が経っていないのに、「顔をつきあわせている」という台詞(せりふ)が出てきたことがショックだった。

「やっぱりだめなわけ?」彼女はため息まじりにいった。「あたしはこれからもずっと、今みたいな生活を続けていかなきゃならないわけね。何の楽しみもなく、お洒落(しゃれ)をすることもなく、この部屋に閉じ籠って、醜くなっていけばいいわけね」

「誰もそんなことはいってない」

「でも、そうしろってことなんでしょ?」

「ほかに何か別の仕事はないのか。居酒屋じゃなくて、昼間にできる仕事だ。探せばあるだろう?」

「そんなに簡単には見つからないわよ。その店なら友達と一緒だし、安心して働けるし」

「俺の知り合いの奥さんだって働いているけど、スーパーとかコンビニとか、そういうのが多いぞ」

「要するに居酒屋で働いちゃだめってこと？　スーパーやコンビニのレジをしろっていうこと？」

「そうはいってない」

「じゃあ、どうなのよ」

私が黙っていると、「どっちなのよっ」と美晴はヒステリックに喚き立てた。

彼女の剣幕に気圧されて、最終的に私は彼女の提案を呑むことになった。彼女の気持ちを鎮めるにはそうするしかなかったのだ。

やはりこの時点ではまだ私は彼女のことを愛していた、ということだろう。だから彼女に物わかりの悪い夫だと思われたくなかったし、彼女の望みならばできるかぎり叶えてやりたいと思ったのだ。

もちろんこれは大きな間違いだった。私はまだ美晴という女の恐ろしさに気づいていなかったのだ。

30

働くようになり、美晴は明らかに変わった。化粧や服装にも気遣うから、美しくもなった。やっぱりこの女は外に出ているほうが向いているのだなと思い、仕事をするのを許したことは間違いではなかったと判断した。

私の目から見ても生き生きとしているのがわかるし、表情も豊かになった。

彼女は十二時前には帰宅した。その頃だとまだ私も眠っていないことが多いので、寝酒を交わしながら彼女の職場での話を聞くというのが一種の習慣のようになった。仕事の話をする時の彼女は楽しそうだった。

だがそんないい時期は長く続かなかった。やがて午前一時を回るようになった。美晴の帰宅時刻は徐々に遅くなっていった。私が眠らずに待っていると、彼女は決まって意外そうな顔をした。

「あら、まだ起きてたの？　先に眠っていていいのに」

そのほうがありがたい、という口調に私には聞こえた。

最近遅くなることが多いがどういうことか、と問い質してみた。彼女は動揺を微塵（じん）も見せずに答えた。

「人手が足りなくて、少し遅くまで働いてほしいって頼まれたのよ。もう一人アルバイトを雇うほどではないから、友達も困ってるのよね」

「これからずっとこんな調子なのか」

「たぶん今だけよ。会社の飲み会が多い時期ってあるから。あなただってわかるでしょ」

「それはまあ……」

「だから今のうちだけ。あなたは先に寝ててくれていいから」

「ふうん……」

今のうちだけ、と彼女はいったが、その後帰宅時刻が早まることはなかった。彼女の帰宅を確認できたことは殆と私も起きているのは苦痛だ。ベッドの中で待っているが、彼女の帰宅を確認できたことは殆

どなかった。

帰るのが遅いわけだから、当然早起きは辛くなる。私が着替え始めても美晴はベッドの中で寝息をたてている、ということが増えてきた。無理に起こそうとすると露骨に不機嫌な顔を作った。

「疲れてるから今朝は勘弁して。またって寝てしまう。朝御飯はパンでも買って食べて」それだけいうと毛布をかぶってまた寝てしまう。

文句をいいたいところだったが、口論をしている時間はなかった。何より、朝から夫婦喧嘩などしたくないので、黙って寝室を出るのだった。

朝は眠っているし、私が帰宅する頃にはもう家にいない。しかも私の職場は土日も出勤なので、ふだん美晴と言葉を交わすことは極端に少なくなった。私が休みの日も彼女は大抵ベッドの中にいた。

ある休みの日の昼、ついに私の堪忍袋の緒が切れた。パジャマ姿で起きてきた彼女が、宅配ピザを注文しようとしたからだった。

「いい加減にしろ。休日まで、そんなものを食わせる気かっ」私は読んでいた新聞をテーブルに叩きつけた。

美晴はぽかんとした顔で私を見て、次に首を傾げた。

「ピザじゃ気に入らないわけ?」

「そういうことじゃない。美晴、おまえ最近、全然食事の用意をしてないだろ。出かける前に夕食の支度をしていくって話だったのに、俺が帰ってきても、何の用意もしてないじゃないか。

「最初の約束はどうなったんだ」

ピザのメニューを手にしたまま、彼女は茫然としたように立ち尽くしていた。視線を床に落とし、しばらく動かなかった。そんな妻を私は睨み続けた。

やがて美晴はメニューを電話台に戻した。こちらを向いて呟いた。「ごめんなさい」

「謝るだけか」

私が訊くと彼女は首を振った。

「これから買い物に行ってきます。冷蔵庫には何もないから。急いで何か作るけど、その間、ちょっと待っていてもらえますか」棒読みの口調で彼女はいった。

「待ってるのはいいけど」

「じゃあ、着替えてくる」そういうと美晴は寝室に戻ろうとした。

「ちょっと待てよ」私は彼女を呼び止めた。「もう、いい加減にしたらどうだ」

ドアに手をかけたまま彼女は首だけをこちらに捻った。

「どういうこと?」

「仕事なんかやめたらどうだといってるんだ。家のことが全然できないんじゃ意味ないだろうが」

すると美晴はドアのほうを向き、首を深く折った。

「仕事をやめたら、また生き甲斐がなくなっちゃう。何の楽しみもない毎日に戻りたくない」

「そんなに楽しいのか、居酒屋のバイトが」

「家にいたら、誰とも会えない」

「だからって」

「謝ってるじゃない。これからはちゃんとするっていってるでしょ」

「謝れば済むのか。大体おまえは——」

「うるさいな」

「何?」

彼女がこちらを向いた。その目が吊り上がっているのを見て、私は言葉を切った。悪鬼のような形相というやつだった。彼女がそんな顔を見せたことはそれまでになかったので、私は面食らった。言葉を失った。

だがそれは一瞬のことだった。彼女の顔から突然表情が消えた。ふっと息を吐くのが聞こえた。

「ごめんなさい」彼女は頭をぺこりと下げた。「約束したものね。あなたには不自由な思いをさせないって。これからは気をつけます」さっきとは別人の落ち着いた口調だった。先程の彼女の表情が脳裏に残っていて、その衝撃から私は発すべき台詞が思いつかなかった。まだ解放されていなかったのだ。

「好きにしろ」ようやくそれだけいうと私は踵を返した。

それからしばらく、美晴は約束通りに家事をこなしていた。しかし長続きはしなかった。私が帰ってみると、コンビニかスーパーで買ってきたと思われる惣菜が並んでいたり、冷凍食品を暖めただけのものが冷蔵庫に入れてあることが多くなった。初めの頃は、それに対する詫びを書いたメモがテーブルに載っていたが、そのうちにそれも消えた。やがて手作りの料理が用

意してあることは殆どとなくなった。

炊事以外の家事も、明らかに手を抜いているようだった。掃除らしきことが全く行われていないことは明らかだく、汚れ物が籠から溢れるようになった。それでも着るものがなくならないのは、次から次と新しいものを買っているからだ。

たまりかねて注意すると、彼女はいつも項垂れ、素直に謝った。

「ごめんなさい。やらなきゃと思ってるんだけど時間がなくて」そして直ちに掃除なり洗濯なりにとりかかるのだ。

注意すればいうとおりにする。だが彼女が私の指示に従っているのは、せいぜい数日間だった。一週間も経てば、また元の状態に戻ってしまう。そういうことを何度となく繰り返している間に、次第にこちらも面倒臭くなってきた。あまりしつこくいうと、またあの逆上した表情を見せられるのではないかと怖くもあった。

私はあまり文句をいわなくなっていった。要するに諦めたのだ。埃っぽい部屋で冷えたコンビニ弁当を食べながらテレビを見ることや、妻が寝息をたてている間に出かけていくことに慣れてしまったのだ。

考えてみれば、それこそが美晴の狙いだったのかもしれない。人を叱り続けること自体に嫌気がさしてくる私の性格を、見事に見越していたといえるだろう。ようやく手に入れた家族を失いたくなかったのだ。私の小言にうんざりして離婚をいいだしたら困る、という思いが自己分析するならば、私は彼女から嫌われたくなかったのだと思う。謝られれば何もいえなくなり、

私にはあった。

私が何もいわなくなったからか、美晴はますます自由奔放に行動するようになった。土曜や日曜でさえも家にいることが少なくなった。

服装やアクセサリーが、徐々に派手で見るからに高価そうなものに変わっていることにも私は気づいた。どうしたのかと訊くと、彼女は顔色ひとつ変えずに答えた。

「この間のバーゲンで買ったのよ。ブランド品だけど正価の半値以下なのよ」

「半値ったって、安くはないだろう？」

「あたしのお小遣いで買えるぐらいなんだもの、大したことないわよ」

あたしのお小遣い、という部分を強調しているように聞こえた。要するに、自分で稼いだ金で買っているのだから文句をいわれる筋合いはない、ということなのだろう。

しかし釈然としなかった。新しい洋服やバッグ、アクセサリー類はどんどん増える一方だ。クローゼットはいっぱいになり、入りきらないものは床に積み上げられた。どれもこれも安く買ったのだと彼女はいうが、それでも総額にすれば百万以上はしそうだった。居酒屋のバイトでそんなに稼げるとはとても思えなかった。

そんなふうに美晴への疑念を抱き始めたある日、私の身に新たな出会いが訪れた。

寺岡理栄子（てらおかりえこ）は三十歳前後と思える、細い身体つきの女だった。うちの店にやってきて、私の名前を指定したのだ。

「知り合いがこちらの店で家具を揃えて、とても気に入ってたものだから、あたしも一度来て

みたかったんです。その時に、田島さんという販売員の方にお世話になったと聞いていたもの
だから」寺岡理栄子はそう説明した。その知り合いとは何という人物かと訊いてみても、それ
はちょっと、というだけだった。

水商売か、と私は推測した。その知り合いとは店によく来る客なのだ。だがその人物の名前
をここで出せば、巡り巡って、その人物の妻の耳に入るかもしれない。そのことをおそれてい
るのだろう。

そう推測するに足る魅力を彼女は備えていた。さほど美人ではないが、男の内側にある何か
を刺激する、妖艶な魅力に溢れていた。家具の値段を尋ねる時など、彼女は顎を突き出し、上
目遣いでこちらを見つめるのだが、その少し潤んだような瞳を見ると、私はどきりとした。

寺岡理栄子の来店の目的は、照明器具を揃えることにあった。今使っているものは部屋にマ
ッチしていないので、すべて取り替えたいのだといった。

私は彼女を照明器具のフロアに連れていった。天井からは各種の器具がぶら下がっており、
その下に立つと白熱灯の熱で暑いほどだった。理栄子はスペイン製の照明が気に入ったようだ
が、決心がつくには至らない様子だ。

「ここで見るとすごく素敵なんだけど、うちの部屋につけてみたらどうかなあ」細かいレリー
フが施された照明を見上げ、彼女は首を傾げた。やはり暑いらしく、首筋から胸元にかけての
肌が少し汗ばんでいる。私は目をそらした。

「それに、これ一つだけ買っても意味がないのよねえ。ほかの照明とのバランスも考えなきゃ
いけないし。困ったわね」

「お部屋の家具は、どういった感じなんですか」

「そうねえ、強いていえばモダン調ね」

「モダンですか」

「でも、そうともかぎらないな。アンティークの小物入れなんかもあるから。プレゼントされたりするから、なかなか統一できないのよね」

プレゼントの主は客だろう、と私は思った。

「お部屋の写真でもあれば、こちらとしてもお奨めしやすいんですが」

「そうよねえ」

「一緒に住んでおられる方は？」

「いないの。独り暮らし」

寺岡理栄子はしばらくフロアを歩き回った後、突然私の顔を見つめた。唇に意味ありげな笑みを浮かべている。私はどきまぎした。

「田島さんにお願いがあるんだけど」

「何でしょうか」

「あたしの部屋を見てくださらない？　そうして、どんな照明が合うかアドバイスしてほしいんですけど」

「私が……ですか」

正直驚いた。こういった相談をされたことがなかったわけではない。カーテンの採寸に同行し、ついでに部屋の様子を見てインテリアの相談に乗る、ということは稀にあった。しかしそ

れはお互いにかなり気心が知れている場合で、初めてやってきた客にこんなことを頼まれたこ
とは一度もなかった。

「だめかしら」彼女は小首を傾げた。

「いや、だめだということはないんですが」

「じゃあ、いいのね」

「日程が合えば、ですが。ええと、いつ頃を考えておられますか」

「あたしはいつでもいいの。田島さんの都合のいい時をおっしゃって」

「いつでも、とおっしゃいますと、平日でも？」

「いいわよ。予め決めていただければ、あたしのほうはどうにでもなるから」

「はあ……そうですか」

カレンダーを確認し、次の月曜日はどうかと訊いてみた。私が休みなのだ。

いいわよ、と彼女はすぐに返答した。午後四時に私が訪ねていくことになった。彼女のマン
ションは豊島区にあるらしい。

彼女が帰った後も、私は奇妙に浮き立った気分になっていた。女性の部屋に行くことなど久
しくなかった。何かを期待しているわけではなかったが、初めてのデートを前にしたような思
いだった。早くも月曜日が待ち遠しかった。

その月曜日、自分でコーヒーを入れ、それを飲みながら新聞を読んでいると、ごそごそと美
晴が起きてきた。私の向かい側に座り、マルボロに火をつけると、ふうーっと上に向かって煙
を吐き出した。喫煙の習慣は、居酒屋で働くようになってから表面化した。以前から吸ってい

たのだが、私の前では我慢していたらしい。

「何が食べたい？」ぶっきらぼうな口調で訊いてきた。

「えっ？」

「晩御飯。何がいいの？　後で買い物に行くから」いかにも億劫そうにいった。そんな無愛想な顔をされてまで作ってほしくはないと思った。そういうおうかと思い、踏み止まった。今日は寺岡理栄子の家に行かねばならない。その前に嫌な気分になりたくなかった。

「今日は用意しなくていい」私はいった。「お客さんの家に行くことになってるんだ。インテリアの打ち合わせで。だから帰りに外で食べてくるよ」

「ふうん、そうなの」美晴は何の関心もない様子で、吸っていた煙草を揉み消すと、また寝室に戻っていった。

三時過ぎになると出勤用のスーツに着替え、部屋を出た。美晴は見送りにも出てこなかった。

豊島区とはいっても、少し歩けば練馬区というところに寺岡理栄子のマンションはあった。茶色の煉瓦を模したタイルが貼ってある。まだ新しいように見えた。

私が行くと理栄子は身体のラインがくっきりとわかるニット姿で現れた。スカートも揃いのニットで、丈がかなり短く、おまけにストッキングを穿いていなかった。細身の体形だが、胸の隆起は大きく、私は目のやり場に困った。

「わざわざごめんなさいね」彼女は私を見て微笑んだ。唇には薄いピンクの口紅がひかれていた。

「いえ。お力になれればいいんですが」

「どうぞお入りになって」

彼女の部屋は1LDKだった。ダイニングはガラステーブルと金属製の椅子で設えてある。典型的なモダンだ。ところがソファは革製のどっしりしたものだ。なるほど統一感はないと私は感じた。センターテーブルはアメリカ製とおぼしき木製のもの。

「いいお部屋ですね」それでも一応お世辞をいった。

「でもセンスがバラバラでしょう?」

「いやしかし、統一すればいいというものでもないから」

モスグリーンのソファに腰掛け、持参してきたノートに部屋の間取りをスケッチした。理栄子が紅茶を運んできた。

「家具を生かすということでしたら、あまり個性的な照明は避けたほうがいいでしょうね。こういうシャンデリアタイプのものは、やっぱり自己主張が強いですから」天井からぶら下がっているライトを指して、私はいった。

「思い出の品なのよね」上を見て、彼女は呟いた。

「そうなんですか」

「結婚した時、主人と二人で買いに行ったの。家具専門のリサイクルショップで」

「あ……御結婚を」

「二年前に別れたのよ」理栄子はにっこりと笑った。「ごめんなさいね、鬱陶しい話で」

「いえ……」私はかぶりを振った。

「田島さん、御結婚なさってるんでしょう」

「えぇ」

「お子さんは？」

「いません」

「そう。じゃあまだ新婚気分なのかしら」

「とんでもない」私は手を振っていた。「女房も働いているので、めったに顔を合わせません。会話も少なくなって、すっかり倦怠期です。今日だって、僕が出てくる時にはまだ寝てました」

まさか、といって理栄子は笑った。

「一人だった頃のほうがよかったな、なんて思うことがあります。寺岡さんはもう結婚されないんですか」

「結婚ねぇ……」

「あっ、これはどうも立ち入ったことを」私はあわてて頭を下げた。

「いいのよ。結婚は今のところは考えてないわ。仕事が面白いし」

「どういったお仕事を？」

「どういえばいいのかしら」

彼女は立ち上がると、どこからか名刺を持ってきて私の前に置いた。銀座のクラブと思われる店名が印刷されていた。名前は寺岡リエとなっている。

「一度いらして、とはいわない」彼女は笑いながらいった。「だってすごく高いのよ。あんなところでお酒を飲む人の気が知れない」

「有名人とかも来るんですか」

「それはまあ、ごくたまに」

理栄子は店での様々なエピソードを披露してくれた。それらは私にとっては全く別世界の物語だった。はあとかへえとか、やたら感嘆詞を吐くばかりだった。

その後もインテリアとはまるで関係のない話題で我々は盛り上がった。気がつくと三時間が経過していた。

「ああ大変、もうこんな時間」彼女が時計を見ていった。「お引き留めしちゃってごめんなさいね」

「こちらこそ、すっかり長居をしてしまいました。では部屋の様子は大体わかりましたので、どういった照明器具がいいか、店でもう一度検討してみます」

「カタログで選ぶこともできるんですよね」

「もちろんです」

「じゃあ」理栄子はいった。「カタログを持って、来週にでも来てくださらない？　この部屋で相談しながらだと決めやすいと思うんだけど」

「それは構いませんが……。ええと、ではまた来週の月曜でしょうか」

「そうね、月曜がいいわ」

理栄子と再び二人きりで会えるというのは、私にとっては望外のことだった。翌日から早速彼女の部屋に合う照明器具を探し始めた。カタログを揃え、空いている時間はそれを眺めた。自分の選んだ照明の下でくつろぐ理栄子の姿を想像し、妙に官能的な気分になったりした。

そして次の月曜日がやってきた。彼女からは六時に、といわれていた。あまりゆっくりして
いる時間はないなと少々残念に思った。

私を出迎えた理栄子はエプロンをつけていた。それだけでも驚いたが、シチューと思われる
いい匂いが漂ってくるのも意外だった。

「せっかくお客さんが来るんだから、たまには料理でも作ろうと思って」

「いや、そんな、お客さんだなんて……」私は狼狽した。だが無論悪い気はしない。

「今日はお店、休んだのよ。だからゆっくり食事しながら、インテリアについて相談しない？

それとも、奥様の手料理が待ってるのかしら」

「いや、とんでもない」私は顔の前で大きく手を振った。「あいつは仕事に出てます。夜中に

ならないと帰らないんです」

「そう、じゃあちょうどいいわね」

「あの、本当にいいんですか」

「何が？」

「だから、その、御馳走になっても」

「当然じゃない。そのために慣れないお料理をしたのよ」

「そうですか。じゃあ、遠慮なく」

何が何だかわからなかった。三十分後には私は理栄子と向き合って、彼女の手料理を食べて
いた。慣れないといったが、彼女の料理の腕前は相当なものだった。我々はワインも飲んだ。
高級そうなワインだった。

どうやら理栄子は自分に気があるらしい、と私は思った。私だってまんざらではなかった。美晴のだらしない面ばかりを見せられているだけに、つい比較してしまい、こういう女性こそ理想の相手だと思った。

食事の後も我々はアルコールを飲み続けた。私は酩酊し始めていた。いつの間にかソファに座り込んでいた。すぐ横に理栄子の身体があり、私は彼女の肩に腕を回していた。

「今夜、帰らなきゃいけないの?」彼女が妖艶な眼差しで見上げてきた。

私の頭の中で、逡巡、戸惑い、そして歓喜といった感情が攪拌された。酒のせいで冷静な判断力を失っていたのは事実だ。

「いや、大丈夫」私は答えていた。

うれしい、といって彼女はしがみついてきた。私は腕に力を込めた。

31

理栄子の部屋で泊まってから数日が過ぎていた。私はまだ夢の中にいるようだった。彼女の肌の感触を私の掌は覚えていたし、彼女の吐く息の匂いを、私は簡単に思い出すことができた。それでも現実感がなかった。理栄子という女性など存在せず、何もかもが幻だったのではないかと思うことさえあった。

「おい、田島。何をぼうっとしてるんだ」

事務所で待機している時、そんなふうに呼びかけられることが多かった。心あらずという顔

をしていたのだろう。

あの一夜のことが忘れられず、再び理栄子に連絡をとろうとした。だが電話は繋がらなかった。もしかすると彼女が店にやってくるのではないかと心待ちにしていたが、彼女からの予約の電話もなかった。

そんなある日のことだった。私が家に帰ると、玄関の様子がいつもと違っていた。最初、何が違っているのかわからなかったが、靴を脱いでいる時に気づいた。

美晴が出かけた形跡がないのだ。だらしない彼女は履いた靴をなかなか片づけようとせず、脱ぎっぱなしの靴が所狭しと並んでいくという状態で、出かけた後はちょうど一足分のスペースだけがぽっかりと空いたようになっているのだが、その日はそれがなかった。おかげで私は自分の靴を置くのに少し苦労した。

廊下の明かりをつけ、リビングに入っていった。リビングも真っ暗だった。私はいつもの習慣でネクタイを緩めながら壁のスイッチを探った。

スイッチを入れてからどきりとした。ダイニングテーブルで、美晴が突っ伏していたからだ。

出かけるつもりだったのか、その前に息を呑んだ。テーブルの上にはウイスキーのボトルとグラスが置かれていた。ボトルは空になっていた。そして彼女の足元には箱が落ちていた。箱は潰れ、中に入っているケーキのクリームが隙間からはみ出ていた。

「……どうしたんだ」私は美晴の背中に声をかけた。寝ているのかと思ったが、そうではなかった。

だが彼女の返事はなかった。彼女の背中は小

刻みに震えていた。

　おい、ともう一度声をかけようとした時、彼女の首がむっくりと起き上がった。パーマをか
けた長い髪がぐしゃぐしゃになっていた。彼女はゆっくりと振り返った。その目を見て、私は
ぎくりとした。充血し、アイラインが涙で剝げ落ちたその目は、じっとこちらを睨んできた。

　何だ、と訊いた私の声はかすれていた。空咳を一つした。

「何かあったのか」ようやくそれだけいえた。

　美晴はテーブルの上のロックグラスを手にした。そこには一センチばかり琥珀色の液体が残
っていた。それを飲むのかと思ったが、そうではなかった。彼女はいきなりグラスを投げつけ
てきた。

　私は咄嗟によけた。固いロックグラスは割れなかったが、リビングのドアに当たって激しい
音をたてた。

「何するんだっ。危ないじゃないか」

　だが彼女は次にウイスキーの瓶に手を伸ばした。私は身構えた。

　美晴は瓶を投げつけてはこなかった。立ち上がると、それを振り上げ、獣のような声を発し
ながら私に襲いかかってきた。

　私は美晴の腕を摑むと、その手から瓶をもぎとり、ソファの上に投げた。彼女はわあわあと
叫びながら暴れた。私の顔を引っ搔き、胸を叩いてきた。私はたまらず彼女を突き飛ばした。
彼女はダイニングテーブルの脚のあたりで倒れた。ちょうどケーキの箱が落ちているところだ。

「何なんだ。一体どういうことだ」

しかし彼女はまだ答えない。今度はケーキの箱を摑み、投げつけてきた。それはまるで見当違いのところに落ち、中のケーキが散乱した。ショートケーキのようだが、形は完全に潰れていた。

私の足元にイチゴが一つ転がってきた。それを拾い上げ、ゴミ箱に捨てた。すると美晴が突然叫んだ。「おまえが食べろっ」

「えっ？」

「そんなもの、おまえが食べろっ。馬鹿にしやがって」喉が嗄れんばかりの大声だった。

「おい、美晴。おまえ、何をいってるんだ。何を怒ってるんだ。俺が何をした？」

「何をした？　ふざけんじゃないよ」

美晴はそばに落ちていたケーキの破片を投げてきた。それは見事に私の胸に当たった。白いクリームの跡がグレーのスーツにべったりと付着した。それをぼんやりと見つめてから、私は怒鳴っていた。

「いい加減にしろ。急に暴れだして、一体何なんだ。わけがわからんじゃないか。暴れる前に、いいたいことがあるならいえよ」

「わけは……あんたが一番よく知ってるじゃないさ」

「どういう意味だ」

美晴は身体を伸ばしてテーブルの上から何か取ると、またこっちに向かって投げてきた。だがそれは私の足元にさえも届かず、ひらひらと途中で落ちた。小さな紙を折り曲げたものだ。

私は彼女の顔を見ながら、それを拾いあげた。名刺だった。そこに印刷してある文字を見て、

全身から冷や汗が出た。

理栄子の名刺だったのだ。

私が彼女から貰ったものを美晴が見つけたのだ。

のことで美晴がこんなに逆上するわけがない。

足の裏がぬるりと滑った。私はクリームを踏んでいた。

美晴は私を睨み続けている。何かいわなければ、と私は思った。

「これが……どうかしたのか」

「とぼけるんじゃないよ。そんな青い顔してるくせに。その女が来たのよ。夕方、あたしが出

かける支度をしていたら」

「そんな……」

そんなはずはない、と思った。理栄子が私の住所を知っているはずがなかった。だが断言は

できない。何か知る方法があったのかもしれない。名刺がここにあり、美晴がこういっている

以上、理栄子が来たのは事実なのだ。

私は唇を舐めた。「それで?」

「何よ」

「それでどうしたんだ。この人がどうかしたのか」

「とぼけるなっていってるでしょ。馬鹿じゃなかったら、その女が何のためにうちに来たのか

ってことぐらい、想像がつくでしょ」

「何のことかさっぱりわからんな——そんなふうにいってみようかと考えた。しかし口には出

せなかった。美晴を余計に怒らせるだけだと思えた。

「何とかいったらどうなのよっ」

「何をいえばいいんだ」

「何でもいいわよ。言い訳でも何でもしてごらんなさいよ。あたしのこと、馬鹿にして」

「馬鹿になんかしてない」

「してるわよっ」美晴は怒鳴った。「その女があたしに何をいったか教えてあげましょうか。しゃあしゃあとした顔でね、旦那さんとは別れてくれるんですかっていったのよ」

私は目を見開いた。「まさか」

「あたしが嘘いってどうすんのよっ。あたしはね、何のことをいわれてるのか全然わからなかった。この人、頭がおかしいのかなって思った。でもいろいろと聞いてるうちに、あの女とあなたの仲がどうなってるのかわかってきた」そこまでまくしたててから美晴は唇を嚙み、かぶりを振った。その間も私を睨んだままだった。「悔しかった。悔しかったし、悲しかった。もうどうにもならないぐらい辛かった。それでもね……それでもあの女は笑ってたのよ。それで、何といったと思う？　ああ、やっぱり奥さんには別れるつもりなんかなかったんですね、旦那さんの火遊びだったんですねって。まるであたしがショックを受けてるのを見て楽しんでるみたいに」

私は奥歯を嚙みしめていた。全身に鳥肌が立った。彼女にかけるべき言葉が見つからなかった。うつむき、クリームでべとべとになった靴下を見つめていた。

「何とかいいなさいよっ」再び美晴は叫んだ。続いて、何かがごとんと倒れるような音がした。

見ると、ダイニングチェアが横たわっていた。

私は大きく深呼吸した。心臓の鼓動は速まったままだ。

「どうなのよっ。あの女と約束したの？　あたしと別れるって、あの女にいったの」

「いや、そんなこととはいってない」

「じゃあ何ていったのよ」

「何とも……いってない」

「うそっ」

「嘘じゃない」

「じゃあ、あの女と浮気したことは認めるの」

私は黙り込んだ。認める、といってしまえばおしまいのような気がした。もっとも、認めなくても、こうなってしまった以上は同じだった。

「どうなのよっ」

また何かが飛んできた。それは私の膝に当たった。ごろんごろんと転がったものは、湯飲み茶碗だった。

私が依然として無言のままでいると、美晴のすすり泣きが聞こえてきた。彼女は床に突っ伏していた。泣き声は次第に大きくなり、やがて彼女はわあわあと子供のように声をあげ始めた。泣き声に混じって、何かいっているのが聞こえる。ひどい、ひどいと繰り返しているのだった。

私は近づいていき、おそるおそる彼女の肩に手を置いた。

「触らないでっ」美晴は身体をよじり、いい放った。私は手を引っ込めていた。

突然美晴は起き上がった。私の顔を見ようともせず、小走りにリビングを出ていった。もしかしたら家を出る気かもしれないと私は思った。次に聞こえてきたのは、寝室のドアが激しく開閉される音だった。

しかししばらく経っても彼女は部屋から出てこなかった。私は不安になり、寝室の様子を見に行った。以前、彼女が手首を切ったことを思い出していた。

寝室のドアに耳を寄せてみたが、何の気配もしなかった。私はドアを細く開けてみた。ベッドの上で彼女がうつ伏せになっているのが見えた。その肩は揺れていた。すすり泣く声が聞こえた。私はドアを静かに閉じた。

廊下に座り込み、ため息をついた。フローリングの床に、点々と足跡がついていた。私がつけたクリーム色の足跡だ。

靴下を脱ぎ、上着も脱いだ。それらを丸めて隅に寄せると、洗面所に行って雑巾を取ってきた。それで床を拭き始めた。ついでにリビングの片づけもすることにした。その時に気づいたことだが、ソファの傍らにびりびりに引き裂かれたエプロンが落ちていた。美晴が悔しさのあまりに引きちぎったに違いなかった。

掃除を済ませ、着替えてから、もう一度寝室の様子をたしかめに行った。薄暗い寝室では、美晴がこちらに背中を向けて横たわっていた。すすり泣きはもう聞こえない。寝息も聞こえない。だが死んでいない証拠に、毛布の下の足がもぞもぞと動いていた。

私はリビングのソファに座り、ぼんやりと理栄子のことを考えた。彼女はなぜここへ来たのだろう。私の妻に会い、ショックを与えることだけが目的だったのか。そういう趣味のある女

がいることを、何かの本で読んだことはあった。理栄子がそうなのか。しかし一体何が楽しいのか。

それとも理栄子は本気で私に離婚してほしいのだろうか。私が離婚し、自分と結婚することを彼女は望んでいるのか。たしかに最初から彼女のほうが私よりも積極的だった。しかし何といってもまだ三回しか会っておらず、肉体関係も一度あっただけだ。しかもその後、彼女から私には何の連絡もない。

理栄子に電話をかけてみようかと思った。この時間ならば店にかけれれば捕まるのではないか。しかし考えるだけで行動には移さないでおいた。電話で話しているところを美晴に聞かれたりしたら、もっと大変なことになる。

そんなことを考えているうちに時間だけが過ぎていった。空腹は全く感じなかった。ただやたらに喉が渇くので、水道の水をコップに入れて何度も飲んだ。

午前零時を少し過ぎた頃だった。寝室のドアの開く音が聞こえた。続いて廊下を歩く足音。さらにトイレのドアが開閉した。

二、三分して美晴はトイレから出てきた。だが足音は聞こえない。彼女は廊下で佇んでいるのだ。リビングに入るかどうか迷っているのだろうと私は想像した。私は膝の上に置いた両手を握りしめていた。しかしこちらを見ようとはしない。キッチンに行き、さっきまでの私と美晴が入ってきた。しかしこちらを見ようとはしない。ふっと息を吐く音。同じようにコップで水を汲んで飲んでいる。ふっと息を吐く音。

彼女はゆっくりと私のほうにやってきた。病人のような重い動作でソファに腰掛けた。セン

ターテーブルに置いてあった煙草とライターを取り、吸い始めた。ふうー、ふうー、と立て続けに煙を吐く。そのたびに私は胸を締め付けられた。

一本目の煙草がすっかり短くなると、彼女はそれを灰皿の中で捻り潰した。煙草の火の消し方で嫉妬深いかどうかがわかるという話を私は思い出していた。

「片づけてくれたの？」泣いたせいでハスキーになった声で彼女は訊いてきた。

「えっ？」

「床。床とか、いろいろ。散らかってたでしょ」

「ああ、まあ、ざっとだけど」

「そう。ありがと」彼女はまた煙草を抜き取ってくわえた。ライターで火をつける。

私は両手の指を組み、開いたり閉じたりした。その掌は汗ばんでいた。

「それで、どうするつもりなの？」美晴が尋ねてきた。抑揚というものが全くない口調だった。

「どうって？」

「あなたはどうしたいわけ？　あの女の人には、あたしと別れるっていったんでしょ」

「だからそんなことはいってないって」

彼女は煙草を吸った。目が腫れているせいもあって、表情はまるでなかった。それでも、本当かしら、と疑っているように見えた。

「何回浮気したの？」

「えっ？」

「何回？」

私は唾を飲み込んだ。具体的なことは答えたくなかった。

「もうばれてるんだから、今さらだんまりもないでしょ。正直にいいなさいよ」

「……一回だけだ」

「ふぅーん」美晴の鼻から煙が漏れた。

「本当だ。一回だけだ」

信じたのかどうかは不明だった。美晴は二本目の煙草を消した。それはまだあまり短くなってはいなかった。

「どうしてよ」彼女は呟いた。「どうしてそんなことしたのよ」

すまん、とつい口から漏れた。小さく頭も下げていた。

「謝れば済むと思ってんの」

「そうじゃないけど……じゃあ、どうすればいいんだ」

「知らないわよ」美晴は私に横顔を見せた。ティッシュペーパーを箱から抜き取り、鼻の下を拭いた。

それからしばらく重苦しい沈黙が続いた。どこかで救急車が走っている。二人で黙り込むと、外の騒音がよく聞こえた。

「どこで知り合ったの?」ようやく彼女から訊いてきた。

「うちの店に来たんだ。それでインテリアのことで相談に乗ってくれといわれて、それで家に呼ばれて……」

「のこのこ出かけていって、誘惑されたわけね」彼女はいった。「馬鹿みたい」

「最初はそんな気は全くなかったんだ」

「どうかしらね。それで、どうなの？　あの人のことが好きなわけ？」

「いや、好きも嫌いも……まだそんなに会ってないし」

「でもセックスはしたわけでしょ」

またしても黙らざるをえない質問だった。私はうつむいた。

「で、どうするの、これから」

「どうするって……まだ、何も考えてない」

「そう」

美晴は立ち上がり、リビングを出ていった。今度こそ出ていくつもりなのかと思ったが、そうではなかった。彼女は何か持って戻ってきた。

彼女は私の前に便箋とボールペン、さらには朱肉を置いた。

「とりあえず、詫び状を書いて」

「詫び状？」

「ああ……詫び状じゃなくてもいいや。いくら謝ってもらったって仕方がないものね。今回あなたがやったことを、そこに書いてちょうだい」

「どう書けばいいんだ」

「どこの誰と、どんなふうに浮気したか書けばいいのよ。それがいやなら、ただ単に浮気しましたってことだけでもいい。相手の名前も書きたくなければ書かなくていい。でも日付は書いて」

「そんなものを書いてどうするんだ」

「どうしようがあたしの勝手でしょ」

「これを書かせて、離婚の材料にするっていうのか」

「そんなもの、別に書かせなくたって離婚できるわよ」ぶっきらぼうにいった。「今度のこと をうやむやにしたくないのよ。だから書いて」

私は便箋に目を落とした。ボールペンを取り、文面を考えた。

「どう書いていいかわからない」

「しょうがないわね」美晴は口元を歪めた。「あたしのいうとおりに書いて。私、田島和幸は、 結婚していながら、店にやってきた寺岡理栄子という女性と肉体関係を持ちました。非はすべ て自分にあります。この責任はどのようにでも取ります」

いわれるままに私はボールペンを動かしていた。美晴の気持ちを鎮めることで頭がいっぱい になっていた。

美晴は最後に拇印を押すようにいった。私は親指を朱肉につけ、署名に重なるように押した。

「これでいいのか」

美晴は出来上がった文面を眺めた後、便箋を丁寧に折り畳んだ。

「いっておくけど、あたし、離婚はしないから」

「俺もそのつもりはないよ」

「この責任はとってもらうし」

「どうすればいいんだ」

「まだわからない。ゆっくり考える。でもその前に誓って。もう二度とこんなことはしないっ
て」

「誓うよ」

「本当ね」

「本当だ」

美晴は小さく頷いてから立ち上がった。その姿は、さっきまでよりは幾分元気そうに見えた。
少し気分が落ち着いたらしいと私は安堵した。彼女が離婚をいい出さなかったことにもほっと
していた。

翌日の昼休み、私は理栄子に電話してみた。どうしてあんなことをしたのか問い質すつもり
だった。だがやはり電話は繋がらなかった。留守番電話に切り替わりもしないので、メッセー
ジを残しておくこともできない。

理栄子のマンションに直接出向くことも考えたが、美晴のことを思うとやはりためらわれた。
行ったことが理栄子の口から伝わったりしたら、今度こそ彼女は出ていくだろう。私からは
電話をかけなくなったし、彼女からも音信不通だ。

それから一か月あまりが経った。とうとう理栄子とは連絡をとれずじまいだった。私からは
電話をかけなくなったし、彼女からも音信不通だ。

もしかしたら本当に理栄子にはおかしな趣味があって、私の家庭を混乱させるためだけに私
を誘惑したのかもしれないな、と思い始めていた。あるいは、美晴と会って、もう二度と私と
付き合う気はなくなったのかもしれない。私としてはどちらでもよかった。理栄子のことは忘
れるようにした。

あの夜以来、美晴が私の浮気について何かいうことはなくなった。前と変わらず、夕方になれば出かけていき、深夜に帰宅するという生活を続けていた。時には私のために夕飯が用意されていることもあった。すべてが元通りになったわけだ。美晴の家事のいい加減ぶりや夜働くことなどには注文をつけたかったが、今は黙っていることにした。何しろ私にはそれらのことを注意する資格がなかった。

そう。私は美晴を責める術をなくしてしまったのだ。それがいかに大変なことであったかを知るのは、それから間もなくのことだった。

32

何事もなく毎日が過ぎているように思っていた。我々夫婦の会話は以前に比べてずっと少なくなったが、やむをえないことと私は受けとめていた。何しろ不和の原因を作ったのは私のほうなのだ。

しかし破滅へのカウントダウンはすでに始まっていた。

奇妙な兆候はじつはあった。美晴の身の回り品が、前にも増して派手になったことだ。アクセサリー、バッグ、洋服、そして化粧品、目に入るすべてのものが新しく、そして高価なものへと変わっていった。だがそれらをどうやって手に入れたかについて、私は尋ねる勇気がなかった。彼女の機嫌を損ねたくなかったのだ。

通帳は私が持っていたから、貯金を無断で使っているということは考えられなかった。それ

で私は敢えて、彼女の浪費の気配には目を向けないようにした。気になり出すときりがないからだ。

事態がとんでもないことになっていると知るのは、それから間もなくのことだった。機械を使って銀行から現金を下ろした私は、明細書に印刷されている残高を見て、我が目を疑った。

何かの間違いではないかと思った。

以前、美晴が無断で家の金を使ってしまった時、私は定期預金を解約して、すべて普通預金に移した。その数字のゼロが一つ消えていた。

私はあわてて通帳記入をした。そこに並んだ取引の中に、まるで知らない項目が二つもあった。それぞれ、二十万円以上の引き落としだった。

どちらもクレジット会社のものだった。だが私はそれらのカードを作っていないのだ。どういうことかと思い、一方の会社に電話をかけてみた。返ってきた答えを聞き、私はめまいがしそうになった。

私の名前で申し込みがあり、二か月ほど前にカードを発行したというのだ。しかも家族カードも同時に申し込みがなされていた。請求分はすべて家族カードによる利用らしい。

私は事情を呑み込んだ。美晴が私に無断でカードを作ったのだ。そして家族カードで買い物をしているのだ。カードの申し込みに必要な資料を揃えることなど、妻である美晴には容易いことだっただろう。またその際、カード会社から私の勤務先に、田島和幸という社員がいるかどうかという問い合わせがあったのかもしれないが、そのことは私の耳には入っていなかった。

クレジット会社のオペレータは、カードが不正に使用されたのかと疑ったようだ。私は咄嗟にごまかし、電話をきった。騒ぎが大きくなるのを恐れたのだ。

もう一方のクレジット会社に電話をかける必要はなかった。同じ手を二つの会社を使って実行したということだろう。

さすがに文句をいわないわけにはいかなかった。私は美晴が帰ってくるまで待つことにした。

その夜、午前三時を過ぎてから彼女は帰宅した。ダイニングテーブルについて待っていた私を見て、彼女は一瞬意外そうに目を瞠り、次には無愛想な声で、「あら、起きてたの」といった。

「どうして俺に無断でクレジットカードなんか作ったんだ」私は感情が昂りそうになるのを抑えて訊いた。

美晴の眉がぴくりと動いた。しかし表情の変化といえばその程度だった。興味のないことを訊かれたような顔に戻ると、キッチンで水道水をコップで飲んだ。

「なあ、おい」

さらに訊こうとすると、彼女は大きくため息をついた。それから大股で部屋を出ていった。すぐに戻ってきた彼女は、テーブルの上に二枚のカードを置いた。例の二つのクレジット会社のものだ。刻印されたアルファベットは、いずれも私の名義であることを物語っていた。

「あなたに渡すのを忘れてた。ごめんなさい」ぶっきらぼうに彼女はいった。

私は二枚のカードを手にし、深呼吸を二度した。怒鳴りたいのをこらえていた。

「どうして無断で作ったのかと訊いてるんだ」

「話しそびれたのよ。ただそれだけ」

「こういうことは先に相談すべきじゃないのか。俺の名義なんだぞ」

「カードはあったほうが便利でしょ。現金を持ち歩かなくてもいいし」

「そういう問題じゃない」

「だってあなたに任せてたら、いつになるかわからないじゃない。だからあたしがやったのよ」

「家族カードも勝手に作ったってわけか」

「そうよ。あたしだって買い物したいもの」

「ふざけるなっ」私はテーブルを叩いた。もはや気持ちを抑えられなくなっていた。「一か月で五十万も使って、一体何を考えてるんだ。もうこれで貯金は殆どなくなってしまったんだぞ。

この先、どうするつもりなんだ」

これと全く同じやりとりがかつてあったことを私は思い出していた。あの時美晴は突然泣きだし、働いて返すといって謝ったのだった。一旦横を向く、肩をすくめると、今度は私を睨みつけてきたのだ。

だが今回の彼女はあの時と違っていた。

「それぐらい何よ」小さい声で、吐き捨てるようにいった。

「何だと？」

「その程度のことが何だっていってるのよ。五十万ぐらいの金で騒ぐんじゃないよ。自分は好き勝手なことをしておいて、あたしがちょっと羽目を外したからって、何だってんだよ。自分のしたことを考えてみろ」

美晴の言葉に私は茫然となった。やはり彼女は私を許してなどいなかったのだ。理栄子のことはずっと心に引っかかっているということらしい。

「じゃあ……これは仕返しなのか」呻くように私は訊いた。

「そんなんじゃない」美晴は首を振った。「あたしはただ嫌なことを忘れたかっただけ。単なる憂さ晴らしよ。その程度のことは許されると思う。「あたし、すごく傷ついたんだから」そこまでいって彼女はもう一度私に鋭い視線を向けてきた。

理栄子とのことを持ち出されると返す言葉がなかった。最近は何もいわないから、あれはもう済んだことだと思い込んでいた自分が、ひどく呑気な人間のように思えた。

私は唇を舐めた。

「それならそれで、ほかにやりようがあっただろ。こんなやり方をしなくたって……。買い物をしたいといえば、俺だって黙って金を出したさ」

「そんなふうにいちいちあなたの許可を得るのが嫌だったのよ。あたしがどうして苦しんでると思ってるの。原因を作ったのはあなたなのよ。それなのに憂さ晴らしをするのにも、あなたの許しを乞わなきゃいけないわけ？　それで、あなたの許せる範囲内で、あたしはストレスを発散させるしかないわけ？」

「こんなやり方をしたら、家がめちゃくちゃになっちゃうだろ。生活費がなくなったらどうする気なんだ。そもそも、働き始めたのは、自由になる金が欲しかったからだろ？　自分の金はどうしたんだ」

「あんなの、ちょっと買い物をしたら吹っ飛んじゃうわよ」ふてくされたように、彼女はまた

横を向いた。

「足りないからカードを作ったというのか」

私の問いに美晴は答えなかった。だが答えたも同然だった。

「前に、責任をとってもらうっていってたよな。これがそういうことなのか」

すると彼女はこちらを向き、信じられないものを見たような顔をした。

「こんなことが？　この程度のことで責任を取ってるつもりなの？　あなたのせいであたしは身も心もぼろぼろなのよ。何を信じて生きていけばいいのかもわからないし、これからどうすればいいのかも見えてこないの。そんなふうに毎日を送ってるってこと、あなたにはわかってないのね」

「わかってるよ。あの時だって、もう二度とこんなことはしないって誓っただろ」

「あれで全部済ませたつもり？」

「そうじゃない」

「あたしだって、おかしなことをしてると思うわよ。だけどどうしようもなく苦しい時があるの。それを一時忘れたくて、少しばかり贅沢なことをしてみただけよ。それがそんなに悪いことなの？」

私は発すべき言葉が何も思いつかず、両手を握りしめたまま床を見つめていた。美晴は突然駆け出し、リビングを出ていった。寝室のドアの閉まる音がした。

しばらく私は動けなかった。彼女の言葉の一つ一つが楔のように胸に食い込んでいた。ウイスキーの瓶とグラスを持ってきて、ストレートで飲み始めた。とても眠れそうになかった。い

や仮に眠れたとしても、寝室に入っていくわけにはいかなかった。

悪夢はその一夜では終わらなかった。美晴の浪費が収まる気配はなかった。預金残高が少なくなれば使わなくなるだろうという読みは外れた。彼女はさらに二つのクレジットカードを作っていた。それらのカードで買い物もしくはキャッシングを繰り返し、支払いを分割にすることで、帳尻を合わせようとしていた。だが膨れ上がった月々の返済額は、あっという間に私の給料を超えた。私は会社で入っていた財形貯蓄を解約し、その補塡に当てた。しかしそんなことが長続きしないのは明らかだった。

もちろんその間私が黙って見ていたわけではない。私は美晴に、せめて現金で買い物をしてくれと頼んだ。

「この通帳とキャッシュカードを君に預ける。生活費を除いた残りを、どんなふうに使おうと自由だ。だからクレジットで買い物をするのはやめてくれ」

しかし彼女は聞く耳を持たなかった。

「うちにお金がないことはもうわかってる。だからあちこちから借りてるんじゃない」

「そんなことをしたら、うちは本当に破産だぞ。そうなってもいいっていうのか」

「知らないわよ。いっておくけど、あたしのカードを失効させても無駄だからね。そんなことをしたら、今度はサラ金に行くんだから」

美晴の考えていることが、私にはまるでわからなかった。自分で自分の首を絞めていることに気づかないはずがないのだが、彼女はやめようとしなかった。それで私は、これは一種の無

理心中なのかもしれないと疑った。　彼女は私を引き連れて、地獄に落ちようとしているのではないか——。

会社にいても気が気でなかった。美晴が悪質な金融業者に駆け込み、莫大（ばくだい）な借金を作るのではないかと心配でならなかった。冗談でなく、家に監禁しておこうかとさえ思った。何をしていても上の空で、仕事で失敗することが多くなった。

「どうしたんだ。最近、全然仕事に気持ちが集中していないじゃないか。そんなことじゃ困るよ」上司からしばしば注意を受けた。私は、すみません、と頭を下げ続けた。家庭の事情を話せるはずがなかった。

この時期、私は急激に消耗していった。鏡を見るたびに、頬がこけ、目が落ちくぼんでいくのが自分でもわかった。美晴のこともそうだが、月々の支払いをどうするか、ということが私を悩ませていた。彼女に任せておけば、別のところから借金をするだけなのだ。

そして決定的な出来事が起きた。ある日帰宅すると美晴が待っていたのだ。彼女は私に一枚の書類を見せた。サインして、実印を押してくれという。その内容を読んで仰天した。五十万円の借金を申し込む契約書だった。相手は聞いたことのない金融会社だった。

「どう計算しても来月の支払いは厳しそうだから、ここで借りることにしたの」大したことではないという口振りで美晴はいった。「サインして。それから判子も」

私の身体が震えだした。怒りのせいもあるが、美晴という女に対する恐怖からでもあった。「自分がとんでもない女と結婚したのだということを、この時に確信した。

「自分が何をしてるのかわかってるのか」私の声は震えていた。

「何よ、怖い顔して。わかってるわよ。もちろん。だって払えないんだから仕方ないでしょ。本当はもっと借りたいんだけど、あなたの給料をいったら、これだけしかだめだっていわれたの。安月給だと、借金もさせてもらえないのね」彼女はそういった後、ふふんと鼻で笑った。

この瞬間、怒りが頂点に達した。私は立ち上がっていた。気づいた時には美晴は顔を押さえて床に倒れていた。自分の掌に残った感触から、妻に手を上げたのだということを自覚した。

美晴は頬に手を当ててたまま私を見上げた。その目は真っ赤だった。彼女は唇を嚙んでいた。

「出ていけっ」私は叫んだ。

美晴は驚くべき速さで立ち上がり、リビングを出ていった。さらには寝室に駆け込むと、十分もしないうちに乱暴な物音をたてながら出てきた。大きなバッグを両手に持った彼女が廊下を歩くのが、リビングの中から見えた。

引き留めるべきかどうか迷っているうちに玄関で靴を履く気配が伝わってきた。私はリビングの入り口に向かいかけた。しかし廊下に出る前に、玄関のドアの開閉する音が聞こえた。

私は誰もいない玄関にちらりと目を向けた後、寝室に行ってみた。寝室のクローゼットはすべて開け放たれていて、美晴が片方の端から洋服をバッグに詰め込んだ形跡が如実に残っていた。

床に髪のついたブラシが落ちていた。

私はブラシを拾い上げると、それを持ったままベッドに横たわった。ベッドには美晴の匂いが残っていた。それを嗅ぎながら、ひどく空しい思いに襲われていた。私は、おそらく実家に帰っているのだろうと想像して、その夜、美晴からの連絡はなかった。

だから翌日、会社に由希子から電話があった時には面食らった。

美晴は倉持夫妻の部屋

に転がり込んでいるらしい。

とにかくこれからそちらに行きます、と由希子はいった。

約三十分後、会社のロビーで我々は向き合っていた。

「美晴から事情は聞いたんだけど、田島さんの言い分もあるだろうと思って」由希子は固い表情で切り出した。

「美晴はどんなふうに?」

うーん、といいにくそうな顔を見せた後、由希子は口を開いた。

「田島さんに裏切られたといってる。それでむしゃくしゃして、お金を使いまくったって。そうしたら殴られて、出ていけといわれたって……。あたし、田島さんがそんなことするわけないと思ったんだけど」

私は唸った。美晴の話に嘘はない。そのとおりだ。だが由希子の口から語られると、何かが微妙に違っているように感じられた。

「どうなの? 美晴の話は本当なの?」由希子は尋ねてきた。

「まあ基本的にはそういうことだよ」私は仕方なく答えた。

由希子の顔に落胆の色がありありと現れた。失望と軽蔑の混じった落胆なのだろう。

「浮気のことは謝ったし、それからはおかしなことは一度だってしてない。美晴を傷つけたことについては、どんなことをしてでも償う気でいたのだけど……」

「でも殴っちゃったのね」

「手を出したことについては悪いと思ってる。だけど俺も混乱しててさ。何しろあいつ、とん

490

でもない借金を次々に作っちゃって……」

「田島さんの気持ちはわかるけど、やっぱり最初に原因を作ったのは、田島さんのほうでしょ」

「それはそうだけどさ」

「だったら、多少美晴が我が儘をいっても仕方ないんじゃないのかな」

由希子の言葉を聞きながら、私は釈然としなかった。彼女のいっていることはわかる。しかし現在の状況は、彼女がいうほど単純ではないという気がした。

「美晴は離婚したいっていってるのよ」

私は驚いて目を見開いた。「俺と別れたいって?」

「そう。今はちょっと興奮してるから、後先考えずにそんなことをいうんだと思うけど」

「離婚か……」私は視線を落とした。

「ちょっと、まさか田島さんまでそんなことをいいだすんじゃないでしょうね」

「そうするしかないかなって、昨夜も考えてたんだ」

由希子は眉をひそめ、首を振った。

「そんなに急いで結論出さないでよ。とにかく一度ゆっくり話し合うべきよ。うちの人だってそういってるし」

「うちの人って……倉持か」

そうなのだ。目の前にいる、他人のことを思いやるという点では右に出るものがいないほどの素晴らしい女性は、すでに人妻なのだ。幸福な夫は、あの倉持だ。その倉持が、私の妻にな

るよう仕組んだ相手が美晴だ。その女に私は苦しめられている。

「少し時間を置いてから話し合いなさいよ」やや命令口調で由希子はいった。「それまでは、美晴のことはうちで面倒みるから」

「あいつ、実家に帰る気はないのか」

「実家には知らせてないみたい。心配をかけたくないんでしょ、きっと」

「ふうん……」

そういえば美晴は実家と殆ど連絡をとらない女だった。私にしても、結婚式以来、ゆっくり話したこともない。

「うちのことなら気にしないで。美晴を田島さんに紹介したのはあたしたちだもの、この程度のことは当然だと思ってる。とにかくあたしもうちの人も、二人には幸せになってほしいのよ」由希子は真摯な目をしていった。

うちの人も？

さあそれはどうなのかな、と私は腹の中で呟いた。

私と美晴の話し合いは、その三日後に行われることになった。場所は都内のホテル内にあるラウンジだった。一番隅のテーブルで待っていると、倉持夫妻に連れられて美晴が入ってきた。見覚えのない白いスーツを着ていた。何もかも白紙からやり直したいという意思の表れのように私には感じられた。

倉持と由希子は少し離れたテーブルにつき、美晴だけが私のもとにやってきた。向かいの席に座ると、「忙しいところ、ごめんなさい」と私の目を見ずにいった。

「元気か」私は訊いてみた。

「まあまあ」

それからしばらくは二人とも無言だった。反対側に座っている由希子と目が合った。

「落ち着いていろいろ考えたんだけど」ようやく美晴が開口した。「やっぱり、今の生活をだらだら続けていても、お互いのためにならないと思う。たぶんあたしはあなたのことを一生恨み続けると思うし、あなただってそんな思いを持たれたまま生活していきたくないでしょ」

「許せないってことなんだな」

「あなたと一緒にいても、心の傷は癒えないと思う」

「つまり、離婚したいってことか」

「あなたはどう思うの?」

「俺は、やり直せるものならやり直したいと思ってる。そのためにはお互いに変えていかなきゃならないところはあると思うけど」

「あたしは無理だな」私の言葉に続けて彼女はいった。「あたしだって今の自分を変えたいし、変えていかなきゃならないと思ってる。でもそのためには、嫌なことは全部リセットしてしまわなきゃだめなの。こんな言い方をするのは悪いけど、あなたの顔を見ているだけで、苛立っ(いらだ)てくるのよ」

私は苦笑いをしていた。その頬が引きつった。ひどい言われ方をしたものだ。

「もしあなたがどうしても嫌だというなら、強硬手段に訴えるしかないとも思ってる」

「強硬手段？」

「知り合いに弁護士がいるのよ。その人のところに相談に行こうかと思って」

「裁判をしようっていうのか」

「いざとなれば、よ。あなたが浮気をしたという証拠はあるわけだし」

「証拠……」

美晴が何のことをいっているのかはすぐに了解した。私に書かせた例の詫び状のことだ。愚かなことだが、この時初めて、私は自分が無我夢中で署名捺印したあの書類のことを思い出した。

「あの時に、こうなることを予想していたのか」私は訊かずにはいられなかった。

「予想なんかしてない。ただ、うやむやにされるのが嫌だっただけ」

美晴の言葉を信用する材料はなかった。しかし、仮にこうなることがわかっていたとしても、あの時私はサインし、拇印を押さざるを得なかっただろう。

「どうなの？　それでもあなたは離婚に同意しないか」美晴は責める目で私を見た。

もう答えは出ているのだなと思い知った。この場は話し合いのために設けられたものではなく、彼女の回答を聞くための場だったのだ。私には反論など許されない。考えてみれば、ホテルのラウンジなどという人目のあるところで、別居中の夫婦が話し合うというのも妙なのだ。

本来ならば、私が倉持家に出向くべきだろう。

「わかったよ」私は答えた。自分の肩ががくりと落ちるのがわかった。

「離婚に同意してくれるということね」

美晴の目が輝いたように感じられた。これほどまでに自分と別れたいのかと思うと、情けなかった。

ああ、と私は頷いた。

「よかった」彼女は吐息をついた。安堵の、と形容すべきだろう。「子供を作らなくてよかったわね」

「そうだな」

子供がいたら、もっと違った展開になっていただろう。これほどあっさりと彼女が離婚をいい出すこともなかったはずだ。もしかしたら、そうしたことを想定して、彼女は子供を作ることに消極的だったのかなと邪推した。

「十万円でいいわ」美晴がいった。

「十万円？」

「月々の生活費よ。だってあたし、今の仕事だけじゃ生活していけないもの」

「俺が払うのか」

「当たり前でしょ。離婚の原因を作ったほうが、何の責任も負わなくていいなんてこと、あるわけないでしょ」

「慰謝料ってわけか」

「まあそうね。本当はまとまったお金がほしいけど、そんなお金がないことはあたしもわかってる。だから生活費を保証してほしいの」

「十万円は無理だ」

「じゃあそのことについては後日相談しましょう」そういってから美晴は、由希子たちに何やら目配せした。

由希子がまず我々のところにやってきた。倉持も無言で彼女の後についてくる。

「別れることにしたから」美晴が由希子にいった。

「えっ」由希子は目を見開き、美晴を凝視した。その後視線をこちらに向けた。「田島さん、それでいいの？」

「いいのよ、今確認したんだから」美晴が私の代わりに答えた。

「でも……」

「二人には迷惑かけたと思ってる。今夜中に出ていくから、心配しないで」

「ちょっと美晴、待ちなさいよ。本当に十分話し合ったの？」

「そんな余地はもうないんだってば。じゃあ、倉持さん、そういうことですから」美晴は倉持にも言葉を投げた。倉持は気まずそうな顔で鼻の横を掻いている。

美晴はバッグを手に立ち上がると、一人でさっさと出口に向かった。それを由希子が追いかけた。

私はグラスの水を飲み、頬杖をついた。自分のことながら、呆気にとられるしかない展開だった。このホテルに来る前は、どのように話し合いを進めるべきかを熟考していたのだ。そんなことはすべて無意味だった。

気がつくと倉持が向かいの席に座り、煙草を吸っていた。私と目が合うと、その煙草の火を

消した。

「人生にはいろいろとあるよ。気にするな」倉持がいった。

「由希子さんから聞いたんだけど、美晴はおまえの会社にいたそうだな。それでおまえが俺の妻にどうかと提案したそうじゃないか」

ばれていることは覚悟していたのか、彼は驚きの表情を見せなかった。

「田島が気に入れば、と思っただけだ。ごく軽い気持ちからだった」

「そのわりには凝ったことをしたじゃないか。わざと交際を反対したりして」

「その反対を押し切ってまで、彼女と結婚したかったわけだろ」

倉持のいうとおりだった。私には返す言葉がなかった。

「まあとにかく、こうなってしまった以上は仕方がない。困ったことがあれば、どんなことでも相談してくれ。できるだけのことはさせてもらう」

私は首を振り、伝票を持って立ち上がった。

「おまえの世話にはならないよ」レジカウンターに向かった。せめてこの場ぐらいは颯爽（さっそう）としていたいと思った。

33

離婚届を出す前に、いくつかの手続きがあった。慰謝料の件を含むいくつかの約束を交わした書類を作成しなければならなかったし、次の住まいを探す必要もあった。それまで住んでい

たマンションは引き払うことになったのだ。一人で住むには広すぎるし、何より家賃が高かった。美晴も住みたくないといった。

私が見つけたのは、江戸川区にあるマンションだった。1DKという名目だが、とてもキッチンとは呼べない粗末な流し台がついているだけで、実質上はワンルームだった。ベッドと小さなテーブルを置けばもう居場所に困るほど狭かった。相前後して美晴も新居を見つけたようだが、どんな間取りなのか、家賃がいくらなのか、私には全く知らされなかった。

間の悪いことに私の引っ越しと梅雨入りが重なった。二名の作業員が、制服を雨で濡らしながら、わずかな家具や洋服を運び出した。使用されたトラックも、一番小さなものだった。結婚時に購入した家具や電化製品は、殆どが美晴のものとなった。引っ越した夜は、インスタントラーメンを食べるのにさえも苦労した。

離婚のことは会社でも話題になった。興味本位であれこれ訊いてくる者もいれば、私に関する噂話をわざわざ教えてくれる者もいた。たぶんそれよりもはるかに多くの者が、根も葉もない想像を働かせて陰口を叩いていたに違いない。

人事部にも一度だけ呼ばれた。人事部長は遠回しに、離婚の原因について探ってきた。私は性格の不一致で押し通したが、彼がどの程度信用していたかは不明だ。

引っ越しの荷物が落ち着くと、気分的に少し楽になった。元々美晴は家事をろくにやらない女だったから、生活が不便になったとはあまり感じなかった。自分で作った食事を、狭いながらも奇麗に掃除した部屋で食べていると、一体何のための結婚だったのかと考えてしまう。そんな時は、高い授業料を払ったのだと自分を納得させた。

その「授業料」を過小評価していたと気づかされたのは、梅雨が明けて間もなくの頃だった。

いくつかのクレジット会社からたて続けに連絡があった。引き落としができないというのだっ

た。調べてみると、ボーナス払いにされていた件がいくつかあったのだ。その金額を聞いて仰

天した。とてもすぐには払いきれないものだった。

私はすぐに美晴に電話し、事情を問い質した。

「ああ、そのことか。いわなかったかな」彼女は感情のない声を出した。

「聞いてないよ。どうする気なんだ。俺には払えないぞ」

「そんなこと、あたしにいわれても困るんだけど」まるで他人事の口調だ。

「だけど君が使った分だろうが。俺には関係ないんだぜ」

すると一拍置いてから彼女はいった。

「あなた、誓約書の内容を忘れたの?」

「誓約書?」

「離婚する時に交わしたでしょ。結婚中に生じた負債については田島和幸がすべて責任を取る

っていう文章が入ってたと思うけど」

「それは分割払いになってるローンのことをいったんだ。ボーナス払いにされてるものがある

なんて知らなかった」

「それはそっちの事情でしょ。あなたがちゃんと訳かないからいけないんじゃない」

「わざと隠してたのか」

「そうじゃないけど、そう思いたいんならそう思っておけば。でも、どっちにしろ同じこと

よ」

「俺は払わないからな」

「どうぞ。でもそれでクレジット会社が納得してくれるかしら」美晴の抑揚のない声が、私の神経を一層苛立たせた。

「そっちがその気なら、俺にだって考えがある」

私の言葉の意味を彼女は即座に察したらしく、こういった。

「いっておくけど、仕送りをなくしたら黙ってないからね。その時には出るところへ出るから」

「何だよ、それ。裁判でもやろうってのか」

「だからそれはあなたの対応次第よ。とにかくあたしは誓約書に書かれた権利を主張しているだけなんだから」

「あんな馬鹿な誓約書は無効だ」

「じゃあ、裁判所でそう主張すれば。でも、裁判沙汰になって困るのはあなたのほうじゃないの？　会社にだってばれるわよ」

彼女の言葉に一瞬私は沈黙した。それで勝利を確信したのか、彼女は含み笑いを電話線に乗せてきた。

「どうせ会社では本当のことをいってないんでしょ。自分の浮気が原因で離婚したってことは内緒なんでしょ。それなのに別れた妻から慰謝料の不払いで訴えられたら、さぞかしばつが悪いでしょうね」

「もういい、わかった」私は電話を切っていた。

美晴の悪賢さを改めて思い知った気分だった。もはや私は、彼女がストレスから買い物依存症になったとは考えていなかった。彼女は私の浮気を知った時から、このシナリオを組み上げていたのだ。どうせ離婚するならば、好きなだけ贅沢をし、その支払いをこの男に押しつけた上で逃げてやれ——そう画策したに違いない。そうとしか考えられなかった。しかも彼女は私が自分の不貞を各方面に隠すであろうことも計算していた。会社での立場を守るためにも、事を荒立てたくはなかった。

悔しいが、彼女のいうとおりだった。会社での立場を守るためにも、事を荒立てたくはなかった。

どうしようもなく途方に暮れていると、そんな私のところにさらなる災いの使者がやってきた。あたかも客のような顔をして、店で私を指名してきた二人の男は、金融会社の取り立て係だった。聞いたことのない会社であり、男たちも、表面上は丁寧な態度を装っているが、明らかにまっとうでない筋の人間だと思われた。

美晴はその会社から百万円を借りていた。しかもその連帯保証人が私になっていた。彼女が借りた金ならあっちに請求してくれと私はいった。だが男たちは薄笑いを浮かべていった。

「向こうから取れないから、あなたのところへ来たんですよ。それにあなた、あの人と離婚する時に、借金は全部自分が責任を取ると約束したそうじゃないですか。そういう意味のことを書いた書類も見せてもらいましたよ。正式な書類をね」

正式な、という部分を取り立て屋は強調した。

いうまでもなく美晴が借りた金には利子もついていた。また来ますよ、といって男たちは帰っていった。おそらく毎日のようにやってくるつもりだろうと私は予想した。会社に知れることを恐れた私が根負けし、彼等のいいなりになる日まで、取り立ては続くに違いなかった。

その日はまるで仕事にならなかった。上司から注意されたが、それさえもまともに耳に入ってこなかった。悪い想像が次々と頭に浮かんだ。たまらず美晴に電話をかけたが繋がらなかった。もっとも仮に繋がったところで、事態が少しでもよくなるとは思えなかった。前と同じように反論されるだけだろう。

あの男たちが待っているような気がして、なかなか家に帰る気になれなかった。それでも一晩中徘徊しているわけにもいかず、終電間際になってようやく帰路についた。

マンションの前まで来ると、一台の車が路上に止まっているのが見えた。ベンツだった。私は嫌な予感がした。取り立て屋たちの車のような気がした。

顔を伏せ、足早でマンションに入った時、車のドアの開閉する音が聞こえた。私は階段を駆け上がった。部屋は三階にある。エレベータもあるが、待ちきれなかった。足音が

三階に上がり、ドアの前で鍵を取り出していると、エレベータの到着する音がした。足音が近づいてくる。私は急いでドアを開け、部屋に駆け込もうとした。

「田島」

呼びかけてきた声を聞き、私は動きを止めた。振り返ると倉持がゆっくりと歩み寄ってきた。口元にうっすらと笑みを浮かべている。

「遅いな。残業か」

「なんだ、こんな時間に」私の息は乱れていた。

「ちょっと話したいことがあって下で待ってたんだけど、聞こえなかったみたいだな」

「何の用だ」

「だから話があるんだ。時間はとらせないから、少しいいか」倉持はズボンのポケットに両手を突っ込んだままいった。

この男のせいでとんでもない女と結婚する羽目になったのだと思うと、憎悪が膨らんだ。せめて激しく抗議し、罵倒してやりたいと思った。また同時に奇妙なことだが、今夜は誰かと一緒にいたいという気持ちもあった。私に金を要求してこない誰かと、だ。

私は吐息をつき、改めてドアを押し開いた。「入れよ、狭いけど」

倉持は頷いて足を踏み出してきた。

「たしかに狭いな」安っぽいテーブルとテレビの間に、窮屈そうに座りながら倉持はいった。

「もう少しましな部屋はなかったのか」

「家賃のことがあるから、ここが精一杯だったんだ」私は正直に答えた。

「家賃か……」倉持は煙草を出してきた。私に灰皿を用意する気がないことを悟ると、近くにあったビールの空き缶を引き寄せた。「金のことで、困ってるんじゃないか」

私は黙り込んだ。不満をぶつけたい気持ちはあったが、弱音を吐いていると思われたくなかった。

実際には、そんな意地を張っている場合ではなかったのだが。

すると煙を吐いた後で倉持がいった。

「最近、由希子が美晴さんと電話で話したらしい。その時に、ちょっとびっくりする話を聞いたといっていた」

私が彼を見ると、こちらを見返して彼は続けた。

「おまえ、彼女が作った借金まで払わされてるそうじゃないか。クレジットカードのローンとか」

「美晴のやつ、そんなことを由希子さんに話したのか」

「話をしているうちにいろいろと引っかかることがあるから、由希子が問い詰めたらしい。美晴さんの言い分は、離婚する時に約束したことだし、それぐらいのことはやってもらわないとわりが合わない、ということだったそうだ」

私は顔をそらした。いい返す言葉がなかった。

「なんでまたそんな誓約書にサインしたんだ。よく読まなかったわけじゃないだろ」倉持は当然の疑問を口にした。

「早くすっきりしたかったんだ。それに、借金があんなに多いとは思わなかった」

「そんなに多いのか」

倉持の問いに私は答えにくかった。とんだ馬鹿だと思われそうな気がした。

「その様子だと、クレジットだけじゃないな。ほかにも何かあるんじゃないのか」

「ほっといてくれ」

「やっぱりあるんだな」倉持はまだあまり短くなっていない煙草を、空き缶の上で捻(ひね)り潰(つぶ)した。

「消費者金融か何かか」

あまりに図星だったので、私は頬を強張らせた。その反応を彼は見逃さなかった。

「そうなんだな」

「どうでもいいだろ、そんなこと」

「よくはない。俺や由希子だって責任を感じてるんだ。もっといい女性を紹介すべきだったってな。隠さないで話してくれ」

善人ぶった口調に、神経を逆撫でされる思いだった。内心馬鹿にしているくせに、俺のことを笑いに来たくせに、と思った。

「今日、会社に来た」私は昼間男たちから渡された名刺をテーブルに置いた。「たちの悪い金融業者だ」

倉持は名刺を見て眉をひそめた。「街金か……」

「弁護士に相談してみるつもりだ。こんなおかしな話はない。いくら誓約書を交わしたからって、何もかも押しつけられてたまるもんか」

「弁護士に当てがあるのか」

「知り合いはいないが、どこか探すつもりだろ」

倉持は名刺を見て眉をひそめた。電話帳を調べれば済むことだろ、この程度の苦難は自分の力で乗り切ってみせる、と宣言したつもりだった。だがそれが口先だけであることを私自身がよく知っていた。単に強がって見せただけだ。

そのことを倉持も見抜いたのだろう、小さく頭を振り、二本目の煙草に火をつけた。

「全部でいくらだ」

「何が？」

「借金だよ。おまえは一体いくら返さなきゃいけない？　その街金の分も含めてだ」

「さあな」私は横を向いた。

「さあな、じゃないだろ。大体でいいからいってみろよ」

「そんなことを訊いてどうするつもりだ。おまえが払ってくれるのか」

すると倉持は真顔のまま小さく頷いた。「そうするしかないかなと思っている」

私は手を大きく振った。「やめてくれ。おまえの世話になろうとは思わない」

「もちろん一時立て替えておくだけだ。いずれは返してもらう。だけど、たちの悪い街金から借りてるよりはましだろ。クレジットカードにしても、さっさと返さないとブラックリストに載っちまうぞ」

余計なお世話だ——そういいかけて言葉を呑み込んだ。告白すれば、倉持の申し出は渡りに船だった。相手が倉持でなかったら、遠慮しつつもあっさりと厚意を受け入れていただろう。

私が何もいわないでいると、倉持は上着の内ポケットに手を突っ込み、封筒を出してきた。それは筒型に見えるほど膨らんでいた。

「とりあえず、今日はこれを置いて帰る。ちょうど二百万ある」

「……何だ、これ」

「取り立て屋たちは待っちゃくれないだろう。急場しのぎに使ってくれということだ。俺の世話になりたくないというなら、早く金を作って返してくれればいい。要は誰から借金するかといういうことだ。で、俺ならば利息を取る気もないといってるんだ」倉持は腰を上げた。

「来週、また会おう。それまでその金は預けておく」

「待てよ。こんなことをしてもらう謂れはない」

「責任を感じてるといっただろ。使わずに済めばそれに越したことはない。不必要だというこ
となら来週返してもらう。それならいいだろ」

「借用書だって書いてないぞ」

「その金が必要だってことなら、来週書いてもらうよ」そういい残して倉持は部屋を出ていっ
た。

彼がいなくなってから封筒の中身を調べた。一万円札がぎっしりと入っていた。数えてみる
とたしかに二百枚あった。奴はこれだけの金をぽんと置いていける身分なのかと思うと、自分
のふがいなさに腹が立った。

さらに情けないことに、その金を次の週、手つかずの状態で倉持に返すことはできなかった。
彼が来た翌日、自宅に金融会社の連中が押し掛けてきたのだ。彼等は暴力こそふるわなかった
が、言葉によって私を威嚇し続けた。今すぐに返せないというならこちらで返済方法を考えて
あげてもいいですよ、田島さん。たとえばクレジットカードを作ってですね、高価な買い物を
してもらって品物をこちらに渡してもらうとか、別の金融会社を紹介してさしあげるとか、す
ぐに金になる仕事を紹介してあげるとか、いろいろと手はあるんですからね。まあそれでも田
島さんの身に万一のことがあっちゃいけないから、とりあえず保険には入っていただきますが
ね。生命保険ですよ、もちろん。掛け金のことは心配無用です、こちらで払いますから。なあ
にほんの一年間だ、どうってことはありませんよ。なぜ一年間かはお訊きにならないんですか。

一年後には絶対に返してもらうってことですよ。さあねえ、返せなかったらどうなるか。こっ
ちも困るけど田島さんも苦しいだろうねえ、それこそ生きてるのが嫌になるぐらいにね。自殺
しちゃいたくなるぐらいにね。そういえば生命保険ってのは、一年経過すると自殺でも金が出
るんでしたね。いやなに、別に田島さんには関係ありませんがね──。

単に脅しているだけなのか、ある程度は本気でいっていることなのか、私には判断がつかな
かった。判断する余裕などなかった。私が倉持から預かった金を彼等の前に差し出すまで、そ
れほど多くの時間は要しなかった。

美晴が借りたのは百万円のはずだが、法外な利子も同時に奪われることになった。彼等が満
足げに出ていった後、私はしばらく立ち上がることさえできなかった。

どうせ手をつけてしまったのだから同じことだとばかりに、残った金をクレジットの返済に
充てた。何のことはない。倉持から預かった金は数日で消滅した。

「気にすることはないさ。そのつもりで預けた金だ。役に立ったんならよかった」
一週間後にやってきた倉持は、私の話を聞いても驚いた様子を見せず、むしろにこやかとさ
えいえる口調で慰めてくれた。私が金を使うことを予想していたのだろう。惨めさに身体が押
し潰されそうな気がした。

「できるだけ早く返す」それだけいうのが精一杯だった。項垂れた首を、なかなか元には戻せ
なかった。

「そうしょげるな。問題が解決したんだからよかったじゃないか。取り立て屋に毎日のように
押し掛けられたんじゃ、仕事にもならんだろうしさ」

「借用書を書く」

「まあそう水くさいことを、といいたいところだけど、やっぱりそれは作っておこうか。おまえもすっきりしないだろうからな」

倉持は書類を出してきた。それはまさに借用書だった。金額といくつかの数字を書き込み、署名捺印すればいいだけのものだ。

利子はほんのわずか、返済期限もかなり先に設定した書類を彼はこしらえた。それを私に見せ、疑問がないならサインしてくれといった。文句をいえる立場ではなく、私はサインし、実印を押した。

「ほかの借金はどうなんだ。クレジットカードのローンがかなりあるそうだけど」

「ボーナス払いになってたやつは、ある程度返せた。月々の返済については何とかしていくしかない」

「目処は立ってるのかい。美晴さんへの仕送りもあるんだろ」

私は黙り込んだ。見通しなどまるで立たなかった。

「今の収入はどんなものなんだ。よかったら給与明細を見せてくれないか」

「そんなものを見せたって……」

「いいから、ちょっと見せてくれよ。確認するだけだ」

もはや逆らえなかった。私は一番最近の給与明細を彼に差し出した。

「まあ、平均的なサラリーマンって感じだな」明細表を見ながら彼はいった。「ふつうに暮らす分には何の問題もないだろう。でも借金や仕送りのことを考えると、かなりきついぜ。はっ

「きりいって」

私は小さく頷いた。反論の余地はなかった。

「どうだ、俺の仕事を手伝わないか」明細表をテーブルに置き、倉持はいった。

「仕事って、株を売る仕事か」

「客に代わって売り買いしたり、個人投資家の顧問になったりする。おまえは素人だけど心配することはない。俺が一から教えてやるよ」

「人手不足ってわけでもないんだろ。どうして俺なんかを勧誘するんだ」

すると倉持は胡座をかいたまま背筋をぴんと伸ばし、腕を組んだ。

「じつは今度独立することになったんだよ。いよいよ会社経営だ。兜町の近くに事務所も借りた」

「独立？　おまえが？」

「何人かは今の会社から連れていく。社長も了承済みだ。何しろ俺は、今の会社での貢献度ナンバーワンだからな。文句はいわせないよ」

私は彼の誇らしげな顔をしげしげと見つめた。

「何だ。俺の顔に何かついてるか」

「いや」私はかぶりを振った。「大したものだと思ってさ。よくまあ次々と、新しいことを始められるものだ。感心するよ」

「皮肉かい？」倉持は煙草をくわえた。

「そうじゃない。本当に感心している」

実際、皮肉ではなかった。倉持の人間性については嫌悪していたが、実体のないところから金を生み出す能力の高さは認めざるをえなかった。

「だけど会社を興すのはこれからなんだろ。こういう言い方は失礼かもしれないけど、成功するとはかぎらないんじゃないか。俺みたいな素人に給料を払う余裕なんかあるのか」

すると倉持は、心外な、といわんばかりに勢いよく煙を吐いた。

「なあ田島、俺はこれまでにもいろいろなことにおまえを引き込んだ。どれもこれも怪しげな商売だったことは認める。だけどさ、一度だっておまえに損をさせたことがあったか。ホズミの時だって東西商事の時だって、おまえはそこそこ儲けたはずだ。人並みに貯えができたのも、そういうことがあったからだろ。俺の記憶によれば、おまえに損をさせたのはたった一度きりだ。でもそれは商売絡みじゃない」そういってから彼はにやりと笑った。「五目並べだ。忘れちまったかい」

私は少し驚いた。彼のほうからそんな昔のことを持ち出してくるとは思わなかった。

「覚えてたのか」

「当然だろ。友達を騙して、気持ちのいい奴なんかいない」

友達という言葉をさらりといい放った彼の口元を私は見つめた。

「株は面白いぜ。頭を使えば必ず儲かる。損をする奴は頭を使ってない。で、世の中には馬鹿のほうが多いから、馬鹿の持ってる金がどんどん賢い奴の懐に流れ込むってわけだ。これでどうして失敗する心配がある。大丈夫だよ、保証する。それにもう一つ、俺はサイドビジネスをサイドというには、規模がでかいけどさ」彼は声を低くして続けた。「不動産にも考えてる。

「土地か……」

「マンションでもいい」彼は頷いた。「知ってのとおり、地価は上がり続けてる。まだまだ上がるぜ。金を集められるだけ集めたら不動産に投資するんだ。株よりもっと確実だ」

「宝石、金、株も、そしてとうとう土地か」私はため息をついた。「おまえって奴は、どうしてそう……」後の言葉が出なかった。

「田島、金儲けの極意を教えてやるよ。たとえばここに一万円あるとするだろ。百円のインスタントラーメンを買えば、残りは九千九百円だ。そうなると後は速い。まず半端の九百円がなくなって、次に千円札が一枚二枚と消えていく。あっという間に使い切ってしまう。これはわかるよな」

私は頷いた。実感としてわかることだった。

「金を増やすにはこの逆をすればいい。一万円をまず一万百円にする。これは難しいことじゃない。次は一万百円を一万二百円にする。これも難しくない。この難しくないことを繰り返していけば、簡単に一万円は二万円になる。大抵の人間は馬鹿だから、いきなり一万円を倍にしようとする。だからしくじる」

「おまえの話を聞いてると、世の中は馬鹿ばかりみたいだな」

「そうなんだよ。全くもう、びっくりするぐらい頭の悪い奴が多いぜ」倉持は朗らかとさえいえる表情で笑った。「考えておいてくれといって彼は部屋を出ていった。私はぼんやりと彼の話を反芻していた。

34

世の中は馬鹿ばかり――まるで自分にいわれているような気がした。一生懸命に働いて貯めた金を、たった一度の過ちで吐き出してしまうことになった。おまけに借金まで背負わされている。

寺岡理栄子の部屋を訪ねる気になったのは、その数日後だった。電話は通じなくなっていたから、直接出向くしかなかったのだ。

済んだこととはいえ、どうしても彼女に会って問い質したかった。どうしてあんなことをしたのか、他人の家庭を壊して嬉しいのかと。

豊島区にある煉瓦風タイルの建物は、あの時のままだった。私はまずどう切り出すかを考えながらエレベータに乗り込んだ。考えがうまくまとまらぬまま、部屋の前に着いた。

深呼吸してからインターホンのボタンを押した。返事がなく、留守かと諦めかけた時、はい、と女性の声がした。くぐもって、聞き取りにくい。

「申し訳ありませんが、ちょっと確認したいことがありまして」名乗らなかったのは、私だとわかれば理栄子がドアを開けないと思ったからだ。彼女が私の声を覚えているとも思えなかった。スコープで覗かれることも考え、ドアに背を向けた。

少し間があってドアの鍵の外れる音がした。ドアが開くと同時に私は振り向いた。ドアの隙間に足をところがそこに立っていたのは理栄子とは似ても似つかない別人だった。ドアの隙間に足を

滑り込ませるつもりだった私は、あわててその動作を中断した。三十歳前後と思われるその女性は怪訝そうに私を見上げていた。

「あの、何でしょうか」

「あ、ええと、こちらは寺岡理栄子さんのお部屋では?」

私が訊くと彼女は首を振った。「違いますけど」

「じゃあ最近引っ越してこられたんですか」

「最近っていうか……一年ぐらい前ですけど」

「一年前?」私が理栄子に会うよりも前ということになる。

「あの、もういいですか。部屋を間違えておられるみたいだから」

「あ、どうも……」

部屋を間違えているはずはなかった。あの時私が理栄子に誘われてやってきた部屋は、たしかにここだったのだ。

ばたんと閉じられたドアの前で、私はしばらく佇んでいた。その時になって、ドアの横に表札が出ていることに気づいた。本田、という名字のようだ。理栄子に呼ばれて来た時には、こんなものは出ていなかった。

まるでわけがわからなかった。寺岡理栄子はどこへ消えてしまったのか。いやそれ以前に、そもそも彼女は何者だったのか。

私は迷惑がられるのを承知で、もう一度チャイムを鳴らした。

「何でしょうか。あたしも忙しいんですけど」本田嬢は警戒の色を顔中に浮かべた。

「あのう、どうしてもいくつかお尋ねしたいことがありまして。寺岡理栄子という女性に心当

たりはありませんか」

本田嬢は即座に首を振った。「知りません。聞いたこともありません」

「じゃあですね、こちらのお部屋をどなたかと共用しておられる、ということはありませんか。頻繁でなくて、たまに貸したりする程度のことでも」

「ありません。どうしてそんなことをお訊きになるんですか」

「それはですね」私は名刺を差し出した。「じつは半年ぐらい前に、こちらのお部屋に家具をお届けしたはずなんです。ところがその時のお客様と違っているものですから、どういうことだろうかと……。えっと、その時に納めさせていただいた家具について、ちょっと御連絡したいことがあるものですから」

名刺の効果は多少あったらしく、本田嬢の顔に浮かんでいた警戒感が少し薄れたようだ。しかし怪訝そうに眉をひそめていることに変わりはなかった。

「あたし、家具なんか頼んでませんけど。やっぱり部屋を間違えておられるんじゃないですか」

「でもたしかにこの部屋なんです。あのう、入居以来、ずっとこちらに住んでおられるんですか。長期間、部屋を空けたということはありませんか」

「それは……」本田嬢の顔に何かを思い出す気配が現れた。

「そういうことがあったんですか」

「半年前に一か月だけ……海外に行っていたことはあります。でもその間に部屋を誰かに貸したなんてことはありません。鍵だってあたしが持っていました。あのう、もういいですか。絶

対にあなたが部屋を間違えているんだと思いますから」彼女はドアを閉めようとした。

「待ってください。じゃあ、あと一つだけお願いがあるんです。そうすれば、間違えているのかどうかはっきりしますか」

「お断りします。そんな、知らない人を部屋になんて入れられません」彼女はドアノブを引く手に力を込めようとしていた。

「では、あなたの部屋のリビングに、イーサンアーレンのセンターテーブルはありませんか。木製の大きめのテーブルです」

私の言葉に、彼女の表情が変わった。戸惑ったようにこちらを見た。

「木製のテーブルはありますけど、どこの品物かなんて覚えてません」

「じゃあ、ダイニングテーブルはガラスじゃないですか。椅子は金属パイプに革張りをしたやつ」

本田嬢は明らかに驚いていた。私の指摘は的中しているのだ。

「そんなの……よくある家具じゃないですか」

「だから部屋を見せていただきたいんです。見れば、はっきりするわけですから」

彼女は迷っているようだった。見知らぬ男を部屋には入れたくない。しかしこの男のいうとおりの家具が自分の部屋にはある。勝手に誰かに部屋を使われたのだろうか──そうした考えが脳裏を駆け巡っているに違いなかった。

「じゃあ……」彼女は口を開いた。「あたしはここにいますから、中を見てきてください。むやみにそのへんのものには触らないでもらいたいんですけど」

「わかりました。ありがとうございます」

本田嬢はドアを開けたまま動かなかった。私は彼女の脇を抜け、室内に足を踏み入れた。短い廊下があり、その奥がリビングだ。私はドアを開けた。

モスグリーンのソファ、シャンデリアタイプの照明、黄色いカーテン、何もかもが前に見たとおりだった。職業柄、私は家具については忘れない。センターテーブルは間違いなくイーサンアーレンだ。

「どうですか」本田嬢が不安そうに訊いてきた。

この部屋に間違いない、と答えるわけにはいかなかった。そんなことをすれば、彼女は警察に届けるだろう。話を大事にすることは、私にとって決して有益ではなかった。

「何ともいいようがないですね」私は首を傾げてみせた。「この部屋だったような気もしますが、違うような気もします。あれから時間も経っていますしね」

「ちゃんとよく見てください。このままだと、あたしも気持ちが悪いから」指摘された家具が一致していたせいか、彼女の態度は微妙に変わっていた。

「社に戻れば何かわかるかもしれません。また御連絡します。ええと、連絡先をお尋ねしてもよろしいでしょうか」

本田嬢はあっさりと電話番号を述べた。私はそれをメモした。

「本当に鍵をどなたかに貸されたことはないんですね」

「ありません」彼女は断言した。

「ええと、ここの家主さんの連絡先はわかりますか。私共のほうから問い合わせてみようかと

も思いますので」

しかし彼女は浮かない顔つきをした。

「もしどうしても必要があるなら、家主さんへの問い合わせはあたしからします。留守中にそ

んなことがあったと知れたら、追い出されるかもしれないから」

「あなたが鍵を他人に貸したのでなければ、責められることはないでしょう」

「トラブルがあったと思われたくないんです。この部屋を借りるのには結構審査が厳しくて、

少しでも問題があれば出ていってもらうといわれてるんです」

彼女は譲りそうになかった。私は折れることにした。

「では家主さんにお尋ねになったら、その結果を教えていただけますか。さっきの名刺の番号

にかけていただければありがたいのですが」

「わかりました。でも、問い合わせるかどうか、まだわかりません」

「そうですか。一度、連絡されたほうがいいと思うのですが」

礼を述べて私は部屋を後にした。彼女はこれからしばらく不安な日々を送ることになるだろ

う。しかしあの様子からすると、家主に問い合わせることはなさそうだった。

賃貸マンションの場合、家主か仲介の不動産業者が合い鍵を保管しているのがふつうだ。そ

の鍵がどうなっているかだけでも知りたかった。だが本田嬢に無断で問い合わせるわけにはい

かない。それに考えてみれば、仮に寺岡理栄子の行為を家主や不動産業者が知っていたとして

も、本当のことを私に話すわけがなく、知らなかったとしても、部屋を他人に無断で使用され

た可能性を認めるはずがなかった。

寺岡理栄子とは一体何者だったのか。なぜ他人の部屋に入り込み、私を誘惑したのか。誘惑しただけではない。私の家庭を壊した。

残る唯一の手がかりは、銀座のクラブだった。だが彼女から教えられた店は、銀座のどこにも存在しなかった。よく似た名前の店があったので電話をしてみたが、寺岡リエなどというホステスは働いていないし、かつていたこともないということだった。

ここに至ってようやく私は、自分は何らかの罠にはめられたのではないかと考え始めた。すなわち寺岡理栄子は、最初から姿を消すつもりで私に近づき、私を誘惑し、私の家庭を破壊したのではないかと思ったのだ。

問題はその目的だった。私の家庭を壊して、理栄子に何の得があるだろうか。

そんなことがあって以後、私は時間があれば銀座や六本木の飲み屋街を歩き回るようになった。理栄子は水商売をしているに違いないと確信していたから、こうしていればどこかで出会えるかもしれないと思ったのだ。得体の知れない店を一軒一軒尋ねてまわるほどの勇気はなかった。

そんなふうにして無意味に二か月ほどが過ぎた頃、倉持から連絡があった。会社に遊びにこないかというのだった。彼は前にいっていたとおり、一か月ほど前に独立を果たしていたのだ。私は彼に多額の借金をしていた。無事に暮らしていけるのも、彼の援助があったればこそだった。行きたくない、とはいえなかった。

倉持の会社は日本橋の小舟町というところにあった。七階建てビルの五階だ。戸惑いながら訪れた私を、倉持は満面の笑みで出迎えた。

「待ってたよ。もっと早く連絡したかったんだけど、いろいろと忙しくてさ」彼は上機嫌だった。

事務所には二十ばかり机が並んでおり、夜の七時を過ぎたというのに十人ほどの社員が残って仕事をしていた。いずれも二十代前半に見えた。

「証券取引所が閉まった後も仕事があるのかい」私は訊いた。

「閉まってからが仕事だよ。今日の結果を踏まえて明日の作戦を練る。場合によっては、これから顧客に連絡することもある。タイムイズマネーってやつだ」

高校生かと思うような女性事務員が、私と倉持のためにコーヒーを運んできた。

「若い人が多いな」彼女の後ろ姿を見て私はいった。

「大体が今年卒業した連中だ」

さらりと答えた倉持の顔を私は見返した。「未経験者ばかりなのか」

「前の会社から連れてきたスタッフも二人いる。でもあとは未経験者だ」

「そんなので——」

「大丈夫なんだよ」倉持はコーヒーカップを片手に、くすくす笑った。「この仕事は素人でもできる。ノウハウとテクニックを教えてやりさえすれば、な」

彼は自分の引き出しを開け、一冊の小冊子を出してきた。「これを見てくれ」

その冊子には、『月刊チャンスメイク』というタイトルがつけられていた。先月号のようだった。中を読むと、今後どういう会社の株が上がりそうかという予測記事が、グラフや表などを交えて紹介されていた。

「うちで刊行し始めた出版物だよ。なかなかよく出来てるだろう。コンサルタント契約を結ぶ時の武器だよ。まずはこの冊子の定期購読契約を結んでもらうんだ」

「ふうん。でも、この予測記事が当たるかどうかが肝心なんじゃないのか」

「もちろんそうさ。だから外回りをやらせている連中には、これも一緒に見せるように指示してある」倉持は新聞記事の切り抜きを出してきた。経済新聞のようだ。

トロニクス株、急上昇――そういう記事だった。トロニクスというのは半導体メーカーで、従来の半分以下のコストで太陽電池を製造する技術を開発したことにより、株価が急騰しているらしい。

「で、さっきのうちの記事を見てくれよ」倉持は『月刊チャンスメイク』を開いた。「ほら、ここだ」

開かれた頁を見て、私はあっと声を漏らした。太陽電池製造技術についてトロニクスが特許申請したという情報をキャッチ、という記事がそこにあった。

「すごいな。どうやってこんな情報を摑むんだ」私は素直に驚いていた。

「それはまあ社外秘だよ。この二つの記事を見せれば、大抵の客はしばらく購読してみようかなって気になる」倉持はにやにや笑い、煙草に火をつけた。

「まあ、そうかもしれないな」

「なあ田島、手伝ってくれないか」倉持は煙を吐きながらいった。「俺は何としてでもここを基盤にして天下をとりたいんだ。そのためには盤石の布陣を敷かなきゃいけない。今のままじゃ不完全だ。おまえが来てくれれば完璧とまではいわないが、それに近い状態にはなる。俺も

「一国一城の主になれるんだよ」

「おかしなことをいうじゃないか。別に俺なんかがいなくたって、おまえは十分に一国一城の主だ。こんな立派な城を構えたわけだし」

私の言葉を聞いて倉持は、指に煙草を挟んだまま、掌を顔の前で振った。

「わかってないな。城というのは単に建物があるだけじゃだめなんだ。中身が伴わないとな。城があって兵隊がいて武器があって、それから何が必要だと思う？」

わからなかったので私は首を振った。倉持はいった。

「優れた家臣だよ。ブレーンといってもいい。それだけ揃って、ようやく主だ」

倉持によればこの事務所は城で、十数人の部下たちが兵隊、そして金を集める技術が武器だということだった。

「俺は素人だ。倉持のブレーンになんてなれない」

「ところがなれるんだ。さっきもいっただろ。経験は関係ない。どうすればいいかは俺が教える」

私は苦笑した。

「おまえがほしいのはブレーンだろ。ブレーンってのは、おまえの代わりに考えたり、おまえの欠けている部分を補ったりするものだ。おまえが教育したんじゃ、少なくともおまえのブレーンにはなれない。おまえ以上の知恵はないわけなんだから」

「契約を増やすための知恵はないかもしれない。だけど経営者に求められるのは、それだけじゃないだろ。たとえば、部下を掌握し、一致団結させる知恵も必要だ。そういうことには業種

は関係ない。人間的な経験が要求される」

「そうはいっても、俺は今の会社でもヒラだぜ。部下を持ったことなんて一度もない。経営者の片腕なんて、とても無理だ」

「そんなことないって。俺がいうんだから間違いない。一緒にいろいろとやってきた仲だろ。おまえのことは俺が一番よくわかっている。ある意味、おまえ以上にな」倉持は自信満々の口調でいった。

「俺にはできない。とても自信がない。本音をいえば、今の会社を辞める勇気もない」

「ははあ、俺の会社が沈没するかもしれないって疑ってるわけだ」

「率直にいえば、な」そういってから私はうつむいた。「おまえに商売の才能があるってことは認めてるけどさ」皮肉ではあったが、半分は正直な気持ちだった。

「わかった。じゃあこうしよう。とりあえず役員に名を連ねてくれるだけでいい。あとは月に一度開く役員会に出席してもらいたい。役員会はおまえの仕事に支障がない日に行く。それでどうだ」

「どうしてそこまでして俺の名前なんかが必要なんだ」すると倉持は顔をしかめ、椅子を私のほうに近づけた。さらに部下に聞こえるのをおそれるように口元を手で覆った。

「田島もさっきいったように、部下とはいっても大学出たてのガキばっかりだ。まあ、兵隊だ

「はっきりいおう。大人が必要なんだ」

「大人？」

「田島もさっきいったように、部下とはいっても大学出たてのガキばっかりだ。まあ、兵隊だ

からそれでいいんだが、ここ一番って時にはやっぱり大人が出ていかなきゃならない。そんな時に俺一人じゃ説得力が足りないんだよ。客に舐められたら、この商売は終わりだからな。医者や弁護士と一緒さ。客に頼りにされなきゃいけないんだ。だから大人が必要だ。わかるか」

倉持のいっていることはわからないでもなかった。しかしやはり、そんな目的のためだけに名前を使われるのは釈然としなかった。

彼はそんな私の内心を見透かしたように訊いてきた。

「なあ、あれはどうするつもりなんだ。あんまり俺からはいいたくないんだけどさ」

「あれって？」

「だから」倉持は口を殆ど動かさずにいった。「貸した金だよ」

「ああ……」そのことをいわれると項垂れるしかない。「できるだけ早く何とかしたいとは思っている」

「そんなこといってるけど、返せる見込みはないんだろ。あっちのほうにだって仕送りしなきゃいけないだろうし」あっちのほう、とは美晴のことだ。

「それはまあ……な」

「だからさ、その点もひっくるめて俺は提案してるんだよ。うちの役員になってくれりゃあ役員報酬ってものを払うこともできる。そこから俺への借金を返済していけばいいだろうが」

私は上目遣いに彼を見て、そしてまた目を伏せた。

「倉持にそこまでしてもらう謂れはないよ」

「今さらそんなこというな。それに、謂れならあるぜ。俺のために役員としての仕事をばりば

りこなしてくれればいいんだ。そうすりゃ、俺も助かる。会社も儲かる。万々歳ってやつだ」

彼の話を聞きながら、私は軽い混乱をきたしていた。彼の提案は、私の今の状況を考えれば、じつにありがたいものなのだ。ちょっとした友人であっても、これほどのことはしてくれないだろう。だが、そんな彼を、私は憎悪している。殺したいと思ったことは一度や二度ではない。

私は顔を上げ、倉持の顔を正面から見た。

「どうした?」彼は訊いてきた。

「なんで俺のためにそこまでしてくれる? 別に俺じゃなくてもいいはずだ」

も声をかけられる人間はいるだろう。見せかけの役員がほしいんなら、ほかにいくらで倉持は薄く笑い、耳の中を掻いた。

「だからそれは前もいったはずだぜ。俺たちが紹介した女を嫁さんにして、おまえは大変な目に遭った。そのことを何らかの形で詫びなきゃならんと思ってるんだ」

「それにしたって……」

「もちろんそれだけじゃない」彼は続けていった。「そんな気持ちからだけで、大事な役目を任せるなんてことをしていたら、会社はすぐに潰れちまう。俺はさっき家臣なんて言葉を使ったけど、明智光秀だって織田信長の家臣だった。頼りになるが、いつ寝首をかかれるかわからん人間を家臣にはできないわけよ。この世で一番信用できる人間、それを探してみたところ、どうやら俺の近くにはおまえしかいないようなんだ」

私は意外な思いで瞬きを繰り返した。倉持の話の内容もそうだが、それを口にした時の彼の表情に、今まであまり見たことのない照れのようなものが走ったからだ。

「なあどうだ。手伝ってくれないか。おまえにとっても悪い話じゃないと思うが」

「そうだな……」

少し考えさせてくれといってその日は会社を後にした。しかしその時点で私の気持ちは固まっていたといえるだろう。

翌週から週に一度、私は役員として倉持の会社に出かけていくようになった。役員といっても、私の主な仕事は金と人の管理だった。社員たちの仕事を評価し、それを給与に反映させていくというのが、特に重要な任務だった。

肝心の株取引については、倉持は殆ど何も教えてくれなかった。金庫番はそんなことは知らなくていいというのが彼の説だった。

「おまえのところの会社だってそうだろ。カーテンの生地や本棚の部品のことを重役が知ってるかい？俺たちはオーケストラの指揮者だ。指揮者は楽器を弾く必要なんかないんだよ」

入金状況を見るかぎり、倉持の会社は大成功を収めているといっても過言ではなかった。金がざくざく入ってくるのだ。大学出たての、まだ幼さの残る顔をした若者たちが、百万単位、一千万単位で金を運んでくる。一体どういう金なのか、最初の頃私はよくわからなかった。やがてそれが、株を買おうとする客から預かった金だと知った。だが不可解なのは、それらの金がすべて動いているわけではないということだ。

「単に客にいわれるまま売ったり買ったりするだけじゃ、コンサルタント会社の意味がないだろ。売るタイミング、買うタイミングもこちらに任せられている。金が動いてないのは、まだタイミングが来てないからだ」私の疑問に倉持はさらりと答えた。

「でもその金を別の運用に回したりしてるじゃないか。いざそのタイミングが来た時に金がないんじゃまずいだろ」

「その時には別のところから金を持ってくればいい。一旦うちに入った金は、どれもこれも同じさ」

「でもそれじゃあ混乱する」倉持は私の肩を叩いた。「そのためにおまえに金庫番をしてもらってるんじゃないか」

「だから」

しかし実際のところ、私はすでに混乱していた。週に一度、入出金状況を眺めるだけでは、何がどうなっているのかまるで把握できなかった。しかも金庫番とはいっても、ふだんは通帳や印鑑は倉持が保管しているのだ。私には管理責任者という肩書きが与えられているだけだった。

ある日のことだった。私は本来の家具会社が休日だったので、初めて午前中から倉持の会社に行ってみることにした。倉持はまだ来ておらず、彼が前にいた会社から連れてきた中上という男が、部屋の隅にある会議机で新人たちに研修を行っているところだった。他の社員たちは大半が出払っている。私は自分の席につき、例によって、数字が並んでいるだけの書類に目を通したりしていた。

「要するにどういう人間かを見抜く。まずこれが第一だ」中上が声を張っている。

私は何気なく耳を傾けていた。

「事業で成功した人間は鼻がきく。甘い話にはなかなか乗ってこない。下手をすると疑われる。

だからそういう相手には堅実な話をするんだ。証券会社あたりから流れてきた話を混ぜれば説得力が増す。当然相手はつまらないって顔をするだろう。もっとでかく儲かると思ったのにってわけだ。そういう時にはこう答えろ。甘い話なんて、そうはないものですよ。あなただって楽しして今の地位を築いたわけではないでしょってな。これでまず相手はこっちを信用する」

きな臭い話をしている。私は書類から顔を上げた。

中上はさらに続ける。

「土地や財産分与、退職金なんかで、一時のあぶく銭が入ったような連中には、徹底して難しい話をしろ。言葉の使い方はさっき渡したテキストを参考にするように。何度もいうようだが、まずは友の会に入れろ。その時のコツは、とにかく急かすことだ。早くしないとスクープ銘柄が値下がりするとか、特別サービス期間が終わってしまうとか、何でもいいから相手を焦らせるようなことをといえ。友の会に入ったら顧問料を取るわけだが、いいか、最初から安い値をうなよ。まずは百万円ぐらいふっかけろ。それでためらっているようなら、少しずつ下げてやるんだ。ただしそのたびに会社に電話して、上司と相談しているように見せかけろ。下げるにしても、特別にまけてやるんだ、という印象を与えなきゃいけない。ただし十万以下には絶対に下げるな。その程度の端金をけちるようなのは相手にしなくていい。それからさっきもいったが、入ってください、お願いします、は絶対に禁物だからな。こっちのほうが偉いんだから、見下すつもりでしゃべれ。悪いことはいわないから入りなさい、というような言い方でいい。それから肝心の株売買を依頼された場合だが、ここが一番大事だ。これを絶対に忘れるな」

中上が言葉を切ったので、私はつい首を伸ばしていた。中上は新人たちを見渡していい放っ
た。

「受け取った金は絶対に返すな。これが鉄則だ」

35

倉持が出社してくると、私は彼を外の喫茶店に連れだした。喫茶店に入り、コーヒーを注文
するや否や、私は会社を辞めたいと切り出した。これにはさすがに倉持も面食らったようだ。

「一体何があったんだ。それとも報酬が少なすぎるという抗議かい」彼は薄笑いを浮かべてい
った。

「そんなことじゃない。インチキ商売には手を貸さないといってるんだ」

「インチキ、とは穏やかじゃないな」

「客の金を騙し取る手口の、どこがインチキじゃないんだ」

私は中上が行っていた新人研修のあらましを倉持に話した。それを聞いている彼の顔はみる
みる曇っていった。私の話が終わっても、彼はしばらく黙り込んでいた。運ばれてきたコーヒ
ーに口をつけた後も、まだしゃべりだす様子ではなかった。

「何とかいったらどうなんだ。おまえが社長なんだろ。それともあれは中上が勝手にやってる
ことだとでもいうのか」

「いや、そんなことはいわんよ」

「だったら」

「まあ聞けよ」倉持は私の顔の前で掌を広げた。「田島が不愉快なのはわかる。ホズミのこともあるし、東西商事の件じゃお互い苦しい思いもした。あれの二の舞は御免だと思ってるわけだろ。いっておくが、俺だってそうだ。特に今は自分が経営者だから、何かあったら、警察から追われるのは自分だ。それなのに、そんな危ない橋を渡ると思うか」

「だけど事実中上が……」

「客の扱い方を指南してただけだろ。愛想良くしてるだけじゃ、俺たちみたいな商売は成り立たない。ある程度のはったりは必要だ。相手を見て態度を変えるなんてのは、セールスの常道だぜ。東西商事でも嫌というほど叩き込まれただろ」

「あの会社のことはいうな。論外だ」

「東西商事でなくても同じだよ。みんなやってることなんだ。特に証券コンサルタントなんて仕事は、口八丁手八丁でなきゃ生き残っていけない。競争なんだ。きれい事だけじゃライバルたちに勝てない」

「受け取った金は絶対に返すな、と中上はいってたぞ」私は倉持を睨みつけた。「それが鉄則だとも。客から預かった金を返さないなんておかしいじゃないか」

すると倉持は眉を寄せ、次に大きくため息をついた。コーヒーを飲み、口元を緩めた。

「別におかしくはない。それは鉄則なんだ」

「何だって……」

「勘違いするなよ。客の金をちょろまかすって意味じゃない。客に金を引き上げさせないって

いう意味だ。たとえばAという銘柄を買わせるよな。それで儲かったとする。その時に客にA

を売らせて、その金を全部渡すようなドジな真似はするなってことだ。Aを売らせてもいいが、

その時には別の銘柄Bを買わせる。金を移動させるわけだ。そうすれば客とうちとの繋がりは

消えない。こういうふうにしていかないと顧客は増えていかないんだよ。簡単な算数だ。わか

るだろ」

私は眉をひそめ、倉持の顔を見つめた。彼は、何かおかしなことでもあるか、といわんばか

りの表情で平然としている。

たしかに筋は通っている。だが釈然としなかった。

「中上の言葉のニュアンスは、そんな感じじゃなかったけどな」

「奴は少々熱くなりすぎるきらいがある。それで言葉がきつくなったんだろう。俺から注意し

ておくよ。だけど、今いった以上の意味はない。心配するな」

「客がどうしても金を返してほしいといってきた場合はどうなんだ」

「その場合は返すさ。当然のことだろ。もっとも、客に決してそんなことをいわせないように

するのが、うちらの仕事なんだけどな」倉持は片目をつむり、腕時計を見た。「もうこんな時

間だ。ぐずぐずしてると儲けそこなっちまう」テーブルの伝票を手に取った。

「待ってくれ、もう一つ訊きたいことがある」

「今度は何だ」

「株取引には資格が必要なんだろ。おまえ、その資格を持ってるんだろうな」

この瞬間、倉持の目が険しくなったように私には見えた。だがそれは長い時間ではなかった。

彼は余裕のある笑顔に戻っていた。

「当たり前だろ。余計なことに気を回すな」

「今度、証拠を見せてくれ」

「ああ、今度な」彼はもう一度時計を見た。「やばい。じゃあ、急ぐからこれで」駆け足でレジカウンターに向かった。

彼の出ていったガラスドアを見ながら、会社を辞めたいという私の希望がいつの間にかうやむやにされてしまったことに気づいた。

倉持の話を鵜呑みにしたわけではなかった。だが彼と議論をすると、いつもこうなのだ。彼はいつも私の一歩も二歩も先を見越した答えを用意していて、結局何もいい返せなくなってしまうのだ。そして最後には不完全燃焼の思いだけが残る。

しかし今度ばかりはごまかされないぞと私は心に決めていた。倉持がどんなにうまくいい逃れようとも、会社が不正なことをしているかは、少し掘り下げて調べればすぐにわかることだ。中上のような幹部クラスは口が堅いだろうから、若手社員からうまく話を聞き出そうと私は考えた。

ところがそんな決心をしたのも束の間、もっと重大な出来事が私の身に起こった。

家具売場で自分本来の仕事をしている時だった。後輩が近づいてきて、私の耳元でこう囁いた。

「昨日、田島さんのお客さんを見かけましたよ」何かを含んだような言い方だった。

532

私は彼の顔を見返した。「俺の客？　誰？」

「名前は知りません。一年ぐらい前に一人で来た女性です。結構奇麗な人で、でもちょっと水っぽい人で、あれは絶対にホステスだってみんなで噂してたんですけど……覚えてないですか」

私は目を見開いていた。一人で来る女性客はそんなに多くない。しかも水商売の雰囲気を備えていたとなれば、思い当たるのは一人だけだ。心臓が早くも高鳴りを始めた。

「寺岡理栄子……さんか」

後輩は首を傾げた。「あっ、そういう名前だったかもしれない」

「どこにいたんだ？　どこかの飲み屋にいたのか」

私の剣幕に、後輩の顔からにやにや笑いが消え、ややたじろぐ表情になった。

「六本木ですよ。六本木通りからちょっと入ったところにある店で……。えぇと、たしか名刺を貰ったはずだから」彼は財布を出してきて、その中に入れてあった名刺を取り出した。「これです。裏に地図が描いてありますよ」

名刺には、『キュリアス　松村葉月』とあった。

「この葉月ってのが彼女だったのか」

「いや、彼女はほかの席についてましたね。すっごい背中丸出しの真っ赤なドレスを着て、ちょっと感じが変わってたけど、間違いないと思うなあ。寺岡さん……でしたっけ。あの人が最初に来店した時、入会手続きをしたのが僕だったんですよ。それでよく覚えてるんです」

「向こうは君に気づいてたのかい」

「いや、気づいちゃいないでしょう。僕のほうからも声をかけませんでしたからね」

「ふうん……この名刺、貰ってもいいかな」

「いいですよ。もし田島さんが店に行きたいってことでしたら、僕、案内しますけど」後輩の顔には何かを曲解した笑いが張り付いていた。好奇心が刺激された上に、ただ酒が飲めるかもしれないと期待したのだろう。

「いや、そういうわけじゃないんだ。ただ、連絡を取りたい件があって……。それに、どうせ高い店なんだろ」

「それほどじゃないんです。僕たちが行けるぐらいなんですから。高級クラブってわけじゃないです。女の子の質もあまりよくない。この葉月っていうのも、はっきりいって大したことがなかったです」

「ふうん。まあとにかく、行くわけじゃないんだ」

「そうですか。もし行くんなら誘ってくださいよ」後輩の口調には、半分ほど真剣味が混じっていた。

その日仕事が終わると、私は適当に夕食を済ませ、早速六本木に向かった。とはいえ店に入る気はなかった。周りに人がいる状況ではとても落ち着いて話などできないし、そもそも理栄子が私の席についてくれるとはかぎらなかった。むしろこちらの姿を見た瞬間、行方をくらましてしまうかもしれない。

目的は店の場所を確認することと、そしてそこに本当に理栄子がいるのかどうかを確かめることだった。今日のところはその二つが達成できればいいと思った。

名刺の裏に描かれた地図によって、『キュリアス』はすぐに見つかった。黒い看板に文字が白抜きしてあるのだ。白いビルの三階にあるようだった。

問題は理栄子の存在を確認する方法だ。ビルの玄関を見ていると、ひっきりなしに人が出入りしており、中にはホステスもいるが、『キュリアス』の人間かどうかはわからない。適当に誰かをつかまえて、『キュリアス』の関係者ならば、寺岡理栄子という女が働いているかどうかを尋ねようかとも思った。しかしそのことが理栄子の耳に入れば警戒されるに違いなく、結局のところ少し離れたところから見張っているしかなかった。

道端でしばらく行んでいたが、いつまでもそうしているわけにはいかなかった。閉店時刻まではどうせたっぷり時間がある。プランを練って出直そうとその場を離れかけた。

その時またビルから人が出てきた。一目で客とホステスとわかる二人組だった。仕立てのいい背広を着た四十代半ばと思われる男が、軽く手を振りながら女から離れる。同時に男はいった。「じゃあ、ハヅキちゃん。またな」

「おやすみなさい。今度はフレンチだからね」

わかったわかった、などといいながら男は歩き去っていく。それを見送った後、ハヅキと呼ばれた女は踵を返した。

「あっ、ちょっと」私は彼女の背中に声をかけた。

彼女は振り返り、すぐに営業用の笑顔を浮かべた。「はい？」

「今日はリエちゃんは来てないのかな」

「リエちゃん？　ええと……」

彼女の顔つきを見て、そういう名前の女はいないのだと悟った。考えてみれば、寺岡理栄子というのが本名だとはかぎらない。

「じゃあ名前を間違えてるかもしれない。昨日いた子なんだ。背中の大きく開いた、真っ赤なドレスを着ていた」

葉月は私を見て首を傾げた。昨日、こんな客が来ていただろうかと考えているのかもしれない。同時に、赤いドレスの女についても記憶を探っているはずだった。

「ああ、それならきっとキミカさんですよ。今日、来てますよ。どうぞ」彼女は笑顔でエレベータに誘う手つきをした。

「いや、これからちょっと別のところに行かなきゃならないんだ。後で来るよ」

「だったら十一時までには来たほうがいいですよ。彼女、今日は早番だから、十二時前には帰っちゃうので」

「わかった。ありがとう」

「あの、お名前は？」

「あ……ナカムラだよ。でも彼女、覚えてないと思うな」

「ナカムラさんですね。一応伝えておきます」

葉月に見送られるようにしてその場を離れた。腋の下と背中に汗をかいていた。

キミカというのか──。

葉月の話を聞き、キミカは怪訝に思うに違いない。しかしまさか私が来たとは思わないだろう。今頃は、どんな客だったか必死で思い出そうとし

ているかもしれない。

時間があったので、喫茶店に入ることにした。『キュリアス』の入っているビルの前は見通せないが、そこから六本木通りに出てくる人間なら眺められる。窓際のテーブルでコーヒーを飲みながら、私は視線を通りに向けた。

ふと既視感のようなものを覚えた。前にも似たようなことがあったような気がする。少し考えて、それが自分自身の体験でなかったことに思い至った。かつてこんなふうに喫茶店に入り、飲み屋から出てくるホステスを待ち受けていたのは、私の父親だった。女に溺れ、全てを失った馬鹿な父親。財産だけではない。苦労して手に入れた歯科医という肩書きさえなくすことになってしまった父親。

自分はあの時の父と同じことをしているのか。

首を振った。断じてそんなことはない。あの時の父は家庭など眼中になく、ただひたすら女を手に入れたくて待ち伏せしていたのだ。今の自分は違う。家庭を壊した張本人の真意を知りたくて、彼女を捕まえようとしている。

しかし私の奥底にある本心は、それとは全く別のことを私に囁きかけていた。結局は同じことじゃないか。女にたぶらかされて何もかも失う羽目に陥ったのだ。おまえの父親とどこが違う？　何も違わない。まるで同じ道を辿っているのだ――。

自己嫌悪の波がじわじわと押し寄せてきた。私はそれらを頭から振り払おうとした。コーヒーがやけに苦く感じられた。

コーヒー一杯で二時間近く粘り、私は喫茶店を出た。十一時になろうとしていた。

『キュリアス』の正面を見通せる場所に来ると、私は路上駐車してあるベンツの陰に身を隠した。客の出入りはさっきよりも激しくなったようだ。似たような服装をしているホステスが多い。

理栄子、いやキミカを見逃してはいけないと私は目を凝らした。あまり同じところにいてはまずいと思い、何度か場所を移した。そして再び元のベンツの陰に戻ろうとした時、ビルから彼女が現れた。

十一時半を過ぎ、やがて十二時近くになった。化粧の仕方も髪型も変わっていたが、全身から発する雰囲気は、私と会っていた頃と同じものだった。それは寺岡理栄子に相違なかった。

六本木通りに向かって歩く彼女を私は尾行した。突然声をかけたら逃げられそうな気がした。だからといって先に捕まえようとして、悲鳴でも上げられたらかなわない。

タクシーに乗られたら厄介だと思ったが、幸い彼女は地下鉄の階段を下りていった。この瞬間私の心は決まった。よし、とことん尾行してやろう。とりあえず住処を突き止めてやるのだ。

地下鉄のホームは混んでいた。私は思い切って彼女のすぐ後ろに立ったが、彼女がこちらに気づく気配はなかった。

理栄子は中目黒で降りた。私は数メートル遅れてついていった。どこで降りるかわからなかったので、余分に高い切符を買ってあった。自動改札機も問題なく通過した。

駅を出るとさすがに尾行は難しくなる。夜道を歩く時、若い女は背後に気を配るものだから、あわてて後を追うようなことはすまいと決めていた。仮に彼女が駆け出したとしても、働いている店もわかったし、利用している駅もわかった。焦らなくても、時間をかければ、いずれ住処を突き止められるはずだった。

私は街灯に顔を照らされぬよううつむきながら歩いた。

しかし理栄子は、私が思っているほどにはこの夜道に不安を感じていない様子だった。まるで無警戒のまま、一軒のマンションの前に達していた。道に面して、窓がずらりと並んだ建物だ。数えてみると五階建てだが、一階に部屋はないようだ。

理栄子は後ろを振り返ることなく、マンションの正面玄関から中に入っていく。やがてオートロックのガラス扉の向こうに去った。

私は通りの反対側に立ち、部屋の窓を見上げた。電気のついている窓と消えている窓が半々だった。どんな些細な変化も見逃すまいと神経を集中させた。

間もなく、四階の右から二番目の窓に明かりがついた。

翌日、私は会社を出た後、すぐに中目黒に向かった。まだ八時を少し過ぎたところだった。前日確認しておいた窓を、道路の反対側から見上げた。部屋の明かりは消えていた。私はなるべく人に見られないようにマンションに近づいた。オートロックのドアの左側に、各部屋のメールボックスが並んでいる。管理人室はあるが、この時間になると無人らしく、その窓にはカーテンがかかっている。

人目がないのをたしかめて、私は玄関をくぐった。ずらりと並んだメールボックスの前に立つ。窓の配置から、寺岡理栄子の部屋は402か407号室に違いないと踏んでいた。メールボックスの並びを見ると、402号室のほうが可能性が高そうだ。

私は懐から、この時のために用意してきたものを取り出した。わざわざ昼休みに買いに行ったのだ。

それはピンセットだった。しかもかなり大きなものだ。

それをまず402号室のメールボックスの差入れ口から突っ込んだ。中は空ではなかった。私はピンセットで中の郵便物を挟むと、慎重に引き抜いた。一番上に見えたのは、化粧品会社のダイレクトメールだった。宛名は村岡公子となっている。

これに違いない、と確信した。公子は「きみこ」と読むのだろう。念のために407号室のメールボックスも覗いてみたが、引き抜いた葉書の宛名は明らかに男性のものだった。私は葉書を箱に戻した。

村岡公子の郵便物だけを懐にしまい、早々にマンションを後にした。中身をじっくりと見るのは部屋に帰ってからだ。こんなところでぐずぐずしていて、住人に見咎められでもしたら厄介だった。

自分の部屋に戻ると、着替えもせずに盗んできた郵便物を広げた。全部で四通あった。そのうちの二通がダイレクトメールで、ほか二通は個展の招待状、美容院からの案内状だった。

私は失望した。これだけでは、彼女が何者なのかさっぱりわからない。画家に知り合いがいるようだが、どうせ店の客だろう。また、いきつけの美容院がわかったところで仕方がない。

しかしがっかりする必要はなかった。本名がわかっただけでも大収穫だ。それに郵便物を盗み出すチャンスはこれからいくらでもある。

妙な話だが、私は新しい楽しみを発見したような気持ちになっていた。事実、その翌日も私は村岡公子のマンションに出向き、郵便物を盗み出した。無論その際には、前日盗んだ郵便物を代わりに入れておいた。多少タイムラグはあるが、彼女はまさか郵便物がチェックされてい

私がそんなことをしている間に、世間ではとんでもない変化が起きつつあった。株価が暴落し始めていたのだ。証券取引については何の知識もない私だが、倉持の会社にとって厳しい状況だという程度のことはわかった。

様子を訊こうと会社に電話をしてみたが、倉持は捕まらなかった。倉持だけでなく、他の幹部連中もいない様子だった。電話の応対をしているアルバイトの学生は、声をうわずらせて、怒った客が押し掛けてきて困っている、と訴えるのみだった。

私は倉持の自宅に電話をかけてみた。電話に出たのは由希子だった。もしもし倉持でございますが、と名乗った彼女の声は、明らかに何かに怯えている様子だった。私だと知り、ああ、と安堵の吐息をついたようだ。

倉持はいるか、と私は訊いてみた。

「ここ二、三日帰ってないんです。外から電話はあるんですけど」

「どこにいるんだ」

「それが、あたしにも教えてくれないんです。そのうちに帰るからというだけで」

「ほかの人間から連絡は？」

「それはいろいろと。電話口で怒鳴る人もいます。主人はいませんといっても、なかなか信用してくれなくて。でもどうしてうちの電話番号を知ってるのかしら」

アルバイトの学生を脅して聞き出したのだろうと思ったが、私は黙っておいた。

電話を切った後、私は思わずほくそ笑んだ。ついにあの倉持が窮地に立たされている。今ま

で散々好き放題にやってきたが、世の中はそんなに甘くない。奴の化けの皮が剥がされたのだ。インチキがばれたのだ。

いうまでもないことだが、倉持のことを心配する気持ちなど、私の中には露ほどもなかった。早く見つかって、皆から糾弾されればいいのだと思った。

私はこの日も村岡公子のマンションに向かった。そしていつものように郵便物を盗み出した。それはもう日課となりつつあった。

この日の収穫は三通だった。うち二通はダイレクトメールだ。しかし残る一通について、私は胸をときめかせていた。それは封書、しかも私信と思われるものだった。薄いピンクの封筒に、村岡公子様とボールペンで手書きしてあった。差出人は果たして誰か。封筒や筆跡を見るかぎりでは女だ。しかし女同士のほうが秘め事は多いと聞いたことがある。ようやく大物を吊り上げたかもしれないという感触に、私の胸は高鳴った。

電車に乗ると、我慢しきれず手紙の差出人を見た。同時に、私は一瞬混乱した。あるはずのないものがある、という思いだった。その差出人の名前を私は知っていたのだ。

関口美晴——。

知りすぎている名前、といってよかった。なぜここに別れた妻の名があるのか。美晴が公子にどんな用があるというのか。いやそもそも、美晴はなぜ公子の住所を知っているのか。

吐き気に似た感覚が襲ってきた。事情を理解したわけではなかったが、それが私にとって不吉なものだということは確信できた。

次の駅で降りると、私は乱暴に封を破っていた。いつものように丁寧に封筒を剥がす余裕な

どとなかった。

中から出てきたのは数枚の写真と便箋だった。写真はどこか海外で写したもののようだ。公子が写っている。

だが中の一枚には、公子と美晴が並んで写っている。こちらを向き、二人とも嬉しそうに笑っている。

私は震える手で便箋を取った。そこにはこう書いてあった。

『スペインの写真です　やっぱりもっと撮ればよかったね　今度はどこに行こうか』

36

美晴の住所はわかっていたが、すぐに押し掛けていくようなことはしなかった。私は不可解な手紙と写真を前にして、まずは一晩考えた。やがてひとつの仮説が浮かんできた。

私は彼女たちにはめられたのではないか、というものだった。

元々二人は知り合いだった。どちらからの提案だったかはわからないが、二人はある計略を思いついた。馬鹿な亭主を罠にはめて、大金をせしめてやろう、というものだ。

手順はいたって単純だ。公子が私に近づき、誘惑する。まんまと関係を持つことに成功したら、後は美晴の仕事だ。夫に浮気されて逆上した妻を演じ、夫が離婚をいいだすまで、とことん金を使いまくる。離婚話が持ち上がれば、自分に都合のいい条件を出し、そのまま別れる。

私が公子に会おうとしても、すでにその時には雲隠れしている。

これまで全く考えたことのない筋書きであり、美晴が公子に出した手紙の存在がなければ、到底信じることなどできなかっただろう。だがその手紙と写真を目にした以上、逆にそれ以外の説明は思いつかなかった。

しかしあの美晴のことだ。これだけの証拠を突きつけられたからといって、おいそれと何もかも白状するとは思えなかった。口の達者な彼女は、公子と親しくなったのは離婚後だと主張しかねない。ひょんなことから夫の浮気相手と再会して、一言文句をいいたくて話しているうちに、何となく最終的には意気投合してしまったのだ――そんないい逃れが美晴の口から出てきそうな気がした。そして今度私が彼女の主張を覆す何らかの証拠を見つけだした時には、もはや消息不明というわけだ。

そんなことにならないためにも、美晴と会う前に裏づけをとっておく必要があった。私は美晴の実家に行くことにした。離婚後、彼女の両親とは一度も会っていなかった。というより、結婚していた間も殆ど顔を合わせたことがなかったからだ。両親のほうからも連絡はなく、辛うじて年賀状をやりとりしていた程度だ。だから離婚時に美晴がどのように両親に説明したのかも、私は知らなかった。

私は事前に連絡せず、突然訪ねていった。両親が美晴に電話するのを防ぐためだ。当然両親は面食らっていた。娘の別れた亭主が来ることなど、まるで予期していなかったに違いない。娘のさえなければ永久に足を向けなかった場所だ。

私にしても、こんなことさえなければ永久に足を向けなかった場所だ。明らかに迷惑そうでもあったが、私は折り入って訊きたいことがあるのだと告げた。娘の元亭主に対してあまりに薄情な態度を取るのもまずいと思っ

たか、両親は私を招き入れてくれた。以前はパートに出ていた美晴の母親も、このところは

っと家にいるということだった。また、札幌に住んでいる美晴の兄が、たまたま帰省していた。

出張のついででらしい。

　それぞれの近況などを当たり障りのない範囲で話し合った。といっても盛り上がるはずがな

く、会話が途切れるたびに息苦しいほどの沈黙に襲われた。彼等は私の用件が何であるか、そ

のことばかりを気にしている様子だった。離婚の理由については美晴からどう聞いているのか、

私の浮気についても触れてこなかった。

「じつはお尋ねしたいことがありましてね」

　私が切り出すと、両親は背筋を伸ばした。顔つきが強張ったように見えた。

「村岡公子という女性を御存じないですか」

「むらおか……さん」母親が不安げに夫を見た。彼は無言で首を振っただけだ。

「御存じないですか」

「私共はちょっと……その人がどうかされたんですか」

「まだ詳しくはお話しできないんですが、我々の離婚の原因を作った女性なんです。それで、

美晴との関係を両親には話していないのだなと確信した。美晴の兄は、すぐそばで新聞を読む

ふりをしているが、聞き耳を立てていないはずがなかった。

　夫婦はまた顔を見合わせた。私の言葉の意味を理解していない表情だった。やはり美晴は離

婚までの経緯を両親には話していないのだなと確信した。美晴の兄は、すぐそばで新聞を読む

ふりをしているが、聞き耳を立てていないはずがなかった。

「美晴は、あなたと別れたことについても、私たちには何も話さないんです。一体何があった

んですか」母親が尋ねてきた。

包み隠さず話してやろうかと思ったが、とりあえず堪えることにした。すべてが明らかにな

ってからでも遅くはない。

「いろいろです。まあ一言でいえば性格の不一致ということになりますが」

こんな説明で納得できるはずがなかったが、両親はそれ以上尋ねてこなかった。

「村岡公子という女性に、本当に心当たりはないんですか」私はさらに訊いた。

母親は首を振った。

「美晴のことはよくわからないんです。あなたも知ってらっしゃると思うけど、この家にも寄

りつきませんから」

嘘をついているようには見えなかった。元々、彼等から有益な情報が得られるとも思ってい

なかった。

「では美晴が親しくしている友達の連絡先を教えてもらえませんか」

「友達……ですか」母親がまた困惑の色を浮かべた。

「そういう人なら、あんたのほうがよく知っていると思うが」今まで黙っていた父親が口を開

いた。明らかに不機嫌になっていた。

「結婚前のことを彼女は殆ど何も話してくれなかったんです。だからこうして伺っているわけ

です」

「我々だって、よくは知らん」そういうと父親は立ち上がり、部屋を出ていった。

私は母親に視線を戻した。「おとうさんを怒らせちゃったみたいですね」

母親はぎこちなく苦笑し、ちょっと待っていてください、といって席を立った。

私は美晴の兄のほうを見た。彼はまだ新聞に目を落としたままだった。

やがて母親が戻ってきた。手に一枚のメモを持っている。

「前にあの子が働いていた会社の電話番号です。そこに問い合わせてみていただけませんか」そこに書かれた会社名を見て私はがっかりした。倉持が以前働いていた会社だった。それならわざわざ教えてもらうまでもなかったのだが、そう答えるわけにもいかず、礼をいってメモを受け取った。

関口家を出て、少し歩いた時だった。後ろから足音が追いかけてくる。振り返ると美晴の兄が厳しい顔つきで向かってくるところだった。私は立ち止まって彼を待った。

少しいいかな、と彼はいった。ええ、と私は頷いた。

我々は近くの喫茶店に入った。彼の名は義正（よしまさ）といった。

席につき、飲み物を注文すると、義正はすぐに切り出した。

「君らが別れた理由だけど、俺には薄々察しがついてるんだ」いきなりそんなことをいわれて返答に窮している私に、彼はさらに続けていった。

「金、だろ？」

私は目を剝（む）いていた。「どうして……」

「なんでわかるのかというとね、恥ずかしい話だけど、俺たちにとっては初めての話じゃないからなんだ」義正は顔を歪めた。「全くあいつには苦労させられる。お袋にしても親父にしても、もううんざりって気分だろうな」

「前にも何かあったんですか」

「まあいろいろとね。細かいことをいちいち話してたらきりがない。うちは大して裕福でもなかったのに、どういうわけかあいつだけは贅沢っていうか派手好きっていうか、とにかく浪費家なんだよ。我慢ってものができない。欲しいものは借金してでも手に入れたいってタイプだ。その借金を返せるなら問題ないが、いつも迷惑を被るのは周りの人間でね」運ばれてきたコーヒーを一口飲んでから彼は続けた。「結婚して、自分で家計をやりくりするようになったらあの性格も治るのかと思ったけど、やっぱりだめだったみたいだな」

私は初めて美晴の実家に行った時のことを思い出していた。あの時、両親は彼女の思い出話を殆ど何も語らなかった。堂々と語るべき話が思いつかなかっただけなのだ。

「そういうことだから、たぶん和幸さんにも相当な迷惑をかけたんだろうと思うよ」

私は黙っていた。離婚の原因を彼等なりに解釈しているのなら、余計なことまで話す必要はない。

「だけどねぇ」義正はそういって髪に手をやった。「うちを見てもらったらわかるように、金銭的にはとても余裕のある状態じゃないんだ。俺にしても、子供が大きくなってきて、いろいろと大変でね」

義正が何のことをいっているのかわからず、私は彼の顔を見返した。彼は目をそらしてさらにいった。

「だから、その、何というか、美晴との金銭トラブルについては、二人で解決してもらいたいんだな。うちのほうに話を持ってこられてもどうしようもないってことなんだ」

ここまで聞いて、ようやく理解した。義正は、私と美晴との間に生じた金銭関係のもつれが、自分たちに波及するのをおそれているのだ。

私は苦笑した。「そんなつもりはありませんよ」

「だったらいいんだけど」義正はほっとしたようだ。コーヒーを飲み、何かを思い出したように顔を上げた。「さっきいってた名前……村岡公子、だっけ」

「ええ。何か心当たりがありますか」

「名字が村岡だったかどうかははっきりしないんだけど、キミコという名前の女なら、たしかに美晴の友達にいたと思うよ」

「どういう友達ですか」私は勢い込んで訊いた。

「あれは何といえばいいのかなあ」義正は腕組みして首を傾げた。「遊び友達といっていいような、美晴が若い頃に飲み屋で働いていた時、よくそこへ飲みに来てた客だという話だった」

「美晴が飲み屋に？」私は聞き直した。「逆じゃないんですか。キミコという友達が働いていて、そこへ美晴が行ってたんじゃあ……」

しかし義正は首を振った。

「美晴が働いてたんだよ。深夜までやってるバーだ。俺も行ったことがある。そこでキミコって女とも会ったんだ。あれは明らかに」彼は少し声を落とした。「風俗嬢だな。雰囲気でわかる」

私は顎を引き、唾を飲み込んだ。元風俗嬢なら、条件によっては、友人の夫を誘惑するとい

う仕事も請け負うかもしれないと思った。

「それ、いつ頃の話ですか」

「いつ頃かな。もう何年も前だよ。七、八年前になるかもしれない」

そんな友人がいるという話を美晴から聞いたことはなかった。そもそも、彼女の交友関係を私はまるで知らなかったのだ。

「キミコに会ったことがあるとおっしゃいましたよね」

「うん」

私は上着のポケットから写真を取り出した。いうまでもなく、例の手紙に同封されていたものだ。

「この女性じゃないですか」

写真を手にした義正は、眉間に皺を寄せてしばらく眺めた後、二度三度と頷いた。

「この女だよ。俺が会った時よりずいぶん歳をくってるけど、間違いない」

私は声をあげたいのをぐっと我慢して写真を受け取った。これで証拠ができた。美晴も、実兄が証人となれば観念するしかないはずだ。

「さっきの話じゃ、その女があんたらの離婚の原因を作ったらしいけど、一体何をやらかしたわけ？　やっぱり金なんだろ」義正が訊いてきた。

「それは、まあ……」曖昧に濁すことにした。

「美晴がその女に金を貸して、それが焦げついたとか、そういうことじゃないの？　昔にも一度そういうことがあったんだよな」

「想像にお任せします。詳しいことを話すのは勘弁してください」

「うん、そうだな。俺が聞いたって仕方ないわけだしな」義正は頭を掻いた。

主たる目的は果たしていた。もうこの男に用はないと思い、私は伝票に手を伸ばした。

「美晴も馬鹿な女だよ。せっかく、あんたみたいな堅実な男と所帯を持ったっていうのにさ。

前に付き合ってた男との、派手な生活が忘れられなかったのかねえ」

彼の台詞に私は手の動きを止めた。

「どういう男と付き合ってたんですか」

「俺も詳しいことは知らないよ。会ったこともないし。同じ会社にいる男だってことは聞いた
けど」

「生命保険会社ですか」

義正は首を振った。

「その前だから、何ていうのかな。株の売買なんかのアドバイスをする会社だ」

「その会社で社内恋愛を?」

「まあ、そういうことになるんだろうねえ。結局は別れちまったんだけどさ」

「別れた原因は?」

「さあね」義正は肩をすくめた。「そこまでは知らないよ。美晴は自然消滅だとかいってたけ
ど、たぶんふられたんじゃないかと俺は踏んでる。だってさ、美晴と別れた直後に相手の男は
結婚したっていうんだぜ。最初っから二股をかけられてたんだよ。それでまあ美晴のほうが居
づらくなって、会社を辞めたったってことだろ」

嫌な予感のようなものが私の胸に広がりつつあった。

「相手の男性の名前とかは御存じじゃないんですか」

「知らないね。そういう男がいるってことだけ、何かの時に美晴から聞いたんだ。で、次に会った時、その男とはどうなったかって尋ねたら、自然消滅したってあいつがいったんだよ。かなり不機嫌だった」

「同じ会社で……職場も同じだったのかな」

「職場は」義正は記憶を辿る顔になった。「ああそうだ。職場とかそういうのは関係ないんだった。さほど大きな会社じゃないし、しかも相手の男はナンバー2ってことだった」

「ナンバー2？」

「会社のナンバー2だよ。社長が会社を作った時の最初の部下だったらしい。そんな男だから、さぞかし羽振りもよかったんだろうさ。贅沢好きの美晴が引っかかりそうな男だ。でもそれをあんたに求めちゃいけないよなあ」そういってから彼は不思議そうな顔をして私を見た。「どうしたかい。なんか、浮かない顔してるな。あ、いや、あんたに甲斐性がないとか、そういうことをいってるんじゃない。美晴がどうかしてるってことをいいたかっただけなんだ」

彼が指摘したように、私の顔色は変わっていたに違いない。その後どんなことを義正にいったのか、よく覚えていない。気がつくと喫茶店を出て、私はふらふらと歩いていた。

ナンバー2、社長が会社を作った時の最初の部下——。

たしか倉持がいっていた。社長は事務員と二人で会社を興した、その事務員というのが自分だ、と。

頭が混乱してきた。どこをどう歩いているのかもわからなかった。美晴との出会い、交際、結婚、そして離婚、様々な出来事が次々に思い出された。それらは脳裏で複雑にもつれあっていた。それを解きほどいていくのは容易ではなかった。

「なんてことだ」私は立ち止まり、声に出していた。

あの男は、卑劣な冷血漢は、自分が捨てた女を私にあてがったのだ。由希子を使い、巧みに結婚へと誘導した。結婚披露宴での倉持の顔を思い出し、私は叫びたくなった。あの男は神妙な顔をしながら、腹の底では私をせせら笑っていたに違いない。

離婚を決めた時にもあいつは私のそばにいた。美晴が立ち去った後、こういった。

「人生にはいろいろとあるよ。気にするな」

あの男は一体どんな思いであんな台詞を口にできたのだろう。付き合っていたということは、美晴がどんな女なのかも倉持は熟知していたはずだ。それなのにあいつは、彼女が私に相応しい女だと思ったというのか。

彼女と結婚すれば私が幸せになれると思ったのか。そんなことがあるはずがない。あの汚い男は、自分の捨てた女との関係をきれいさっぱり断ちたくて、他の男に押しつけただけなのだ。

押しつけられそうな男として、私に目をつけただけなのだ。

気がつくと私はタクシーに乗っていた。行き先として告げたのは、倉持の住んでいるところだった。彼に会ってどうするつもりなのかは何も決めていなかった。怒りにまかせて行動していただけだ。

南青山にある倉持のマンションに着くと、私は一階エントランスのインターホンで彼等の部

屋を呼び出した。しかし返答はなかった。何度か試みたが結果は同じだった。その時になって初めて、倉持が行方をくらましていることを思い出した。由希子も出かけているのかもしれない。

舌打ちをしてインターホンから離れた時、すぐ後ろに人が立っていたことに気づいた。黒いジャンパーを着た、四十過ぎと思われる小柄な男だった。灰色に近い顔色で、その目はどんよりと濁っていた。

「おたく、倉持の知り合い？」男は訊いてきた。低い声だった。

私がインターホンを操作していたところを見ていたらしい。

直感的に、知り合いだと答えるのはまずいと判断した。男の目には敵意と警戒感が漲（みなぎ）っていた。

「いえ、家具屋です」私は自分の名刺を出した。「新製品が入荷したので、お知らせしておこうと思いまして。えと、お宅もこちらのマンションの方ですか」

男は黙って名刺を返してきた。関心を失った顔になっていた。

マンションを出て気づいたことだが、道路上に何台か路上駐車している車があり、その中にはいずれも胡散（うさん）臭い男たちが乗っていた。倉持が帰ってくるのを待ち受けているに違いないと私は想像した。

私は再びタクシーを捕まえた。倉持を詰問するのは後でもいい。とにかく美晴に会うのが先決だと思い直した。私が関口家に行ったことについて、義正あたりから彼女に連絡がいっているかもしれない。

私が美晴たちの謀略に勘づいたことを察知して、彼女が行方をくらまそうと

するおそれは十分にあった。彼女に時間を与えてはならなかった。時間があれば、何らかの言い逃れを考え出すかもしれないからだ。

美晴は北品川にマンションを借りていた。行くのは初めてだった。マンションの前に立った時、改めて憎悪が沸き上がってきた。私が住んでいるところよりもはるかに新しく、豪華な建物だった。おそらく間取りも十分広いに違いない。

ここもオートロックになっていた。倉持のところと同様に、下から呼び出すためのインターホンがついている。それに近づいたが、部屋番号を押す前に考えた。私が来たとわかれば、美晴はオートロックを解除しないかもしれない。

頭の中で考えをまとめてから、改めて美晴の部屋を呼び出した。

「はい」美晴の無愛想な声がスピーカーから聞こえた。

「関口さん、宅配便です」ハンカチで口元を覆い、声を籠らせて答えた。

はあい、という気のない返事と共に、かちりと音がしてドアのロックが外れた。

美晴の部屋の前まで行くと、ドアスコープにぴったりと身体を寄せ、チャイムを鳴らした。室内で人の動く気配がある。美晴は判子を手に、一体誰から何が送られてきたのかとわくわくしていることだろう。

鍵が外され、ドアが開いた。私はノブを摑み、ぐいと引いた。グレーのスウェット姿の美晴が、驚いてこちらを見上げた。その顔は忽ち歪んだ。

「何よ、あんたっ」

私は答えず、まずは片足をドアの隙間に突っ込んだ。それを見て彼女はドアを閉めようとし

た。

「何すんのよ。やめてよ」

「話がある」

「いやだ、ふざけないで。なんで今さらあんたなんかと」彼女は私を睨みつけてきた。「宅配便とかいって、あたしを騙したのね」

「とにかく部屋に入れろ」

「いやだっていってるでしょ。足を引っ込めないと、大声出すよ」

憎悪を剥き出しにした彼女の顔の前に、私は例の写真を突きつけた。彼女の眉間に寄せられた皺が、ふっと緩んだ。

「これに見覚えがあるだろ」

「なんであんたがそれを持ってんのよ」美晴は目を見開いて訊いた。

「それを知りたければ俺を中に入れるんだな。もっともその前に、この写真について説明してもらうけどな。一体どういうことだ」

美晴は私から目をそらした。顎の両脇がぴくぴくと動いている。

「どういうことかと訊いてるんだ。なんでおまえがこの女と一緒に写ってるんだ」

彼女はふっと吐息をついた。ドアを閉めようとする力を抜いた。その隙をついて私はドアの内側に身体を滑り込ませた。

「一口じゃいえない」ぶっきらぼうに美晴はいった。

「一口で説明してもらおうとは思ってない。その経緯ってのを聞かせてくれ」

美晴は吐息をつき、「どうぞ」と無愛想にいった。

部屋には結婚していた時に使っていた家具、電化製品などが並んでいた。乱雑で整理が行き届いていないのはあの頃のままだった。開けっ放しになったクローゼットの前に、有名ブランドのロゴの入った箱がいくつか積まれている。それもまた昔通りだ。

「お茶？　それともコーヒー？」

「飲み物なんかはいい。それより説明が訊きたい」

美晴はうんざりした顔つきで椅子に座り、大きなため息をついた。

「その写真、どうしたのよ。どうしてあんたが持ってるのよ」

「だからそれは後で教えてやる。質問してるのは俺のほうだ」

だが美晴は、写真が私の手にあることが気になって仕方がないらしい。怪訝そうに私の手元を見つめた後、眉をひそめた。

「もしかしてこの部屋に忍び込んで盗んだわけ？　ううん、そんなことはありえない。だってその写真はたしかにあたしが彼女に送ったんだもの」そういってから彼女はじろりとこちらを見た。「まさか……彼女の郵便受けから盗んだの？」

「その説明は後だといってるだろ。まずはこの写真について釈明したらどうなんだ。一緒に写ってるのは寺岡理栄子だ。俺を誘惑した、あの理栄子だよ。いや、本名は別にある。村岡公子というんだろ。二人で旅行に行くなんて、よっぽどの仲だってことじゃないか」

能面のように無表情だった美晴が、ぴくりと頬を動かした。

「旅行のことまで知ってるの？　やっぱりあの手紙を見たのね」彼女はゆっくりと頷き、口元

を曲げた。「そういうことか。どうやったのかは知らないけど、公子の居所を突き止めたわけ
ね。それで彼女の郵便物を盗み見したってこと？」

「俺の質問に答えろ」

「何とでも勝手に想像すればいいじゃない。あんたとは離婚してるのよ。あたしがどこの誰と
旅行しようが、あたしの勝手でしょ。あんたには関係ないでしょ」

「あの女は俺を誘惑して、俺たちの離婚の原因を作ったんだぞ。そんな女とどうしておまえが
親しくするんだ」

「だからそれはあたしの勝手だといってるでしょ」

「何を開き直ってやがる。いっとくが、俺と離婚した後であの女と親しくなったなんていう言
い訳は通用しないからな。おまえたちが昔からの知り合いだってことは突き止めてあるんだ。
あいつが風俗嬢で、おまえがどこかの飲み屋で働いてた頃の話だよ」

私がそこまで調べていることは予期していなかったのだろう。美晴はふてくされたように横
を向いた。だがそうしながらも、頭の中ではこの難局を乗り切る道を模索しているに違いなか
った。美晴とはそういう女なのだ。

「何とかいえよ」

「うるさいなあ」美晴は般若の顔をこちらに向けた。「今さらごちゃごちゃいうんじゃないよ。
あんたが公子を抱いたのは本当だろうが。誘惑されて、ころっと引っかかったのは誰なんだよ。
あんたじゃないか。おまけに何だよ。しつこく公子の居場所を探し出して、挙げ句の果てに手
紙泥棒かよ。恥ずかしい男だねえ、まったく」

「おまえ……」血が逆流するのを感じた。頭が熱くなった。「おまえ……おまえらが仕組んだことじゃないか。俺を陥れて、離婚のネタを作って……」

「何だよ、なに興奮してんだよ。ばかじゃないの。ほかに用がないなら出てってよ」

「認めるんだな。あれは罠だったと認めるんだな」

「偉そうにいうんじゃないよ。あんたが浮気したのは事実だろ。いっとくけど、民事でも刑事でもどうにもならないよ。これからだって金は貰うからね」

美晴が歯を剝きだしていうのを目にし、私の理性が消し飛んだ。私は立ち上がり、彼女に襲いかかっていた。

37

いわゆる激情というものかもしれない。あるいは私が久しぶりに抱いた殺意だったのかもしれない。身体の奥から湧き起こってきた憎悪の感情は、瞬く間に私の肉体を支配していた。時々、殺人事件を報じるニュース番組などで、「ついかっとなって」という表現が用いられるが、まさしくそれだった。その瞬間には相手の息の根を止めること以外に何も考えられず、相手を殺した後のことまで頭が回らないのだ。

私は美晴を床に押し倒し、彼女の首を絞めようとしていた。周りのものが散乱することも、大きな物音が出ているであろうことも頭になかった。ただひたすら指先に力を込めていたのだ。

美晴は必死に抵抗してきた。私の手をふりほどこうとし、それがかなわぬとなると、身をよ

じらせ、私の腹や股間を蹴ってきた。それでも私は彼女の首から手を離さなかった。しかし彼女が私の顔をひっかき、そのまま爪の伸びた指先を目に突っ込んできた時には、さすがにたまらず力を緩めた。彼女はその隙に逃れようとした。ここで逃げられては元も子もないと思った私は、辛うじて彼女の腕を摑んでいた。もう一方の手は、突かれた目を押さえていた。

「はなしてよっ」そういった後、美晴は激しくむせた。ひーひー、という呼吸音が私の耳にも届いた。

私は唸り声を上げていたようだ。発すべき具体的な言葉など頭に浮かんでこなかった。この女をこのままにはできない、そんな思いだけが頭を包んでいた。私は再び彼女の首に手をかけようとした。美晴はさすがに恐怖に顔を歪めた。こちらが本気だと悟ったのだろう。

「あたしじゃないよっ」彼女は叫んだ。「あたしが考えたんじゃないんだから」その言葉は私の耳に入っていたが、それの意味するところを考える余裕はなかった。単なる命乞いとしか感じていなかった。すると彼女はこんなふうに喚いた。

「サムだよ。サムがやれっていったんだ。ほんとだよ。ほんとだってばあ」聞き慣れない名前が出たことで、ようやく私の注意が彼女の声に向けられた。美晴は私の手を懸命に外すと、四つん這いで壁際まで逃げた。こちらを向き、首を隠すように両手を胸の前で交差させた。

「サム？　誰だ、それ」

「あなただって知ってる人よ」

「だから誰だと訊いてるんだ」

「倉持さん。あたしはサムって呼んでた」

義正から聞いた話を思い出し、私は美晴を見下ろして頷いた。

「そうだってな。おまえの兄さんから聞いたよ。おまえは倉持と付き合ってたそうじゃないか。それを隠してよくまあしゃあしゃあと……」後に続ける言葉が思いつかなかった。

「全部彼が考えたことなんだ。あんたからお金を取る方法を、サムが考えたんだよ」

「どうしてあいつがそんなことを考えるんだ」

「なんであの人があなたを狙ったのかは知らないよ。ただとにかく、誰かに厄介事を押しつけたかったんだよ」

「厄介事？」

「あたしとの関係よ。それがばれたら由希子との仲も壊れるわけだし」

私は美晴に近づいた。彼女は恐怖に顔をひきつらせていた。それほど危険な雰囲気が私の全身から発せられていたのだろう。

「あいつが自分の捨てた女を俺に押しつけたということはわかってる。だけどおまえはどうなんだ。それがわかっていながら、俺と結婚したっていうのか」

すると美晴は私から目をそらし、下唇を噛かんだ。私はそんな彼女の顎を摑つかみ、強引に自分のほうを向かせた。

「ちゃんと答えろ」

美晴は敵意の籠った目で私を見て、それからため息を一つついた。私は顎を離した。

「結婚なんて、どうだってよかったんだよ」彼女は吐き捨てるようにいった。「サムがあたしのことを誰かに押しつけようとしてたのはわかってた。由希子まで使ってさ。正直いって腹が立ったし、情けなかった。彼の思い通りになんてなるものかと思った。でも、そのうちに気が変わったんだ。こうなったら誰と結婚したっていい。そのかわり、サムからは絶対に離れないって」

「俺と結婚したのは倉持との繋がりを切りたくなかったからってわけか」

肯定するかわりに彼女は横を向き、ふうーっと息を吐いた。

私はすでに血の流れている傷口に塩を塗られたような気分だった。何のことはない。私たちの結婚生活は、最初からでたらめなものだった。

「それでどうして倉持が俺を罠にはめる必要があるんだ」

私の問いに対し、美晴は口を固く閉ざした。「答えないと殺すぞ」

私はもう一度彼女の顎を摑んだ。「何かいいにくいことがあるのだなと私は察した。

この時点で、じつは私の殺意はかなり薄らいでいた。しかし私が本気で美晴を殺そうとしたという事実は、彼女に対する優位性を維持していた。

「あたしが彼に相談したのよ。もう離婚したいんだって……。そうしたら彼が、あなたに浮気させる方法を考えだしたのよ。本当よ。信じて」

「どうしてあいつがおまえのために、そんなことを考える必要があるんだ。もう別れた女じゃないか」

「あたしを怒らせたくないと思ったんでしょ。あたしが逆上して、彼とのことを由希子に話し

たらまずいと思ったんじゃないの」

「あいつが首謀者だっていう証拠があるか」

「だって、あのマンション……公子があなたを誘ったマンションなんて、彼が用意したのよ。

彼のいた会社が不動産も扱ってることは知ってるでしょ。彼は会社が管理してる賃貸マンショ

ンを物色して、借り手が長期間留守にしている部屋を勝手に使うことを思いついたのよ。あた

しや公子だけじゃ、そんなことできるわけないでしょ」

美晴の話は筋が通っていた。あの部屋を管理している会社まで調べなかったのは、私の致命

的なミスだった。それが倉持のいる会社だとわかっていれば、もっと違った展開になっていた

かもしれない。

「おまけにサムは、あなたからお金を搾り取る方法だって考えたのよ。サラリーマンから慰謝

料を取ったって大した額にならないから、離婚前に借金をできるだけして、全部あなたに押し

つけちゃえばいいって入れ知恵したのも彼なんだから」

私の怒りの矛先が倉持に移りつつあるのを感じたか、美晴は告げ口をするような口調でいっ

た。

「その話、本当だろうな」私は彼女を睨みつけた。

彼女は小刻みに首を縦に振った。

「本当だってば。あたしだって、サムにそそのかされなきゃ、あそこまでひどいことはできな

かったよ。全部、彼が指示したことなんだ。あたしは指示にしたがっただけなんだ」

美晴が口先だけで申し訳なさそうにしゃべっているのは明らかだった。私に悪いと思うのなら、倉持の指示など聞かなければよかったのだ。しかし私はそんな矛盾をつく気にさえなれなかった。倉持への憎しみが、その他のことを些末なものに感じさせていた。

私は立ち上がった。美晴は身体を縮め、こちらを見上げてきた。その顔にはまだ怯えの色が残っていた。

「もう金輪際、おまえに金は渡さない。借金はおまえが返せ」

「でも……」

「借金取りが俺のところへ来たら、俺はおまえを殺して自分も死ぬ。こっちは覚悟ができてるんだ。わかったか」

彼女は黙って頷いた。

「倉持の居場所を知ってるか」

「知らない。最近は全然会ってない」

その言葉に嘘はないようだった。私は吐息をつくと踵を返し、出口に向かった。だがドアを開けて部屋を出る前に、後ろを振り返っていった。

「逃げても無駄だぞ。どこまでも追いかけていくからな。必ず探し出して殺すからな」

美晴が青ざめるのを見届けて、私は部屋を後にした。

殺人者になるかどうか、その境界線があるとしたら、たぶん私の心はその付近を漂っていたのだろうと思う。もし美晴が倉持の名前を出さなければ、おそらく私は彼女を殺していただろう。

あれが真の殺意なのだ、と私は歩きながら反芻していた。

美晴への憎しみは、倉持への殺意へと移行しつつあった。私の人生を弄ぶ男を、もはや許すことはできなかった。

私の足は日本橋小舟町に向かっていた。すでに日は暮れているが、だからこそ倉持が会社にいるのではないかと思った。

ところが会社のそばまで行った私が目にしたものは、見知らぬ男たちがビルから段ボール箱をいくつも運び出す姿だった。男たちは全員腕章をつけていた。最初は自分とは無関係だと思った。しかし彼等を取り巻いている人々の中に、倉持の部下が何人かいるのを目にした時、私は何が起きたのかを察知した。

私は何度か話したことのあるアルバイト学生に近づいていった。彼も私に気づき、ちょっと驚いた顔をした。

「あっ、田島さん……」

「何があったんだ」私は訊いた。

「強制捜査だそうです。急にあの人たちがやってきて……。僕たちは部屋から追い出されちゃったんです。中上さんたちは上にいますけど」

「倉持は?」

アルバイト学生は首を横に振った。「このところ、ずっとお休みです」

一足先に雲隠れしたのだ、と私は思った。ホズミ・インターナショナル、東西商事——あの時と全く同じだ。その首謀者がついに倉持当人になったというだけのことだ。

背広を着た男が私に近づいてきた。彼は立ち止まる前から手帳を取り出していた。

「警視庁生活課の者ですが、『チャンスメイク』の方ですね」

「いや、あの、僕は正式な社員じゃないです」

「というと？」捜査員の目が不気味に光った。

「倉持に頼まれて経理の手伝いのようなことを少し……。でも、会社のことは殆ど何も知らないんです」

捜査員は私の言葉の真偽を推し量っているように見えた。やがて彼はいった。

「私と一緒に来ていただけますか」

断るだけの理由がなく、私は承諾した。事態がどうなっているのかを自分の目で確かめたくもあった。

私はビルの中に連れていかれた。オフィスでは依然として十人ほどの捜査員が、段ボール箱に書類やらファイルやらを片っ端から突っ込んでいた。中上らの姿が見えたが、彼等は茫然とした様子で突っ立っているだけだった。

中上は私のほうにちらりと目を向けてきたが、声をかけてくることもなく、その目を伏せた。

私は少し離れた場所で捜査員から質問を受けた。会社に入った経緯、これまでにどんなことをしてきたか、などだ。言葉遣いは丁寧だが、有無をいわせぬ響きがあった。私は嘘をつく必要もないと思ったので、ありのままをしゃべった。だが捜査員は私の話を完全には信用していない様子だった。

「会社の実態を全く知らずに手伝っていたというんですか。正式な手続きはなされていないよ

うですが、一応役員待遇だったわけでしょう?」

「だからそれは倉持が勝手に決めたことです。僕はほんの小遣い稼ぎのつもりで……」

「でも金庫番を任されていたんでしょ」

「金庫番といっても、単なる形式上の肩書きです。実際には倉持が自由にお金を使っていまし
た。僕はただ、出入りする金額を眺めていただけです」

捜査員が納得している気配はなかった。苦笑いさえ浮かべていた。そんな不自然な話が信じ
られるものか、とでもいいたそうな顔つきだった。

強制捜査の目的は、証券取引法違反の疑いを立証することにあるようだった。捜査員の話か
ら、倉持が無免許で証券の売買をしていたことを私は知った。

「あなたは倉持さんが無免許だと知っていましたか」

「全く知りませんでした。以前、本人に確かめたことがありますが、その時彼は免許はちゃん
と持っていると答えたんです」

「それを鵜呑みにしたと?」

「そうです」

私の答えに捜査員は首を捻(ひね)っていた。

その後の質問は、倉持の潜伏場所に関するものが主だった。彼はまだ自宅にさえも帰ってい
ないことが捜査員の口振りからわかった。無論私には心当たりなどない。それについては捜査
員も信用してくれたようだ。

彼等から解放されたのは、夜の十時を過ぎた頃だった。私はすっかり疲れ果て、足をひきず

るようにして帰路についた。一日のうちにあまりにいろいろなことがあったので、心の整理も

ついていなかった。ただひたすら眠りたかった。

だが、いざベッドに横になると、妙に頭が冴えてくるのだった。頭の中で渦巻いているのは

倉持に対する怒り、憎しみ、疑念といったものだ。遠く過ぎ去ったことまで思い出され、今ま

でなぜ彼に鉄槌を下さなかったのかとひたすら後悔した。

悶えるように寝返りを打っていると、突然電話のベルが鳴りだした。驚いて、受話器を取る

前にまず目覚まし時計を見た。午前一時近くになっていた。

受話器を取り、もしもし、と低い声でいってみた。少し間があってから、相手の声が返って

きた。「もしもし、田島か」

その声を聞いた瞬間、それまで少しぼんやりしていた頭が一気に覚醒(かくせい)した。

「倉持……おまえ、どこにいる?」

「電話ボックスの中だ。地名でいうと、深川(ふかがわ)ってことになるかな。門前仲町(もんぜんなかちょう)のあたりだ」

「そんなところで何を……」

「ここは単に通りかかっただけだ。それより、そばに誰かいるか」

「俺だけだ。そんなことより、おまえ、会社がどうなってるか知ってるのか」

「強制捜査だろ。知ってるよ」倉持の口調から危機感は嗅ぎ取れなかった。

「みんながおまえを探してる」俺もだ、といいたいのを我慢した。

「電話の向こうで倉持は低く笑った。

「今俺が出ていったら、大騒ぎになるだろうなあ」

「何を他人事みたいに……」

「わかってるよ。今は出ていけない。でもおまえには会っておきたいんだ。ちょっと頼まれてほしいことがあってさ」

「警察に自首したらどうだ」

「冗談いうなよ。なあ、これからちょっと会えないか。そっちのほうまで行くからさ」

「これから？　今すぐか」

「明るい時に会えるんならそれに越したことはないんだけど、こんな時だからな」

屈託のない口調を聞いていると、こいつは本当に自分の置かれた立場がわかっているのかと疑いたくなった。

「わかった。じゃあ、こっちに来てくれ。場所は知ってるな」

「おまえのマンションなら前に行ったから知ってるけど、なるべくならほかの場所がいい。その部屋だって見張られてるかもしれないからさ」

「この部屋を？　誰に？　警察にか？」

「警察も見張ってるかもしれないけど、もっとほかに……まあとにかく別の場所がいい」

私は少し考えてから、近くのファミリーレストランを指定した。倉持は場所と時間を確認してから電話を切った。

私はベッドから出て、のろのろと着替えを始めた。頭が明晰めいせきになるにしたがい、美晴の話が蘇よみがえってきて、倉持に対する憎悪も膨らんでくるのだった。

どんな用件があるのかはわからない。だが電話での様子から察すると私に対しては何も警戒

していないようだ。

この機会を逃してはならない——不意にそう思った。

私は台所に行き、引き出しを開けた。そこには包丁や果物ナイフなどが入っている。果物ナイフは鞘のついたタイプだ。私はそれを手にし、鞘を外した。薄いが先の尖った刃が蛍光灯できらりと光った。

誰かがやらなければならないのだ、と思った。あの男のせいで多くの人間が不幸になった。最も大きな被害を受けたのはいうまでもなく私だ。だから私がやるのが一番いい。

上着を羽織り、その内ポケットにナイフを忍ばせた。それだけで心臓の鼓動が大きくなった。体温が高くなったような気もした。

約束の時刻まではまだ少し時間があったが、私は深呼吸を一つしてから部屋を出た。じっとしていられなかった。

外に出てみると夜風が冷たかった。それでもナイフを入れた懐だけは、妙に熱を帯びているように感じられた。私は上着の上から、何度もナイフの感触を確かめた。

ファミリーレストランに入り、コーヒーを注文して待っていると、黒い革のジャンパーを着た倉持が背中を丸めるようにして現れた。私を見て、にこやかに近寄ってきた。

「夜中に悪いな」彼は私の向かい側に座り、ウェイトレスにココアを注文した。

「いろいろだよ。ビジネスホテルが多いかな」

「一体どこで寝泊まりしてるんだ」

「いつまで逃げ回ってるつもりだ」

「まあ、頃合いを見て警察には出頭するよ。だけどその前にやっておくことがある」

「やっておくこと？」

「金の整理とか、さ。せっかく稼いだ金を全部没収されたらたまらんだろ」

私は彼の顔を見つめた。東西商事のような詐欺師たちを見習っている。

倉持はジャンパーのポケットから分厚い封筒を二つ取り出し、重ねて私の前に置いた。上の封筒には、由希子へ、とペンで書いてあった。

「頼みたいことというのはこれだ」

「何だ、これ」

「一つは由希子に渡してほしい。俺がいなくていろいろと困ってるだろうからな。必ず迎えに行くから、それまで少し辛抱してほしいと伝えてくれないか」

封筒の口が少し開き、中身が覗いていた。一万円札が、おそらく百枚ほど入っていると思われた。

「もう一つはおまえが受け取ってくれ。何かと迷惑をかけるだろうから、その、何というか、迷惑料ってところかな」

逃げ回っていても金だけは持っているんだなと私は思った。運ばれてきたココアを、倉持はうまそうに飲んだ。

このあたりの感覚が私には理解できない。美晴らを使ってあれほど冷酷な仕打ちをしておきながら、一方で妙に義理堅いところがあったりするのだ。この顔に私はいつも惑わされる。殺意を萎えさせられてしまう。

のだ。むしろこの男は、自分が仕えてきた金を全部没収されたらたまらんだろ、といっていたのはやはり嘘だった

しかし今夜は気持ちを切ってはいけないと私は自分にいい聞かせた。

「おまえに確かめたいことがある」私はいった。

「証券売買の資格のことだろ。あれはまあ嘘をついて悪かった。いずれは話さなきゃならないとは思っていたんだけどさ」

「そんなことじゃない」私は首を振った。「美晴のことだ」

「彼女がどうかしたのか」

「あいつはおまえの前の恋人だったそうじゃないか」

倉持は口を半開きにした状態で表情を停止させた。そのままココアを一口飲むと、灰皿を引き寄せた。「ばれたか」悪びれることもなくいった。

「どういうことだ。それを隠して俺と結婚させるなんて……」

「じゃあ俺が前に付き合ってた女だといって紹介すればよかったか? そんなことされても不愉快なだけだろう。世の中には黙っといたほうがいいことだってある」

「そもそも俺に紹介なんかしなきゃいいじゃないか。おまえの魂胆はわかってる」

「た女を、俺に押しつけようとしただけだろう。わかってるんだ」

「おい、ちょっと待てよ。俺があいつを紹介したのは、純粋におまえとならうまくやっていけると思ったからだ。おまえは俺と違って誠実だし、手堅い人生設計を持っている。事実、ウマが合ったから結婚したわけだろうが」

「何が手堅い人生設計だ。それをめちゃくちゃにしやがったくせに」

「おい、田島、何をそんなに怒ってるんだ。美晴を紹介したことは悪かったと前にも謝ったは

ずだぜ。悪いと思ったからこそ、できるだけの協力はすると約束したんじゃないか」

「俺を罠にはめる計画を立てたのもおまえだって話だ」

「はあ？」倉持は眉を寄せた。「何いってるんだ？」

「美晴から、俺と離婚したいって相談されたんだろ。それであの罠を考え出した。公子って女を使って、俺を誘惑させたってわけだ。あんなマンションまで用意してやったそうじゃないか」

倉持は私の話を聞き、顔を歪めた。額に手を当て、小さくかぶりを振った。

「それ、彼女がそういったのか」

「そうだ」

「田島、全く悪いことをした。あいつは本当に性悪女だ。とんでもない話だ」

「何をいってる」

「聞いてくれ。離婚したいと相談を受けたのは事実だ。でも俺はおまえを罠にはめることになんか提案してないし、計画もしてない。あいつにはこういったんだ。あいつにはこういったんだ。田島が浮気でもしないかぎり、君のほうから離婚をいいだしたって無駄だろうと。美晴はたぶん、それを聞いて、おまえを罠にはめることを考えついたんだ」

「いい加減なことをいうな。おまえがマンションを用意したんだろうが」

「それは認める。だけど、あんなふうに使われるとは夢にも思わなかった。あの時俺は美晴から、一晩だけでいいから自由に使える部屋を世話してほしいと頼まれただけなんだ。それであの部屋の鍵を貸した。後になって、おまえがどうやらその部屋で女に誘惑されたらしいと知っ

て、びっくりしたぐらいなんだ。だけどそのことをおまえに話すわけにもいかず、正直困っ
たんだ」

「嘘だ」

「嘘じゃない。信じてくれ。それとも、俺よりあの美晴のほうが信じられるとでもいうのか。
おまえをあそこまでボロボロにした女だぞ」

私の顔をじっと見つめる倉持の黒い瞳には、この世の誰もが騙されるであろう真剣な光が宿
っていた。私はそれまでにも何度かこの目に欺かれてきたのだ。

「俺はおまえのことを親友だと思ってる。この世でただ一人、信用できる男だ。そう思ってい
るからこそ、危険を承知でこうして会いに来た」倉持は腕を伸ばし、私の手を握った。掌の熱
が伝わってきた。「俺のことを信じてくれ。この件については、いずれゆっくり話そう。きっ
と誤解は解けると思う」

彼は腕時計に目を落とすと、眉間に皺を作った。

「もうこんな時間だ。そろそろ行かなきゃならない」

「ちょっと待て」

「すまん。知ってのとおり、今は追われてる身なんでね。また連絡する」倉持は伝票を摑むと、
立ち上がってレジに向かった。

私は混乱していた。いつものパターンだった。彼を問い質しても、丸め込まれるだけなのだ。
テーブルの上には彼の置いていった封筒が残されていた。私はそれを手に取った。由希子へ、
と書かれた封筒の下にあるのが、私の取り分らしい。その封筒の表にも名前が書かれていた。

それを見た瞬間、全身に電気が走った。

田島和幸様へ——そう読めた。

後で確認してみると、そこには正しく『田島和幸様へ』と書いてあったのだ。だがその時の私には、『幸』という字が『辛』に見えた。忌まわしい過去の映像が、瞬間的に私の脳裏に流れた。私は立ち上がっていた。倉持の後を追い、レストランを飛び出した。

彼は駐車場を歩いているところだった。私は上着の内側に手を入れた。果物ナイフが手に触れた。

彼の背後に駆け寄ろうとしたその時——。

突然、横から黒い影が現れた。男だった。その男は野生動物のような素早さで倉持に飛びかかっていた。その直後、倉持はその場にばたりと倒れた。声を全く発しなかった。その時には男は走り去っていた。

私は驚いて倉持に駆け寄った。夥しい量の血が彼の首筋から流れていた。

38

何が起きたのか一瞬理解できなかった。私を我に返らせたのは背後で聞こえた悲鳴だった。振り向くと若い女性が怯えたようにこちらを見ていた。彼女の横には連れの男性の姿もあった。それからのことはよく覚えていない。私が茫然と立ち尽くしているうちに、周りに人だかり

ができ、やがて警官が駆けつけてきた。警官は私に何やら矢継ぎ早に質問してきたが、それに対してどれだけうまく答えられたかはさっぱり自信がない。おそらく何ひとつうまく答えられなかったのだろう。私は警察署に連れていかれた。私が押し込まれた部屋は、いわゆる取調室だった。

後でわかったことだが、警察に通報したのはレストランの店員らしい。その店員は、刺された男と私が一緒にいたことや、私が彼を追うように店を出ていったことを警官に話したのだ。そこで警官が私に詰問したわけだが、私の答えが一向に要領を得ないので、これはきっと衝動的に刺し殺したせいで気持ちが動転しているのだと解釈し、その場で急遽逮捕したというわけだ。

取調べに当たった刑事は、最初から私を犯人と決めつけていて、自分の仕事は供述調書を取ることだけだと考えていたふしがあった。無理もない。何しろ私は懐にナイフを隠し持っていたし、実際倉持を刺し殺すつもりでレストランを飛び出したのだ。

しかし倉持を殺したのは私ではなく、まるで知らない男だった。徐々に平静さを取り戻した私は刑事にそのことを告げた。犯人が自供するとばかり思い込んでいた刑事は、思わぬ展開に逆上した。この期に及んで下手な言い逃れをするなと怒鳴った。

「本当なんです。信じてください。だって、あいつが刺されたのは別の凶器でしょ。私のナイフじゃないでしょ」

「おまえのじゃないと、どうしていえる?」

「だって、自分のナイフは使ってないですから。調べてもらえばわかります。私のナイフには

血なんて一滴もついてないはずです」

「すぐに拭き取ったんだろ。いわれなくても調べてるところだ。大体、何のためにナイフなん

か持ってたんだ」

「それは……」私は口籠った。

「そらみろ。答えられないだろうが。いい加減に観念しろ」

頭を五分刈りにした四角い顔の刑事は、私に自供させようと恫喝を続けた。それは何時間に

も及んだ。疲れと混乱から、私は何度も意識が朦朧としかけたが、必死で否定を続けた。

しかしこんな地獄もやがて終わる時が来た。四角い顔の刑事が呼ばれて外に出ていった後、

入れ替わりに別の刑事が入ってきた。今度は眼鏡をかけた、そのせいかさっきまでの刑事より

もずいぶんと上品な顔立ちに見える人物だった。

「どうも長時間申し訳ありませんでした。あなたに対する疑いは晴れました。どうぞ、本日は

これでお帰りになって結構です」言葉遣いも丁寧だった。

突然の雲行きの変化に私は戸惑った。

「どういうことですか」

「確認に手間取りましてね。何しろその、あなたがあんなものをお持ちだったものですから。

ふだんは持ち歩かないようなものを」

この刑事は、私が抗議することを恐れているようだった。だからナイフのことを持ち出して、

そっちにも責任があるのだぞと暗に仄めかしているのだ。

しかし私が知りたいのはそんなことではなかった。

「犯人は捕まったんですか」

刑事はかぶりを振った。

「逃走中です。目撃者がいましてね、あなたのいた駐車場から一人の男が駆け出してくるのを見ています。男が通った道の途中に出刃包丁が捨てられていて、それに付着した血痕を調べたところ、被害者のものと一致しました。参考までに申し上げておきますと、あなたのナイフからは何も検出されませんでした」そういって口元を曲げて笑った。

「倉持を刺したのは小柄な男です。顔はよく見なかったけど……」

「目撃者の話とも一致しています。現在、該当しそうな人間を探しているところです」

「容疑者はある程度絞れているというわけですか」

「それはある程度はね。何しろ被害者が、いろいろな意味で注目を浴びている人物ですから」

「『チャンスメイク』の被害者か、倉持に仕返しをしたというんですか」

「ま、そういうこともあるんじゃないかと」刑事は時計を見た。「田島さん、もしまだもう少ししいということでしたら、二、三質問したいことがあるんですが」

「ナイフのことですか」

「ええそうです。何のためにあんなものを持っていたのか、是非お尋ねしたいですな」

私は吐息をつき、どう答えるべきか考えた。だが気持ちが決まるのにさほど時間は要しなかった。

「彼を……倉持を殺そうと思ったんです」

あまりに直接的な表現だったからか、刑事が驚きを顔に表すのに数秒かかった。

「それはまたどういうわけで？」

「一言では説明できません。とにかくあまりにもいろいろなことがあって……私は彼に何度も騙されてきました。今回の『チャンスメイク』の件もそうです。それで彼から呼出を受けた時に、ナイフを用意していたんです」

「ところが、別の人間に先に刺されてしまった、ということですか」

「まあ、そういうことになります」私は顔を上げて刑事を見た。「ナイフを持っていたことは罪になるんでしょうか。殺人未遂とか、殺人準備とか……」

刑事は苦笑した。

「ケースバイケースです。実際にあなたがナイフを取り出し、倉持さんに襲いかかっていたなら、やはり殺人未遂ということになるでしょうね。でも、あなたはそこまではやっていない」

「いざという時に怖じ気づいてしまう性格が幸いしたか……」私は頭を振った。「犯人がどういう人物か知りませんが、倉持に対する憎しみという点では、おそらく私ほどではないと思うんですよ。ところが現実には、私のほうが後れを取ってしまう」

刑事の眼鏡のレンズがきらりと光った。

「あなたはまるで、犯行を別の人間に横取りされたことを悔やんでいるようですね」

「そういうわけではありませんが……」

しかし刑事の眼力は真実を見抜いていた。私は自分が殺人犯にならなくて済んだと安堵すると同時に、倉持を殺すという最大の目標を奪われ、虚脱していた。

「田島さん、動機さえあれば殺人が起きるというわけではないんですよ」刑事が諭すような口調でいった。「動機も必要ですが、環境、タイミング、その場の気分、それらが複雑に絡み合って人は人を殺すんです」

「それはわかりますが……」

「さらに」刑事は続けた。「何らかの引き金によって行動する者もいる。あなたの場合、何らかの引き金が必要なのかもしれませんね。それがないかぎり、殺人者となる門をくぐることはできないというわけです。いや、もちろん、そのほうがいいのですがね。そんな門は永久にくぐらないほうがいい」

「殺人者への門、ですか」そういってから、肝心なことを聞いていないことに気づいた。私は刑事に尋ねた。「あの、倉持はどうなったんですか」

刑事は背筋を伸ばした。顎を引き、私を見つめていった。

「一命はとりとめた模様です」

「あっ……」一瞬返答に詰まった。私は刺された時の状況から、倉持は到底助からないだろうと思い込んでいたのだ。

「もっとも、予断を許さない状況だということですがね。今も病院で治療が続けられているはずです」

「由希子……奥さんには連絡されたんですか」

「無論、連絡をとりました。おそらく病院に駆けつけておられるでしょう。もしあなたがお望みなら、病院までお送りしますよ。捜査に協力していただいたお礼です」

お願いします、といって私は立ち上がった。

病院に行くと、由希子が待合室で項垂れていた。あわてて支度をしてきたらしく、上着とスカートの配色が合っていなかった。彼女のほかには制服を着た婦人警官が一人、出入り口のそばで待機していた。

私を見上げて由希子は、一度ゆっくりとかぶりを振った。そのしぐさの意味が私にはわからなかった。たぶん多くの意味が含まれていたのだろう。こんなことになるなんて信じられない、という思いも強かったに違いない。どうしていいかわからない、と訴える気持ちもあっただろう。

「倉持の様子は？」　一命はとりとめたって聞いたけど」

「ずっと手術が続いてるの。意識は全く戻らないみたいで」由希子はふと何かを思い出したように私を見上げた。「彼、田島さんに会いに行ったの？」

「うん、連絡があった。それでうちの近くのファミレスで待ち合わせた」

「あたしに教えてくれればよかったのに」由希子は恨みがましくいった。

「君は見張られているようだったから……」

「でも田島さんだって見張られていたわけでしょう？　だから、犯人はレストランの駐車場で待ち伏せしていたんじゃないの？」

そのとおりだと思ったので私は言い訳に困った。

「倉持も君には知らせてほしくない様子だったからさ」

「そうかもしれないけど」由希子は横を向き鼻をすすると、ハンカチで目頭を押さえた。

「倉持からの伝言がある」私はいった。「落ち着いたら必ず迎えに行くから、それまで辛抱してくれ、ということだった。じつはかなりまとまった額の生活費を預かったんだけど、さっき警察に取り上げられてしまった。事件とは無関係な金だと判明したら返してくれるという話だったけど……」

「お金なんか、どうでもいいの。あの人が助かってくれたら……」嗚咽を漏らした。

この局面で、なおも由希子に愛され続けている倉持に、私は改めて嫉妬した。何とかしてあの男の本性を教えねばならないと思った。

廊下から慌ただしい物音が聞こえてきた。　間もなく一人の看護婦がやってきた。

「奥さん、担当医から話がありますので」

「手術、終わったんですか」

「ええ、一応。それで、詳しい説明を担当医のほうからしてもらいます」

「どうなんですか。手術はうまくいったんですか。あの人は助かったんでしょうか」由希子は矢継ぎ早に質問した。

「ですからそれは先生から説明があると思います。とにかくこちらへどうぞ」

迂闊な発言が禁じられていることは理解できるが、看護婦の様子は明らかにおかしかった。助かったかどうかだけでも教えてくれたらいいではないかと思った。

看護婦の後について行った先は、集中治療室の中だった。一人の医師が近づいてきた。

「患者さんの奥さんですか」医師は訊いた。

「そうです。こちらは主人の友人です」由希子は私をそう紹介した。

医師は私をちらりと見て頷き、由希子に視線を戻した。「こちらへどうぞ」

集中治療室の中を我々は移動した。透明のビニール幕で仕切られた部屋の手前で医師は立ち止まった。

「あれが御主人です」

ビニールで仕切られた中にベッドが置かれ、そこに倉持が横たわっている。

「結論から申し上げます」医師は静かに切り出した。「御主人の命はとりとめました。しかし意識は戻っていません。今後戻ることはおそらくないだろうと思われます。意識を司る部位が損傷しているんです」

「えっ……」由希子が呻いた。

「先生、それはつまり」私は医師に確認した。「植物状態、ということですか」

「そういうことです」医師は頷いた。

スローモーションのように由希子の身体がゆっくりと崩れ落ちていった。私は彼女を支えようとしたが間に合わなかった。そして次の瞬間には、彼女の泣き叫ぶ声を耳にしていた。

倉持を刺した犯人は、事件発生からちょうど一週間目に逮捕された。刑事が予見したように、やはり『チャンスメイク』の被害者だった。彼は昨年それまで勤めていた会社を定年退職していたが、その際に受け取った退職金の殆どを『チャンスメイク』に投資していた。途中、胡散臭さに気づいて、金の返還を求めたが、会社はのらりくらりとかわして、なかなか返そうとは

しなかった。そのうちに今回の騒動が起き、金の戻ってくる見込みが極めて少ないことを知った彼は、倉持殺害を決心した。

私を見張っていることにしたのは、単なる直感だったという。

それらの話を聞いた時、私は刑事の言葉を思い出した。倉持の居所を突き止めるのはやはり苦労したらしい。最終的にではだめなのだ。むしろタイミングやきっかけが重要だったのだ。殺人を実行するには動機があるだけ

『チャンスメイク』に対する捜査も着実に進められていった。次々に明らかになるその経営実態に、私は改めて驚いた。よくまああれほどいい加減なやり方で金をかき集められたものだと感心するほどだった。

たとえば、所属する営業マンはすべて偽名だった。一人が四つも五つも名前を使い分けるのだ。持ちかける話の内容も大半がでたらめだった。「とにかく金さえ入れさせてしまえばこっちのものだ」というのが上からの指示だったらしい。

従業員の多くは株の知識もない。嘘をいかに本当らしく話すかが勝負だった。アンケートなどを頼りに片っ端から電話をかける。

「クイズに当選しました。あなただけに大儲け(おおもう)できる銘柄を教えましょう」こんな冗談のような手口でも引っかかる客は少なくなかったようだ。

ある銘柄を示し、その株価の動きをしばらく見させる。上がらなければ黙っているが、もし少しでも上がったなら即座に電話する。「私のいった通りでしょう。入会金はたった十万円です。それで、とっておきの銘柄を教えますよ」とやるのだ。

営業マンの平均的ノルマは月に約十人。客に納めさせた入会金の一割は報奨金としてもらえる。約二十万円の給料に報奨金を合わせると、月に三十万円は楽に超える。大学生も少なくない。

班長も含め、従業員のほとんどは二十歳前後だった。

「面白いほど儲かった。金の魔力に負け、みんながんばる」――警察で証言した現役大学生の言葉だ。

私も何度か警察から呼出を受けた。警察が知りたがっているのは倉持がどこに金を隠しているかだった。しかし私がそんなことを知るはずもない。私からは何も引き出せないと悟ったか、そのうちに呼ばれることもなくなっていった。

私の本業である家具販売店は辞めざるをえなくなった。正式な社員ではないといっても、『チャンスメイク』に関係していたのは事実であり、その点について責められると一言もいい返せなかった。私はまたしても職探しをする羽目に陥ったが、今回はさほど落胆してもいなかった。何もかも一からやり直そうという気になっていたからだ。

私をそんな気にさせるのには、倉持の状態が大きく影響していた。あの日医師から宣告されたとおり、彼の意識を汲み取ることはその姿からはできなかったが、生体反応を示し続けていた。倉持は生きていた。

私は暇を見つけては病院に出向いた。彼女はそれまで住んでいたマンションを手放し、もっと狭い賃貸マンションに引っ越していた。浮いた金は倉持の治療費に充てていた。治療費といっても、単に生命を維持するだけなのだが。

病室には大抵由希子がいた。倉持が看護されているのは特別な病室だった。

倉持は眠っているように見えることもあれば、瞼を開けていることもあった。目玉が動くところを見たこともある。そんな時には、彼に意識が宿っていないというのは何かの間違いではないかと思った。

その思いは由希子のほうが強かったようだ。

「修さんには絶対にあたしの声が聞こえてると思うの。だって、明らかに反応が違うんだもの。あたしが話しかけたら、目が動くの。ぴくっとだけど。あたしが身体をこすってあげてもそう。それまでは無反応だったのに、何か反応が現れるの。だからあたし、絶対に修さんの意識はあると思う」

こうした印象は、肉親や愛する人間が植物状態になった場合に、看病する者が共通して抱くものらしい。植物状態とはいっても生きているわけだから、常に何らかの生体反応は示される。それと自分の呼びかけとを都合よく繋げてしまうため、そんな錯覚が生じるのだ。

しかし私は由希子の錯覚を正そうとはしなかった。倉持の看病にはとてつもない精神力が求められる。その錯覚が彼女を支えているのならそれでいいと思ったのだ。

一部のマスコミに取り上げられたせいで、倉持のことは世間に知れ渡っていた。それで面会を求めてやってくる者が後を断たなかった。『チャンスメイク』の被害者が、首謀者の哀れな姿を一目見ようとやってくるケースが最も多かった。面会者については由希子が厳しくチェックし、そうした邪念を持っている者には断固として面会を許さなかった。美晴もその一人だ。

だが中には純粋に彼に会いたくてやってくる者もいる。そして私が見ているの彼女はベッドの横に立つと、倉持の頬を触り、首筋に指を這わせた。

もお構いなしに、彼の唇にキスをしたのだ。たまたま由希子がいなかったからよかったものの、彼女が戻ってきたらどうしようと思い、ひやひやした。

「あのサムがこんなふうになっちゃうなんてね、人生は残酷だよね」かつての恋人を見下ろし、美晴はかつての夫である私にいった。

「今さらこんなこととはいいたくないんだが」私は彼女にいった。「倉持は俺を罠にはめること　なんか計画してないといっていたぜ。マンションを用意したのは事実だが、あんなふうに使われるとは予想してなかったとも」

「彼が？」美晴は倉持を見つめた。「そう。彼はそういったわけね」

「どっちの言い分が本当なんだ。おまえか倉持か。はっきりさせてくれ」

美晴は首を傾げた。そしていった。

「彼がそういったのなら、そっちが本当っていいんじゃないの」

「おい」

「どうせあなたはあたしのことを憎んでるんでしょ。だったらそれでいいじゃない。サムのこ　とまで憎まないほうがいいかもよ」

「俺は本当のことが知りたいんだ」

「だからそれが本当のことよ。彼のいったことが、ね」

由希子が現れる前に失礼する、といって彼女は病室を出ていった。

美晴以外にも多くの女性がやってきた。私の知らない者が殆どだった。明らかに水商売と思われる者も中にはいた。彼女らは倉持の変わり果てた姿を目にし、例外なく涙を流した。

「あたしみたいなブスに対しても、倉持さんは分け隔てなく優しくしてくださいました。あんなにいい人、ほかにはいません」そういって、わあわあと泣いたホステスもいた。

無論、男性の見舞客もいた。彼等の反応は様々だったが、一つだけ共通していることがあった。誰もが一度は倉持に腹を立て、絶縁しているという点だった。

「口のうまい男だったよね。この男にかかると、どんなクズ鉄だって金みたいに思えてくる。それでどれだけ損をさせられたか」倉持に乗せられて一億近い金を投資したという人物は、それでも笑いながらいった。「だけど、今振り返ってみると楽しかった。この男のおかげで変わった夢をいくつも見られた。こんなことになってしまって本当に寂しいよ」

つまり絶縁さえしたことがあるのに、心底彼を恨んでいる者はいないのだ。由希子が面会人をチェックしているとはいえ、これは意外だった。

そして倉持が刺されてから一か月後のことである。　病院に一人の男がやってきた。

39

男性が見舞いに来たのだが、どこの誰なのかわからず気味が悪いので、時間があれば様子を見にきてもらえないか、という電話が由希子から入った。家具会社を馘首された私には時間など腐るほどあった。即座に承諾すると、勤めていた頃に買ったジャケットを羽織り、部屋を出た。空は晴れているのに時折はらはらと細かい雨粒が舞ってくるという奇妙な天候の日だった。

病院に行くと、病室の前で由希子が不安そうな顔をしていた。私を見て、ほっと吐息をつい

た。

「見舞客というのは？　もう帰ったのかい」

由希子は首を振り、そのまま病室に顔を向けた。

病室の入り口から奥が見えた。その部屋は倉持の個室になっていた。ベッドの周囲には生命維持装置が備えられ、さらに全体が透明ビニールシートで覆われていた。

ベッドの脇に男が立っていた。焦げ茶色の三つ揃いを着た、五十歳前後と思われる男だった。あまり大柄ではないが、背筋をぴんと伸ばした姿には威厳のようなものが漂っていた。奇麗に畳んだ傘をステッキのようについており、もしも帽子をかぶっていたなら、英国紳士に見えたかもしれない。

男は口をきくこともなく、じっと倉持の寝顔を見下ろしていた。もちろん話しかけたところで倉持には聞こえない。しかし見舞客の多くは、何かを彼に語ろうとするのだった。

「何者だい。自己紹介しなかったの？」私は小声で由希子に訊いた。

彼女は一枚の名刺を差し出した。「これをいただいたんだけど」

その名刺には、『経営コンサルタント　佐倉洋平』とあった。事務所の住所は港区になっている。

「修さんとは古くからの知り合いだっていうんだけど」

「君は倉持からこの名前を聞いたことはないんだね」

彼女は頷いた。

「見たところ、いかがわしい人ではなさそうだし、見舞いをさせてくれって丁寧に頼まれたら

断るわけにもいかないし……」

彼女の言い分はもっともだった。私も頷き返した。

「田島さんも、あの人は見たことがないのね」

「ここからだとよくわからないけど、知っている人ではなさそうだ」

「そう。一体どういう人なのかしら」

「電話をくれたのは三十分ほど前だけど、それからあの人はずっとああしているのかい」

「ええ。殆ど動かないで、じっと修さんの顔を見つめてるの。何だか──」

後の言葉を濁したが、気味が悪い、と続けたかったのだろう。私も同感だった。

しばらく様子を見ようと二人で病室の外で待っていると、それから数分して男が出てきた。

彼は私を見て、小さく会釈した。

やっぱり知らない男だ、と私は思った。だが同時に、どこかで会ったことがあるような気も

した。似た人間を見たことがあり、錯覚しているのかもしれなかった。

「長々と居座って申し訳ありませんでした」男はそういって由希子に謝った。「何しろ久しぶ

りだったものですから」

はあ、と彼女は愛想笑いをし、助けを求める目を私に向けてきた。

私は男の素性を調べるのに、由希子はいないほうがいいだろうと判断した。

「由希子さんは倉持の様子を見に行ったほうがいいんじゃないかな」

「あ……そうね。じゃあ、あの、佐倉さん」

「ああ、どうぞおかまいなく」

「あたしはこれで失礼します」

由希子が病室に入るのを見届け、私はゆっくりと廊下を歩きだした。それにつられたように男もついてきた。

「佐倉さん、とおっしゃるそうですね。経営コンサルタントをなさっているとか」歩きながら水を向けた。

「ええ、まあ。小さい会社ばかりが相手ですがね」

「倉持とはどういった御関係で？」

男は即答せず、低く笑った。

「古い付き合いですよ。簡単には説明しにくい間柄でしてね」

我々はエレベータホールの前で立ち止まった。男はそれ以上の説明をする気はなさそうだった。そのかわりに彼は私に訊いてきた。

「失礼ですが、あなたは？」

「友人です」そういってから咄嗟の判断で嘘をついた。「エジリといいます。名刺をお渡ししたいのですが、お恥ずかしいことに失業中の身でして」

「ああいや、それは結構」男は笑いながら軽く手を上げた。私などには興味がないように見えた。

本名をいわなかったのは、もし彼が『チャンスメイク』の被害者だった場合に厄介だと思ったからだ。彼等の中には会計係の田島、という名前を知っている者がいるかもしれない。

エレベータに乗り、一階に向かう途中、私は男の横顔を観察した。やはりどこかで見たことがある。もしかしたら有名人なのかもしれないと思った。雑誌あるいはテレビで目にしたのか

592

もしれない。経営コンサルタントの中には、しばしばマスコミに登場する人間もいる。倉持もビジネス上の付き合いでこの男と親しくなったのだろうと私は想像を働かせていた。

特に警戒すべきビジネス上の付き合い相手ではなさそうだった。

エレベータが一階に到着した。私は佐倉に続いて降りた。一階ロビーの横を通り抜ける前に、佐倉は立ち止まり、こちらを向いた。

「では私はこれで失礼します。奥さんには、どうか気を落とされることのないよう、よろしくお伝えください」

「たしかに伝えます。それより、どこかでお茶でもいかがですか。倉持とのことを、是非お聞きしたいのですが」

「申し訳ありませんが、この後予定が入っておるのです。彼とのことは、今度またゆっくりとお話ししましょう」男はやんわりと断ってきた。もう二度とここへ来る気はないのだなと私は察した。

「じゃあ、玄関までお送りします」

「いや、ここで結構」佐倉は片手を上げ、踵を返した。

だが彼が歩き始めると同時に、すぐそばで物音がした。太った老女があわてた様子で床にしゃがみこんだ。床には小銭が散らばっていた。どうやら財布の中身がこぼれたらしい。十円玉の一つが、佐倉の足元まで転がっていた。彼はそれを拾い上げると、老女のもとまで運んだ。

「どうぞ」

「ああ、これはどうもありがとうございます」

佐倉は十円玉を人差し指の爪と中指で挟むように持っていた。そのまま老女の掌に十円玉を置いた。

その瞬間、私の記憶が刺激された。はるか昔の記憶だ。

私は足早に佐倉を追った。彼が玄関の自動扉をくぐる前に声をかけた。

「五目並べは今でもされるんですか。ガンさん」

佐倉の足が止まった。彼はゆっくりと顔をこちらに巡らせた。目つきが暗いものに変わっていた。その目を見ながら私は続けた。

「口出しは罰金百円、でしたよね」そういって私は碁石を置くしぐさをしてみせた。

我々は病院のそばの喫茶店に入った。佐倉は悠然とした態度で煙草を吸った。

「あれは若い頃、出入りしていた事務所の連中から教わったんです。将棋を使う者もおりましたな。だけど五目並べのほうが勝負が早いから、手っ取り早く小銭を稼ぐ方法として、多くの者がやっておりました。しかし、まさか当時のことを知っている人に会うとは夢にも思いませんでした。全く、お恥ずかしいかぎりです」佐倉は懐かしそうにいった。彼のいう事務所とは、どうやらどこかの組事務所のようだった。

「その頃に倉持と?」

私が訊くと彼は深く頷いた。

「最初は彼も客の一人だった。ところがそのうちに友達や知り合いを連れてくるようになり、

自分は指さなくなった。おかしな子供だと思っていたら、ある日私に耳打ちをするんです。客を連れてきてやるから、一勝負につき百円寄越せ、とね。それを聞いて、私はぎょっとしましたよ。小学生だと思って馬鹿にしていたから、頭から冷水を浴びせられたような気分です。もっとも、こっちだって舐められたままじゃいけない。ふざけるなと脅して、五十円にまけさせました」佐倉は肩を揺すらせて笑った。

「倉持はあなたの部屋で内職を手伝っていたとか」

佐倉は遠くを見るように目を細め、それから二度三度と首を縦に動かした。「彼から聞きました。手品用の道具を作っていたとか」

「そんなこともありました。彼は口が達者だったが、手先も器用だった。ずいぶんと助けられたものです」

「その内職の場に居合わせたこともある、といいたかったが黙っていることにした。

「倉持はあなたからいろいろなことを教わったといってました。学校の先生から教わるよりずっとためになる、とも」

私の言葉に佐倉は満更でもなさそうな顔を作り、煙草の煙を吐き出した。

「彼とはいろいろな話をしましたよ。子供相手に何を話してたんだと笑われそうだが、その頃の私は仕事にあぶれ、ちょっとすさんだ生活をしておりました。で、それまでにやってきた怪しげな仕事のことなんかを、愚痴や冗談を交えて話してやってたわけです。それを面白がるんだから、本当に変わった子供でした。実家は豆腐屋だったと思いますが、家の仕事にはまるで興味がないといったふうでしたな。地道にこつこつとお金を稼ぐというのを馬鹿にしていたふ

「しがあります」

「あなたの影響を受けて、そんなふうに思い始めたんじゃないですか」

私がいうと、いやいやと彼は手を振った。

「あの男は最初からそうでしたよ。貧乏を心の底から忌み嫌っていました」

って貧富の差があるのは理不尽だ、というようなこともいってましたな」

「生まれた環境……」

「金持ちの家に生まれれば、子供の頃から贅沢ができる。ところが貧乏な家に生まれたらそう

いうわけにはいかない、ということですよ。といっても、彼の家が特別に貧乏だとは思わない

のですがね。どうやら身近に金持ちの息子がいて、その子に嫉妬していたようです。その子供

の家というのは」佐倉は思案顔になって続けた。「地元でも有名な金持ちでした。父親は歯医

者を経営しておりました」

ぎくりとした。私は言葉を失っていた。

「近くにちょっと小高い土地があり、そこには高級な住宅が建ち並んでいました。あなたも子

供の頃にあの町に住んでたことがあるなら、覚えてるんじゃありませんか。いわゆる山の手と

いうやつだ。そこに、一際大きな屋敷がありましてね、そこがその歯医者の息子の家だった」

「その子に嫉妬を……」

私は喉の渇きを覚えた。コーヒーではなく、水の入ったコップに手を伸ばした。

「強烈なコンプレックスを持っていました。それが彼を突き動かしていた、という面もあるん

じゃないかと思いますね。向こうが生まれながらに金持ちなら、自分だって楽をして同じぐら

いに金持ちになってやる、という意味のことをよくいってましたよ。だからこっつっと働くなんてのはだめだ、ともね」

佐倉の言葉の一つ一つが楔のように私の心に突き刺さった。倉持はやはり私を憎んでいたのだ。だからこそ、あれほど数々の仕打ちをしてきたのだ。

「しかしね、彼は決してその相手の少年を嫌っていたわけではないですよ。そのあたりがあの男の複雑なところでね、境遇を妬みはしても、相手の人間性については切り離して考えられる冷静さを持ち合わせていたんですな。友情とまではいかなくても、それに似たものを相手に感じていたようです。ただし、あくまでも似たもの、にすぎないんですが」

「というと？」

「彼は相手の少年が不幸になることを望んでいたようです。自分が今すぐに金持ちになれないから、とりあえず相手に落ちてもらおうということですな」

私は遠い過去の出来事を思い出していた。『殺』の血文字が脳裏に浮かんだ。倉持は私の名前をリストに書いた。田島和辛、と字は間違っていたが。

「その少年は、その後どうなったんですか」そんなことは誰よりも私が一番よく知っていたが、一応尋ねてみた。「不幸になったんですか」

「不運に見舞われたのは事実です」佐倉はコーヒーを飲んだ。「彼等が中学に上がって間もなくでしたかね、一家は離散したのですよ。大きな屋敷も手放すことになりました。その少年は父親と共にどこかの町に移ったようです」

「倉持の望みが叶ったわけですね。すごい偶然だ」

すると佐倉は鼻の下をこすり、意味ありげに咳払いをした。

「さて、偶然といいきれるかどうか」

「どういう意味です。倉持の望み通りに歯医者の息子が不幸になったのは、単なる偶然ではないのですか」

「それは私にも何ともいえません。ただね、この世で起きる出来事の殆どは、単なる偶然だけの産物ではないということです」

「何か知っていることがあるという口ぶりですね」

「私には何もいえないといっているでしょう。それにあなたには関係のない話だ。違いますか」

返す言葉がなく、私はうつむいた。テーブルの下で両手の拳を固めていた。

「あなたは彼の友人だとおっしゃいましたね」

佐倉の問いかけに私は顔を上げ、黙って頷いた。

「それは本気でそう思っておられるんですか。それとも、便宜上というか、体面上そのようにいっておられるわけですかな」

「どうしてそんなことを……」

「気になるからですよ。あの男が本当に友人を作れたのかどうか、ということがね。あの生き方をしているかぎり、それは難しいだろうと思いますから」

佐倉の本心が読めず、私は手元のコーヒーカップを引き寄せた。だが私がそれに口をつける

前に、彼は含み笑いを始めた。私はカップを戻した。

「何かいいたいことでも？」

「いや、失礼。どうやら図星のようだと思いましてね。あなたは彼の友人などではない。少なくともあなたはそう思っていない。むしろあなたは彼を憎んでいる。どうです、違いますかな」

「なぜそんなふうに思うんですか」

「それがあの男の生き方だからですよ。処世訓とでもいえばいいでしょうか。それの元になるものを教え込んだのが私ですから、責任の一端はあるわけですが」

「一体彼に何を教えたんです」

「私が彼に教えたこととは単純です。成功するには捨て石が必要だ、ということだけです」

「捨て石……」

「もちろんこの場合の捨て石とは、人のことを指します。しかし単に人を利用するという意味じゃありません。人間誰しも勝負をかけなきゃいけない時がある。場合によっては命がけといこともあるでしょう。そんな場合に捨て石を使えるのと使えないのとでは、勝負の結果に雲泥の差がある。また捨て石は、時に危険から身を救ってくれる防波堤にもなりうる。捨て石にふさわしい人材を常に用意しておくべきだ——私は彼にそう教えたのです。捨て石に最も必要なことは、自分が信用できる人間であることだ、ともね」

私は自分の顔が強張るのをくいとめられなかった。そんな様子に佐倉は気づいたようだが、彼はあわてることともなく、ゆったりとした動作で傍らの傘を手に取った。そして身体の正面で

立てると、杖のようにその上に両手を重ねた。

「あなたにも心当たりがおありのようだ」

「そんな生き方をして、何が楽しいんでしょうか」私は頬を強張らせたままでいった。

「彼は彼なりに充実しておったと思いますよ。あなたはおそらく彼を憎んでるんでしょうが、彼のほうはあなたのことを友人だと思っていたはずです」

「捨て石ではなく？」

私がいうと、佐倉はまた肩を揺すった。声を出さずに笑い顔を作った。

「さっきもいったように、あの男は複雑なんですよ。あいつは誰も信じないし、誰にも心を許さない。しかし例外もある。それがあなたのような人です。皮肉なことに、彼が心から信じられるのは、捨て石として抜擢した相手だけなんだ。だからそんなあなたは彼にとって友人だったのです。あくまでも彼の側からの言い分ですがね」

「もしそう思うなら、友人の幸せを望むはずだ」

「彼はあなたの幸せを望んでいたと思いますよ。ただし、それには若干の条件が付きますが」

「条件とは？」

すると佐倉はにやりと口元を歪め、私を三白眼で見た。

「捨て石として役に立たないほどには幸せにしない、ということです」

その瞬間、私の全身に鳥肌が立った。佐倉の吐いた言葉には、私の人生をコントロールしようとしていた倉持の執念が込められているようだった。事実、私はコントロールされていた。

幸せに手が届きそうになると、不吉な風に乗って倉持がやってくるのだった。

「少ししゃべりすぎたようだ。彼に会って、感傷的になったのですかな」佐倉は立ち上がり、財布を取り出した。中を見て顔をしかめた。「弱ったな。細かいのがない」

「いいですよ、ここは私が」そういって伝票を手元に引きつけた。

「そうですか。では遠慮なく」佐倉は頭を一つ下げ、出口に向かった。

経営コンサルタントなどという肩書きは嘘だろうと私は思った。あのうらぶれた男が、身なりは整っているが、たった二十年で紳士に変貌するとは思えなかった。

そしてあの男は、私が田島和幸だと知っている。倉持が嫉妬した歯医者の息子だと承知していて、あんな話をしたのだ。

これで倉持から援助を受けていたのではないか。

捨て石──私は巧妙に、そんな屈辱的な人生を歩まされていたのか。

だが佐倉の話で、一つだけ腑に落ちないことがあった。

歯医者一家が不幸に陥ったのは単なる偶然ではない、という彼の言葉だ。

偶然でないのなら、一体何だというのだ。

40

迷った挙げ句、私はもう一度佐倉に会ってみようと決心した。あの男は何かを知っている。

それを確かめないことには、自分のこれからの人生における再スタートをきれないと思った。

倉持を抜きにした人生のスタートだ。

由希子に連絡し、佐倉の名刺に印刷されていた住所と電話番号を教わった。地図帳を頼りに辿り着いた場所には、古い五階建てのビルが建っていた。いくつかのテナントが入っているようだが、表から見ただけでは、いずれもどういう業種なのかまるでわからなかった。

旧式のエレベータで三階まで上がった。廊下は薄暗く、かすかに異臭が漂っていた。その廊下の奥にドアがあり、『サクラ・コンサルティング』と書いたプレートが張られていた。それを見て意外な気がした。佐倉は本当に経営コンサルタントをしているということなのだろうか。

L字形の把手を回し、ドアを引いた。鍵はかかっていなかった。

正面に机があり、中央に安っぽい応接セットが並べられていた。奥には事務机やキャビネットなどが並んでいる。人の姿はなかった。

「すみません」私は声を出してみた。しかし返事はなかった。

私は室内に足を踏み入れた。正面の机に近づいた。いつ使ったのかわからないようなコーヒーカップが放置されていた。私は指で机の上を擦ってみた。うっすらと埃をかぶった表面に、指の跡が残った。どうやら佐倉がこの机を使ったのは、ずいぶん前のようだ。

鍵がかかっていないのだから、誰かいるはずだった。少し待とうと思ってソファに腰を下ろした時、ドアが開いた。

入ってきたのは佐倉ではなかった。髪を茶色に染めた中年の女だった。女はこちらを見て驚いた顔をした。人が来ているとは思わなかったのだろう。

私はあわてて立ち上がった。「あっ、どうも……」女は小さく会釈し、胡散臭そうな目で私の全身を眺めた。「どちら様ですか」

「先日、佐倉さんにお会いした者です——」

そこまでしゃべった時、私の脳の一部が反応した。遠い記憶が急速に呼び覚まされる感覚があった。佐倉と会った時に感じたものと同じだ。

私は女の顔を凝視していた。マンガの狸を想起させる顔だ。濃い化粧がそれを助長している。

だが私はその化粧の下にある顔、その顔が二十年前にはどうであったかを想像していた。それはある人物と完全に一致した。

「トミさん……」

私の呼びかけに女は目を瞠った。不安げな表情が浮かんだ。

「えっ……」小さく首を傾げた。窺うように上目遣いに私を見た。やがて彼女の口は大きく開いた。「あ……もしかして、田島さんの?」

「和幸です。田島和幸」

彼女はしばらく口を開けたままだった。その口を片手で覆いながら、なおも私の顔をしげしげと眺めた。

「お久しぶり」ようやく彼女は言葉を発した。どんな顔をしていいかわからないという戸惑いが、その口調には込められていた。

私の目の前にいるのは、かつて私の家で働いていたトミさんだった。トミエ、というのが本名だった。祖母の介護のため雇われていた。そして私の父としばしば性行為に及んでいた女性

だった。

「トミさん、どうしてこんなところにいるんだ」

「和幸さんこそ、なんでここに？」

「それは話すと長くなるんだけど」

私は知り合いが植物状態になったこと、その見舞いにやってきた佐倉に会うために来たとい
うことを、かいつまんで説明した。

「その植物状態になった人って、もしかしたら豆腐屋の……」

「倉持だ」

「そう、やっぱり。和幸さん、今もあの子と付き合いがあったんだね」

「倉持のこと、知ってるのかい」

「そりゃあ……あの人がしょっちゅう話してたから」

「あの人というのは佐倉さんのこと？」

うん、とトミさんは頷いた。ばつが悪そうに見えた。

我々はソファに向き合って座った。彼女は茶を入れようかといったが、いらないと私は答え
た。

「トミさんは佐倉さんとどういう関係なんだい」

彼女はうつむき、少しもじもじした。「どういうって……」

その様子から私は彼等の関係を察知した。

「いつ頃から続いてるんだい」

「それは、ええと、もう二十年以上になるかなあ」

「俺の家で働いていた頃から?」

トミさんは頷いた。

私は合点した。佐倉は彼女の口から、町一番の金持ちの内情を聞いてきたのだろう。そして彼は倉持に、そのことを面白半分にでも語って聞かせたのだ。倉持が歯医者の息子を特別に意識するようになったきっかけは、そこにあったのではないか。

「全然知らなかった。トミさん、恋人がいるのに、ああいうことをしていたわけかい」

私の言葉に彼女は顔を上げた。怪訝そうに眉をひそめた。「ああいうこと?」

「うちの親父とのことだよ。俺、知ってるんだぜ」

トミさんは息を呑んだようだ。しかし狼狽のようなものは見せなかった。次の瞬間にはふっと全身から力を抜く気配があった。居直ったように感じられた。

「あの頃はね、いろいろあったから」

「ずいぶん簡単にいってくれるけど、それが原因でうちの親は離婚したんだぜ」

「離婚したのはあたしのせいだけじゃないでしょ。それに、誘ってきたのはあんたんとこの親父なんだから」

彼女の台詞に私は返す言葉を見失った。彼女のいうとおりに違いなかった。私は彼女から目をそらし、吐息をついた。

「田島さんちがどうなったのか、あたしも噂で知ったよ。和幸さんもさぞかし大変だっただろうね」

「トミさんは、ずっと佐倉さんと一緒に暮らしてきたのか」

「結婚したことはないんだよ。だけど切れないままこの歳までできちゃった。腐れ縁というやつだね」そういって笑った。昔を思い出させる笑顔だった。彼女の作ってくれたカレーライスの匂いが、一瞬蘇ったような気がした。

「佐倉さんに会いたいんだけどな」私はいった。

「今日は帰ってこないと思うよ。うまい話があるとかで、新潟に出かけていったから。また誰かを騙して小金を稼ごうとしているみたい。胡散臭いことばっかりしてるんだよ、あの人」

「倉持の師匠だからな、と私は心の中で呟いた。

「だったら俺、出直すよ。今度は電話で確認してから来ることにしよう」

立ち上がりかけた私の肩にトミさんが手を載せてきた。

「せっかく会えたんだから、もう少しゆっくりしていきなさいよ。昔はあんなに仲良くしてたんだし。ビールでも飲もう。和ちゃん、飲めるんでしょ」

「だけど」

「あたしのことを、やっぱり怒ってんの?」

「そういうわけじゃないけどさ」

「だったら、ちょっとだけ付き合ってよ。あたしも一人で寂しいしさ」トミさんは私の手を握り、離そうとしなかった。

「じゃあ少しだけ」私はソファに座り直した。彼女と会って懐かしさを感じているのは事実だった。また、佐倉との関係などを詳しく聞いてみることも悪くないと思った。

トミさんはどこからかビールやウイスキー、それにちょっとした酒のつまみなどを出してきた。佐倉がいない時、こんなふうに一人で飲んでいるのだなと私は思った。

彼女によれば、看板をあげてはいるが、この事務所は単に佐倉の肩書きを信用させるための道具にすぎず、実際に何らかの仕事を請け負うことなどないということだった。家賃を誰が払っているのかは知らないという。倉持だろう、と私は推測した。

トミさんは早いピッチで酒を飲みながら、これまでの半生を語った。彼女はずっと佐倉と一緒だったわけではなく、ほかの男性と幸せを築こうとしたことも何度かあったらしい。しかし結局うまくいかず、佐倉のところに戻ってしまったということだった。

「あんな男のところに戻ったって仕方がないと思うんだけど、どういうわけか気が付いたらそばにいるんだよね。切りたくても切れない縁というやつかね」呂律の怪しくなった口調で彼女はいった。

俺と倉持の関係のようだなと私は思った。トミさんは私と同種の人間なのだ。

彼女は途中からウイスキーをストレートで飲み始めた。それを何杯か飲んだ後、とろんとした目で私を見た。

「それにしても和ちゃん、いい男になったね。結婚してんの」

「一度したけど、別れた」

「へえ、そうなんだ」トミさんは私の隣に移ってきた。「じゃあ、寂しい時、あるんじゃないの」

「別にそんなことはないよ」

「そう？　でもさあ、一番元気な時じゃない。欲しくなる時はあるでしょ。何だったらさあ、あたしが慰めてやってもいいよ」彼女は私の股間に手を伸ばしてきた。

「やめろよ」

「どうして？　遠慮しなくていいよ。おばちゃんだけどさあ、うまいんだから」

トミさんはブラウスを着ていた。その胸元のボタンが外れていた。屈むと大きな膨らみが見えた。肌が白かった。

不意にある光景が蘇った。白い尻が激しく上下している。尻の下には男がいた。税理士をしていた男だ。尻は無論、トミさんのものだった。

その途端、私のペニスに変化が起きた。そこを触っていたトミさんは、忽ちそれに気づいた。にやりと笑った。

「ほら、もうこんなになってるよ」

彼女は手品師のような器用さで、あっという間に私のズボンの前を開け、下着を剥いてペニスを晒した。そしてそれを愛おしそうに撫でた後、ゆっくりと唇を近づけていった。

あのお手伝いさんだったトミさんが俺の性器をくわえている、親父と密かに性交していたトミさんが——そんなふうに思うと、倒錯した快感が押し寄せてきた。私はそれに身を委ね、やがては彼女の口の中に射精していた。

ティッシュで口元をぬぐいながら彼女は含み笑いした。「同じ味がする」

「同じって？」

「和ちゃんのお父さんのと同じ味ってこと。やっぱり親子だね」

608

そんなものの味に個人差があるのかと思ったが、黙っていた。私はまだ虚脱していた。

トミさんは口直しでもするようにウイスキーを飲むと、流し目で私を見た。

「和ちゃんはさあ、両親の離婚をどう考えてるのか知らないけど、あたしにいわせれば、別れてよかったと思うよ。別れるしかなかったよ」

「どうして？」

「だってさあ、あんなのうまくいきっこないよ。あの奥さんじゃさあ」

「俺のお袋のこと？」

トミさんは頷いた。

「お袋が何だっていうんだ」

すると彼女はちょっといいにくそうに口元を曲げた後、こういった。

「あたしさあ、奥さんに命令されたことがあるんだよ。すごく変なこと」

「変なことって？」

「ごはんに白粉（おしろい）を入れろっていわれたんだ」

「はあ？」私は聞き直した。意味がよくわからなかった。

だから、と彼女はいった。

「おばあさんの食事に、こっそり白粉を入れろっていわれたの。あの化粧に使う白粉を」

「白粉？　なんだそれ」

「よくわからなかったけど、いうとおりにするなら旦那（だんな）とのことは見逃してやるっていわれたのよ。奥さん、あたしらのこと勘づいてたんだ」

「それで、いわれたとおりにしたのか」

トミさんは首を振った。

「白粉の箱を受け取ったけど、食事に混ぜたことなんか一度もないよ。後でわかったことなんだけど、昔の白粉には毒が含まれてたんだってね」

またしても古い記憶が浮かび上がってきた。母の鏡台。その引き出しに入っていた白粉——。

あの鏡台は、彼女が家を出ていく時に運び出された。

「そうこうするうちにおばあさんが亡くなったんだよね」トミさんはいった。「おばあさんの病状は急に悪くなった。ちょうどあたしが奥さんに白粉を混ぜろって命令された頃からだった」

「何がいいたいんだ。お袋が自分で白粉を混ぜてたっていうのか」

「だってそれしか考えられないじゃない。奥さんはあたしに混ぜろって命令したけど、自分でもチャンスを見つけてこっそり混ぜてたのかもしれない。でないと、急におばあさんが弱ったことの説明がつかないよ」

私はトミさんを睨みつけた。彼女は怯えたように肩をすくめ、ウイスキーを舐めた。

「トミさん、そのことを誰かに話したか」

彼女はあわてた様子でかぶりを振った。「話してないよ」

「佐倉にもか？　奴にも話してないか」

彼女は困惑したように黙り込んだ。うつむいたまま、動かなくなった。「話せることじゃないでしょ」

私は立ち上がり、脱ぎ捨ててあった上着を手にした。トミさんが何かいったようだが、私の

耳には届かなかった。無言で事務所を出た。

タクシーを拾った。様々な考え、思いが私の脳裏で交錯していた。これまでの出来事が滝のように流れ落ちていった。

偶然ではなかった、自分が不幸になったのは単に運が悪かっただけではないのだ——私はついに一つの解答に達していた。

タクシーは病院に着いた。私は夜間入り口から中に入った。廊下は暗く、静まり返っている。

その中を私は真っ直ぐに倉持の病室に向かった。

病室のドアを開け、足を踏み入れた。倉持は相変わらず、ビニールシートの中で横たわっていた。彼の生命を維持する様々な電子機器が、ちかちかと光を放っている。

私はベッドに近づき、ビニールシートをかきわけた。倉持の顔が闇の中で淡く浮かび上がっている。少年のような寝顔だった。

倉持——私は心で呼びかけた。

おまえだったんだな、あの噂を流したのは。うちの母親が祖母を殺したのだとおまえがいいふらしたのだな。

あの時、どこから噂が流れ始めたのか、最後までわからなかった。おしまいには警察まで動きだすほどの騒ぎになったが、最初は小学校の片隅で語られた会話にすぎなかったのだ。

あの噂がすべてのはじまりだった。田島家は崩壊し、父親は落ちぶれた。私は倉持という悪魔に操られ、人生を台無しにした。

呪いの手紙——見事だったよ、倉持。おまえは私に呪いをかけたのだ。私はそれから逃れる

ことができなかった。

「だけどもう終わりだ」私は声を出していった。倉持の顔を見下ろした。すべてを知った私は、もうおまえの呪いからは解放されたのだ。これからはおまえ抜きの人生を歩んでいける。おまえにはもう私の邪魔をすることは不可能なのだ。

私は彼の顔に、自分の顔を近づけていった。息がかかりそうに近寄ってから、私は呟いた。

「さよならだ、倉持」

その時だった。それまでじっと閉じられていた倉持の瞼が、ゆっくりと開いた。さらにその黒い目が、私をとらえた。

彼には意識はないはずだった。いや、彼はすでに人間としての思考を持ってはいないはずであった。しかし彼はたしかに私を見つめていた。私の中では倉持修は依然として生きていて、私が勝手な生き方をしないように、睨み続けているのだ。

そうはいくものか——倉持の声が聞こえた。私の心の奥底から、彼が囁きかけてきたのだ。

その瞬間、頭の中が空白になった。次にその空白のスクリーンに一つの光景が映し出された。

祖母の死体だった。私が財布を盗もうとした時、彼女の目が動いたような気がした。その時の恐怖が蘇った。祖母の葬儀で私が彼女の遺体を見ることができなかったのは、私の中では彼女は死んではいなかったからだ。

あの時と同じだった。

私の口が、私自身の意思に反して、悲鳴とも怒号ともいえぬ叫び声を上げていた。同時に私の手は勝手に動きだるし、彼の首を絞め始めていた。

いいようのない恐怖が全身を包んでいた。それは湿った風のように私の身体にまとわりついた。私はそれから逃れるため、腕に、指先に力を込めた。叫んでいたはずだが、その声は私の耳には入らなかった。

どれぐらいそうしていたのかはわからない。大勢の人間がやってきて、私を取り押さえようとしていた。しかし私には倉持以外、目に入らなかった。

倉持の目は虚空を見つめていた。絞めた首から上が青黒くなっていた。

私は誰かに無理やり引き離されるまで首を絞め続けていた。絞めながら、混乱する頭の片隅で自問していた。

おれは殺人の門を越えたのだろうか——。

解説

北上　次郎

　びっくりするような仕掛けに騙される快感はミステリーを読む醍醐味の一つだが、しかしそういう小説は珍しくない。珍しいのは、何も起きない小説だ。派手なものが一つもない小説だ。いや、何も起きないわけではない。何かは起きているのだ。ここでは大仕掛けではないという意味に受け取ってもらえればいい。

　そんなものはつまらないだろ、と言ってはいけない。派手なものがなく、大仕掛けでもないとなると、それ以外のものが要求されるので、きわめて成熟した作者の力量というものが必要になる。細部の描写力はもちろんのこと、全体の構成力が問われるのだ。このほうが遙かに難しい。よほどの力量と自信がなければ、つまり小説巧者でなければ手を出さないだろう。たとえば、東野圭吾のような。

　もちろん、東野圭吾にも大仕掛けのミステリーはある。ケレンたっぷりの作品がある。『秘密』はその系譜の傑作といっていい。リドルストーリーふうに展開するこの長編は、東野圭吾のケレンのうまさを集約した作品で、たっぷりと堪能できる。しかしそちらの系譜の作品も大好きなのだが、そういう作品よりも、地味な作品のほうにこの作家の実力は

現れている。いや、こちらのほうが力量がもろに問われるだけに、その美点がわかりやすいということだ。ケレンたっぷりの作品は話題になることが多く、それに比べて地味な作品は見逃されがちなので、あえてここではそれを強調しておきたい。

たとえば『手紙』を見られたい。これは刑務所に入った兄から手紙をもらうだけの話だ。だけ、と言ってはいけないか。ようするに犯罪者の兄を持った弟の人生を描く小説である。身内の人間が刑務所に入ったらどういうふうに生きていくのか、という小説だ。その兄から手紙がくるという構成は秀逸でも、ようするにそれだけの話である。地味である点は否めない。にもかかわらず、東野圭吾はそれをたっぷりと読ませるのである。まったく、うまい。

あるいは直木賞受賞作となった『容疑者Xの献身』をここに並べてもいい。あの大仕掛けのミステリーをここに並べることに異論のある向きもあるだろうが（地味ではないぞ、という声もあるだろうが）、あの傑作の最大のキモは、なぜ容疑者Xがあれほどの献身をしなければならなかったのかということだ。私はそう考える。つまり動機の説得力があのトリックを支えているのだ。その意味では、仕掛けの凄さよりもきわめて地味ともいうべき描写力が問われる作品といっていい。もちろん読者は説得させられるのである。あの動機、その感情に頷（うなず）くのである。リアル

本書もそういう流れの中にある。

主人公は田島和幸。医者の息子として生まれながら、両親の離婚、事業の失敗と、運命

は変転し、貧困のただなかで育つ子供時代から、孤独な青年期までの生活を、本書は丁寧に描いていく。この間の克明なディテールをまずは読まれたい。没落していく父の様子と学校のいじめ、そして初恋と別れ。どんどん不幸に向かっていく和幸の姿が説得力を持って描かれる。しかしこれだけなら、読みごたえはあるものの、「普通の小説」だろう。そこに倉持修が絡んでこなければ。この男は和幸の小学校時代の同級生だが、人生の指南役として登場し、主人公の運命を左右していく。これが最大のミソ。本書は、この二人の奇妙なつながりを描く長編である。

倉持修に誘われて和幸が入り込むのは、手を替え品を替えた悪徳商法の世界で、その世界と仕組みが克明なディテールとともに描かれる。しかしこれも、物語的には新奇な題材ではない。にもかかわらず、この物語は読み始めるとやめられなくなる。それは、田島和幸と倉持修の関係がとてもリアルに描かれるからだ。

倉持修は詐欺を詐欺とも思わず、和幸を自分の都合のいい手駒としか考えない男である。口から先に生まれてきたような男といっていい。何度も煮え湯を飲まされた和幸が、そのたびに復讐を決意するのも当然だろう。その間のディテールが読みどころなのだが、さまざまな出来事がどういうふうに起きて、二人の関係がどうなるかは本書をお読みいただきたい。

しかし、ではこれが、自分を騙した男への復讐小説なのかというと、そうではないところが興味深い。倉持修に、実がないではない。いや、和幸にはその判断ができないほど、

時には実があるように見えたりもする。騙されたような気もするが、それも誤解であるような、複雑な気持ちを持て余し、結局彼とつかず離れずの関係を続けていく。そのあたりの微妙な距離感を、作者は鮮やかに描いている。うまいなあホント。

このリアルな距離感、つまりは反発しながら離れられないという二人の関係こそが本書の最大の眼目で、東野圭吾の筆力をもってして初めて説得力を持つ。

ラストに登場する男の台詞（せりふ）を引く。

「口のうまい男だったよね。この男にかかると、どんなクズ鉄だって金みたいに思えてくる。それでどれだけ損をさせられたか」

そう言ってから男は笑って付け加える。

「だけど、今振り返ってみると楽しかった。この男のおかげで変わった夢をいくつも見られた。こんなことになってしまって本当に寂しいよ」

倉持修とはこういう男であるのだ。すなわちこれは、そういう男との歪（ゆが）んだ友情の物語なのである。

本書は二〇〇三年八月、小社より刊行された単行本を文庫化したものです。

殺人の門

東野圭吾

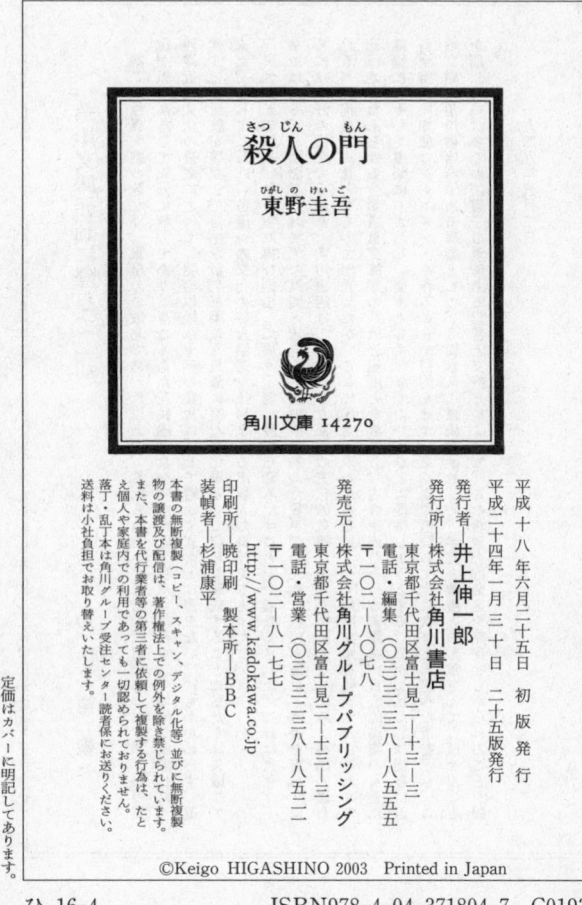

角川文庫 14270

平成十八年六月二十五日　初版発行
平成二十四年一月三十日　二十五版発行

発行者――井上伸一郎
発行所――株式会社角川書店
　　　　　東京都千代田区富士見二―十三―三
　　　　　電話・編集（〇三）三二三八―八五五五
　　　　　〒一〇二―八〇七八

発売元――株式会社角川グループパブリッシング
　　　　　東京都千代田区富士見二―十三―三
　　　　　電話・営業（〇三）三二三八―八五二一
　　　　　〒一〇二―八一七七
　　　　　http://www.kadokawa.co.jp

装幀者――杉浦康平

印刷所――暁印刷　製本所――BBC

本書の無断複製（コピー、スキャン、デジタル化等）並びに無断複製
物の譲渡及び配信は、著作権法上での例外を除き禁じられています。
また、本書を代行業者等の第三者に依頼して複製する行為は、たと
え個人や家庭内での利用であっても一切認められておりません。

落丁・乱丁本は角川グループ受注センター読者係にお送りください。
送料は小社負担でお取り替えいたします。

定価はカバーに明記してあります。

ひ 16-4　　　ISBN978-4-04-371804-7　C0193

角川文庫発刊に際して

角川源義

　第二次世界大戦の敗北は、軍事力の敗北であった以上に、私たちの若い文化力の敗退であった。私たちの文化が戦争に対して如何に無力であり、単なるあだ花に過ぎなかったかを、私たちは身を以て体験し痛感した。西洋近代文化の摂取にとって、明治以後八十年の歳月は決して短かすぎたとは言えない。にもかかわらず、近代文化の伝統を確立し、自由な批判と柔軟な良識に富む文化層として自らを形成することに私たちは失敗して来た。そしてこれは、各層への文化の普及滲透を任務とする出版人の責任でもあった。

　一九四五年以来、私たちは再び振出しに戻り、第一歩から踏み出すことを余儀なくされた。これは大きな不幸ではあるが、反面、これまでの混沌・未熟・歪曲の中にあった我が国の文化に秩序と確たる基礎を齎らすためには絶好の機会でもある。角川書店は、このような祖国の文化的危機にあたり、微力をも顧みず再建の礎石たるべき抱負と決意とをもって出発したが、ここに創立以来の念願を果すべく角川文庫を発刊する。これまで刊行されたあらゆる全集叢書文庫類の長所と短所とを検討し、古今東西の不朽の典籍を、良心的編集のもとに、廉価に、そして書架にふさわしい美本として、多くのひとびとに提供しようとする。しかし私たちは徒らに百科全書的な知識のジレッタントを作ることを目的とせず、あくまで祖国の文化に秩序と再建への道を示し、この文庫を角川書店の栄ある事業として、今後永久に継続発展せしめ、学芸と教養との殿堂として大成せんことを期したい。多くの読書子の愛情ある忠言と支持とによって、この希望と抱負とを完遂せしめられんことを願う。

　一九四九年五月三日

角川文庫ベストセラー

角川文庫ベストセラー